Practices of Energy-saving, Emission- reduction and Carbon Reduction Technologies

CO2 NEUTRAL

节能减排与减碳技术实践

郭宏新　编著

化学工业出版社
·北京·

内容简介

本书作者长期从事科研与科技成果产业化，系统总结了中圣科技集团多年的科技成果产业化成效、成果，针对节能、能源调整、技术创新三大方面，分别阐述工业余热回收高效利用技术，液化天然气储运、汽化、冷能利用、保冷技术，光伏新能源行业多晶硅生产及冷氢化技术，废气和废水回收、处理技术等企业研发成果及多项专利技术，为工程技术人员提供工程应用案例。具体包括工业过程高、中、低温余热回收高效综合利用技术；液化天然气(LNG) 相关的储运技术、汽化技术、冷能利用技术及保冷技术；光伏新能源多晶硅的核心工艺关键技术及工艺成套装备，从多晶硅生产工艺、三氯氢硅的合成及还原到四氯化硅冷氢化等技术；废气回收再利用技术、无害化排放技术，如节能型消烟火炬、零能耗音速火炬头、节能低碳地面火炬等，这些技术均为节能低碳型前沿技术；各种高盐废水的先进处理技术，涵盖高盐废水处理的全过程，包括预处理、膜处理、蒸发结晶等，详细阐述了各种节能处理技术如多效蒸发、机械蒸汽再压缩（MVR)、热力蒸汽再压缩（TVR)、晶种高效降膜蒸发等。

本书不仅可供石油、石化、化工、能源、安全、环保、节能等领域的技术人员和管理人员使用，也可作为高等院校相关专业师生的辅助教材用书。

图书在版编目（CIP）数据

节能减排与减碳技术实践 / 郭宏新编著. -- 北京 : 化学工业出版社, 2025. 12（2026. 1重印）. -- ISBN 978-7-122-49088-9

Ⅰ. F403. 3

中国国家版本馆 CIP 数据核字第 2025DG1231 号

责任编辑：高　宁
文字编辑：李晓畅　王云霞
责任校对：宋　夏
装帧设计：王晓宇

出版发行：化学工业出版社
(北京市东城区青年湖南街 13 号　邮政编码 100011)
印　　装：北京盛通数码印刷有限公司
787mm×1092mm　1/16　印张 20½　彩插 1　字数 339 千字
2026 年 1 月北京第 1 版第 2 次印刷

购书咨询：010-64518888　　售后服务：010-64518899
网　　址：http://www.cip.com.cn
凡购买本书，如有缺损质量问题，本社销售中心负责调换。

定　　价：168.00 元

序一

频繁的极端天气、不断后退的冰川、反复破纪录的高温，使全球气候变化从遥远的科学预测转变为每个人触手可及的现实。“节能降碳”便不仅是各国政策文件里的口号，而是关乎人类文明能否行稳致远的时代课题。作为碳排放量世界第一的国家，中国向全球作出了“2030年前碳达峰、2060年前碳中和”的庄严承诺。如何把国家“双碳”目标具象为可落地、可度量、可复制的项目方案与措施，是这场绿色革命真正的“最后一公里”。

本书作者正是在这样的背景下，深入产业端，系统详细总结了那些被忽视却蕴含巨大降碳潜能的领域的节能减碳技术实践：余热利用、天然气高效应用、多晶硅绿色生产技术以及长期被当作废弃物甚至负担的废气、废水等。

余热回收利用，从低温到中温、高温，从显热到潜热、从单点回收到园区级能流重构，基于热力学第二定律的“梯级利用”思维框架，重点介绍了冶金、能源及石油化工等领域的余热回收经典案例。天然气作为一个主要工业及民用低碳化石能源，在液化、储存、再汽化过程中存在着庞大的势能及冷能，利用好这些能量可以开发出巨大的减碳潜力。光伏新能源多晶硅制备技术，聚焦高能耗、高排放“卡脖子”环节，对比改良西门子、硅烷流化床、冶金法等工艺的能耗与碳足迹，解析了颗粒硅、再生硅等前沿技术；废气焚烧及资源化，跳出“一烧了之”的传统思路，引入收集、储存、利用、节能环保焚烧等组合技术，实现VOCs高效治理与余热、副产蒸汽回收的双赢；高盐废水零排放，以“分盐—浓缩—结晶—资源化”为主线，集成电渗析、正渗透、机械蒸汽再压缩、多效蒸发、冷冻结晶等创新工艺，实现了“效益型环保”的节能减碳双目标。

这些技术把“末端治理”升级为“资源再生”，把“单一过程低碳”扩展为“系统能效最优”，最终实现从“减碳”到“负碳”的跨越。既有基础原理与关键工艺和核心设备的“硬核”剖析，也穿插了作者及团队在国家重点研发计划、绿色工厂示范、近零碳园区等一线项目中的实战案例；提供了可直接复制的工艺包与经济性测算模板，力图让读者“带着问题来，拿着方案走”。

节能减排不是企业发展的“包袱”，而是新一轮产业竞争的“隐形赛道”。每一次余热发电、每一方替代燃料、每一吨再生硅料，都是企业在“碳关税”大闸落下前提前布局的“绿色效益”。希望本书能成为政府决策者、能源与环保工程师、投融资机构以及高等院校师生的“工具书”，从中能找到一条“柳暗花明”的技术路线或商业模式。

“碳中和”不是终点，而是一场以能源—经济—环境系统重构为内核的新工业革命。愿本书能为每一位心怀“绿色使命”的同行者点亮一束微光，汇聚成推动时代向前的燎原之火。让我们从节能减排的每一千瓦时、每一吨二氧化碳开始，书写属于中国、也属于全人类的零碳未来。

本书系统介绍了冶金、能源及石油化工等领域的节能与减碳新原理、新技术和新工艺，穿插了作者及团队在国家重点研发计划、绿色工厂示范、近零碳园区等一线项目中的实战案例，同时提供了可直接复制的工艺包与经济性测算模板，可为相关行业管理人员、一线工程技术人员在工作实践中提供技术支撑，也可作为节能技术知识科普的辅导材料。

邵安林

中国工程院院士

2025 年 4 月

序二

“十一五”以来，节能减排已成为我国国民经济发展的重要战略，特别是“十三五”末期，资源利用水平稳步提升，环境质量持续改善，绿色生产生活方式加快形成。2020年，以习近平同志为核心的党中央经过深思熟虑作出了力争2030年前实现“碳达峰”、2060年前实现“碳中和”的重大战略决策，这一决策事关中华民族的永续发展和人类命运共同体的构建。原中国气候变化事务特使解振华先生在中国环境与发展国际合作委员会2024年年会（北京）上指出：必须围绕“双碳”目标，以统筹降碳减污为抓手，推动产业结构、能源结构、交通运输结构的优化调整，推进绿色低碳高质量发展。近年来，我国在清洁能源技术、能效提升技术、碳捕集利用与封存技术等方面取得了显著进展。实现“碳达峰”“碳中和”是一项多维、立体、系统的工程，涉及经济社会发展方方面面，具体到工业过程，需要降低能源消耗、减少污染物排放。社会各界的积极参与也是节能减排和减碳能否成功的关键所在，企业和个人可通过改进生产工艺、采用节能设备、提高资源利用效率等各种方式，为降低能源消耗和碳排放作出贡献。

本书作者曾是南京工业大学教授，响应国家号召创办高科技企业，带领技术团队深耕高效传热节能研究40余载，始终践行“效益型环保”的理念，不断推动科技成果产业化，在帮助客户、社会解决节能减碳等问题的同时，助力传统产业的节能降耗、升级改造与新兴产业的快速发展，为国家“碳达峰”“碳中和”目标的实现不懈努力。完成了多项国家、省级重大科技支撑计划项目和科技成果转化专项，获得国家科学技术进步二等奖。作者系统详细地总结了中圣公司在工业余热回收高效利用、液化天然气成套装备、太阳能多晶硅冷氢化和废气/水处理与资源化等领域的多项专利技术及产业化成果，均为节能低碳型前沿技术与应用实践，具有重要的示范效应和推广价值。

本书系统介绍了石油、石化、化工、新能源、安全、环保、节能减排等领域关键工艺技术及成套装备技术的经典案例，可为能源相关管理人员、企业节能减碳管理人员、工程技术人员的实际工作提供技术支撑，也可作为节能领域工作人员普及相关节能技术的辅导材料。

江苏省化工行业协会会长

2025年4月

前言
PREFACE

在气候变化和环境问题日益严峻的背景下，节能减排与减碳是当前全球面临的重要议题，不仅关乎环境保护与气候变化，也与可持续发展、民生福祉及国家战略紧密相关。温室气体排放，尤其是二氧化碳的排放，是导致全球气候变暖的主要原因，通过节能减排和减碳，可以有效减缓气候变化的速度，降低极端气候事件发生的频率和强度。通过节能减排与减碳，可以减少对化石能源的依赖，增强能源供应的稳定性和安全性，保障国民经济持续健康发展及国家的能源安全。通过节能减排和减碳，可以减少污染物排放，改善环境质量，为公众提供更加健康宜居的生活环境，从而促进社会的稳定和谐。

节能减排与减碳是一项系统工程，需要政府、企业、科研机构和公众的共同努力。面对全球性的气候问题，更需要国际合作，方能取得显著成果。中国是国际气候变化的重要参与方及谈判方，近年来，我们一直积极与世界各国分享减排技术和经验，共同推动全球绿色低碳发展，已承诺力争在2030年前实现“碳达峰”，努力争取2060年前实现“碳中和”。为了实现这一目标，中国政府采取了一系列措施及政策，如推动能源结构调整、发展清洁能源、提高能源利用效率、加强环境保护法规的执行等。原中国气候变化事务特使解振华在中国环境与发展国际合作委员会2024年年会（北京）上指出：必须围绕“双碳”目标，以统筹降碳减污为抓手，推动产业结构、能源结构、交通运输结构的优化调整，推进绿色低碳高质量发展。近年来，中国在清洁能源技术、能效提升技术、碳捕集利用与封存技术等方面取得了显著进展。社会各界的积极参与也是节能减排和减碳能否成功的关键，企业和个人可通过改进生产工艺、采用节能设备、提高资源利用效率等方式降低能源消耗和碳排放。

从技术层面上讲，减排与减碳主要有三大途径：节能减排、能源结构调整和技术创新。节能减排的本质是满足同样能量需求的前提下减少能源的使用量，或者消耗同等的能量形成更多的产出，节能不仅降低了能源成本，也直接减少了与能源使用相关的温室气体排放。能源结构调整是实现减排、减碳目标的关键途径之一，其主要措施有：使用低碳能源代替高排放能源，如使用天然气代替煤；降低化石能源消费比重，如降低煤电的比重；发展清洁能源，如太阳能、风能、水电、生物质能等。技术创新是推动节能减排和减碳实践的关键，通过技术的不断进步和创新，可以显著提高能源使用效率，降低设备或产品成本，从而促进可持续发展和环境保护。

本书第1章概括介绍了能源现状、温室效应、减排路线以及我国实现“双碳”目标的途径和关键技术。第2章介绍了电力、冶金、化工等领域的典型余热回收技术，通过采用余热回收高效综合梯级利用技术，大幅降低行业的能源需求，从而达到减排的目的。第 3 章介绍了与液化天然气（LNG）相关的储运技术、汽化技术、冷能利用技术及保冷技术。天然气是典型的低碳型能源，通过“气代煤”可以大幅降低碳排放，液化天然气因具有高能量密度、运输方便、储存灵活等特点，广泛用于天然气的储运及贸易中，但因将其液化需要维持－163℃超低温，导致其液化、储存及再汽化需要很高的技术门槛。第 4 章从太阳能多晶硅生产工艺、三氯氢硅的合成及还原、四氯化硅冷氢化等方面介绍了光伏新能源多晶硅的关键技术及工艺成套装备。太阳能是取之不尽、用之不竭的清洁能源，多晶硅是制造太阳能光伏电池的原材料，其造价直接影响光伏太阳能的利用成本及推广应用普及程度。长期以来，多晶硅生产中，每生产 1 吨多晶硅要副产 4 吨以上四氯化硅，四氯化硅作为一种副产物，如果填埋处理，一遇潮湿空气即分解成硅酸和剧毒气体氯化氢，存在重大安全和污染隐患。冷氢化技术可以将副产物四氯化硅转换为三氯氢硅，实现了废物资源化，从而大幅降低了多晶硅生产成本，极大地促进了太阳能光伏电池的推广，使太阳能真正成为清洁能源。工业是国民生产的支柱，工业生产过程中不可避免地会产生废气废液。第 5 章介绍了废气回收再利用技术、无害化排放技术，实现了“效益型环保”理念，如节能型消烟火炬、零能耗音速火炬头、节能低碳地面火炬等，这些技术均为节能低碳型前沿技术。工业废液特别是高盐废水，一直是工业污水处理最难、最后的一环。第 6 章介绍了各种高盐废水的先进处理技术，涵盖了高盐废水处理的全过程，包括预处理、膜处理、蒸发结晶等，详细阐述了各种节能处理技术，如蒸发结晶技术的多效蒸发、机械蒸汽再压缩（MVR）、热力蒸汽再压缩（TVR）、晶种高效降膜蒸发等。上述工程技术与实践均是践行“效益型环保”的生动案例，是增效型减碳、创新型减碳的具体实践，可供工程技术人员可以在工程应用中借鉴，从而推动我国“双碳”目标的早日实现。

中圣研究院技术团队的首席专家刘丰教授、杨峻教授、刘世平博士、郭海纬博士、王建果博士、何松博士、陈飞高工、张贤福高工等参与了本书的编写工作，对他们的辛勤付出表示感谢！

感谢中国工程院邵安林院士和江苏省化工行业协会会长乔旭教授对中圣技术团队及研究成果的认可并作序加以肯定。

由于编者水平和经验有限，书中难免出现疏漏和不足之处，敬请读者批评指正。

郭宏新

2025 年 4 月

目录
CONTENTS

第1章 概述

1.1 能源现状

当前全球能源现状呈现复杂的局面，在结构上仍然是以煤、石油和天然气三大传统化石能源为主，且消费量在持续增长，太阳能、风能、生物质能、核能等清洁能源也在快速发展，清洁能源的投资显著增长。2023 年全球化石燃料消费量增长 1.5%，总量达到 505 艾焦（1 艾焦$=10^{18}$焦耳），其中煤炭消费量增长 1.6%，石油消费量增长 2%，而天然气消费量基本保持稳定。化石燃料在全球一次能源结构中的占比仍高达 81.5%，导致全年能源相关二氧化碳排放总量上升 2%，首次跨越 400 亿吨二氧化碳大关。2023 年全球可再生能源消费量增速是一次能源总消费量增速的 6 倍，占总消费量的 14.6%。同时清洁能源投资增长显著，2024 年全球清洁能源投资首次突破 3 万亿美元大关，其中 2 万亿美元用于清洁能源技术及其基础设施建设。太阳能光伏投资超过所有其他发电技术的总和，而核电投资有所回升。清洁能源投资热的背后也存在投资失衡的问题，如中国以外的新兴市场和发展中经济体在清洁能源支出中的份额仅为 15%，非洲、拉丁美洲、东南亚等地区的清洁能源投资水平仍较低。因此，全球能源转型面临着挑战与机遇并存的局面，技术发展和政策推动为清洁能源发展提供了动力，但在能源转型面临的成本、基础设施和市场接受度等方面仍面临着挑战。

中国是新崛起的能源大国，处于经济快速发展阶段，对能源的需求日益增长。作为世界上最大的发展中国家，中国是一个能源生产和消费大国，能源生产量仅次于美国和俄罗斯，居世界第三位。20 世纪中后期，中国由一个能源自给自足的国家变为了能源进口国。进入 21 世纪以来，中国已成为世界上能源消费量增长最快的国家之一，基本能源消费量约占世界总消费量的 1/10，仅次于美国，居世界第二位。与此同时，我国在能源方面也隐藏着巨大的危机，面临着巨大的挑战，主要表现在以下几个方面。

（1）人均能源资源紧缺

我国拥有比较丰富而且多样的能源资源，化石能源的经济可采储量仅次于美国、俄罗斯，居世界第三位。但我国有约 14 亿人口，三大化石能源人均储量极低，远低于世界人均水平。如我国资源较丰富的煤炭，世界人均可采储量为 125 吨，我国人均仅 99 吨，为世界人均的 79.2%；世界人均石油可采储量为 30.5 吨，我国人均只有 2.5 吨，仅为世界人均的 8.2%；世界人均天然气可采储量为 2625 立方米，我国人均只有 600 立方米，仅为世界人均的 22.9%。

（2）能源需求量大，油气供需缺口大

2023 年中国原油产量 2 亿吨，连续 6 年保持增长，但同年石油消费量快速增长至 7.56 亿吨，进口占比高达 73.5%。与此类似，中国天然气产量连续 7 年增产超 100 亿立方米，但 2023 年天然气进口量同比增长 9.9%。进口量的增长反映出国内产量无法完全满足日益增长的消费需求。

（3）能耗强度高，利用效率低

从中国能源发展历史来看，在过去十几年，中国高度重视能源效率提升，提出要实现经济高质量发展和能源低碳转型，整体上能源效率不断提升，但中国目前的能源利用效率仍然低于世界平均水平，与西方发达国家存在较大差距，见表1.1。因按照现价汇率计算的国内生产总值（GDP）受汇率波动的影响，对国家的实际经济生产反映有偏差，导致计算的单位GDP能耗虚高，因此表1.1同时列出了按现价汇率计算的单位GDP能耗和按购买力平价计算的单位GDP能耗。从表中可以看出，即使是按购买力平价计算，我国能耗仍高于主要发达国家42.8%～120.2%，有进一步提升空间。

表1.1 中国与世界主要发达国家和地区的能源强度对比（单位GDP能耗）

单位：艾焦/万亿美元

国家和地区	中国	美国	欧盟	德国	日本	全球
按现价汇率计算	8.89	4.04	3.52	3.00	3.59	6.19
按购买力平价计算	5.77	4.04	2.78	2.62	3.29	4.06

（4）能源结构欠合理，排放量大

由于资源及多方面的原因，我国能源消费结构一直以煤炭为主，相对于世界而言，并没有发生第二次转变，即从以煤炭为主到以石油、天然气为主的转变。2023年我国煤炭消费量为48亿吨，占能源消费总量的55.3%，石油占比18.2%，天然气占比8.6%；而全球能源消费中，煤炭占比26.47%，石油占比31.70%，天然气占比23.30%。综合各方面的因素，我国的能源消费结构在今后较长的时期内将维持现有的格局。以煤炭为主的能源结构及煤炭的粗放开采和低水平利用导致了CO_2、SO_2、PM_{10}和$PM_{2.5}$等温室气体和污染物的大量排放，目前我国CO_2排放量已经超过美国居世界第一位，2023年部分国家及地区CO_2排放占比见表1.2。

表1.2 2023年部分国家及地区CO_2排放占比

国家及地区	中国	美国	印度	俄罗斯	巴西	印尼	欧盟	日本	韩国
占比/%	31.8	14.4	9.5	5.8	5.5	5.8	4.9	3.5	1.9

近年来，我国采取了各种手段治理污染，如燃煤电厂强化脱硫脱硝、冬季供暖煤改气、老旧装置节能减排措施等，取得了显著的成效。

1.2 温室效应

温室效应是大气效应的俗称。研究观点普遍认为排放的二氧化碳（CO_2），甲烷（CH_4）、一氧化二氮（N_2O）等称为温室气体。太阳波辐射到达地面，地表向外释放出的长波热辐射线被温室气体（主要指CO_2）吸收，在夜间持续辐射和转变成热能，使地表不致因缺乏太阳辐射而变得太冷。温室效应（又称“花房效应”），是指温室气体减少地表热量散失的作用类似于栽培农作物的温室。

温室效应是造成全球气候变化的主要原因之一。大气中温室气体浓度逐渐增加，造成太阳辐射中的长波辐射被吸收，使全球气温升高，从而导致冰川融化、生态环境被破坏，干旱、暴雨、飓风等诸多极端天气频发。全球气候变化已经成为当今人类社会面临的共性问题。

1.2.1 温室效应的影响

温室效应的不断加剧必然导致全球变暖，全球变暖会给人类生存和发展带来一系列重大影响。

（1）冰川消退，海平面上升

全球平均气温升高使极地及高山冰川融化，从而使海平面上升。气温升高导致海水受热膨胀，也会使海平面上升。观测表明，近 100 年来海平面上升了 14～15cm；据预测，未来海平面将继续上升。

海平面上升会直接导致低地被淹、海岸侵蚀加重、排洪不畅、土地盐渍化和海水倒灌等问题。

（2）气候带北移，引发生态问题

据估计，全球平均气温升高 1℃，北半球的气候带将平均北移约 100km；若气温升高 3.5℃，则会向北移动 5 个纬度左右。这样，占陆地面积 3%的苔原带将不复存在，冰岛的气候可能与苏格兰相似，而我国徐州、郑州冬季的气温也将与现在的武汉或杭州差不多。

如果某一物种迁移适应的速度落后于环境的变化速度，则该物种可能濒临灭绝。据世界自然基金会（WWF）的报告，若全球变暖的趋势不能被有效遏制，到 2100 年，全世界将有 1/3 的动物栖息地发生根本性变化，这将导致大量物种因不能适应新的生存环境而灭绝。

气候变暖很可能造成某些地区虫害与病菌传播范围扩大，昆虫群体密度增加。温度升高会使热带虫害和病菌向较高纬度蔓延，使中纬度面临热带病虫害的威胁。同时，气温升高可能使这些病虫的分布区扩大、生长季节延长，并使多世代害虫繁殖代数增加，一年中危害时间延长，从而加重农林灾害。

（3）加重区域性自然灾害

全球变暖会加快海洋和地表水的蒸发速度，从而改变降水量和降水频率在时间和空间上的分布。研究表明，一方面，全球变暖使世界上缺水地区降水量和地表径流减少，加重了这些地区的旱灾，也加快了土地荒漠化的速度；另一方面，气候变暖又使雨量较大的热带地区降水量进一步增大，从而加剧洪涝灾害的发生。此外，全球变暖还会使局部地区在短时间内发生急剧的天气变化，导致气候异常，从而造成高温、热浪、热带风暴、龙卷风等自然灾害加重。

（4）危害人类健康

温室效应导致极热天气出现频率增加，使热射病的发病率上升，威胁人类健康。

当然，大气中 CO_2 浓度升高，有利于植物的光合作用。但整体来看，温室效应的弊大于利，因此必须采取各种措施来控制温室效应，抑制全球变暖。

1.2.2 全球气候治理相关公约与协议

1972 年在斯德哥尔摩召开的联合国人类环境会议，正式将应对气候变化作为重要议题。

随后，1979 年 2 月在日内瓦召开的第一次世界气候大会，首次将应对气候变化纳入国际政治议程。也正是在这次会议之后，气候变化问题逐渐成为国际社会关注的焦点。

(1)《联合国气候变化框架公约》

1992 年 5 月 22 日，联合国政府间谈判委员会达成了一个针对气候变化问题的公约——《联合国气候变化框架公约》(UNFCCC)。该公约于 1992 年 6 月 4 日在联合国环境与发展大会上通过。这是世界上第一个为全面控制二氧化碳等温室气体排放，以应对全球变暖给人类社会和经济带来不利影响的国际公约。同时也是国际社会在应对全球气候变化问题上进行国际合作的一个基本框架。UNFCCC 规定发达国家为缔约方，应采取措施限制温室气体排放，同时要向发展中国家提供新的额外资金以支付发展中国家履行 UNFCCC 所需增加的费用，并采取一切可行的措施促进和方便有关技术转让的进行。

我国于 1992 年 11 月 7 日经全国人民代表大会批准《联合国气候变化框架公约》，并于 1993 年 1 月 5 日将批准书交存联合国秘书长处。《联合国气候变化框架公约》自 1994 年 3 月 21 日起对中国生效。《联合国气候变化框架公约》自 1994 年 3 月 21 日起适用于澳门，并且在 1999 年 12 月澳门回归后继续适用；自 2003 年 5 月 5 日起适用于香港。

(2)《京都议定书》

1997 年 12 月，在日本京都召开了《联合国气候变化框架公约》缔约方第三次会议，制定并通过了《京都议定书》作为《联合国气候变化框架公约》的补充条款。大会通过的《京都议定书》对 2012 年前主要发达国家减排温室气体的种类、减排时间表和额度等做出了具体规定，同时也是设定强制性减排目标的第一份国际协议。《京都议定书》规定，到 2010 年，所有发达国家二氧化碳等 6 种温室气体的排放量要比 1990 年减少 5.2%。具体来说，各发达国家和地区从 2008 年到 2012 年必须完成的削减目标是：与 1990 年的温室气体排放量相比，欧盟削减 8%、美国削减 7%、日本削减 6%、加拿大削减 6%、东欧各国削减 5%～8%；新西兰、俄罗斯和乌克兰可将排放量稳定在 1990 年水平。《京都议定书》同时允许爱尔兰、澳大利亚和挪威的排放量比 1990 年分别增加 10%、8%和 1%。

《京都议定书》遵循《联合国气候变化框架公约》制定的“共同但有区别的责任”原则，要求作为历史上温室气体排放大户的发达国家采取具体措施限制温室气体的排放，而发展中国家不承担有法律约束力的温室气体限控义务。

2005 年 2 月 16 日，《京都议定书》正式生效。这是人类历史上首次以法规的形式限制温室气体排放。为了促进各国完成温室气体减排目标，《京都议定书》允许采取以下四种减排方式：

① 两个发达国家之间可以进行排放额度买卖的“排放权交易”，即难以完成削减任务的国家，可以花钱从超额完成任务的国家买进超出的额度。

② 以“净排放量”计算温室气体排放量，即从本国实际排放量中扣除森林所吸收的二氧化碳的数量。

③ 可以采用绿色开发机制，促使发达国家和发展中国家共同减排温室气体。

④ 可以采用“集团方式”，即欧盟内部的许多国家可视为一个整体，采取有的国家削减、有的国家增加的方法，在总体上完成减排任务。

(3)《气候变化评估报告》

联合国政府间气候变化专门委员会（IPCC）于 1988 年由联合国环境规划署及世界气象

组织共同组建，其任务是为政府决策者提供气候变化的科学依据，让决策者认识到人类对气候系统造成的危害，同时促使决策者采取有效的应对措施。自 1990 年起，IPCC 分别于 1990 年、1995 年、2001 年、2007 年和 2014 年完成了 5 次综合评估报告，于 2021 年发布了第一工作组报告。从 IPCC 第一次评估报告到第一工作组报告中可以发现，世界各国越来越强调人类活动对全球变暖的影响。IPCC 第一次评估报告（1990 年）指出，人类活动导致的温室气体排放增强了温室效应，使全球平均温度上升。IPCC 第二次评估报告（1995 年）指出，自 19 世纪末以来，全球平均地面温度上升了 0.3～0.6℃，这一变化不可能完全是自然产生的，各种证据的对比分析表明了人类对全球气候有可辨别的影响。IPCC 第三次评估报告（2001 年）指出，最近 50 年观测到的大部分变暖可能（66％）是由于温室气体浓度的增加引起的，人类活动造成的温室气体和气溶胶排放继续以预期影响气候的方式改变着大气。IPCC 第四次评估报告（2007 年）指出，观测到的 20 世纪中叶以来大部分的全球平均温度的升高，很可能（90％）是观测到的人为温室气体浓度增加所导致的。IPCC 第五次评估报告（2014 年）指出，人类对气候系统的影响是明确的，观测到的 1951—2010 年全球平均温度升高的一半以上极有可能（95％）是人类活动增加的温室气体导致的，这一结论的可信度高达 92.3％。IPCC 第一工作组报告（2021 年）指出，人类活动导致了气候变化，这一结论已非常明确。人类活动已造成全球变暖，并且气候系统发生了广泛而快速的变化。人类活动的影响导致全球气温加速升高的速度，至少是 2000 年以来前所未有的。同时，建立在 IPCC 往年评估的基础上，2021 年报告同样指出，自 1750 年以来，温室气体浓度的增加已经明确是由人类活动造成的。

（4）《巴厘岛路线图》

2007 年 12 月，联合国气候变化大会在印度尼西亚旅游胜地巴厘岛举行，会议制定了《巴厘岛路线图》，其中包括了一些具有前瞻性的决定，分别代表未来达到安全气候必不可少的一些路线。《巴厘路线图》建立了双轨谈判机制，即以《京都议定书》特设工作组和《联合国气候变化框架公约》长期合作特设工作组为主进行气候变化国际谈判。按照“双轨制”要求，一方面，签署《京都议定书》的发达国家要执行其规定，即承诺 2012 年以后的大幅度量化减排指标；另一方面，发展中国家和未签署《京都议定书》的发达国家则要在《联合国气候变化框架公约》下采取进一步应对气候变化的措施。

① 发达国家的减排承诺。根据 IPCC 在 2007 年发布的第四次评估报告（AR4），为了将全球平均气温的升高控制在 2℃以内，综合各国意见，主要有中期目标和长期目标两种行动计划。中期目标：以 1990 年为基准年，到 2020 年，发达国家的整体减排幅度为 25％～40％。长期目标：以 1990 年为基准年，到 2050 年，全球的整体减排幅度达到 50％。对于单个发达国家的减排承诺，大部分发达国家只就中期目标表示了承诺意向。加拿大同意减排 2％；日本 2009 年 6 月 10 日表示，以 2005 年为基准年，到 2020 年减排 15％，这相当于以 1990 年为基准年只减排了 8％；美国提出，以 2005 年为基准年，到 2020 年减排 17％，相当于在 1990 年的基础上只减排了 4％。2009 年 6 月 26 日，美国众议院通过《2009 年美国清洁能源与安全法》，以 2005 年为基准年，美国到 2020 年减排 17％，到 2050 年减排 80％以上。鉴于美国、日本、加拿大等国的消极立场，欧盟仅承诺减排 20％。

② 发展中国家的“适当国别缓解行动”。美国认为，发展中国家的义务同发达国家义务的法律性质相同。而欧盟成员国、澳大利亚、日本、俄罗斯、加拿大等其他发达国家认为，

根据排放量、减排潜力和具体国情等，不同发展中国家义务的性质不同。实际上，这是将发展中国家进行分类的谈判策略。中国、印度是排放大国，巴西拥有大面积热带雨林，属于缓解潜力巨大的国家。这些国家将首先受到发达国家的巨大压力。

可见，谈判态势对中国、印度等排放大国非常不利。一般发展中国家强烈要求发达国家大幅度减排，而发达国家却无意设立有约束力的减排义务，却要求发展中的排放大国承担减排义务。一般发展中国家为了实现其谈判目标，可能会支持发达国家的这一立场，这恰恰是发达国家分化发展中国家的计划。因此，灵活的减排目标、较少的减排量、较长的实现目标的时间，成为首要的谈判策略。除此之外，争取资金支持和技术转移也是谈判的重要方面。

(5)《哥本哈根协议》

2009 年 12 月世界气候大会在哥本哈根召开，经过各方努力，会议针对未来应对气候变化全球行动的问题达成了一项无约束力协议——《哥本哈根协议》。《哥本哈根协议》将参加国分为三类：

① 工业化国家。这些国家同意要以 1990 年的排放量为基础进行削减，承担削减排放温室气体的义务。如果不能完成削减任务，可以从其他国家购买排放指标。

② 发达国家。这些国家不承担具体削减义务，但承担为发展中国家进行资金、技术援助的义务。

③ 发展中国家。不承担削减义务，以免影响经济发展，可以接受发达国家的资金、技术援助，但不得出卖排放指标。

尽管《哥本哈根协议》是一项不具法律约束力的政治协议，但它表达了各方共同应对气候变化的政治意愿，锁定了已达成的共识和谈判取得的成果，推动谈判向正确方向迈出了第一步。同时提出建立帮助发展中国家减缓和适应气候变化的绿色气候基金。

《哥本哈根协议》维护了《联合国气候变化框架公约》及其《京都议定书》中确立的“共同但有区别的责任”原则，就发达国家实行强制减排和发展中国家采取自主减缓行动做出了具体安排。同时，《哥本哈根协议》就全球长期目标、资金和技术支持、透明度等焦点问题达成广泛共识。

(6) 德班世界气候大会的决议

2011 年 11 月，《联合国气候变化框架公约》第十七次缔约方大会在南非东部港口城市德班开幕。2011 年 12 月，德班世界气候大会结束。会议决定实施《京都议定书》第二承诺期并启动绿色气候基金，德国和丹麦分别注资 4000 万欧元和 1500 万欧元作为其运营经费和首笔资助资金。会议取得的五项主要成果分别是：一是坚持了《联合国气候变化框架公约》《京都议定书》《巴厘岛路线图》授权，坚持了双轨谈判机制，坚持了“共同但有区别的责任”原则；二是就发展中国家最为关心的《京都议定书》第二承诺期问题作出了安排；三是在资金问题上取得了重要进展，启动了绿色气候基金；四是在《坎昆协议》基础上进一步明确和细化了适应、技术、能力建设和透明度的机制安排；五是深入讨论了 2020 年后进一步加强公约实施的安排，并明确了相关进程，向国际社会发出积极信号。

(7)《巴黎协定》

2015 年，《联合国气候变化框架公约》第二十一次缔约方会议暨《京都议定书》第十一次缔约方会议在巴黎圆满闭幕。来自195个国家的代表就共同应对气候变化问题一致通过了《巴黎协定》，这成为2020年后取代《京都议定书》的全球气候协议。作为这次气候大会最重要成果的《巴黎协定》，在许多方面都体现出了气候谈判过程中历史转折点的意义。该协定共29条，包括目标、减缓、适应、损失损害、资金、技术、能力建设、透明度、全球盘点等内容。在总体目标方面，把全球平均气温较工业化前水平升高值控制在2℃之内，并为把温度升高值控制在1.5℃之内而努力。在资金技术方面，《巴黎协定》规定发达国家应协助发展中国家，在减缓和适应两方面提供资金。在责任区分方面，发达国家继续带头减排，并加强对发展中国家的资金、技术和能力建设支持，以帮助它们减缓和适应气候变化。此外，《巴黎协定》还要求各方在适应气候变化、降低损失和损害、各国可持续发展和消除贫困等方面进一步加强合作。与6年前的哥本哈根会议相比，巴黎会议最大的不同在于，气候谈判模式已发生根本性转变，自上而下"摊牌式"的强制减排已被自下而上的"国家自主贡献"取代。

通过近20年的对话和努力，各国已普遍认识到，应对气候变化的行动和能力与各国发展水平密切相关，《巴黎协定》处处体现了要尊重各国国情和能力的差异。各国应根据自身的国情和能力，采用适当的方式向着低碳的目标迈进。

1.3 世界及中国减排路线

1.3.1 全球近零排放路线

全球近零排放是一个宏大的目标，同时也是一个复杂而紧迫的任务，它涉及能源结构的转型、技术创新、政策支持以及国际合作等多个方面，也需要在多个领域采取紧急和协调一致的行动。2021年，国际能源署（IEA）发布了《2050年净零排放：全球能源部门路线图》，见图1.1，为全球能源部门到2050年实现净零排放制定了一条狭窄但可实现的途径，涉及的步骤和措施有大幅减少化石燃料的使用、提高能源利用效率、增加清洁能源投资、大规模部署清洁能源技术、强化国际合作等。

1.3.2 中国"双碳"目标

"双碳"是"碳达峰"和"碳中和"的简称。"碳达峰"就是指二氧化碳的排放达到峰值。"碳中和"是指企业、团体或个人在一定时间内，直接或间接产生的温室气体排放总量，通过植树造林、节能减排等形式抵消，从而实现二氧化碳的"零排放"。简单地说，就是让二氧化碳排放与吸收相互抵消。2020年第七十五届联合国大会上，我国向世界郑重承诺：力争在2030年前实现"碳达峰"，努力争取在2060年前实现"碳中和"。2021年全国两会的政府工作报告也明确提出要扎实地做好"碳达峰"和"碳中和"的各项工作，以实现我国的郑重承诺。如图1.2所示。

这一公开承诺，标志着我国作为世界上最大的发展中国家，作为煤炭生产、消费、贸易量最大以及以煤炭消费为绝对主体的能源大国，将为实现《巴黎协定》确定的目标做出重大贡献。

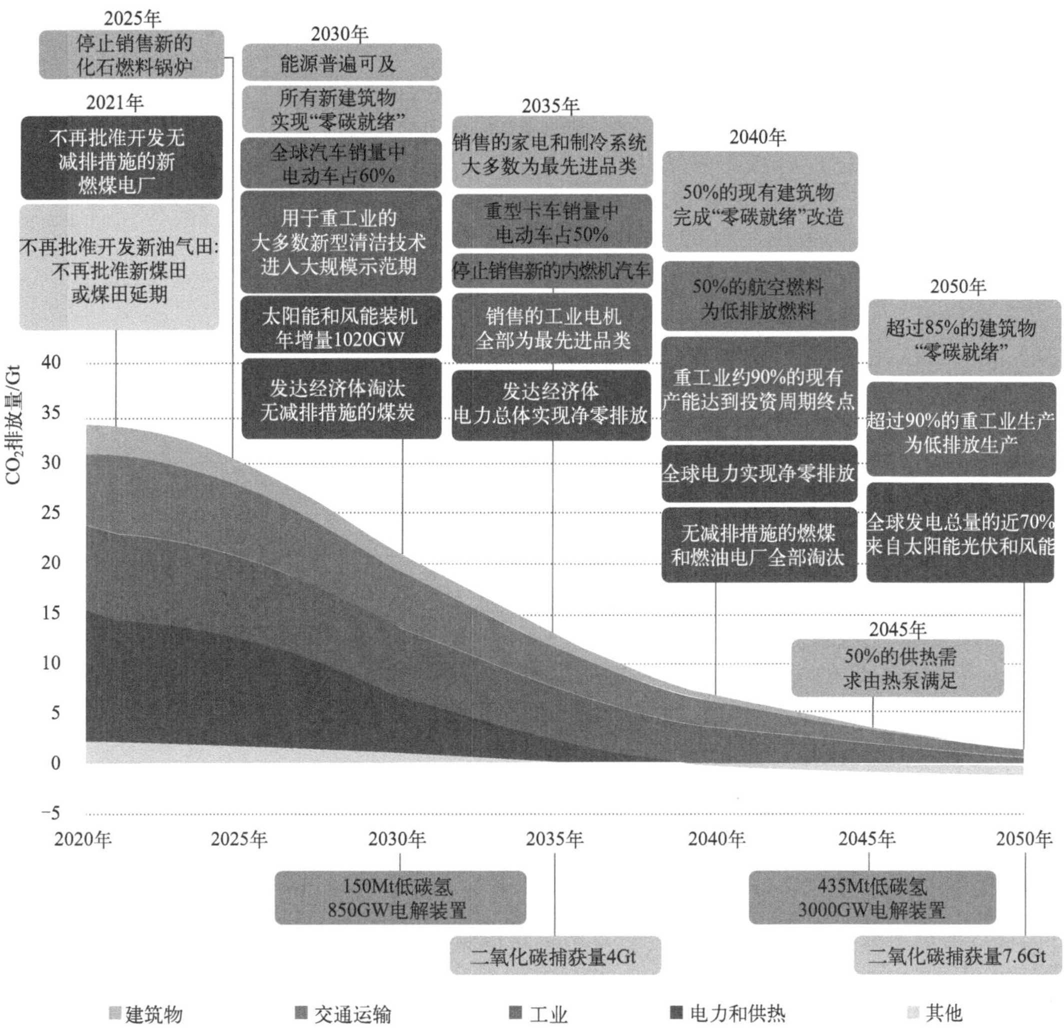

图 1.1 全球 2050 年净零排放路线图

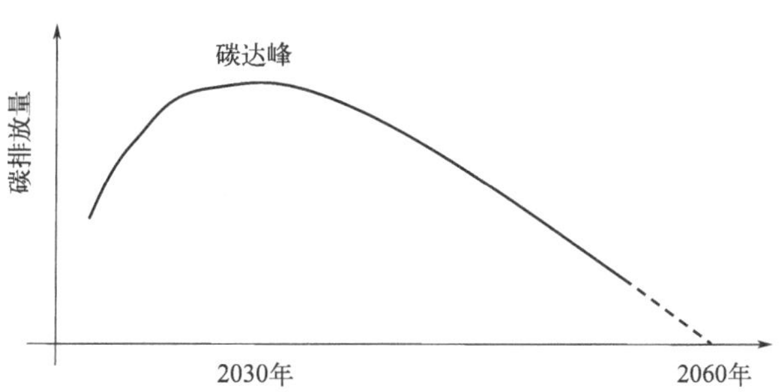

图 1.2 中国承诺碳排放量趋势图

1.3.2.1 中国实现“碳中和”的三个阶段

可以将“碳中和”的发展路径大致分为如图 1.3 所示的三个阶段。

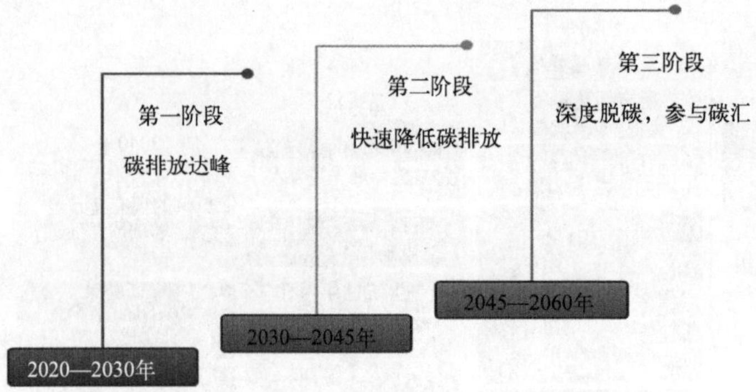

图 1.3 实现“碳中和”的三个阶段

（1）第一阶段（2020—2030 年）

2020—2030 年这一阶段的主要目标为碳排放达峰。基本任务如下：

① 降低能源消费强度。

② 降低碳排放强度。

③ 控制煤炭消费。

④ 大规模发展清洁能源。

⑤ 继续推动以电动汽车替代传统燃油汽车为主的终端消费。

⑥ 倡导节能和引导消费者行为。

（2）第二阶段（2030—2045 年）

2030—2045 年这一阶段的主要目标为快速降低碳排放。主要减排的途径为：以可再生能源为主，以碳捕集、利用与封存（CCUS）等技术为辅，大面积完成工业、建筑、交通等行业终端消费零碳电气化，完成第一产业的减排改造。

（3）第三阶段（2045—2060 年）

2045—2060 年这一阶段的主要目标为深度脱碳以及参与碳汇，从而完成“碳中和”目标。在深度脱碳到完成“碳中和”目标期间，工业、发电端、交通和居民侧的高效清洁利用潜力基本已经开发完毕，此时应当考虑碳汇技术，以 CCUS 等兼顾经济发展与环境问题的负排放技术为主。

1.3.2.2 实现“双碳”目标的相关政策

“双碳”相关政策主要包括减少碳排放和提高碳吸收两个互相补充的方面。在减少碳排放方面，从供给侧来看，一是构建清洁低碳、安全高效的能源体系；二是实施重点行业领域减污降碳行动。从需求侧来看，则是要推广绿色交通、倡导绿色出行以及推行绿色金融与碳排放交易等配套设施。在提高碳吸收方面，主要是要加强碳捕集技术与提升生态碳汇能力。从以上几个角度来分析，目前我国以国家“碳中和”目标为总纲领，各相关部委、行业协会、地方政府相继出台政策，已初步建立起“双碳”政策体系雏形。具体来看，包括生态环境部制定的《企业温室气体排放报告核查指南（试行）》、国家发展改革委制定的《绿色产业指导目录》、国家能源局制定的《关于加强储能标准化工作的实施方案》以及工业和信息化部制定的新版《钢铁行业产能置换实施办法》等。地方也相继制定“碳中和”发展目标。

经济发达、碳排放基础较好的地区明确了实现“碳达峰”目标的时间，如上海提出2025年实现“碳达峰”目标，江苏、广东提出提前实现“碳达峰”目标。从政策上看，我国“碳达峰”目标将分地区先后完成。

短期内，节能减排是实现“碳中和”目标的重点。在生态环境部相继出台的指导意见中，明确规定了行业、企业温室气体排放报告规范与碳排放配额；国家发展改革委制定的《绿色产业指导目录》和《产业结构调整指导目录》，厘清了绿色产业的边界。国家发展改革委联合司法部、科技部等相关部门，制定了促进绿色产业落地的保障性措施和实施方案，排除了绿色生产和消费领域的法律障碍，倡导在绿色园区，尤其是高新区率先实现“碳中和”目标。上述政策为节能减排指明了路径，为各行业、各地区进一步出台节能减排政策打下良好的基础。在一系列的政策布局下，形成了供给端以能源革命、高耗能产业结构调整为主，需求端以新能源汽车推广为主的节能减排实现路径。

着力提升碳吸收能力，也是实现“碳中和”目标的一个主要政策落脚点。碳吸收路径主要包括提高生态碳汇能力和研发碳捕集技术。目前，我国政策主要以前者为落脚点。提升自然生态系统的吸碳、固碳能力，能够中和二氧化碳的排放。针对生态碳汇，2020年6月，国家发展改革委和自然资源部发布了《全国重要生态系统保护和修复重大工程总体规划（2021—2035年）》，提出近年修复计划的具体指标。部分地方政府建立明确植树造林、生态修复目标，推行林长制，提高地区生态碳汇能力。

碳交易市场是“碳中和”重要的配套设施。2021年7月16日全国碳交易市场正式开市，目前仅在发电行业重点排放单位之间开展配额现货交易，首批被纳入管理的是2000多家发电行业重点排放单位，上述企业二氧化碳排放总量超过40亿吨每年，意味着中国的碳交易市场启动后将成为全球覆盖温室气体排放量规模最大的碳市场。全国性碳交易市场由上海环境能源交易所负责交易系统建设，湖北武汉负责登记结算系统建设。交易内容目前主要由碳排放配额（CEA）和国家核证自愿减排量（CCER）组成。配额市场主要针对高排放企业，国家根据其碳排放情况向其分配CEA，盈余的CEA可以作为商品在高排放企业间流通，从而实现碳排放的合理分配，激励高排放企业的减排。自愿减排交易市场主要针对低排放企业，低碳企业通过向有关部门提交自愿减排交易申请CCER项目，获得CCER，在强制性配额市场和自愿减排交易市场的联动下，CCER可换算成CEA在碳排放交易所中进行交易。

1.3.2.3 “双碳”目标实现面临的挑战

近年来，我国在积极应对气候变化方面已取得了突出的成绩，但要在未来不足40年的时间先后实现“双碳”目标，仍面临着艰巨的挑战。

（1）排放总量大

我国存在经济体量大、发展速度快、能源需求高、能源结构中煤炭占比高等问题，这使得我国碳排放总量和强度处于“双高”状态。前文已提及，2023年我国煤炭消费量为48亿吨，占能源消费总量的比重为55.3%，碳排放总量在全球中的比重达到31.8%，单位GDP能耗仍高于主要发达国家40%以上。尽管过去10年煤炭的使用总量有所下降，但其在一次能源中的占比仍然非常高。煤炭在我国能源产业结构中的主导地位短期内是无法改变的，这无疑增加了实现“双碳”目标的难度。

（2）减排时间紧

我国目前仍处于工业化和城镇化快速发展的阶段，能源结构和产业结构都具有高碳特点。要用不到10年的时间改变能源结构和产业结构，实现“碳达峰”目标，然后再用30年左右的时间实现“碳中和”目标，意味着碳排放达峰后就要快速下降，也就是说“碳达峰”与“碳中和”之间几乎没有缓冲期。因此，我国要实现减排目标需要付出艰苦的努力。

（3）制约因素多

碳减排既是气候环境问题，同时也是发展问题，它涉及社会、经济、能源、环境等方方面面。因此，需统筹考虑能源安全、社会民生、经济增长和成本投入等诸多因素，这些制约因素对我国能源转型和经济高质量发展都提出了更高的要求。

（4）关键技术有待突破

目前，很多关键技术还有待突破。比如，清洁能源如何实现有效存储，电动车如何大幅度提高续航里程、缩短充电时间、处置废旧电池等难题都在攻关之中。

（5）发展观念、体制机制都需要深刻变革

无论是局部污染物的治理还是温室气体的减排，目前都是政府投资、社会受益的发展模式。由于私人投资尚无回报机制，企业没有投资动力，很难长期持续地发展，国家需要通过创立排放交易市场来建立完善投资回报机制，具体要点如下：

① 建立可执行的生态环境和气候变化目标，以此划定自然资本规模边界。

② 依据生态环境和气候变化目标将环境资产（如碳资产）主要分解给企业等市场主体，分解时要体现责任和权益。

③ 作为新的要素市场，创立和发展碳排放交易市场，使市场主体分配到的环境资产（如碳资产）可以上市交易，从而在交易市场中发现环境资产的价格。

④ 在碳排放交易市场价格的指导下，投资者和技术研发者形成稳定持续的预期，从而做出投资和研发决策，源源不断地进行低碳投资和开展低碳技术创新研发。

⑤ 优化现有绿色信贷产品，创新绿色信贷品种，推广新能源贷款、能效贷款、合同能源管理收益权抵押贷款等能源信贷品种，创新绿色供应链、绿色园区、绿色建筑、绿色生产、个人绿色消费等绿色信贷品种，降低绿色信贷资金成本，扩大绿色信贷规模。

我们要在社会主义现代化建设的宏伟蓝图中科学谋划“碳中和”路径与方案，就必须立足国情和发展的实际来进行研究思考，其中的关键点是要坚持新发展理念和系统观念，统筹好近期与长远、发展与减排、全局与重点之间的关系，开辟出一条高效率减排的“碳达峰、碳中和”之路。

1.4 实现“双碳”目标的途径

实现“碳达峰、碳中和”是一场广泛而深刻的经济社会系统性变革。如期实现“双碳”目标离不开重大技术突破和科技创新的支撑，其中关键性的技术方向可分为四个方面。首先是节能提效技术，节能提效是我国能源战略之首，推进节能提效工作是我国生态文明建设和实现“双碳”目标的必然要求，也是我国抢占全球绿色低碳转型发展战略制高点必须重视的工作。其次是对低碳能源的利用，低碳能源是实现“双碳”目标和美丽中国建设的重要力量，低碳能源将在能源转型中起到桥梁和支撑作用，尤其在碳达峰阶段（2021—2030年），低碳能源是保障能源安全、能源结构转型、能源供应清洁化的现实选择。再者是对新能源的开发利用，新能源技术是实现双碳的必然路径，大力发展新能源产业，是落实我国碳减排目标、构建双循环发展格局的有力支撑。最后是碳捕集、利用与封存技术，碳捕集、利用与封存技术是目前实现化石能源低碳化利用的唯一技术选择，也是实现中国“双碳”目标必不可少的技术手段。以上四个方面的技术方向是确保“双碳”目标实现的重要支撑，在“十四五”及今后每一个时期都需给予高度重视和重点支持。

1.4.1 节能提效

节能就是节约能源。从狭义上来看，节能就是节约石油、天然气、电力、煤炭等能源；而更为广义的节能是节约一切需要消耗能量才能获得的物质，如自来水、粮食、布料、塑料和纸张等。节约能源并不是不使用能源，也不是降低原有生活质量少用能源，而是善用能源、巧用能源，充分提高能源的使用效率，在维持目前的工作、生活、环境状态的前提下，减少能源的使用。

《中华人民共和国节约能源法》第三条对节能作出如下定义：节能是指加强用能管理，采取技术上可行、经济上合理以及环境和社会可以承受的措施，从能源生产到消费的各个环节，降低消耗、减少损失和污染物排放、制止浪费，有效、合理地利用能源。它从管理、技术、经济、环境和社会五个层面对节能工作给出了全面的定义。

节能工作必须从加强用能管理方面抓起，管理能源的使用是节能工作的重中之重。杜绝在各行各业中存在的能源管理无制度、能源使用无计量、能源消耗无定额、能源节约奖励制度不落实等现象，要从管理方面开始落实节能工作。国家可以通过制定节能法律、政策和标准体系，实施必要的管理行为和节能措施；用能单位要注重提高节能管理水平，运用现代化的管理方法，减少能源利用过程中的各项损失和浪费。

从技术层面来说，节能工作必须是技术上可行的，也就是说节能工作必须符合现代科学原理和先进工艺制造水平，这也是实现节能的前提。任何节能措施，如果在技术上不可行，它不仅不具有节能效果，甚至还会造成能源的浪费、环境的污染、经济的损失，严重的还可能会造成安全事故等。

节能工作必须在经济上合理。任何一项节能工作都必须经过技术经济论证，只有那些投入和产出比例合理、有明显经济效益的项目才有生命力。否则，尽管有些节能项目具有明显的节能效果，但是没有经济效益，也就是节能不节钱，甚至是节能费钱，这就没有实施的必要了。

任何节能措施必须符合自然环境和人类社会可持续发展的要求。这就要求节能工作要安全、实用、操作方便、价格合理、质量可靠，并符合人们的生活习惯。如果满足不了这些要求，即使经济上合理，也不能作为法律意义上的节能措施加以推广。

1.4.1.1 节能的分类

节能工作可从多个角度进行分类。

① 从节能的领域来分，有工业节能、交通节能、建筑节能、农业节能及日常生活节能

等，而每一个领域又可以细分为若干个子领域。如工业节能可分为燃料动力工业节能、冶金工业节能、金属加工节能、机械制造业节能、石油化学工业节能、电机和电器工业节能及纺织轻工业等其他工业领域的节能。

② 从节约的能源种类来分，有节煤、节油、节气、节电等。当然，节油也可以细分为节约柴油、节约汽油、节约煤油等。从广义节能的角度来看，节能的内容几乎包含所有的物质，因为绝大多数物质的获得都需要消耗能量，只要消耗了能量，那么我们节约这种物质就等于节约了能量，如节约用水、节约粮食、重复利用资源等，都属于广义节能的范畴。

③ 从节能的方法来分，有管理节能、技术节能、结构调整节能。而技术节能又可以细分为工艺节能、控制节能、设备节能；结构调整节能又可以分为产业结构调整节能、产品结构调整节能。

④ 从能源开采、加工和转换过程来分，有能源开采过程节能、能源加工节能、转换和储运过程节能及能源终端利用过程节能。

1.4.1.2 节能的层次

为了更好地开展节能工作，可将节能工作分成不同的层次。在不同的层次中，节能工作有着不同的重点。按照节能工作的难易程度，可分为以下四个层次：

① 不使用能源。这是一个最简单易行的节能工作，如不开车外出、不使用空调。目前我国一些大城市设立的“无车日”就属于不使用能源来达到节能减排的效果。但该层次节能工作的宣传教育意义大于实际效果，通过各种大型活动，引起人们对节能工作的重视，使人们认识到，如果没有能源将会给人们的工作和生活带来不便，从而更加自觉地节约能源。

② 降低能源的使用水平。例如相对于高速行驶而言，通过降低汽车的行车速度来减少汽油的消耗，即通过行车时间的增加来换取能源消耗的减少，这对于时间相对宽裕的出行者而言是可行的，但当时间价值大于所节约的能源价值时，该方法就显得不可行了。又如降低热水器温度、提高房间空调温度等，在不严重影响生活质量的前提下，通过适当降低生活的舒适度以达到节能效果，这在某些情况下是值得推广的一种节能方法。

③ 通过技术手段提高能源使用效率。这一层次的节能工作属于目前正在采用的真正具有实际意义的节能工作，通过使用各种技术手段，在不改变生产、生活状况的前提下，减少能源的消耗。开发和推广应用先进高效的能源节约和替代技术、综合利用技术及新能源和可再生能源利用技术，加强管理，减少损失浪费，提高能源利用效率，就属于这个层次的内容。

④ 通过调整经济和社会结构提高能源利用效率。这是一个最高层次的节能工作。主要通过调整产业结构、产品结构和社会的能源消费结构，淘汰落后技术和设备，用高新技术和先进适用技术改造传统产业，促进产业结构优化和升级换代，提高产业的整体技术装备水平。

1.4.1.3 节能的准则

准则就是标准和原则。通俗地说，就是法律、法规、标准和各种管理方法。我国逐渐加快了节能工作法制化的进程，一批重要的法律法规相继实施。例如，1997 年 11 月 1 日第八届全国人大常委会通过的《中华人民共和国节约能源法》；2005 年 2 月 28 日全国人大常委会通过的《中华人民共和国可再生能源法》；2008年7月23日国务院常务会议通过的《公共机构节能条例》；2008年7月23日国务院常务会议通过的《民用建筑节能条例》；1999年3月10日国家经济贸易委员会公布并实施的《重点用能单位节能管理办法》；国家经济贸易委员会、国家发展计划委员会2000年12月29日公布并实施的《节约用电管理办法》；国家发展计划委员会、国家经济贸易委员会、建设部、国家环境保护总局2000年8月公布并实施的《关于发展热电联产的规定》；国家发展改革委、国家能源局、财政部、住房城乡建设部、环境保护部2016年3月22日发布并实施的《热电联产管理办法》等等。

此外，还有国家、各部委和地方制定的各种节能标准，如《公共建筑节能设计标准》（GB 50189—2015）、《汽车节油技术评定方法》（GB/T 14951—2023）、《节能产品评价导则》（GB/T 15320—2001）等。

世界各国也出台了许多与节能有关的法律及标准。为了减少能源消耗，欧盟在2006年重新制定并实施了新的《终端能源效率和能源服务准则》，并要求各成员国根据新的准则，在2007年6月30日前制定出相应的行动计划，以实现欧盟到2016年，每年的能源消耗减少9%的目标。

1.4.1.4 节能提效技术

（1）工业余热回收技术

降低碳排放是当今世界能源发展的趋势，也是21世纪能源产业的重要挑战，因此提高能源利用率成为当下能源形势发展的重要方向。在工业生产建设过程中通常存在着大量余热资源，如锅炉烟气余热、冶炼钢铁余热、化工产业余热等，其中不乏携带高热值显热的余热。如高炉熔渣的排放温度高达1500℃，每吨高炉渣的热值相当于60kg的标准煤。因此，现阶段学者针对余热回收系统进行了大量研究，省煤器即为现有技术较为成熟的低温余热回收系统。其主要是在锅炉尾部烟道加装换热器，实现烟气余热回收，提高能源利用率。至于中高温余热，一般通过发电设备将其转化为高品位电能进行循环利用。

热管因安全可靠以及高导热性等特点而受到余热回收行业的广泛关注，热管余热回收系统主要是通过管内工质发生相变来储存不同形式的余热。有研究者发现利用热管技术每年可节约燃煤3200t左右，折合费用160万元左右。布尔台煤矿松定霍洛风井场区采用热管回收余热系统后，耗电量减少了47×10^4kW·h，每年节约电费137.85万元，节省了1500t标准煤消耗量，减少了3900t二氧化碳排放量、30t二氧化硫排放量、11.2t氮氧化物排放量和15.7t粉尘颗粒物排放量。

锅炉和工业窑炉均为工业生产中的高耗能设备，其能源消耗量高并且含有大量未被回收利用的烟气余热能源，因此提高锅炉和工业窑炉能效对实现“双碳”目标具有重大意义。回收烟气余热的本质即为尽可能吸收烟气热量，降低排烟焓值，传统的烟气回收余热技术主要分为利用换热器和利用热泵系统两种，换热器主要通过冷媒与烟气换热使冷媒温度升高、烟气温度降低，热泵系统主要用于回收烟气中的冷凝余热。有研究者发现使用换热器进行余热回收效果良好，提高了系统性能系数。Baradey等发现热泵能够将废热升级到更高的温度，故特别适用于低温余热回收。

（2）工业有机废气处理的“减碳”实践

工业废气按所含污染物成分主要可分为含粉尘废气、含硫化物废气、含氮氧化物废气、含卤素化合物废气、含碳化合物废气和有机废气。大气中的有机废气是形成危害人类健康的光化学烟雾的主要成分，在与氮氧化物共存时，受太阳辐射作用，生成的臭氧还是 $PM_{2.5}$ 的重要前驱体。有机废气对人类健康存在全方位负面影响，其中包括了对眼睛和呼吸道的刺激作用，还会使皮肤过敏，甚至对人类具有致癌、致畸和致突变作用等。随着我国工业的迅猛发展，我国已然迈入工业强国的行列，更要做好减排措施。因此，充分利用和发展有机废气治理技术，是实现长久和绿色发展必不可少的一个环节。

有机废气治理技术有：

① 高浓度、高价值废气回收技术（减量化）。通过吸附法、吸收法、冷凝法等工艺回收利用，以此来减少工业有机废气中危害物质的比重。

② 有机废气焚烧与余热回收技术（资源化）。通过直接燃烧法、催化燃烧法、蓄热燃烧法等技术将有机废气中的有机物通过燃烧的方式去除，有机物燃烧后转化为无毒无害的二氧化碳和水，从而达到治理有机废气的目的。

③ 火炬燃烧技术（无害化）。通过火炬燃烧，将化工厂在开停车、装置异常、火灾停水停电等事故工况时产生的易燃、易爆、有毒、有腐蚀性的有机气体变成无害的二氧化碳、水或无毒、毒性较小的其他物质。

（3）含盐废水零排放减碳

含盐废水是指除传统特征污染物（如悬浮物、有机物、氨氮、总磷、总氮、重金属等）之外，还含有大量可溶性无机盐的废水。它们主要来源于生产工艺中直接加酸、加碱调节pH值或参与反应过程中形成的含盐废水，或直接由土壤岩层风化分解，以及矿石、煤炭开采加工过程产生的无机盐离子溶解于水中形成的含盐废水。常见的含盐废水零排放主要有以下几个碳排放过程：直接碳排放、间接碳排放、其他间接碳排放和特殊碳排放的豁免。

有些发达国家意识到了污水处理行业蕴含的高效减排潜力，将其列入碳减排重点领域，并探索出了一些可行的碳减排路径。美国和日本强调通过高效机电装备和高级控制对策来节能降耗，同时加大污水污泥蕴含能源的开发回收力度。加拿大着力开发运营优化技术，目前已形成较为完善的污水处理运营优化技术体系。欧洲重视低碳处理新工艺研发，在可持续污水处理工艺研究方面居于领先水平。污水处理行业是耗能大户，同时其低碳发展的综合潜力大，因此积极推进污水处理行业低碳转型将有助于实现“碳达峰、碳中和”。含盐废水零排放领域实现“双碳”目标的实施路径主要有直接减少温室气体排放与减少能耗和药耗，还有其他重要降碳途径，例如厌氧沼气发电技术、清洁能源工艺技术和余温热能回收利用技术等。

目前，含盐废水零排放技术主要从三个方向协力发展，分别是预处理阶段、膜浓缩阶段和蒸发结晶阶段。预处理阶段是通过物理处理、生化处理、高级氧化等方法降低原水水质指标，在零排放处理系统中不断富集浓缩后，对装置结垢污堵腐蚀和稳定运行产生影响。膜浓缩阶段的主要作用就是针对含盐废水的初步提浓，利用较低运行成本的膜技术实现预浓缩和减量化，从而减小蒸发结晶阶段处理规模，降低投资成本。常规采用的技术工艺有离子交换、电渗析、正渗透、反渗透、超滤、纳滤等。蒸发结晶阶段主要作用就是将预浓缩后的高浓度含盐废水进一步浓缩至过饱和析出点，从而实现盐分固化、固液分离的目的。当前常用的蒸发结晶技术有多效蒸发、机械蒸汽再压缩（MVR）蒸发、热力蒸汽再压缩（TVR）蒸发、烟道蒸发、闪蒸结晶、冷冻结晶等。

1.4.2 低碳能源天然气

天然气作为清洁低碳的化石能源，在全球能源绿色低碳转型中发挥着重要作用。当前，我国能源发展已进入增量替代和存量替代并存的发展阶段，包括天然气在内的化石能源，既是保障能源安全的“压舱石”，又是高比例新能源接入的新型电力系统下电力安全的“稳定器”。推动能源绿色低碳转型，在工业、建筑、交通、电力等多个领域有序扩大天然气利用规模，以及充分发挥燃气发电效率高、运行灵活、启停速度快、建设周期短、占地面积小等特点，将气电调峰作为构建以新能源为主体的新型电力系统的重要组成部分，是助力能源碳达峰，构建清洁低碳、安全高效能源体系的重要实现途径之一。

天然气是优质的燃料和化工原料，净化处理后的天然气经制冷工艺低温液化后变成液化天然气（liquefied natural gas，LNG）。液化天然气无色、无味、无毒且无腐蚀性，被公认是地球上最清洁的化石能源。

中国始终坚持鼓励天然气发展和利用的政策基调。《天然气发展“十二五”规划》明确提出扩大天然气利用规模；《能源生产和消费革命战略（2016—2030）》提出天然气利用持续增长，2030年天然气消费占能源消费总量的比例达到15%左右的发展目标。中国天然气产业发展并非一帆风顺，“十二五”末至“十三五”初期，受经济性不足等的影响，天然气消费增速大幅下滑，在此背景下，2017年国家发展改革委等13个部委出台了《加快推进天然气利用的意见》，不仅明确了将天然气培育成为我国现代清洁能源体系的主体能源之一，也提出了实施城镇燃气、天然气发电、工业燃料升级、交通燃料升级四大工程。至此，中国基本形成了全面推动天然气在民生、工业、电力、交通等各大领域利用的政策导向。

1.4.2.1 天然气的应用

天然气的应用得益于政策体系的不断完善，中国天然气消费量由2000年的245亿立方米跨越式增长至2020年的3262亿立方米，形成了以城镇燃气、燃气发电、工业燃料、交通运输、化工为主的几大利用领域。

城市燃气始终是国家优先支持的利用方向，关系到百姓生活和取暖，促进并保障民生用气是各级政府部门改善民生的重要工作。中国用气人口由2010年的1.7亿增至2024年的6.7亿，汽化率稳步提升。国家大力推进北方地区冬季清洁取暖，出台了积极的清洁取暖规划及财税等配套政策，以燃气锅炉、燃气热电联产、燃气分布式、燃气壁挂炉为主要形式的天然气供暖快速推进。据国家统计局相关数据分析，国内的天然气生产呈现快速增长状态，2023年的天然气生产量达到2324亿立方米，同比增长5.6%。进口天然气方面，自2015年以来，我国进口LNG的规模以及LNG的终端使用率也在快速地增长和攀升。目前，我国只有少数企业建有接收站，大部分接收站都集中在中国海油、中国石油、中国石化手中。在未来，接收站的总产能规模将进一步扩大，进而逐步加强对外开放，形成更加多元化的进口贸易主体。随着海外进口能力的增强和国内勘探开发的加大，2020—2023年天然气供给能力的增长为20%。同时，国家出台一系列意见加快推进城市燃气管理体制改革，鼓励和引导民营和外资企业进入城镇公用事业和基础设施领域。2019年6月，国家发展改革委和商务部发布《外商投资准入特别管理措施（负面清单）（2019年版）》，取消了50万人口以上城镇燃气、热力管网须由中方控股的限制，取消了外资企业进驻中国城市燃气领域的政策限制。

天然气发电具有建造及维护成本低、启停迅速、调峰性能优越、低排放、高效率等诸多优点，完全契合大规模可再生能源接入情况下电网对低碳调峰、调频电源的需求。在我国大力发展可再生能源的当下，天然气发电作为可再生能源的配套技术发展前景广阔。气电较煤电具有显著的低碳、灵活、环保等多元优势，但出于对气源供应稳定性等方面的顾虑，2010年以来，电力行业对气电的定位始终是“有序发展”。《电力发展“十三五”规划（2016—2020年）》提出“有序发展天然气发电，大力推进分布式气电建设”，并为气电设定了2020年1.1亿千瓦的装机目标。天然气政策方面，2017年《加快推进天然气利用的意见》提出要实施天然气发电工程，鼓励发展天然气调峰电站，有序发展天然气热电联产。从扩大清洁能源利用的角度，在政策层面整体鼓励气电产业发展。2022年，国家发展改革委、国家能源局出台《关于完善能源绿色低碳转型体制机制和政策措施的意见》，从构建新型电力系统、促进灵活电源建设的角度提出，要“因地制宜建设既满足电力运行调峰需要、又对天然气消费季节差具有调节作用的天然气‘双调峰’电站”。

上网电价是关系气电发展的核心政策安排，主要由省级价格管理部门制定并不断调整。2014年12月，国家发展改革委出台《关于规范天然气发电上网电价管理有关问题的通知》，提出“建立气、电价格联动机制”。近年来，中国燃机分布最密集的东部沿海地区气电价格政策呈现两个趋势：一是逐步有更多燃气发电量进入区域电力市场，由市场决定电价；二是对于尚未进入市场的气电，电价与气价联动性不断增强。例如，浙江省2021年最新的气电价格政策中，存量机组的电价按气电联动方式制定，新建9H机组全电量参与电力市场，执行市场交易电价。总体来看，地方政府对气电产业的发展起到了重要的推动作用，体现了对清洁、低碳、灵活电源的支持，未来气电价格机制仍将进一步完善。

在工业领域，作为一种清洁高效的化石能源，天然气是低碳经济的代表，是化石能源向新能源过渡的桥梁。随着近些年天然气消费量的大幅增长，我国天然气产量、储运量、贸易量也呈现快速增长态势。据国家能源局预计，2025年我国天然气消费规模将达到4300亿～4500亿立方米，2030年将达到5500亿～6000亿立方米。按照2030年天然气消费规模计算，天然气压力能每年可转化为近200亿千瓦时清洁电能，超过成都市全年居民生活用电需求，未来天然气压力能发电潜力大。此外，LNG汽化前的温度在－160℃左右，是优质的冷能。LNG冷能可用于空气分离、发电、制冰、低温破碎、冷库等，可以节省大量的电能，减少二氧化碳排放。近些年，一系列持续的环保政策和绿色发展政策为工业领域天然气替代煤炭提供了内驱力，例如2013年《大气污染防治行动计划》、2018年《打赢蓝天保卫战三年行动计划》、能源消耗总量和强度“双控”行动等。尽管天然气相对煤炭难言经济性优势，但在强环保政策推动下，天然气在陶瓷、玻璃、冶金、轻工业等工业部门得到了更加广泛的应用。2020年，工业燃料用气量超过1200亿立方米，是近10年来增速最快的利用领域，工业燃料用气占比达到约39%，成为中国第一大用气领域。

天然气在交通（车、船）领域的大规模使用可以降低石油的对外依存度，减少污染物排放，降低物流运输成本并支持天然气产业发展。此外，天然气在我国交通领域的推广使用也可以大幅度降低城市空气污染，促进低排放经济发展。“十二五”时期是天然气汽车发展的政策红利期，在治理环境污染大背景下，国家把推广天然气汽车列入《节能减排“十二五”规划》中，地方政府纷纷出台车辆购置补贴等专项支持政策，加之天然气相对油品具有燃料经济性，天然气汽车保有量大跨步提升，由2010年的约110万辆增至2015年的500万辆。2016年之后，各地区天然气支持政策逐渐到期，大部分地区没有新政策跟进。但LNG重型载货车（重卡）发展势头仍然强劲，其原因一方面是LNG燃料的经济性优势，另一方面是更为严格的排放标准，例如2018年的《重型柴油车污染物排放限值及测量方法（中国第六阶段）》、2019年的《柴油货车污染治理攻坚战行动计划》等，进一步加快了LNG重卡对柴油重卡的替代。压缩天然气（CNG）汽车方面，在国家大力支持新能源汽车发展、公交车电动化、出租车电动化等政策导向下，近些年CNG汽车保有量发展已进入平台期。国家明确鼓励天然气在水运领域的应用。交通运输部于2013年发布了《关于推进水运行业应用液化天然气的指导意见》，提出了积极的发展目标，并出台长江干线等LNG码头布局方案，推动基础设施发展。中华人民共和国海事局等部门就水上LNG加注作业的安全监管等出台了相关办法。2019年4月，交通运输部发布《关于LNG动力船试运行通过三峡船闸相关事项的通告》，打通LNG船舶通过三峡船闸的瓶颈，对LNG船舶发展是重要的突破。总体来看，LNG船舶政策大环境整体向好，但仍面临监管部门对安全性的认识不统一、船舶建造及加注等标准不完善、经济性相对较弱等现实问题，近几年仍处于发展起步期。“双碳”目标提出后，部分地区明显加大了对LNG船的政策支持，例如近年来广东省允许LNG动力船舶优先过闸，并对内河船舶LNG动力改造给予补贴。

从化工领域的角度来看，天然气作为一种优良原材料，由于其相对环境友好和在可持续发展方面的潜力，越来越多地应用于化工领域，如生产氢气等高附加值化学品。但从历次天然气利用政策调整来看，除天然气制氢（尤其是可中断用户）属于国家鼓励的利用方向以外，以天然气为原料的其他化工项目均属于限制或禁止发展的利用领域。2017年《加快推进天然气利用的意见》中也未提及天然气化工。总体来看，化肥工业不作为天然气利用的鼓励方向，国家给予该行业的补贴和优惠政策已基本取消。2016年《关于推进化肥用气价格市场化改革的通知》规定全面放开化肥用气价格。至此，化肥用气价格的政府优惠政策正式结束。

1.4.2.2 天然气利用趋势演变

（1）全球天然气利用趋势演变

从主要国家天然气利用趋势看，在产业发展初期，天然气消费增长通常来自城市燃气、工业等领域；此后，随着城镇化进程和工业化进程结束，发电成为推动天然气利用规模进一步提升的重要动力。目前，发电用气在全球天然气消费结构中的占比约为34％。

从部分典型机构对中长期天然气发展趋势的展望来看，它们对全球天然气需求总量趋势判断基本一致，主要有以下几方面：一是在“净零”碳排放情景下，2030年前全球天然气需求相对稳健，较2020年小幅增长或基本持平，2030—2050年需求下降且幅度较大，国际能源署（IEA）、挪威船级社（DNV）、BP公司三家机构预测降幅分别在－58％、－49％、－36％；二是“净零”情景下，天然气中长期需求较其他情景相对更低。根据国际能源署预测，“净零”情景下，2050年全球天然气需求较当前政策情景低66％。目前，全球天然气逐渐恢复的供给仍落后于旺盛的需求，市场呈现供需错配的局面。受供需失衡、极端气候、能源转型等因素影响，天然气价格一路领涨，进而在不同能源品种和地区之间传导扩散，引发全球能源价格上升。在此过程中，全球LNG贸易格局呈现出区域间竞争加剧、相互影响加深的态势。从中短期看，全球性降碳减排趋势将为天然气消费提供较大增长空间，同时，考虑到极端天气气候事件在新旧能源系统交替之际对能源供应体系的影响，天然气在能源转型中的作用将进一步凸显。天然气作为最清洁低碳的化石能源，全球范围一定时期内仍具较强需求韧性，但从中长期来看，在能源系统转型中的不确定性较大。它能否在能源转型中真正起到支撑作用，一定程度上还取决于天然气行业的温室气体减排成效是否显著。

从利用方向看，国际天然气利用领域与国内基本一致。在研究层面，国外机构一般将化工领域用气归入工业用气，主要探讨建筑、工业、交通以及发电 4 大部门的用气趋势。其中，建筑部门用气主要包括居民生活、采暖及商业用气等，基本对应国内城市燃气。资料调研显示，“净零”情景下，全球天然气需求呈现以下几个趋势。

① 在分散式终端用能领域，天然气需求将大幅下降。其中，建筑部门将成为用气需求降幅最大的行业。国际能源署的“净零”情景预计，从目前开始建筑用气需求将持续下降，2050 年将微乎其微，主要路径是电气化替代、低碳供暖等；工业部门用气需求在 2030 年前基本持稳，此后有所下降，特别是难以实现 CCUS 的工业用气需求将大幅下降。

② 在规模利用领域，若能加快部署 CCUS 装置，天然气仍可以在较长时期发挥重要作用。机构普遍预计全球气电装机在 2030 年前仍将小幅增长，此后逐步下降，在国际能源署“净零”情景下，2050 年将有超过 1/4 的气电配备 CCUS 装置。此外，天然气制氢是绿氢大规模应用前重要的制氢方式之一，即使到 2050 年，天然气制氢＋CCUS 仍将在氢能供应中占有一席之地，原因是可再生能源发电量在一定时期内难以完全满足绿氢用电需求。BP 公司认为，在“净零”情景下，全球用于生产蓝氢的天然气消费量将大幅上升，并成为 2030—2050 年唯一保持增长的利用领域。

③ 在远洋运输等中短期难以减排的领域，天然气需求增长空间广阔。挪威船级社认为，LNG 在全球远洋运输领域的需求量将增长数倍，2040 年将成为远洋运输领域的第一大燃料，此后随着氢能等低碳燃料的应用，LNG 需求将逐步下降。

(2) 中国天然气利用趋势演变

中国正处于开启全面建设社会主义现代化国家新征程中，与西方发达国家相比，要以更短的时间实现“碳中和”的宏伟目标，势必要走与发达国家不一样的能源转型道路。对于中长期天然气利用趋势而言，多家机构的研究也体现了国别差异。从机构的观点看，“碳达峰”阶段中国天然气需求持续较快增长，增速较“双碳”目标提出前更高；2030—2040 年是峰值平台期，峰值区间整体在 4400 亿～6500 亿立方米每年；2040—2060 年，天然气需求经历平台期后呈下行趋势，2060 年需求整体在 1500 亿～4100 亿立方米。天然气在我国能源结构中的地位不断提升，体现了我国对于天然气发展的重视，亦表明了我国对天然气存在巨大的实际消费需求，天然气用气人口及消费总量增长强劲。我国天然气消费量已从 2008 年的 819 亿立方米增加到 2021 年的 3726 亿立方米，显示了我国强劲的天然气消费市场需求。近年来，我国天然气消费结构不断优化，形成以城镇燃气为主的利用结构。随着城镇燃气管网的进一步完善和大气污染治理要求的提高，我国城镇燃气继续保持快速发展，成为我国天然气消费增长的主要动力。

就各领域的利用趋势而言，中国与全球存在以下差异。

① 天然气发电具有较大发展潜力。在构建以新能源为主体的新型电力系统背景下，中国天然气发电装机仍需要规模增长，这种趋势有望延续较长时间。特别是随着可再生能源占

比迅速提升，电力系统灵活性资源紧缺程度将加剧。各机构在综合考虑煤电灵活性改造、抽水蓄能、可调节水电、电化学储能等多种提升灵活性的发展趋势基础上，认为调峰气电仍具有较大发展潜力。例如，国网能源研究院预计在深度脱碳情景下，气电装机将由目前的约1亿千瓦增至3亿千瓦。

② 工业部门和城市燃气的天然气需求仍将有较大增幅，特别是2030年前，主要用于替代煤炭和满足增量用能需求。2020年中国工业部门用能总量中煤炭占比超过40%，工业用能需求将继续增长至2025年后，天然气替代煤炭将在减污降碳协同治理方面发挥积极作用。中国建筑部门用能在2035年前都将保持较快增长，在居民生活及采暖等领域，天然气是推进城乡建设绿色低碳转型、助力农村用能清洁化的优质能源。但是长期看，随着电气化进程加快、可再生与地热等低碳供暖方式规模化发展等，这些领域的用气需求将呈下降趋势。

1.4.3 清洁能源太阳能

随着环境问题的日益突出，传统能源转型的问题受到了世界广泛关注，包括煤炭和石油在内的常规能源日趋减少，且这些能源的利用会破坏人类生存环境。在化石能源峰值和减排的约束下，人们积极寻求新能源，其中最热门的领域是太阳能。太阳能是一种清洁、高效和永不衰竭的新能源。太阳照射地球一小时所产生的能量足以满足全世界全年的能源需求，且太阳能不会产生二氧化碳和噪声污染，太阳能的利用对于缓解供暖季的雾霾污染问题、提高能源自给率具有重要意义。

1.4.3.1 太阳能的特点

太阳能是指地球所接收的来自太阳的辐射能量。太阳的能量来自太阳内部的核聚变，其所蕴藏的能量巨大，并且会不断向外辐射。据粗略估计，太阳向宇宙全方位辐射的总能量流为4×10^{26}J/s。因地理位置以及季节和气候条件的不同，不同地点和在不同时间里所接收到的太阳能有所差异，北回归线附近夏季晴天中午的太阳辐射强度最大，平均为1.1～1.2kW/m^2，冬季大约只有其一半，而阴天则往往只有其1/5左右。北欧地区约为2kW/m^2，大部分沙漠地带和大部分热带地区以及太阳光充足的干旱地区约为6kW/m^2。目前人类所利用的太阳能尚不及能源总消耗量的1%。

中国太阳能资源大致在930～2330MJ/m^2之间，以1630MJ/m^2为等值线，自大兴安岭南麓至滇藏交界处，把中国分为两大部分。大体上说，我国有三分之二的地域太阳能资源较好，特别是青藏高原和新疆、甘肃、内蒙古西部一带，利用太阳能的条件尤其有利。

太阳辐射能与煤炭、石油、天然气等相比，有以下独特的优点：

① 广泛。太阳光普照大地，处处都有太阳能，没有地域的限制，无论陆地或海洋，无论高山或岛屿，都可直接开发和利用，且无须开采和运输。

② 清洁。利用太阳能作为能源，没有废渣、废料、废水、废气排出，没有噪声，不产生对人体有害的物质，不会污染环境。

③ 长久。据估算，太阳的寿命约为110亿年，而地球的寿命为几十亿年，从这个意义上讲，太阳的能量是取之不尽、用之不竭的。

④ 数量巨大。每年到达我国地表的太阳辐射能的总量约相当于130万亿吨标准煤，要比地球上现在每年消耗的各种能源的总量大几万倍。

1.4.3.2 太阳能利用

太阳能利用的基本方式主要有光热利用、光电利用、光化学利用等。太阳能光热利用是将太阳的辐射能转变为热能，所得到的热能可以直接使用，也可以转换成其他形式的能量再利用，如太阳能热发电技术。太阳能的光电利用是利用光伏效应将太阳辐射能直接转换为电能，太阳能电池是常见的光电转换元件。此外，还存在着一些其他形式的太阳能转换应用，比如太阳能-生物质能转换、太阳能-氢能转换，太阳能-机械能转换等。

(1) 太阳能光热利用

太阳能光热利用是指将太阳辐射的能量通过集热部件转换成热能加以利用。太阳能光热利用技术包括太阳能热水器、太阳灶、太阳能建筑、太阳能蒸馏器、太阳能干燥器、太阳能制冷、太阳池和太阳能热发电。

太阳能热水器是目前太阳能热利用技术领域商业化程度最高、推广应用最普遍的技术。太阳能热水器的主要部件是太阳能集热器。以水为工质通过太阳能集热器以吸收太阳能，可以得到热水，再辅以热水储存、循环和控制等系统，就组成了太阳能热水器。太阳能热水器可选用平板型集热器、真空管型集热器，也可以采用简易的闷晒型集热器。

太阳灶可直接把太阳的热辐射能转换成供人们炊事使用的热能。太阳灶种类繁多，按原理结构分类，可以分为闷晒式、聚光式和热管式。闷晒式太阳灶的箱内温度是逐渐升高的，受风速影响较大。为减少热损失，使用时要注意放置在向阳背风的地方。聚光式太阳灶是将较大面积的太阳光进行聚焦，使焦点温度提高，以满足炊事要求。这种太阳灶的关键部件是聚光镜，为镀银或镀铝玻璃镜，也有铝抛光镜面和涤纶薄膜镀铝材料等。热管式太阳灶将热管的受热端置于聚光太阳灶的焦点处，放热端置于散热处或蓄热器内，把太阳的热能从户外引入室内，使用较为方便。

利用太阳能供能的建筑称为太阳能建筑，有被动式太阳房、主动式太阳房。被动式太阳能建筑是通过对建筑朝向、平面布局及外部形态的合理布置，内部空间和外部形体的巧妙处理，建筑构造的合理设计，建筑材料的合理选择，使得其以自然运行的方式获取、储存和利用太阳能的一类建筑。被动式太阳房不需要安装太阳能集热器和动力循环设备，完全依靠建筑结构形成的吸热、保温、通风等特性，使房屋达到冬暖夏凉的效果。窗、墙、楼板等建筑的基本要素除满足传统的建筑功能需要（围护和支撑作用）外，还负担着热能的储存和释放作用。向阳面可增设蓄热墙体，如花格式集热蓄热墙、水墙式集热蓄热墙、相变材料集热蓄热墙和快速集热墙等形式。主动式太阳能建筑的供热系统一般由集热、储热、散热部件，循环管道设备以及控制系统组成。通过太阳能集热器来收集获取太阳能，并与风机或泵、管道末端散热设备及储热装置等组成强制循环太阳能供暖系统或者与吸收式制冷机组成太阳能空调及供热系统。它对太阳能的利用效率高，不仅可以供热、供热水，还可以制冷，而且室内温度稳定舒适，日波动小，储存时间长，功率大，使用方便，便于控制，在发达国家应用非常广泛。但因为它存在着设备复杂、前期投资偏高等缺点，因此，目前在我国还未得到大面积推广。

太阳能蒸馏器是一种利用太阳能进行污水净化、海水淡化脱盐和咸水盐结晶的装置，又称“太阳能海水淡化装置”“太阳能盐结晶器”。太阳能蒸馏器由带集水沟的盛水容器、透明盖板和集水槽三大部件组成。透明盖板可采用玻璃或透明的塑料薄膜，有单斜坡、双斜坡和圆锥形等形式。当阳光透过盖板照射到黑色池底时，太阳的辐射能就转变为热能，池中的海水吸热后蒸发，水蒸气不带盐分，上升到顶棚玻璃遇冷凝结成水珠，并沿斜面向下流动，通过集水沟注入集水槽。太阳能蒸馏器能以太阳辐射热升高污水、海水或咸水温度而使其汽化，残留污泥或食盐，水蒸气冷凝成蒸馏水使污水净化、海水淡化或获得结晶盐。

利用太阳能对物料进行干燥，是人类最早直接利用太阳能的方式之一。通过摊晒、晾晒等方式，可以达到干燥食品、农副产品的目的，有利于长期保存，这属于被动式的太阳能干燥。太阳能干燥器的工作原理，一种是直接加热，即把待干燥的物料放在干燥室内，直接吸收太阳能并将它转换为热能；另一种是间接加热，通过太阳能集热器先加热空气，用所加热的空气进行对流换热，将待干燥物中的水分带走，脱除待干燥物料中的水分。物料中的水分逐步汽化扩散到空气中去，最终达到干燥的目的。按功能分，有干燥颗粒状物料的高温型和干燥果品和农副产品的低温型。按结构分，有集热器型、温室型和整体型。

利用太阳能作为驱动能源制冷称为太阳能制冷。太阳辐射夏季强、冬季弱，而人类对室内环境的需求是冬暖夏凉，太阳能制冷技术可将太阳辐射的热量转换成冷量，满足了人们在盛夏骄阳下乘凉的愿望。根据工作原理的不同，太阳能制冷技术可以分为太阳能吸收式制冷、太阳能吸附式制冷和太阳能喷射式制冷等多种形式。与太阳能吸收式制冷系统相比，太阳能吸附式制冷系统和太阳能喷射式制冷系统的性能均不太成熟。

太阳能热发电是利用集热器把太阳辐射能转变成热能，加热水或其他介质，然后通过汽轮机、涡轮发电机来发电。根据集热的温度不同，太阳能热发电可分为高温热发电和低温热发电两大类。按太阳能采集方式划分，主要有塔式、槽式和盘式三类。塔式电站和盘式抛物镜集热器分散布置式电站均为点聚焦，聚光倍数高达500倍以上。但塔式电站的跟踪代价高，盘式电站的能量集中代价大。槽式电站是线聚焦，聚光倍数小于100倍，但槽式电站总体代价相对较小，经济效益相对高，所以槽式电站发展迅速。

（2）太阳能光电利用

太阳能的光电利用技术是根据光伏效应原理，通过太阳能电池将太阳的辐射能直接转换成电能。这种技术具有许多独特的优点，如无噪声、无污染、安全可靠、不受地域限制、不用消耗任何燃料、无机械运转部件、设备可靠性高、无须人工操作、建设周期短、规模可大可小、无须架设复杂的输电线路、可以很好地与建筑物结合等，常规发电与其他发电方式都不能与其相比拟。太阳能电池是目前常见的一种直接将太阳辐射能转换成电能的半导体器件。随着技术的进步，太阳能电池的光电转换效率不断提高，成本大幅度下降，蓄电池等辅助装置技术水平也在不断改善，为太阳能光电利用技术的大规模应用打下了良好的基础，展示出广阔的应用前景。

目前，在太阳能电池应用领域，硅太阳能电池占主导地位。硅太阳能电池是以硅半导体材料制成的大面积P-N结经串联、并联构成的。在N型材料层面上制作金属栅线作为接触电极，背面也制作金属膜作为接触电极，这样就形成了太阳能电池板。为了减少光的发射损失，一般在表面覆盖一层减反射膜。硅太阳能电池主要有单晶硅太阳能电池、多晶硅太阳能电池和非晶硅太阳能电池三种。

单晶硅太阳能电池转换效率最高，其实验最高转换效率为25%，实际使用转换效率约为18%，使用寿命为15～25年，成本高，在大规模应用和工业生产中仍占据主导地位。单晶硅是非常重要的晶体硅材料，根据晶体生长方式的不同，可以分为区熔单晶硅和直拉单晶硅。区熔单晶硅是利用悬浮区域熔炼（float zone）的方法制备的，所以又称 FZ 单晶硅。直拉单晶硅是利用切氏（CZ）法制备的单晶硅，称为 CZ 单晶硅。这两种单晶硅具有不同的特性和不同的器件应用领域：区熔单晶硅主要应用于大功率器件方面，只占单晶硅市场很小的一部分，在国际市场上占 10%左右；直拉单晶硅主要应用于微电子集成电路和太阳能电池方面，是单晶硅的主体。

多晶硅太阳能电池转换效率稍低，其实验最高转换效率为 20%，实际使用转换效率约为 15%。多晶硅使用寿命比单晶硅要低，成本低。目前很多光伏厂家已经大量生产多晶硅。太阳电池多晶硅锭是一种柱状晶，晶体生长方向垂直向上，是通过定向凝固（也称可控凝固、约束凝固）过程来实现的，即在结晶过程中，通过控制温度场的变化，形成单方向热流（生长方向和热流方向相反），并要求液固界面处的温度梯度大于 0，横向则要求无温度梯度，从而形成定向生长的柱状晶。实现多晶硅定向凝固生长的四种方法分别为布里曼法、热交换法、电磁铸锭法、浇铸法。目前企业最常用的方法是热交换法生产多晶硅。

非晶硅太阳能电池成本低廉，弱光效应好，但转换效率较低（小于 10%），使用寿命短，稳定性差，材料易引发光电效率衰退效应，影响它的实际使用。要获得非晶态，需要有较高的冷却速率，而对冷却速率的具体要求随材料而定。硅要求有极高的冷却速率，用液态快速淬火的方法目前还无法得到非晶硅。近年来，发展了许多种气相淀积非晶态硅膜的技术，其中包括真空蒸发、辉光放电、溅射及化学气相淀积等方法。一般所用的主要原料是单硅烷（SiH_4）、二硅烷（Si_2H_6）、四氟化硅（SiF_4）等，对纯度要求很高。非晶硅膜的结构和性质与制备工艺的关系非常密切，目前认为以辉光放电法制备的非晶硅膜质量最好，设备也并不复杂。

此外，硅太阳能电池已成为人造卫星、宇宙飞船和星际空间站等宇宙飞船器的主要能源之一，其生产过程如图 1.4 所示。1958 年美国发射的“先锋一号”人造地球卫星、1970 年我国发射的“东方红一号”人造卫星上都安装了太阳能电池。如今，我国自行研制的高效砷化镓太阳能电池也已经在第二颗“风云一号”气象卫星上正常使用。其中，多晶硅是太阳能光伏系统最核心的原料，工业生产中主要存在两种工艺制备技术：三氯氢硅还原法和硅烷热分解法。

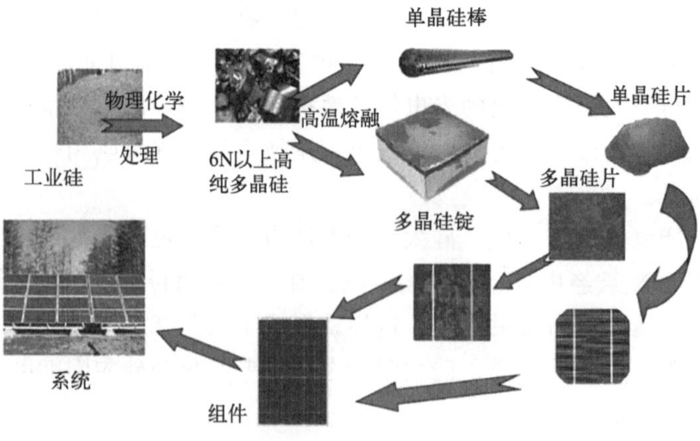

图 1.4　硅太阳能电池生产过程

（6N 指纯度为 99.9999%）

近年来，我国光伏产业快速发展，光伏电池制造产业规模迅速扩大，市场占有率位居世界前列，光伏电池制造达到世界先进水平，多晶硅冶炼技术日趋成熟，形成了包括硅材料及硅片、光伏电池及组件、逆变器及控制设备的完整制造产业体系。光伏发电国内应用市场逐步扩大，发电成本显著降低，市场竞争力明显提高。

（3）其他形式的太阳能转换技术

其他形式的太阳能转换技术主要包括太阳能-氢能转换，太阳能-生物质能转换以及太阳能-机械能转换等。

太阳能可以通过分解水或其他途径转换成氢能（图 1.5）。用太阳能制氢，其主要方法有：太阳能电解水制氢、太阳能热分解水制氢、太阳能热化学循环制氢以及太阳能光化学分解水制氢等。太阳能电解水制氢是目前应用广泛且技术比较成熟的方法。电解水制氢，氢气的纯度为 75%～99%，但耗电量大，从能量利用角度看经济性差。只有发电成本大幅度下降后，才可能实现大规模电解水制氢。太阳能热分解水制氢是利用太阳能将水或水蒸气加热到 3000K 以上，水中的氢和氧便能分解。这种方法制氢效率高，但需要高倍聚光器才能获得如此高的温度，能耗高，一般不被采用。为了降低太阳能直接热分解水制氢要求的高温，发展了一种热化学循环制氢方法，即在水中加入一种或几种中间物，然后加热到较低温度，经历不同的反应阶段，最终将水分解成氢和氧，而中间物不消耗，可循环使用。

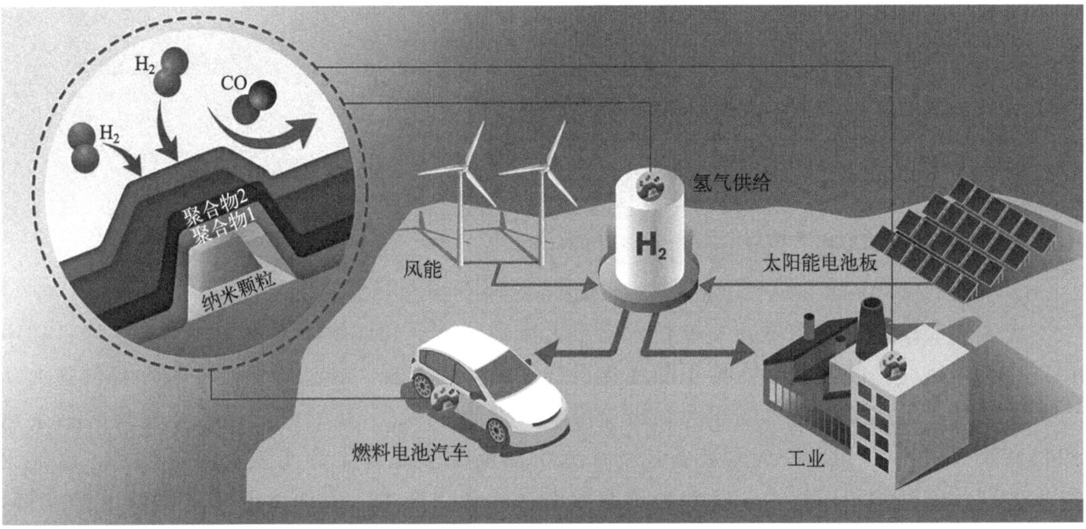

图 1.5　太阳能-氢能转换

太阳能也可以通过植物的光合作用，将二氧化碳和水合成有机物（生物质能）并释放出氧气（图 1.6）。生物质指的是通过光合作用而形成的各种有机体，包括所有的动植物和微生物。生物质存在于木材、稻草、种子废料、粪肥、废纸、生活垃圾、废水等各种物质中，属于全球范围内最广泛存在的物质。生物质能是以生物质作为载体，将太阳能以化学能形式储存于有机体中，再通过自然界的循环实现能源的转换，可转化成常规的固态、液态和气态燃料。据统计，生物质目前储存的能量是世界能源消费总量的 2 倍，提升生物质能的转换效率对解决未来能源使用问题有重要意义。生物质能通过直接或间接的绿色植物的光合作用，一方面有效吸收大气中排放的二氧化碳，另一方面又将太阳能转化为常规的固态、液态和气态燃料，属于可再生的碳源，是人类最重要的间接利用太阳能的方式。生物质能源利用的方式有通过直接燃烧得到热能、秸秆燃烧发电、垃圾燃烧发电；也有的通过生物化学转换技术，利用植物的秸秆、枝叶等制取沼气；还可以通过热化学转化制取乙醇燃料、生物柴油等。生物质能具有可再生、低污染、分布广泛、种类丰富等优点。

太阳能本身是一种电磁辐射，组成光线的光子，遇到物体后能够对物体产生压力，成为光压。太阳光的光压就是太阳能转化为机械能的实例。曾经有物理学家提出，利用在宇宙空间中巨大的太阳帆，在阳光的压力作用下可推动太空船前进，将太阳能直接转换成机械能，如图 1.7 所示。科学家估计在未来 10～20 年内，太阳帆设想可以实现。

图 1.6　太阳能-生物质能转换

图 1.7　太阳帆

1.5　实现“双碳”目标的关键技术

实现“双碳”目标离不开关键技术的重大突破，为更好地解决我国实现“碳达峰、碳中和”过程中所面临的问题，需要不断强化科技创新，为实现“碳达峰、碳中和”提供强大动力，尤其是必须以关键技术的重大突破支撑实现“碳中和”。其中关键性技术发展包括余热回收高效利用技术、LNG 成套装备技术、光伏新能源多晶硅生产工艺及装备技术、废气无害化处理及资源化利用技术、废水处理及污染物资源化技术。有以上五个关键技术的支持，我国实现“双碳”目标就有了无限动力。

1.5.1　余热回收高效利用技术

实现节能减排、提高能源利用率的目标主要依靠工业领域。我国工业领域能源消耗量约占全国能源消耗总量的 70%，主要工业产品单位能耗平均比国际先进水平高出 30%左右。我国能源利用率仅为 33%左右，比发达国家低约 10%，至少 50%的工业耗能以各种形式的余热被直接废弃。我国工业余热资源丰富，广泛存在于工业生产过程中，余热资源占其燃料消耗总量的 17%～67%，其中可回收率达 60%，余热利用率提升空间大，节能潜力巨大。工业余热回收利用又被认为是一种“新能源”，近年来成为推进我国节能减排工作的重要内容。

常见的余热回收利用有多种分类方式，根据利用余热资源过程中能量的传递或转换特点，可以将国内目前的工业余热利用技术分为直接热交换利用、热-功转换利用、余热提质与综合利用。

（1）直接热交换利用

余热回收应优先用于本系统设备或本工艺流程，降低一次能源消耗，尽量减少能量转换次数。因此，工业中常常通过空气预热器、回热器、加热器等各种换热器回收余热，加热助燃空气、燃料（气）、物料或工件等，提高炉窑性能和热效率，降低燃料消耗，减少烟气排放，或将高温烟气通过余热锅炉或汽化冷却器生成蒸汽热水，用于工艺流程。这一类技术设备对余热的利用采用不改变余热能量的形式，只是通过换热设备将余热能量直接传递给自身工艺的耗能流程，降低一次能源消耗，可统称为热交换技术，这是回收工业余热最直接、效率较高的经济方法，相对应的设备是各种换热器，既有传统的各种结构的高效换热器、热管换热器，也有余热蒸汽发生器（余热锅炉）等。

（2）热-功转换利用

热交换技术通过降低温度品位，仍以热能的形式回收余热资源，是一种降级利用，不能满足工艺流程或企业内外电力消耗的需求。此外，对于大量存在的中低温余热资源，若采用热交换技术回收，经济性差或者回收热量无法用于本工艺流程，效益不显著。因此，利用热功转换技术提高余热的品位是回收工业余热的又一重要技术。

热-功转换技术可分为传统的以水为工质的蒸汽透平发电技术和采用低沸点有机工质的发电技术。由于工质特性显著不同，相应的余热回收系统及设备组成也各具特点。目前，主要的工业应用以水为工质，以余热锅炉＋蒸汽透平或者膨胀机所组成的低温汽轮机为发电系统。相对于常规火力发电技术参数而言，低温汽轮机发电机组利用的余热温度低、参数低、功率小，在行业内多被称为低温余热汽轮机发电技术，新型干法水泥窑低温余热发电技术是典型的中低温参数的低温汽轮机发电技术。

低温汽轮机发电可利用的余热资源主要是大于350℃的中高温烟气，如烧结炉窑烟气，玻璃、水泥等建材行业炉窑烟气或经一次利用后降温到400～600℃的烟气，单机功率在几兆瓦到几十兆瓦，如钢铁行业氧气转炉余热发电，烧结余热发电，焦化行业干熄焦余热发电，水泥行业低温余热发电，玻璃、制陶、制砖等建材炉窑烟气余热发电等多种余热发电形式。但从余热资源的温度范围来看，该技术利用的中高温余热，属于中高温余热发电技术。

（3）余热提质与综合利用

① 余热制冷技术。与传统压缩式制冷机组相比，吸收式或吸附式制冷系统可利用廉价能源和低品位热能而避免电耗，解决电力供应的不足。采用天然制冷剂，不含对臭氧层有破坏的CFC（氯氟烃）类物质，具有显著的节电能力和环保效益，在20世纪末得到了广泛的推广应用。

吸收式和吸附式制冷技术的热力循环特性十分相近，均遵循“发生（解析）—冷凝—蒸发—吸收（吸附）”的循环过程。吸收式制冷的吸收物质为流动性良好的液体，制冷工质为氨-水、溴化锂水溶液等，其发生和吸收过程通过发生器和吸收器实现；吸附式制冷的吸附剂一般为固体介质，吸附方式分为物理吸附和化学吸附，常使用分子筛-水、氯化钙-氨等工质对，解析和吸附过程均通过吸附器实现。

② 热泵技术。工业生产中存在大量略高于环境温度的废热（30～60℃），如工业冲渣水、冷却废水、火电厂循环水、油田废水、低温烟气和水汽等中的余热，温度很低，但余热量大。热泵技术常被用于回收此类余热资源。

热泵以消耗一部分高质能（电能、机械能或高温热能）作为补偿，通过制冷机热力循环，把低温余热源的热量“泵送”到高温传热介质（如 50℃及以上的热水）中，可满足工农商业的蒸馏浓缩、干燥制热或建筑物采暖等对热水的需求。目前，热泵机组的供热系数在 3～5 之间，即消耗 1kW 电能，可制得 3～5kW 热能。在一定条件环境下，采用热泵技术利用略高于环境温度废水中的余热是经济可行的。

1.5.2 LNG 成套装备技术

近年来，我国 LNG 技术装备得到长足发展，逐步形成了系列化、成套化的技术装备体系。进一步总结装备发展成果，提高国产化技术水平，是行业面临的重要任务。国内引入 LNG 接收站之初，大型气化装备与技术均由国外公司垄断，存在供货渠道单一、供货期长、采购受限等问题，严重阻碍了我国 LNG 产业的发展。

国内企业通过技术研发、产学研合作等方式，开展 LNG 装备和材料自主化研究。以天津 LNG 接收站为例，中国石化对 LNG 接收站整体工艺进行再优化，提升了站场工艺整体效率，并创新性地提出了蒸发气（BOG）再冷凝回收系统，形成了中国石化首套具有自主知识产权的接收站工艺包，实现了设计技术工艺的国产化。

目前，LNG 接收站核心技术设备和材料的国产化程度显著提高，打破了我国在 LNG 装备方面长期依赖进口的局面，大幅降低了采购成本，同时也带动了国内加工制造产业的发展，LNG 关键设备由最初的完全依赖进口逐渐转变为目前的绝大部分国产、极少数进口。自主产品不仅在各项关键指标方面可与进口产品比肩，而且在价格、供货周期和后期运营维护上也有明显优势，为保障国家能源安全奠定了坚实的技术基础。

1.5.3 光伏新能源多晶硅生产工艺及装备技术

众所周知，多晶硅生产过程中的副产物 $SiCl_4$ 产量大、易挥发，存储、运输、处理都十分危险，是一种易燃、易爆而且腐蚀性和毒性都很强的危险化学品，若没有得到合理利用或处置，会对环境造成不可逆转的破坏。冷氢化技术是多晶硅工业中一种新兴的技术，技术核心是把多晶硅生产过程中的有毒副产物 $SiCl_4$（缩写为 STC）转化为生产多晶硅的原料 $SiHCl_3$（缩写为 TCS）。多晶硅冷氢化技术主要分为两个类型，一种是高压低温冷氢化技术，另外一种就是氯氢化技术。

高压低温冷氢化技术是在高压、低温条件下，以传统的 H_2、硅粉、$SiCl_4$ 为原料，在 500～600℃和 1.5～3.5MPa 压力下反应。通常 $SiCl_4$ 的转化率在 17%～20%，通过添加催化剂，可使转化率提高至 25%左右。其反应原理如下：

$$3SiCl_4(g)+2H_2(g)+Si(s) \longrightarrow 4SiHCl_3(g) \tag{1.1}$$

氯氢化技术是在传统冷氢化技术的基础上创新提出回收 HCl 生产 $SiHCl_3$ 的方法。该技术整合了三氯氢硅合成和高压低温冷氢化两者的特点，是传统冷氢化工艺的衍生和优化，使回收的 HCl 得到充分的利用。其反应原理如下：

$$2SiCl_4(g)+H_2(g)+Si(s)+HCl(g)\longrightarrow 3SiHCl_3(g) \quad (1.2)$$

反应器有两种，即固定床反应器和流化床反应器。固定床反应器在中小试装置中较为常见，流化床反应器常用于大型冷氢化项目。

在冷氢化工艺中要注重两个问题：首先是优化工艺参数，这样才能够在较低的压力条件下实现更高的转化率；其次就是进料装置也要进行一定的技术改良，这样才能够对进料设备的使用寿命进行适当的延长，同时保证使用过程中的安全性以及稳定性。冷氢化技术大规模应用于多晶硅生产领域的时间不长，国内应用该技术的企业只有几家，其中一些已经运行了一段时间，一些正在筹备冷氢化项目。冷氢化技术以其节能、环保的突出优势，在多晶硅领域迅速占领了重要部分，随着技术的不断成熟，其应用将会更加广泛。

1.5.4　废气无害化处理及资源化利用技术

随着工业化进程的加速，废气排放量不断增加，对环境造成了严重污染。为了从源头上减少废气污染，应着重发展废气处理技术。废气处理技术是从源头上减少废气污染的关键手段。通过采用合理的废气处理技术，可以有效地降低废气中有害物质的含量，改善空气质量，保护生态环境。在实践中，应根据实际情况选择合适的废气处理技术，并加强技术研发和创新，以提高废气处理的效率和效果。

火炬及火炬气回收系统是废气无害化处理及资源化利用“效益型环保”的典范。火炬及火炬气回收系统是炼化企业多余气体处理的重要设备。它的作用主要是作为全厂安全生产的最后一道安全屏障，满足各工艺装置开车、停车及事故状态下火炬气安全排放的要求，同时满足各工艺装置在正常生产时安全阀和泄压阀小流量泄漏、计划小修火炬气排放以及燃料气和氢气系统过剩时排放气体的回收。目前，我国通过工艺流程完善和生产管理优化实现了安全、环保和绿色运行，为各工艺装置提供了安全保障。

1.5.5　废水处理及污染物资源化技术

化工行业大都是高消耗、高污染的重点行业，产出的大量化工废水既会导致严重的环境污染问题，也造成了大量的资源浪费。随着我国低碳环保政策的不断深入推进，化工企业不断加强对化工废水的治理研究，发明了一系列的化工废水处理工艺，取得了良好的污染治理效果。但由于化工企业的生产规模较大，产出的化工废水数量较多，使用传统废水处理工艺对大量的化工废水进行零排放处理往往需要极大的投入，造成了废水处理成本高、能源消耗大、处理效率低等多种问题，难以满足化工企业的废水处理需求，也导致了很多小型化工企业只在应对上级检查时才开启废水处理装置，不能完全保证对化工废水的有效处理。因此，研究新型的节能环保、高效率、低成本的化工废水处理工艺，成了新时期化工企业发展的重要工作内容。资源化综合处理技术是将化工废水中的可利用物质进行综合处理和回收再利用，形成具有工业价值的资源产出和可循环利用的工业循环水，实现废水零排放和资源的循环利用，既能够实现环保需求，也能够深入挖掘废水中的循环经济价值，是提升化工企业综合效益、满足环保生产需求的关键技术。

在众多化工废水中，含盐废水的循环利用显得尤为重要。对于含盐废水的处理，首先要实现低、高浓度盐水的分离与提纯，将混凝沉淀、过滤、超滤、反渗透技术等进行综合应用。废水首先通过混凝沉淀将其中的胶体物质和悬浮物质进行沉降；然后进行过滤，清除掉水中的胶状物和絮状悬浮杂质；然后通过超滤去除废水中的残留悬浮物，并降低化学需氧量(COD)，保障反渗透工序的进水质量；反渗透工序能够有效脱盐，去除废水中的盐分，过滤出符合标准的回用水和高盐废水浓液。对高盐废水浓液的处理主要包括过滤、脱钙、脱镁以及膜浓缩工艺，高盐废水浓液经过过滤，将废水中的胶体物质和悬浮物进行去除；然后进入脱钙、脱镁工序分离废水中的镁离子和钙离子，让水的硬度有效降低，防止水垢的形成；膜浓缩工序能够进一步提高高盐废水的浓度，对之后的高盐废水处理和物质回收有所帮助。

高盐废水的处理方式主要是蒸发结晶法，通过蒸发反应分离淡水和盐结晶，实现高盐废水处理和工业盐回收，主要用到的技术包括多级闪蒸技术、机械蒸汽再压缩技术以及多效蒸发技术。

多级闪蒸技术可以有效处理高盐废水，将其通入压力递减的容器中进行闪蒸汽化反应，得到回用水和盐结晶，实现废水处理和工业盐的回收利用。

机械蒸汽再压缩技术的原理与传统的蒸汽处理技术相同，但其能够利用自身的机械设计产生二次蒸汽，利用蒸汽压缩机将蒸汽压缩，提高压力和温度，随后蒸汽进入换热器被冷凝，有效利用了蒸汽潜热，减少了能源需求。该技术只需要在设备启动时生产蒸汽，相对于传统的热力蒸汽再压缩技术而言，机械蒸汽再压缩技术能够有效减少对生产蒸汽的依赖，减少能源消耗，提高蒸汽利用率，具有良好的节能效果。由于高盐废水的含盐量较高，在蒸发过程中，废水中的盐通常会在设备管路表面产生结垢，导致能源利用率降低以及设备损坏率提升，既会造成严重的能源浪费问题，也可能会造成安全隐患。因此，为了防止设备管路表面结垢的问题产生，通常会使用在线清洗技术对附着的盐结晶进行及时清理，从而提高高盐废水处理中的能源利用率，降低设备损坏可能导致的人身和财产安全的威胁。

多效蒸发技术是多层次的单效蒸发工序的串联使用技术，利用单效蒸发中产生的蒸汽为后效单元提供蒸汽，由于后效单元中的压力和溶液的沸点需求会降低，因此能够实现可持续的蒸汽利用。后效单元的加热室能够成为前效单元的冷凝器，以此来实现多个蒸发单元的串联运转，从而实现多效蒸发。多效蒸发技术能够有效提高高盐废水处理过程中的能源利用率，降低能源损耗，同样是实现化工废水处理节能环保需求和低成本需求的有效处理技术。

1.5.6 氢燃料电池

氢燃料电池是将氢气和氧气的化学能直接转换成电能的发电装置。由于其是直接将化学能转换为电能，不需要经过热能和机械能的中间变换，发电效率可以达到50%以上；同时，氢燃料电池是通过电化学反应产能的，与传统的燃烧或储能方式有所不同，不会对环境造成污染；而且，氢燃料电池在运行的过程中较为安静，能够安装于室内或室外对噪声有限制的地方。

目前我国的氢燃料电池仍处于发展初期，核心技术尚未成熟，发展形式呈现多元化。行业的上游主要分为氢气供给和组件材料两大板块，氢气供给包括制氢、储运、加注三个方面，组件材料又包括燃料电池电堆、空气供给系统、氢气循环系统、水热管理系统和电控系统；中游为氢燃料电池系统集成区；下游的应用市场可以分为交通领域（商用车、乘务车、船舶、飞机等）和非交通领域（发电、工业燃料等）。

我国目前以化石燃料制氢为主，其占氢能生产的64%左右，但随着制氢技术的进步以及各个领域节能减排政策的推进，零排放可再生能源电解水制氢将是未来的主要发展趋势。据中国煤炭工业协会报道，2012—2021年，我国氢气产量保持逐年增长的发展态势。据国家能源局统计，2017—2022年，我国加氢站数量持续上升，但其增长速度降幅十分显著。截至2022年，我国加氢站达到274个，同比增长25.69%。加氢站是氢能产业商业化发展的重要基础设施，我国加氢设施产业处于发展初期，相关技术水平较为落后，加氢站采用的核心设备主要依赖进口。随着氢燃料电池的发展以及氢燃料电池汽车保有量的快速增长，市场对于加氢站建设及运营的参与热度将不断提高，叠加国家政策的引导，我国的加氢站数量将得到快速增长。

燃料电池电堆是燃料电池的核心系统，在燃料电池系统成本中占比约为65%。近年来，中国燃料电池系统企业不断加大研发投入力度，攻克核心技术，实现了国产化替代，推动了燃料电池系统成本进一步下降。同时，燃料电池系统受益于市场需求拉动，开始批量生产，也将通过规模化效应实现成本下降。据中国汽车工业协会的报道，2017—2021年，我国燃料电池系统及电堆的成本持续下滑，2021年，燃料电池系统的平均成本为4400元/kW，燃料电池电堆的平均成本为2600元/kW，相较于2017年分别下降了10600元/kW和7500元/kW。

我国氢燃料电池汽车造价成本较高，加氢站覆盖率低叠加市场氢能教育水平不足，民众购买氢燃料电池乘用车意愿较低。但氢燃料电池汽车具备续航时间长、充电便捷、耐低温等优势，相较于锂电池汽车，其性能属性更加贴合商用车场景需求。政府可通过补贴政策等，推动市政和企业购买意愿向氢燃料电池商用车倾斜，从而带动氢燃料电池汽车的发展。据中国汽车工业协会的报道，2017—2022年，我国氢燃料电池汽车呈先上升后下降再上升的发展态势。2022年，我国氢燃料电池汽车的产量为3626辆，同比增长104.55%；销量为3367辆，同比增长112.30%。

1.5.7 可控核聚变

核能是能量密度高于化学能的一种能源。20世纪全人类就初步认知到了核能，并且还研制出了核武器。对于核能的和平应用，人类目前只能做到对核裂变的可控应用，虽然能量密度比化学能要强很多，但其原料及产生的核废料、核废水等有产生辐射的风险。而核能真正的高级应用模式是核聚变。宇宙中有无数的恒星，而恒星的内部在不停地发生核聚变反应，不断地将氢元素聚变转化为氦元素等。核聚变对于原料的需求也非常简单，那就是氢，这种元素在宇宙中占到了90%以上。而地球是一个海洋的世界，表面71%的面积被水覆盖，所以核聚变所需要的原料是取之不尽的。

目前，可控核聚变的技术路线大体有三种，分别是重力场约束核聚变、激光惯性约束核聚变和磁约束核聚变。托卡马克是一种利用磁约束来实现受控核聚变的环形容器，它的中央是一个环形的真空室，外面缠绕着线圈，在通电时内部会产生巨大的螺旋形磁场，将其中的等离子体加热到很高的温度，以达到核聚变的目的。其结构如图1.8所示。

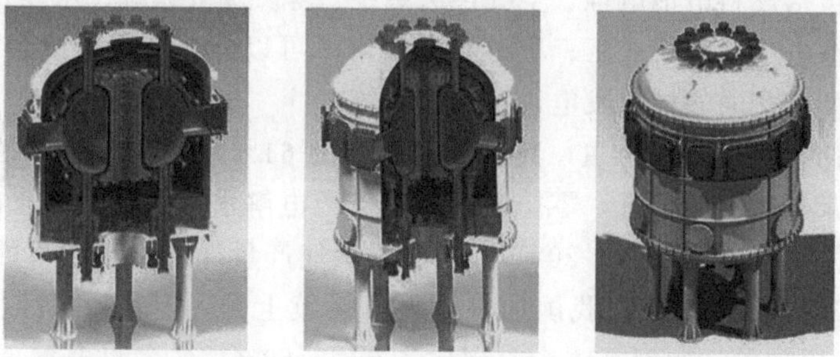

图 1.8　磁约束核聚变装置结构

2023 年 4 月 12 日 21 时，中国有“人造太阳”之称的全超导托卡马克核聚变实验装置(EAST) 成功实现稳态高约束模式等离子体（图 1.9）运行 403s，创造了新的世界纪录，对探索未来的聚变堆前沿物理问题，提升核聚变能源经济性、可行性，加快实现聚变发电具有重要意义。

图 1.9　磁约束等离子体示意图

世界上最大的可控核聚变项目是位于法国南部的 ITER（拉丁语意为“道路”，最初是“国际热核实验反应堆”的首字母缩写)，它使用等离子体半径为 6.2m 的大型托卡马克，整个机器重达 2.3 万 t。如果一切按计划进行，在欧盟、英国、中国、印度、日本、韩国、俄罗斯和美国等的支持下，ITER 将成为第一个以发电厂规模（约 500MW）展示持续电力输出的核聚变反应堆。

参考文献

[1] 中国建筑节能协会，重庆大学城乡建设与发展研究院．中国建筑能耗与碳排放研究报告（2023 年）[J]. 建筑，2024(02)：46-59.

[2] 魏一鸣，刘兰翠，范英，等．中国能源报告（2008)：碳排放研究 [M]. 北京：科学出版社，2008.

[3] Meiyue S, Liyin S. An international perspective on carbon peaking status between a sample of 154 countries [J]. Applied Energy, 2024, 369: 123580.

[4] 陈杰瑢．物理性污染控制 [M]. 北京：高等教育出版社，2007.

[5] 张卫风．中空纤维膜接触器分离燃煤烟气中二氧化碳的试验研究 [D]. 杭州：浙江大学，2006.

[6] 段立强．IGCC 系统全工况特性与设计优化以及新系统开拓研究 [D]. 北京：中国科学院大学（中国科学院工程热物理研究所)，2002.

[7] 段阳伟，王凯．俄乌冲突下的能源安全及我国的应对 [J]. 中外能源，2024，29 (06)：8-14.
[8] 一览众山小-可持续城市与交通团队．2050 年净零排放：全球能源部门路线图 [J]. 北京规划建设，2022 (05)：31-39.
[9] 许勤华．中国能源国际合作报告 [M]. 北京：中国人民大学出版社．2018.
[10] 郑新业，陈占明．中国能源经济展望 [M]. 北京：中国人民大学出版社，2020.
[11] 黄晓勇，陈卫东，王永中．世界能源发展报告 (2023) [M]. 北京：社会科学文献出版社，2023.
[12] Nosherwan A, Sebastian N D, Anand K, et al. Rational design process for gas turbine exhaust to supercritical CO_2 waste heat recovery heat exchanger using topology optimization [J]. Applied Thermal Engineering, 2024, 236: 121670.
[13] Zhang X, Cheng X, Qi X, et al. Evaluation of China's double-carbon energy policy based on the policy modeling consistency index [J]. Utilities Policy, 2024, 90: 101783.
[14] 李璐，张泽端，毕贵红，等．"双碳"目标下基于系统动力学的发电行业碳减排政策研究 [J]. 电力系统保护与控制，2024，52 (12)：69-81.
[15] 于伟静，杨鹏威，王放放，等．双碳战略背景下中国煤电技术发展与挑战 [J]. 煤炭学报，2023，48 (07)：2641-2656.
[16] 国家发展改革委应对气候变化司．清洁发展机制读本 [M]. 北京：中国标准出版社，2008.
[17] 吴占松，马润田，赵满成，等．煤炭清洁有效利用技术 [M]. 北京：化学工业出版社，2007.
[18] 郑体宽，杨晨．热力发电厂 [M]. 2 版．北京：中国电力出版社，2008.
[19] 陈道远．变压吸附法脱除二氧化碳的研究 [D]. 南京：南京工业大学，2003.
[20] 阎维平．温室气体的排放以及烟气再循环煤粉燃烧技术的研究 [J]. 中国电力，1997，30 (6)：59-62.
[21] 李振山，韩海锦，蔡宁生．化学链燃烧的研究现状及进展 [J]. 动力工程，2006，26 (4)：538-543.
[22] 徐俊，张军营，潘霞，等．二氧化碳储存技术的研究现状 [J]. 煤炭转化，2005 (03)：80-86.
[23] 张军，李桂菊．二氧化碳封存技术及研究现状 [J]. 能源与环境，2007，81 (02)：33-35.
[24] 程丽华，张林，陈欢林，等．微藻固定 CO_2 研究进展 [J]. 生物工程学报，2005 (02)：177-181.
[25] 江怀友，沈平平，李治平，等．世界二氧化碳埋存及利用方式研究 [J]. 国际石油经济，2007，15 (7)：16-19，79.
[26] 田瑞，间素英．能源与动力工程概论 [M]. 北京：中国电力出版社，2008.
[27] 惠世恩，庄正宁，周屈兰，等．煤的清洁利用与污染防治 [M]. 北京：中国电力出版社，2008.
[28] 熊焰．低碳之路：重新定义世界和我们的生活 [M]. 北京：中国经济出版社，2010.
[29] 宁大同，王华东．全球环境导论 [M]. 济南：山东科学技术出版社，1996.
[30] 刘峰，郭林峰，赵路正．双碳背景下煤炭安全区间与绿色低碳技术路径 [J]. 煤炭学报，2022，47 (01)：1-15.
[31] Sun Y, Zhang Z, Liu L, et al. Integrated carbon dioxide/sludge gasification using waste heat from hot slags: Syngas production and sulfur dioxide fixation [J]. Bioresource Technology, 2015, 181: 174-182.
[32] 李典，汪洵，刘应明．新能源汽车产业园工业废水处理研究 [J]. 工业水处理，2024，7：1-9.
[33] 王乙喆．空间能源生产：新能源时代城市空间低碳转型新路径——基于光伏能源生产与城市空间互动融合视角 [J]. 城市规划，2024，48 (04)：59-70.
[34] Maka O A, Ghalut T, Elsaye E. The pathway towards decarbonisation and net-zero emissions by 2050: The role of solar energy technology [J]. Green Technologies and Sustainability, 2024, 2 (3): 100107.
[35] Khan A M M, Ibrahim I N, Mahbubul I, et al. Evaluation of solar collector designs with integrated latent heat thermal energy storage: A review [J]. Solar Energy, 2018, 166: 334-350.
[36] Kutlu C, Zhang Y, Elmer T, et al. A simulation study on performance improvement of solar assisted heat pump hot water system by novel controllable crystallization of subcolded PCMs [J]. Renewable Energy, 2020, 152: 601-612.
[37] Boonnam N, Lanteng O. Energy yield database management system based on solar photovoltaic cell using internet of things technology [J]. e-Prime-Advances in Electrical Engineering, Electronics and Energy, 2024, 8: 100563.
[38] 刘继三，丁哲，张豪豪，等．四氯化硅冷氢化工艺及机理的研究进展 [J]. 现代化工，2023，43 (07)：30-34.
[39] 刘赵淼，王秀丽，于海源，等．国内高温空气燃烧技术发展现状和趋势 [J]. 北京工业大学学报，2006 (07)：614-621.
[40] 张强．低温热管技术在煤矿回风余热回收中的应用与研究 [J]. 机械管理开发，2020，35 (08)：154-156，180.

[41] 曹军．全自动低温热管技术在矿井回风余热回收中的应用分析 [J]. 中国煤炭，2023，49 (S1)：77-83.

[42] 高天宇，魏勇，陈文华．烟气换热器与热泵梯级余热回收系统运行特性研究 [J]. 工程建设与设计，2022 (15)：71-75.

[43] Baradey Y，Hawlader A N M，Ismail F A，et al. Waste heat recovery in heat pump systems：solution to reduce global warming [J]. International Islamic University Malaysia Engineering Journal，2015，16 (2)：31-42.

[44] Ding Y，Liu Y，Wang M，et al. Heat integration，simultaneous structure and parameteroptimisation，and techno-economic evaluation of waste heat recovery systems for petrochemical industry [J]. Energy，2024，296：131083.

[45] Pashchenko D，Karpilov I，Polyakov M，et al. Techno-economic evaluation of a thermochemical waste-heat recuperation system for industrial furnace application：Operating cost analysis [J]. Energy，2024，295：131040.

[46] He L，Han J，Duan E. Special Issue on “Resource Recovery and Harmless Treatment Processes for Industrial Organic Pollutants” [J]. Processes，2023，11 (7)：2128.

[47] 孙齐，田磊，樊慧，等．碳达峰碳中和目标下中国天然气利用政策体系思考 [J]. 2022，30 (9)：47-53.

第2章 余热回收高效利用技术

2.1 概述

随着我国“双碳”目标的提出，为着力解决资源环境约束突出问题，各行业制定了“碳排放”“碳达峰”行动实施方案。同时，国家高度重视产业结构调整，加大新能源及绿色低碳制造力度，加强技术创新、节能提效，为实现“双碳”目标提供了强有力的支撑，推动实现经济、能源、环境、气候共赢。

2024 年 8 月国务院新闻办公室发布《中国的能源转型》白皮书，明确指出了能源是人类赖以生存和发展的重要物质基础，能源低碳发展关乎人类未来；提出了把节约能源资源放在首位，实施全面节约战略，强化节能降碳制度约束，始终坚持节能优先方针，抑制不合理能源消费，在转变资源利用方式、提高资源利用效率上下功夫，用好能耗双控指挥棒，将能耗强度下降作为约束性指标，并推动向碳排放双控转变；要求推动重点领域节能提效，深挖工业领域节能潜力，工业企业是节能提效的重中之重，持续推动工业领域淘汰落后产能和节能技术改造，积极推动生产工艺革新、流程再造和数字化智能化升级，组织重点企业提升用能精细化管理水平。

工业是我国的能耗大户，其用能占全国总能源消费的 70%左右。随着经济产业的复苏与发展，预计 2030—2035 年间达峰，峰值约为 62.0 亿～63.4 亿吨标准煤，其中非化石能源占比约 30%，峰值平台期约 10 年，煤炭将持续发挥能源“压舱石”与“稳定器”的作用。未来一段时间能源需求仍将增长，产业结构偏重、能源结构偏煤，资源环境的约束长期存在。应对这些困难挑战，根本方法是能源转型。在加快研究开发新能源、可再生能源的同时还必须提高能源利用率，大力开展重点行业的能量系统优化、余热余压利用等。在《中华人民共和国节约能源法》中已明确指出了需要制定对电力、钢铁、有色金属、建材、石油加工、化工、煤炭等主要高耗能行业的节能技术政策，现已制定了诸如《水泥单位产品能源消耗限额》(GB 16780)、《粗钢生产主要工序单位产品能源消耗限额》(GB 21256)、《炼化行业单位产品能源消耗限额》(GB 30251) 等多项单位产品能源消耗限额的国家强制标准，加强实施对生产过程中的能耗计算并考核，对提高新建项目能效准入门槛、淘汰落后产能、推广高效节能产品、促进企业节能技术改造具有重要意义。采用绿色能源技术、热电联产、余热余压利用等先进技术，推进高耗能行业的节能，优化用能结构，在一次、二次能源高效利用中助推新质生产力发展，在科技创新中促进新质生产力发展，在能源转型中发展新质生产力。

2.1.1 余热资源及其分类

冶金、石化、电力、建材等是我国重要的基础工业，也是高耗能行业，生产过程中余热资源量丰富，约占其总能耗的 1/3。通常将工业生产中所排放的温度高于周围环境的大量废气、废液中所含的热能称为余热。在国家现行标准《工业余能资源评价方法》(GB/T 1028—2018) 中对余热给出了最新的标准定义及其分类等。

余热：工业生产工艺系统消耗输入能源后输出的可利用的热能。余热的载热体主要有气、固、液三种形态。以气体为载体的余热资源包含烟气余热、可燃性的废气余热及放散的蒸汽等；以固体为载体的余热资源包括固态产品和固态中间产品的余热，如焦炭、炉渣、钢锭等的余热以及可燃性固态废料等；以液体为载体的余热资源包括液态产品及液态中间产品的余热，如冷凝水和冷却水的余热、可燃性废液等。

工业中余热资源在其数量、质量和形态上差异较大，对其分类的难度也较大。

工业余热的温度分布范围较广，按热载体温度可大致划分为：高温余热，温度在500℃以上；中温余热，温度在200～500℃之间；低温余热，温度在200℃以下。

进一步，又将工业余热资源大致划分为高、中、低三个层次，如表2.1所示，对于温度高且易于被回收利用的归为高品位余热资源。

表2.1 余热资源品位等级

余热资源等级	气体	液体	固体
高品位	＞400℃	＞200℃	＞700℃
中品位	250～400℃	95～200℃	400～700℃
低品位	＜250℃	＜95℃	＜400℃

以往，还有一种按余热资源可利用的投资回收期来划分的方法，大致划分成了三个等级。一等余热资源的余热利用投资回收期小于3年，常见的有可燃性废气、废液、废料以及温度在400℃以上的烟气等。二等余热资源的余热利用投资回收期在3～6年之间，如200～400℃的烟气以及可利用的高温排渣等。三等余热资源为低温余热，回收难度较大，余热利用投资回收期在6年以上，如温度在200℃以下的烟气以及可利用的中温排渣等。

2.1.2 余热资源回收及评价方法

我国工业能耗占总能耗的70%以上，其中至少50%转化为载体不同、温度不同的工业余热，这些余热大部分应回收利用，但是目前工业余热的资源回收率约为30%，能源利用效率偏低。因此，开展对工业余热的充分回收与综合利用有着重要的意义。

工业余热包含可燃性余热和载热性余热。一部分是由于现有技术水平和生产工艺制约而产生的，可以通过技术改进与创新、提高系统能效减少余热的排放量。而大部分的工业余热是直接向外界排放而散失的，这部分余热存在于冶金、化工、建材等各行业之中，具有分散性强、温度分布范围较广、成分复杂的特点，还具有腐蚀性、不连续性等特质。根据余热在热量传递、热-功转换、存储等过程中的特点，余热回收通常采用的方式有：直接热交换利用、热-功转换利用、余热提质与综合利用。

① 在直接热交换利用中，通常利用余热加热冷流体或采用余热制冷。如在石化加热炉、冶金高炉热风炉、熔炼炉、工业锅炉与炉窑等装置中，利用外排烟气的余热通过换热器来加热空气再送回炉子助燃，或加热锅炉给水，可降低排烟温度，有效节省燃料。

② 余热的热-功转换利用，如余热发电，利用余热产生一定品质的蒸汽，推动动力装置对外做功、发电，或者利用余热工质直接做功，实现动力输出。常见于冶金烧结余热发电、水泥窑炉余热发电、低温余热ORC（有机朗肯循环）发电等。

③ 余热提质与综合利用，如通过热泵机组将余热提升到一定的品质后再进行利用，或

与工艺系统、装置等相结合达到余热的深度回收与综合利用。

对余热资源的合理有效利用需要进行科学的综合评价，目前余热回收常用的分析方法有基于热力学第一定律的热平衡分析法、基于热力学第二定律的㶲（又称有效能或可用能，exergy）分析法以及在热力学第一定律和第二定律的基础上建立起来的能级分析法。

① 热平衡分析法是指对考察系统输入的能量和离开该系统的能量在数量上的平衡，以热效率为基本准则，是工程上应用最早、最广泛的分析方法，从数量的角度来分析能量的使用情况。热平衡分析法可以找出系统中热损失最大的环节，为改进优化装置的用能状况提供理论依据，但其仅反映了能量的数量关系，未考虑能量的品质变化，忽略了余热回收过程中能量贬值的本质，即能量在质量上的变化，所以无法全面反映热能的合理利用程度。

② 㶲分析法阐述了能量在转化过程中存在方向性，揭示了能量具有在质量上不同的本质，同时还指出不可逆过程必然会发生能量损失。为了合理评价能量的可利用性，基于热力学第二定律提出了㶲的概念，状态参数㶲为在一定环境条件下，通过一系列的变化（可逆过程），最终达到与环境处于平衡状态时，所能做出的最大有用功。通过㶲分析法可指出系统中能量损失较大的环节，分析产生原因，如提出受热面布置方案的改进优化措施，为提高系统能量利用率找出关键点。但是㶲分析法不能从能量的品质方面分析所供应的能量品质是否与用户需要的相匹配。

③ 能级分析法是基于热力学第一定律和第二定律的一种能量分析法。能级是指能量中的㶲与能量总量的比值。能级分析法以能量平衡和㶲平衡原理为依据，为解决能量品质评价及合理匹配问题提供了有力的工具，为能量系统优化提供了理论依据。能级分析的评定方法为：将余热㶲与理论可回收最大热量之比定义为能级系数，并以电能作为评价基准（能级系数为1，电能为最高形式能量）。能级系数实质上是将余热资源的能量品位进行量化。可通过比较余热资源的能级系数与用户需求能量的能级系数，并结合能量分析和㶲分析，来选择最经济的余热回收方案。

在现行的《工业余能资源评价方法》（GB/T 1028—2018）中给出了工业余能资源的评价标准，其中所提的余能为工业生产工艺系统消耗输入能源后输出可利用的能量。工业余能根据余能类型分为：余热、余压、化学余能、余冷及其他余能。工业余能资源评价应包括余能量、余能密度、品位、回收利用对环境的影响、余能资源等级五个方面。

余能量分为理论可利用余能量和技术经济可利用余能量。理论可利用余能量是针对余能载体的全部余能含量进行评价；技术经济可利用余能量用于评价现有技术条件下具有回收经济价值的余能量。

余能密度是指在余能载体单位质量或体积内包含的能量。

余能资源的品位从可用势（单位工质在某一状态下的最大做功能力）、温度和压力三个角度进行评价。

工业余能按其载体排放对环境影响程度分为三类：

① 超标排放，余能利用应考虑环保措施；

② 标排放，余能利用建议考虑环保措施；

③ 净排放，余能利用可不考虑环保措施。

标准中按余能资源的可用势、温度、压力划分余能资源等级，见表2.2。

表 2.2　余能资源等级

余能资源种类		余能资源等级	可用势 $e/(kJ/kg)$	温度 $T/℃$	压力 p/MPa	回收技术选择推荐
工业烟气	水蒸气含量高、温度高	1 级	>110	≥300		余热发电
	水蒸气含量低、温度高	2 级	>80	≥300		余热发电或梯级利用供热
	水蒸气含量高、温度低	3 级	≥30	<300		低沸点工质循环发电或热泵提质供热
	水蒸气含量低、温度低	4 级	<30	<300		热泵提质供热
水蒸气	温度较高	1 级	≥700	≥150		余热发电或梯级利用供热
	温度较低	2 级	<700	<150		热泵提质供热
余压气	表压高、温度高	1 级		≥300	≥0.1	余压发电或温度、压力梯级利用
	表压低、温度高	2 级		≥300	<0.1	梯级利用供热
	表压高、温度低	3 级		<300	≥0.1	余压发电或压力梯级利用
	表压低、温度低	4 级		<300	<0.1	热泵提质供热
液态	表压高、温度高	1 级		>200	≥4	余热余压发电
	表压中、温度中	2 级		95～200	1～4	梯级利用供热
	表压低、温度低	3 级		<95	<1	热泵提质供热
固态	温度高	1 级		>700		余热发电
	温度中	2 级		400～700		余热发电或梯级利用供热
	温度低	3 级		<400		热泵提质供热

此外，余能回收技术的选择应考虑能量密度、品位和对环境的影响。因余能回收利用而增加或减少的环保投资，应相应增减余能回收利用投资额；因余能回收利用而获得的环保相关收益，应折算增加余能的经济效益。

面对丰富的工业余热资源，以电力、钢铁、有色金属、建材、石油加工、化工、煤炭等主要高耗能行业的能效提升为抓手，推动企业节能技术改造。鼓励工业企业利用先进的余热回收技术降低生产能耗，采用高效、节能的电动机、锅炉、窑炉、风机、泵等设备，采用热电联产、余热余压利用、洁净煤以及先进的用能监测和控制等技术，对实现我国节能减排、环保发展战略目标具有重要的现实意义。

以下主要介绍电力与环保行业、钢铁冶金行业、化工行业、工业窑炉等的余热回收及减碳效果，其中的应用实例来自南京圣诺热管有限公司。

2.2　电力与环保行业余热回收

电力作为二次能源，在全社会及工业生产中有着至关重要的地位。随着经济的发展，电力需求量与日俱增，需要消耗的一次能源量也不断增大，我国煤炭生产量占一次能源总需求量的 80%以上，而电力行业的生产又过度依赖煤炭，导致电力行业是我国碳排放量最高的行业，其 CO_2 排放占总排放量的 40%左右，而这种以煤炭为主导的能源消费结构短时间内不会发生根本转变，那么在今后的发展过程中，电力行业的节能减排尤为重要。在锅炉采用的诸多燃料中，节能和余热利用属于一种“零碳”燃料，成了工业锅炉使用中需要关注的重点。

目前，国内大型火力发电厂机组以高参数、大容量为主，在超临界锅炉技术有了长足发展的基础上，通过锅炉燃烧控制、汽轮机改进优化等手段，锅炉效率已达到甚至超过94%的水平，接下来就是需要从整个系统着手，综合开展挖潜提效。

锅炉的热效率是指燃料送入的热量中有效热量所占的百分比，即有效能量相对供给能量的百分比。计算热效率 η 的方法主要有正平衡法和反平衡法。但在实际应用中，由于有效（吸收）能量的测量很困难，所以通常使用反平衡法来计算。用反平衡法计算时，应考虑化学不完全燃烧热损失、排烟热损失、机械不完全燃烧热损失、散热损失等。由反平衡法进行锅炉效率测算，关系式如下：

$$\eta=100\%-(q_2+q_3+q_4+q_5+q_6) \tag{2.1}$$

式中，q_2 为排烟热损失占比，排烟热损失为烟气离开锅炉末级受热面时带走的热量，是锅炉最主要的热损失；q_3 为化学不完全燃烧热损失占比，化学不完全燃烧热损失指燃烧过程中产生的可燃气体 CO、H_2、CH_4 等未完全燃烧而随烟气排出所造成的热损失；q_4 为机械不完全燃烧热损失占比，机械不完全燃烧热损失是指燃料中的可燃碳颗粒未完全燃烧就随同炉渣排出炉外而造成的热损失；q_5 为散热损失占比，散热损失是指锅炉运行中，锅炉产生的热量通过炉本体、烟风道、汽水管道等设备的外表面散发出来所散失的热量；q_6 为灰渣物理热损失占比，灰渣物理热损失指炉渣排出炉外而造成的热量损失。

对于大容量高参数煤粉炉，q_3、q_4、q_5、q_6 的潜力已挖，而对于 q_2，锅炉的排烟损失，一般指从空气预热器出口到引风机而后排至烟囱这一流程中的锅炉燃烧后的排放烟气，排烟损失是锅炉运行中最重要的一项热损失，通常在5%～12%，占锅炉热损失的60%～70%。国内电站锅炉的排烟温度大都在120～140℃之间，有的甚至达到160℃以上，因此，锅炉排烟温度可降低的幅度较大，相应的可降低标准煤耗的数量也是较为可观的。在一般的锅炉排烟温度下，锅炉排烟是一项潜力很大的余热资源，可以通过技术创新、优化系统和利用新设备等方式降低锅炉的排烟温度。如果将这部分排烟温度降低30～50℃，锅炉热效率就可提高2%～3%。可见，降低排烟损失对提高锅炉效率及系统的发电经济性有着非常重要的意义。

2.2.1 锅炉尾部烟气余热回收

为利用锅炉排烟余热，在锅炉尾部烟道通过增设非沸腾式低温（低低温）省煤器等方式可直接降低排烟温度，其与凝结水系统采用串、并联及其组合等方式连接用来加热凝结水，取代部分低压加热器的作用，减少汽轮机抽气量，也可用于民用、供暖等，有效回收了烟气余热，降低能量损失和燃煤消耗。

2.2.1.1 常用设备

常用低温省煤器的结构有铸铁式、钢管式、热管式等。图2.1为钢管式省煤器，利用水在蛇形管内自下而上流动，烟气在管外由上而下横向冲刷管壁，实现烟气与水之间的间壁式热量交换。图2.2为轴向重力热管式省煤器，轴向重力式热管内具有一定的真空度和工质，热管的吸热段（蒸发段）布置在烟气流道内，热管内工质吸收烟气的热量汽化为蒸汽，在微小的压差作用下上升到热管上部放热段（冷凝段），蒸汽遇冷凝结释放出凝结潜热来加热管外低温流体水，此时，管内工质凝结为液体，在重力的作用下，沿热管内壁流回到蒸发段，并再次受热汽化，如此往复，连续不断地将热量由下部蒸发段传向上部冷凝段，达到利用烟气余热加热给水的目的，从而有效降低排烟温度。图 2.2 中给出了两种不同的结构形式，图 2.2（a）在热管放热段采用夹套管与连接管组成水侧流道，图 2.2（b）在热管放热段采用夹套管和上、下联箱管通过外部集箱与弯头连接构成水侧流道，实现换热。

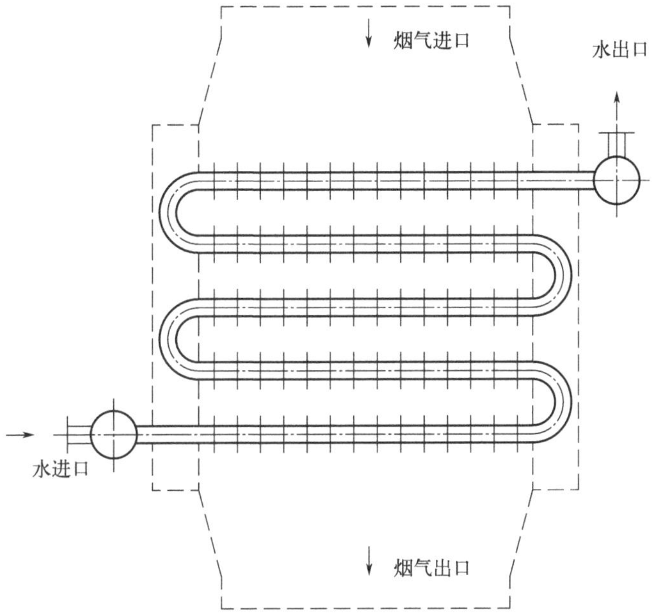

图 2.1　钢管式省煤器结构示意图

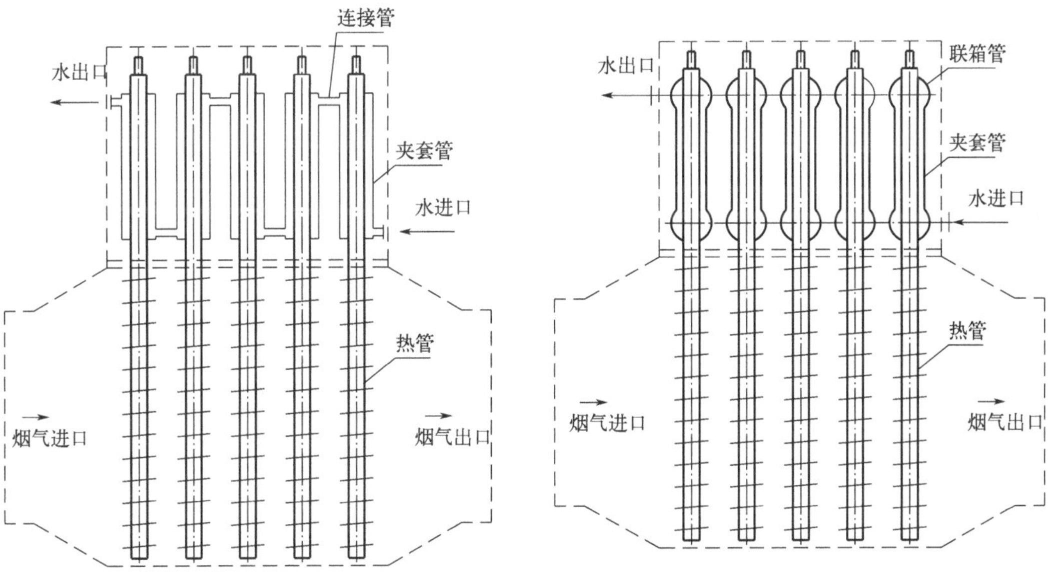

图 2.2　轴向重力热管式省煤器结构示意图

还有一种径向重力热管式省煤器，径向重力热管是一种特殊结构形式的水平夹套两相闭式热虹吸管，也称双管式热虹吸管，是以径向传热为主的相变传热元件，它由内管、外管、端盖和充装的工质组成，内管、外管呈水平布置，内管、外管之间的环状间隙与端盖构成一个密闭的空腔，腔内充装一定量的工质并形成一定的真空度，当热流体流经外管外时，间隙腔内的工质受热后蒸发汽化，蒸汽沿径向流动至内管外壁面，凝结放出热量，以加热流经内管内的冷流体，而内管外壁上的蒸汽冷凝液，依靠重力回流到间隙空腔下部再次吸收热量，如此通过工质的蒸发与凝结不断地将外管外的热量传向内管内。

图 2.3（a）所示的径向重力热管为内、外管同轴的形式，图 2.3（b）为结构优化后的径向偏心重力热管，将内管适当抬高，位于工质（液池）之上，这样增加了内管的外表面在环状间隙蒸汽腔内的面积，相对于同轴布置的结构，增加了冷凝换热面积。

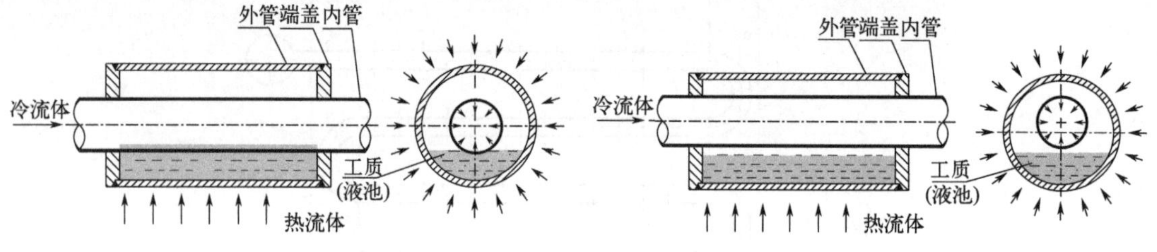

(a) 同轴径向重力热管　　(b) 径向偏心重力热管

图 2.3　径向重力热管结构示意图

在图 2.4 所示的径向重力热管式省煤器中，径向热管的独特结构使得液态冷流体（如给水）系统完全和热流体（烟气）分隔，给水加热不受烟气的直接冲刷，特别是当热流体流经的热管外管壁遭到冲蚀损坏时，内管内的水也不会漏入烟气侧，增强了设备的可靠性。热流体宜由下而上掠过外管，需要加热的液态冷流体（如给水）走内管内部，通常水的流动方向为由下向上流动。

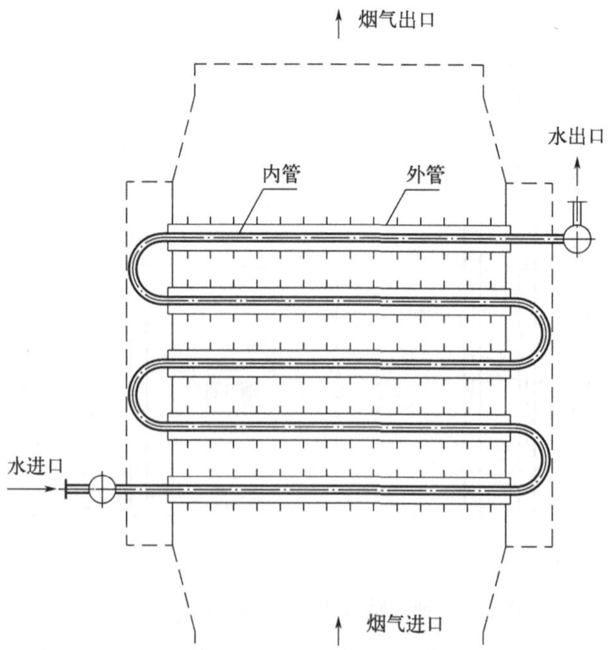

图 2.4　径向重力热管式省煤器结构示意图

省煤器是一种可使气体和液体进行热交换的换热器，由于气体侧的换热系数比液体侧的换热系数小得多，因此在换热过程中，主要热阻在气体侧，所以在气体侧的换热管表面可以增设翅片以拓展传热面积，常用翅片的形式有螺旋圆盘翅片、齿形翅片、H 形翅片、纵向直翅片等，如图 2.5 所示。翅片与基管通常采用高频电阻焊接、激光焊接、整体轧制等技术。

(a) 螺旋圆盘翅片和齿形翅片　　(b) 纵向直翅片　　(c) H形翅片

图 2.5　翅片形式示意图

采用热管式省煤器，具有传热效率高的优点，热管吸热侧通过高频焊接翅片强化传热，弥补了气体侧换热系数低的弱点。热管元件工作时彼此独立，不影响其他元件的换热，有效避免了冷、热流体的串漏，降低了锅炉给水泄漏入烟道的可能性。无论运行过程中出现烟气露点腐蚀还是出现水系统的氧腐蚀，单支或部分热管元件的损害均不影响系统的正常运行，延长了系统检修周期。热管式省煤器的传热部分无任何转动部件，没有附加动力消耗。热管可制作成多单元模块式，方便现场安装与抽取更换。

由于热力发电锅炉工作的特殊性，烟气的流量和含尘量较大，锅炉尾部低温烟气在热交换过程中随着温度的降低不可避免地存在腐蚀、灰堵、磨损等问题。

考虑到燃煤烟气中粉尘的磨损，在考虑换热效果和对换热管自清灰流速影响的前提下，烟气通过换热管的流速应控制在一定范围内，尽可能减少对管壁和翅片的磨损，烟气中含尘量高且飞灰粒度较大时，可在沿气流方向的换热管前加装挡灰条、防磨套、假管等加以防护，还可以增加基管壁厚和翅片厚度，有效地延长热管的使用寿命。

同时，换热管表面的翅片应采用大螺距（间距）、低翅高，换热管布置的横向和纵向管排间距应适当放大，便于落灰和清灰。设计中，烟气流动应充分考虑自清灰流速。为减少设备积灰，保证换热效果，可采用声波、激波等吹灰方式。激波吹灰是采用燃烧的方法产生气体脉冲，可用于锅炉受热面的除灰，其原理是利用可燃气体，如煤气、天然气、液化石油气、乙炔等，与空气经各自的管路调控后均匀混合，在特殊设计的燃烧室内产生爆燃、爆轰，经输出管上的喷口发射出脉冲激波。能量以高温、高速的气流伴随巨大的声强作用于换热器管束表面，通过波形扰动、气流冲刷、高温膨胀、声压震荡以及冲击振打等多种模式的综合作用，达到清除管束表面积灰的目的。

根据锅炉所用燃料以及燃烧后烟气的成分分析，设备选择适用的耐腐蚀材质，换热管通常选用不锈钢系列、ND 钢以及碳钢加防腐涂层。视烟气的成分与温度范围，采用碳钢换热管外喷涂专用的耐腐蚀涂层是一种较为经济的解决腐蚀问题的方法。该防腐涂层主要用于低温热交换中壁温在露点温度以下的碳钢表面的防护。诸如，烟气的深度余热回收中，热管、翅片管及壳体的防护；锅炉尾部低温省煤器、工业煤气锅炉中煤气预热器等换热管及壳体的防护；烟气脱硫系统、制酸系统等腐蚀性环境下，换热管、流体输送管线等的防护。图 2.6 为防腐涂层光管、翅片管示意图和部分应用情况。

(a) 防腐涂层光管　　(b) 防腐涂层翅片管

(c) 换热器中防腐涂层热管　　(d) 石化加热炉余热回收热管换热器尾部防腐涂层热管(使用6年后)

(e) 低温省煤器中防腐涂层热管　　(f) 低温省煤器模块

图 2.6　防腐涂层光管、翅片管示意图和部分应用

考虑锅炉运行负荷的波动性，在设计中通常需要考虑约 10%的设计余量。

在大型锅炉尾部的烟道上布置低温省煤器，其烟气入口截面改变、烟道空间狭窄、急弯等都将导致烟气出现严重的速度偏流与颗粒浓度偏流，导致局部流速过大，甚至出现卡门漩涡等现象，引起设备、烟道等的振动，烟道阻力、风机能耗的增加等。因此，不仅需要采用数值模拟的方法来分析烟道中的流场分布，确定合理的导流设置等，还需要通过物模试验来进一步验证，不断调整导流位置与导流板结构形式等，从而得到均匀的流场分布，获得最佳的优化方案，降低烟道阻力、风机能耗、导流板磨损速率，改善换热管的磨损，延长使用时间。

烟道的数值模拟是一个涉及烟气和飞灰颗粒等的气固两相流动、气相湍流流动和传热传质等的复杂过程，根据流道内烟气的流动情况，该处数学模型的选取可采用基于剪切应力输运（SST）k-ω 模型，其考虑了湍流剪切应力的传输，可以精确地预测流动的开始和负压梯度条件下流体的分离量，在对近壁区域低雷诺数流动的处理时，没有复杂的非线性振荡函数，因此对近壁区有较高的仿真精度及较强的适用性。物理模型的建立中，以具体低温省煤器的进口前烟道至出口处至除尘器前的烟道为研究对象，按烟道实物 1∶1 进行建模，假设烟气为不可压缩牛顿流体，烟气进口即空气预热器出口处速度分布均匀，忽略烟道内支撑结构件对流场的影响，导流板厚度为零等。网格的划分对结果的准确性至关重要，对烟道模型不同部位采用分段分区域的方式，划分为六面体网格结构，网格数量在 30 万～9000 万，过程中通过不断调整网格种类、数量来达到最佳效果。图 2.7 给出了在某低温省煤器入口处逐步调整优化过程中的部分模拟优化结果，在图 2.7（a）～（c）中，通过不断调整和增加导流板提高了速度分布质量，烟气分配更加均匀。

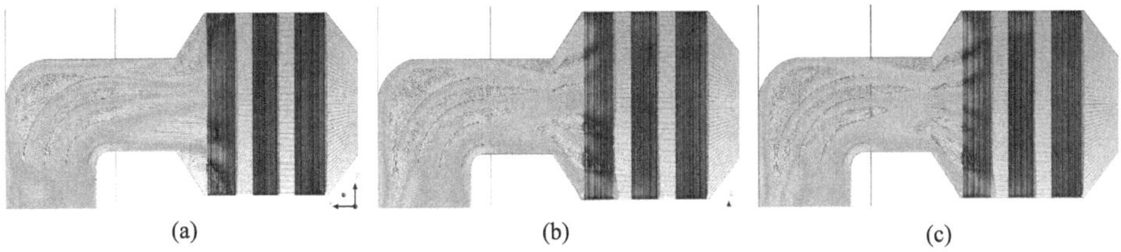

图 2.7　部分模拟优化结果对比图

在对烟气流场进行数值模拟后，还可进行物模试验对模拟结构进行验证，物模试验需要搭建相关试验台架，根据数值模拟结构，以一定的比例，按照相似性原理设计、制作、搭建烟道物理模型，利用风机进行流场模拟。在对应模拟结果的检测截面处采用网格法测量烟气速度场，并进行比对，当偏离值较大时，以实测的流场结果来调整数值模拟中的导流板结构和位置，再次模拟。优化后，继续进行物模试验，经不断调整、修正得到数值模拟与物模试验较为一致的结构。进一步地，在数值模拟和物模试验结束后，可在物模试验中进行烟花示踪试验，直观表达烟气的流动轨迹。通过仔细观察，对流场较差的一些部位采取局部结构调整、局部导流，或采用在局部加装假管和防磨套、增加管壁厚度等措施来进行防护。

2.2.1.2　应用与效益举例

【例 1】 低温烟气余热回收用于加热系统凝结水和民用采暖水。在一套 2×350MW 亚临界锅炉供热机组尾部烟气余热回收改造中，增加低温省煤器，安装在锅炉系统空气预热器出口与除尘器之间的烟道上，将锅炉尾部烟气温度从 150℃降至 120℃以下再进入后续除尘系统。考虑所回收余热的综合利用与匹配，在夏季利用烟气余热加热系统凝结水，冬季加热供暖回水，采用了热网系统与凝结水系统并联的双系统连接方式。夏季，凝结水经过凝结水泵直接将部分温度约为 70℃凝结水供给低温省煤器，通过省煤器加热到约 105℃后进入系统中的低压加热器；冬季，将约 60℃的供暖回水同样经省煤器加热，温度达到 90～100℃，返回原来供暖回水管路，减少了采暖用抽汽量。烟气余热回收流程示意见图 2.8。

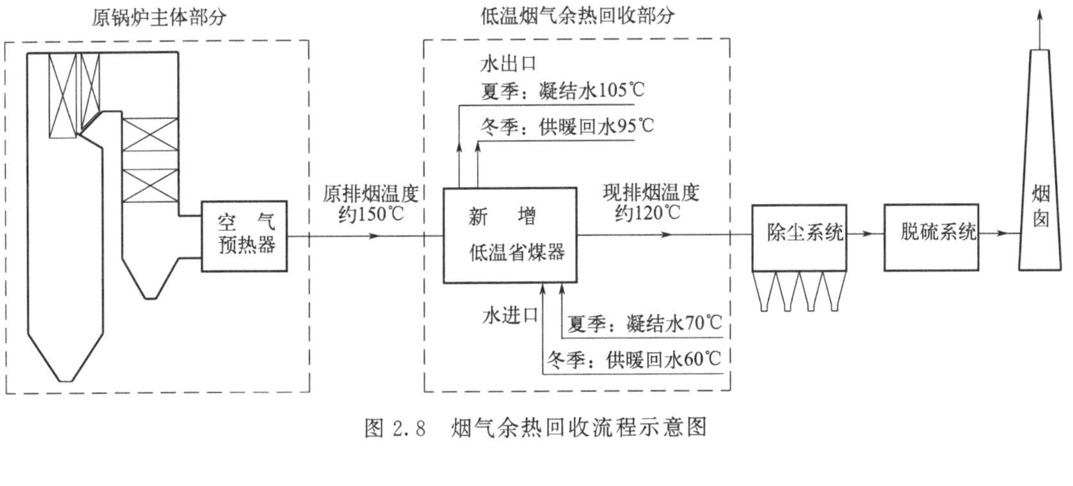

图 2.8　烟气余热回收流程示意图

在新增低温省煤器中，采用径向偏心重力热管结构形式，在径向重力热管中通常内外管同轴，当将内管的轴线适当抬高（偏心）时，更加有利于内外管之间热管工质的蒸发与冷凝相变换热。设备中每根热管都是相对独立的密闭单元，烟气与给水完全隔开，有效避免了冷、热流体的串流。单支或部分热管元件的损坏不影响系统的正常运行，设备可靠性增强，可延长系统运行的检修周期。利用热管蒸发段、冷凝段热流密度可调的特性，通过调整热管冷、热两侧的传热面积比，在一定范围内控制热管壁温，使热管壁面温度提高到露点温度以上，防止酸露点腐蚀，考虑运行的波动，在温度较低处对热管外壁面增加防腐蚀涂层。在设备壳体中与露点温度以下的烟气接触处进行防腐蚀处理，确保系统连续安全运行。

通过增加低温省煤器，排烟温度降至120℃以下排放，在发电量不变的情况下，在夏季，按每年运行时间3440h计算，加热凝结水所回收的余热经折算可节省标准煤1867t/a，在冬季按每年运行3960h计算，加热供暖回水所回收的余热经折算可节省标准煤6423t/a，则可节约标准煤8290t/a，相当于减排CO_2约21.554t/a，降温后的烟气进入脱硫塔，有效降低塔内蒸发水量，可节水约20t/h。

【例2】低温烟气余热回收用于加热系统凝结水。在某3×650MW超临界锅炉尾部空气预热器出口与电除尘进口之间的烟道内加装低温省煤器，利用烟气余热加热机组凝结给水，将烟气（标准状况下的流量为1846375m^3/h）温度由约145℃降至95℃后再进入后续除尘系统，在节能的同时又提高了除尘效率。在低温省煤器中采用了间壁式换热形式，换热管外表面采用H形翅片以拓展传热面积，管内水侧的主冷却水来自系统8＃低压加热器进口的凝结水与7＃低压加热器出口的凝结水汇合而成的约80℃（1400t/h）的凝结水，该凝结水分四路送入四台低温省煤器（E-101～E-104）中，加热至约100℃后汇合成一路，送至6＃低压加热器进口的凝结水主管道。

图2.9、图2.10分别为低温省煤器烟气余热回收系统流程示意图和平面布置示意图。

低温省煤器的工作运行温度较低，设计时需要着重考虑腐蚀、灰堵、磨损等问题，依据烟气的成分分析与计算结果，设备中换热管材质采用20G钢和ND钢组合方式，同时增加管壁厚度来满足一定的腐蚀裕量。对于每个烟道中的低温省煤器设备本体，采用模块化组合设计并配备一定数量的吹灰器，每个模块均可单独从侧面滑动抽出，以方便快速检修与更换。通过使用低温省煤器，回收的低温余热量达31770kW，所回收的余热相当于节约标准煤31270t/a，每年减排CO_2约81300t。在设备投运初期，低负荷运行时，低温省煤器进水流量仅为200t/h，经与未接入低温省煤器时做性能对比检测，发现接入低温省煤器后能降低热耗率8.21kJ/(kW·h)，降低发电煤耗0.305g/(kW·h)，效益显著。

【例3】在某2×320MW亚临界锅炉尾部空气预热器后增加低温省煤器用于烟气的深度余热回收，烟气温度由135℃降至约95℃进入后续除尘系统，来自系统8＃低压加热器进口的凝结水与7＃低压加热器出口的凝结水汇合而成的68℃的凝结水，分两路分别送入两边烟道低温省煤器（E-101、E-104）和中间烟道低温省煤器（E-102、E-103），凝结水被加热至100℃后汇合成一路，送至6＃低压加热器进口的凝结水主管道。低温省煤器采用单元模块式结构，如图2.11所示，结合锅炉燃烧的烟气成分等结果，省煤器中换热管材质采用ND钢和316L不锈钢组合。

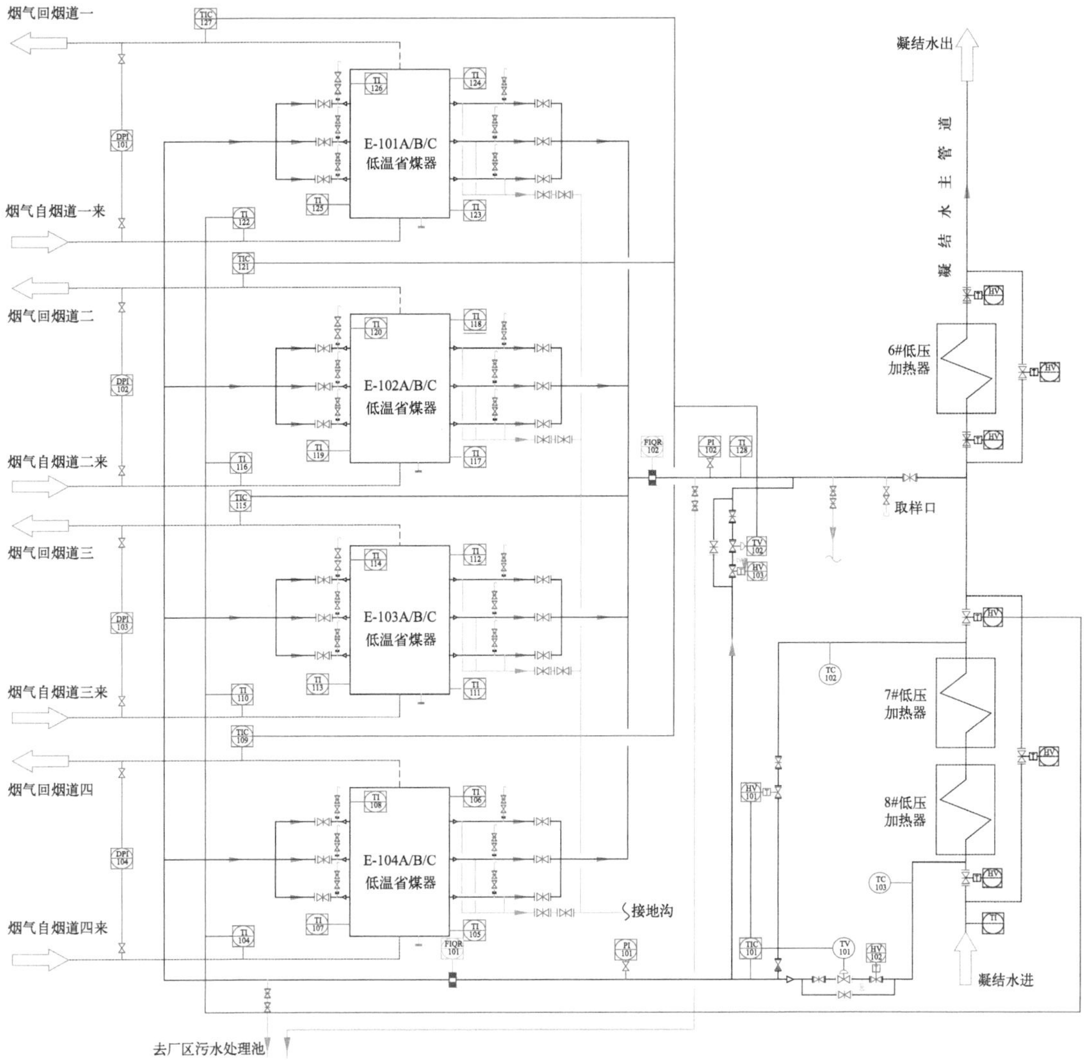

图 2.9　低温省煤器烟气余热回收系统流程示意图

T—温度；I—集中指示；C—控制；P—压力；DP—差压变送器；F—流量；Q—累积；R—记录；HV—电动开关阀

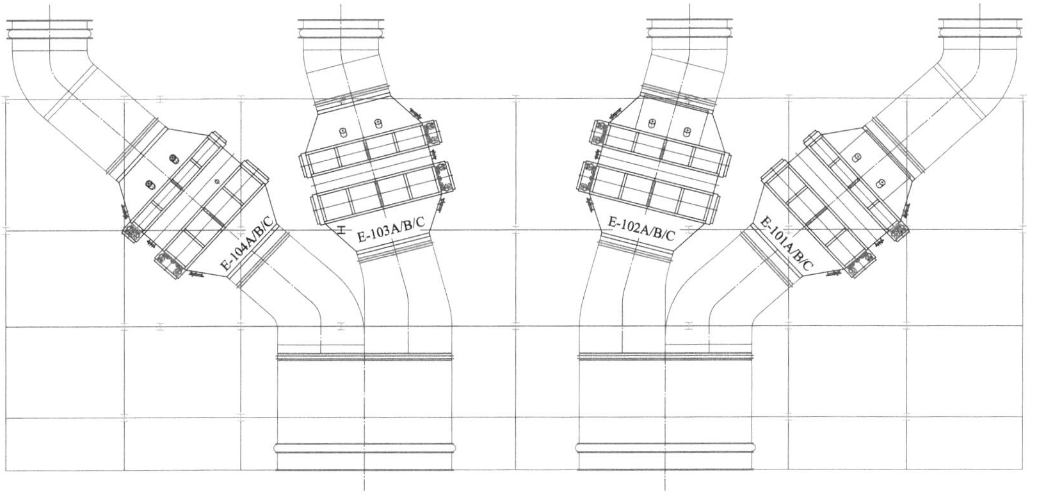

图 2.10　3×650MW 机组 1＃、2＃、3＃炉低温省煤器平面布置示意图

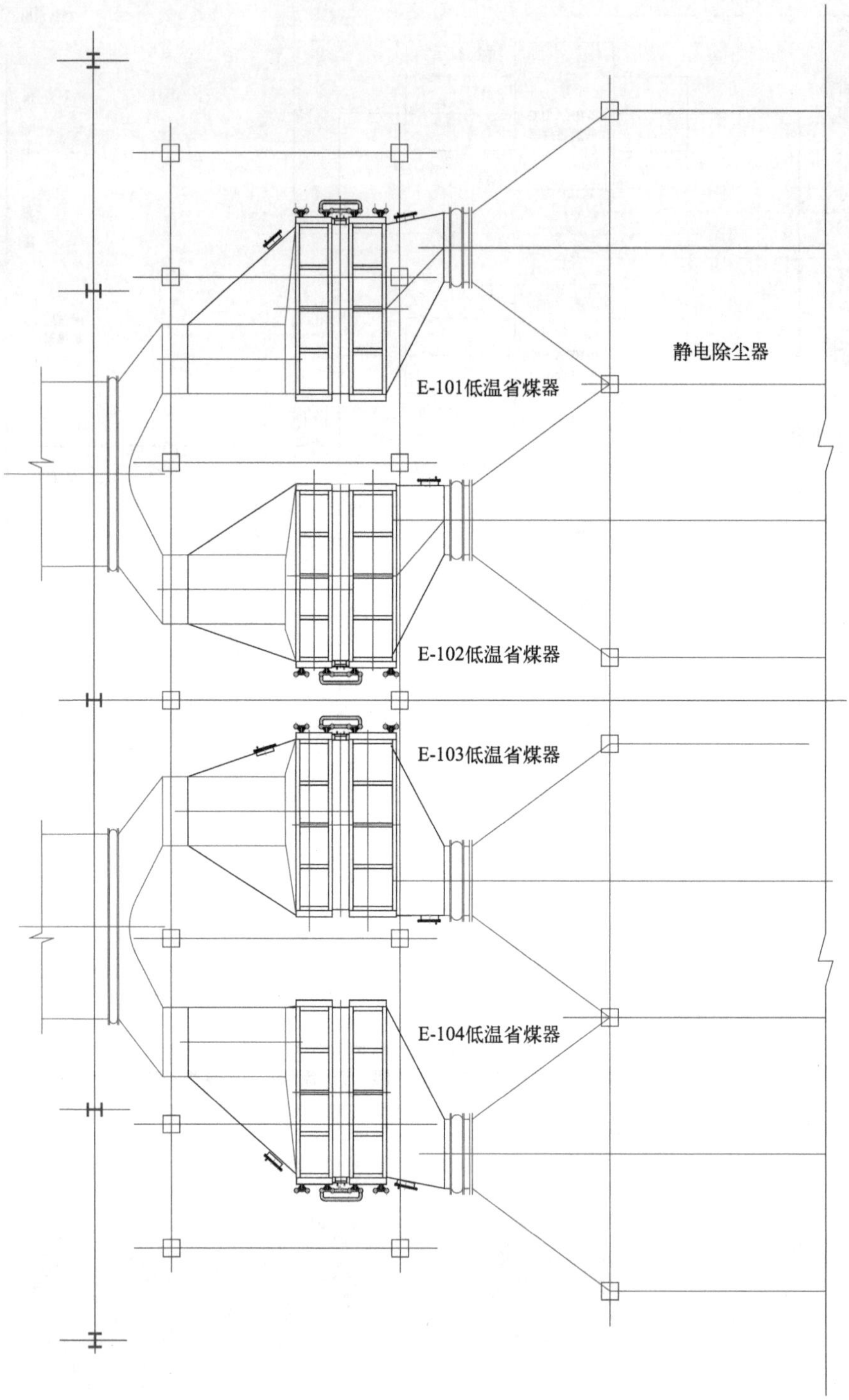

图 2.11　2×320MW 机组 1＃、2＃炉低温省煤器平面布置示意图

机组在低温省煤器投运后，分别在三种工况下进行了检测，经测量水流量、电功率、压力、温度等参数并结合锅炉机组运行数据，进行数据处理与计算，得到煤耗试验与计算结果，见表 2.3～表 2.5。

表2.3　1#、2#炉低温省煤器的设计参数表

项目	热流体(烟气)	冷流体(水)
流量(标准状况)	1115875×2m^3/h	470×2t/h
入口温度/℃	135～145	68
出口温度/℃	95	100～105
压力降	≤350Pa	0.2MPa
换热量/kW	9500×2	

表2.4　1#炉测试与计算结果

项目	热流体(烟气)			冷流体(水)		
	工况1	工况2	工况3	工况1	工况2	工况3
流量/(t/h)	—	—	—	720.554	512.874	278.938
入口温度/℃	150.9	139.4	129.5	70.8	70.5	71.2
出口温度/℃	100.7	97.1	93.0	93.2	92.3	99.2
压力降	245Pa	175Pa	130Pa	0.200MPa	0.144MPa	0.048MPa
吸收热量/(MJ/h)	—	—	—	67382.5	46836.1	32736.5
热耗率下降/[kJ/(kW·h)]	59.4	59.6	65.7	—	—	—
折算煤耗下降/[g/(kW·h)]	2.20	2.21	2.43	—	—	—
经济性提高/%	0.74	0.73	0.77	—	—	—

表2.5　2#炉测试与计算结果

项目	热流体(烟气)			冷流体(水)		
	工况1	工况2	工况3	工况1	工况2	工况3
流量/(t/h)	—	—	—	728.972	542.601	370.962
入口温度/℃	143.6	140.3	127.9	69.6	70.0	70.6
出口温度/℃	106.3	109.9	101.0	89.0	87.7	88.3
压力降	312Pa	213Pa	139Pa	0.200MPa	0.176MPa	0.083MPa
吸收热量/(MJ/h)	—	—	—	58856.9	40094.1	27448.1
热耗率下降/[kJ/(kW·h)]	49.4	50.0	55.4	—	—	—
折算煤耗下降/[g/(kW·h)]	1.83	1.85	2.05	—	—	—
经济性提高/%	0.62	0.61	0.65	—	—	—

可见，低温省煤器的投运可以降低排烟温度，回收烟气余热，大幅降低机组的煤耗，在三种工况下，仅单台炉子的平均下降煤耗为2.095g/（kW·h），按年运行8000h计，2×320MW机组节约标准煤可达10726t/a，减排CO_2约27888t/a，还可减少约11260m^3/a烟气（标准状况）排放量。

【例4】对某2×1050MW超超临界锅炉机组在尾部空气预热器后、除尘器前加装径向重力热管式低低温省煤器，获得了较好的节能、节水、减排等经济效益和社会效益。

凝结水由1#、2#低压加热器的出口、疏水冷却器进口处三路取水，汇流混合后约70℃，进入低低温省煤器被加热到约100℃后回送至3#低压加热器进口；烟气来自空气预热器出口，经省煤器换热后，温度由约150℃降至约90℃，再进入后续除尘系统。流程示意如图 2.12 所示。图中显示出，从空气预热器出口到除尘器入口这段含有省煤器的烟道结构复杂，依据数值模拟结果，在省煤器的烟气入口烟道内的不同位置处增加了一定数量的导流板，导流板可采用流线形、弧形、矩形等结构组合形式，促使烟气流场均匀，避免内侧拐角处出现低速回流涡流区。

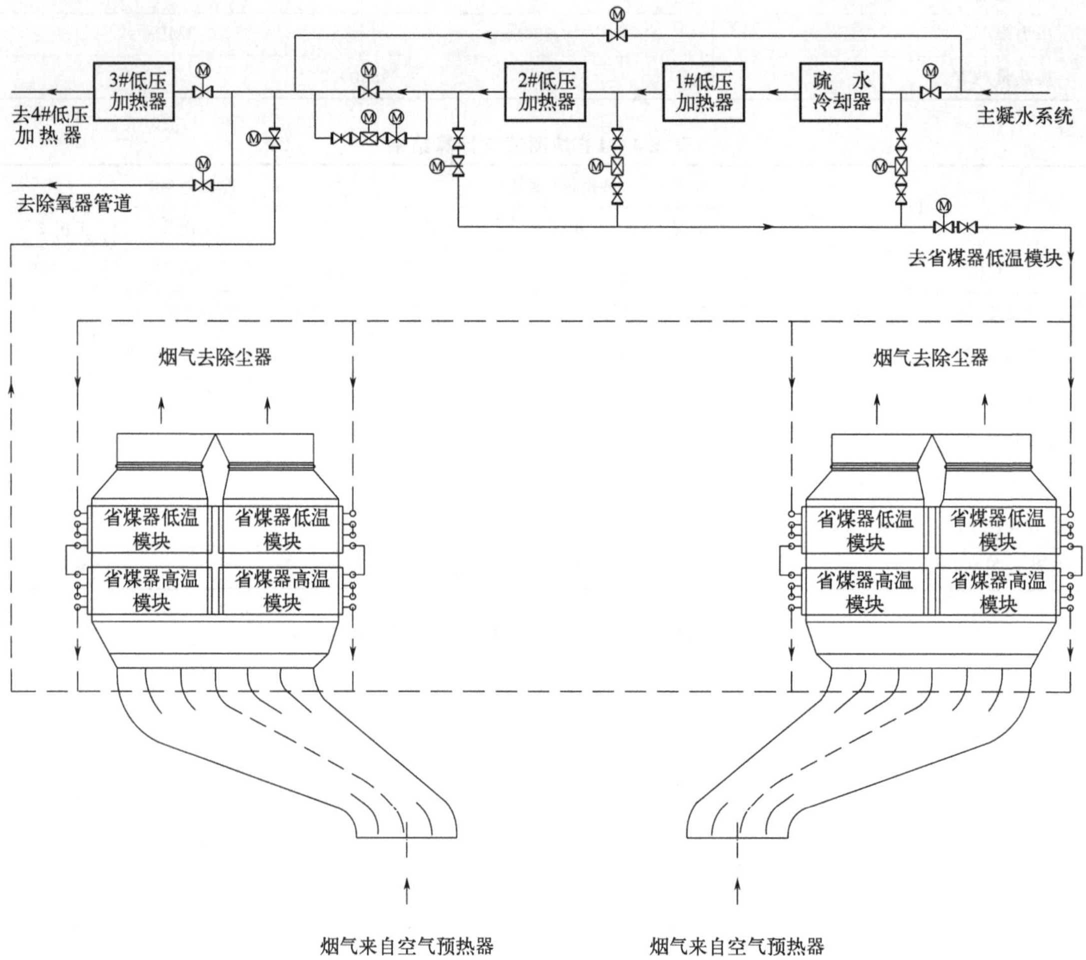

图 2.12　2×1050MW 机组低低温省煤器流程示意图

M—电动

为方便现场安装、拆卸，省煤器分成了高、低温模块，每个模块中又分为四个单元，实现了在狭窄空间内的紧凑式、模块化的布置结构。项目投运后，仅低温余热回收量就达 147030kW，经折算相当于每年节约标准煤约 14.5 万 t，减排 CO_2 约 37.6 万 t/a。

2.2.2 余热回收与环保

电站锅炉的排烟温度是衡量锅炉性能的重要指标之一，同时，燃煤锅炉的烟气中含有硫化物、氮氧化物、粉尘等，会对大气产生污染以及对环境造成影响。随着环保要求的提高，对硫化物、氮氧化物等的排放浓度进行了限制，因此需要进行脱硫、脱硝等处理。火电厂燃煤脱硫主要方法有：

① 炉前脱硫，即燃烧前的煤炭洗选脱硫、焦化脱硫、微生物降解法等。

② 炉内脱硫，即煤在燃烧过程中掺入脱硫剂，通过化学反应脱硫等。

③ 炉后脱硫，即燃烧后脱硫。

烟气脱硫是控制 SO_2 污染和酸雨的主要技术手段，采用碱性物质作为 SO_2 吸收剂，即脱硫剂，以脱硫剂的种类划分，烟气脱硫技术可分为钙法、镁法、氨法、钠法及有机碱法等。此外，通常还可将脱硫技术分为湿法、干法、半干法。湿法脱硫是以碱性溶液为脱硫剂，应用吸收原理进行脱硫，其操作温度在 45～55℃。干法脱硫是在无液相介入的完全干燥状态下进行的脱硫，主要指炉内脱硫，操作温度在 800～1300℃。半干法脱硫是指在气、固、液三相中进行的脱硫，操作温度在 60～80℃。

大部分燃煤电厂采用湿式钙法进行烟气脱硫，当锅炉排烟温度过高时，需要在脱硫塔内消耗大量水对烟气进行喷淋降温，从而达到最佳的脱硫温度，既浪费了热量又加大了用水量，也增加了烟气的排放量。所以，在锅炉尾部开展烟气深度余热回收，可使后续配套的脱硫系统减少工艺用水。通过在尾部烟道中布置回转式、管式或热管式烟气换热器（gas-gas heater，GGH）或热媒式烟气换热器（medium gas-gas heater，MGGH）来进一步降低脱硫前原烟气的温度，所回收的热量可用于提升脱硫后净烟气的温度，保护烟囱，节约了脱硫塔的用水量。

图 2.13 给出了锅炉尾部低温烟气余热用于湿法脱硫前原烟气的降温和脱硫后净烟气的升温所采用的热管式 GGH 的流程示意图。

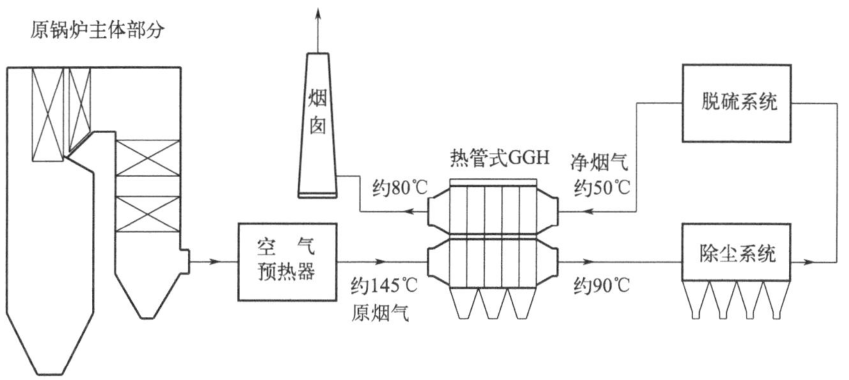

图 2.13　热管式 GGH 流程示意图

图 2.13 中，采用了热管式 GGH，该 GGH 内部由许多单根热管组成，通过中间管板（中孔板）把壳体分成上下两部分，形成高温流体（原烟气）和低温流体（净烟气）的通道，当高、低温流体同时在各自的通道中流过时，热管就将高温流体（原烟气）的热量传给低温流体（净烟气），实现了两种流体的热交换，使原烟气的温度降低，从而达到去吸收塔的温度，净烟气的温度升高满足排放的要求。在热管式 GGH 结构中，对于中间管板的密封要求较高，不能使原烟气与净烟气窜流，采用了专有的锥面密封与线密封组合的结构形式。整个脱硫系统中烟气的含尘量较高，腐蚀与积灰交替发生恶性循环，酸液凝结使传热元件表面湿润，大量捕捉飞灰，形成积灰层，积灰层妨碍了酸液的蒸发又增加了热阻，进而又加快了灰的黏结，如此循环，易造成受热面的堵塞与腐蚀。为提高传热效率，热管的布置采用了顺列或错列形式，管外缠绕的翅片采用了大螺距、低翅高形式。考虑清灰，设备内按一定间距布

置了若干组吹灰管束，并且配备激波或声波吹灰器接口，同时，在换热器的冷、热流体通道中每隔4～6排热管就留出人行通道，必要时可采取人工进入彻底清灰，也有利于设备的内部维护。设备底部和中部均留有排污口和排液口，以便进行清灰处理和及时排污。结构中合适的烟气流动速度，能达到部分自清灰功能，在满足烟气压力降的条件下，可适当加大烟气流速并控制在一定范围之内。在设备中，处于低温区域即烟气酸露点温度以下的热管材质可采用耐腐蚀ND钢或碳钢基管外表面涂镀耐腐蚀层，如工业搪瓷、柔性金属搪瓷、耐酸腐蚀涂层等防护，壳体、管线等做相应防腐。表2.6为某2×240t/h锅炉烟气除尘脱硫系统中热管式GGH的运行参数，利用烟气余热将排烟温度提升至80℃以上排放，回收热量达6720kW。

表2.6 某2×240t/h锅炉烟气除尘脱硫热管式GGH运行参数

项目	热流体(原烟气)	冷流体(净烟气)
流量(标准状况)/(m^3/h)	490860	528550
入口温度/℃	140	49
出口温度/℃	103	81
压力降/Pa	600	600
换热量/kW	6720	

图2.14为MGGH流程示意图，MGGH包含烟气冷却器和烟气再热器两段，烟气冷却器布置在干式静电除尘器入口前的烟道上，MGGH烟气再热器设置在脱硫吸收塔之后的烟道上。烟气冷却器可降低进入干式静电除尘器的烟气温度，这样可使进入电除尘器的烟气工况体积流量和飞灰比电阻有所下降，有利于除尘器工作。同时，烟气再热器能提高烟气进入烟囱的温度，抬升烟羽高度，促使烟气扩散，改善周围环境。

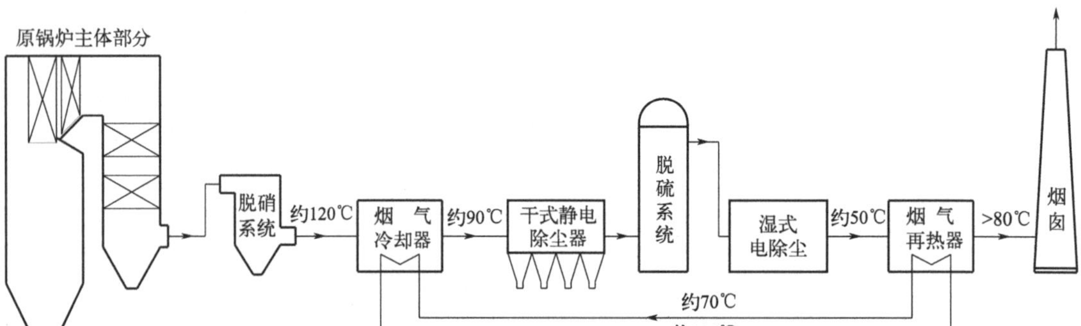

图2.14 MGGH流程示意图

在某600MW燃煤发电机组中，采用了管式MGGH，其中烟气冷却器布置在干式静电除尘器入口前的水平直段烟道上，冷却器分成四个单元，分别与烟道一、二、三、四对应连接，每个单元的冷却器中又由8个模块并联组成。烟气通过冷却器将温度从120～125℃降至85～90℃，而后进入干式静电除尘器及后续脱硫系统，热媒水从烟气冷却器的低温段流入，高温段流出，将水温从70℃加热至100℃，去烟气再热器换热，将脱硫后的烟气温度由50℃加热到80℃以上再排放，热媒水经换热后降至约70℃，再次进入烟气冷却器进行循环换热。烟气再热器位于湿式电除尘出口后的总烟道上，立式布置，采用两个单元并联，共由16个小模块组成。烟气通过再热器加热，有效提高了排烟温度，减轻尾部烟道和烟囱的腐蚀，减少烟气冷凝结露，提高烟气抬升力，促进烟气扩散，满足环保要求。受环境气候影响，在冬季，烟气冷却器进口烟气温度较低为 110～115℃，换热后出口烟温约为 85℃，后续烟气再热器只能将烟气温度由 50℃加热至约 72℃，如要进入烟囱的烟温达到 80℃，则需要投用辅助蒸汽来满足工艺要求。

图 2.15 为该机组 MGGH 流程示意图，表 2.7 和表 2.8 分别为 MGGH 烟气冷却器和烟气再热器的性能参数表。在 MGGH 中，烟气冷却器、再热器均采用了多单元小模块式结构，每个模块均可单独隔离、抽取，易于安装、检维修与更换等操作。设备中换热管采用 H 形翅片管，根据所处的不同温度区域，材质分别采用 ND 钢、316L 不锈钢和 2205 双相不锈钢，具有可靠的耐腐蚀性能。

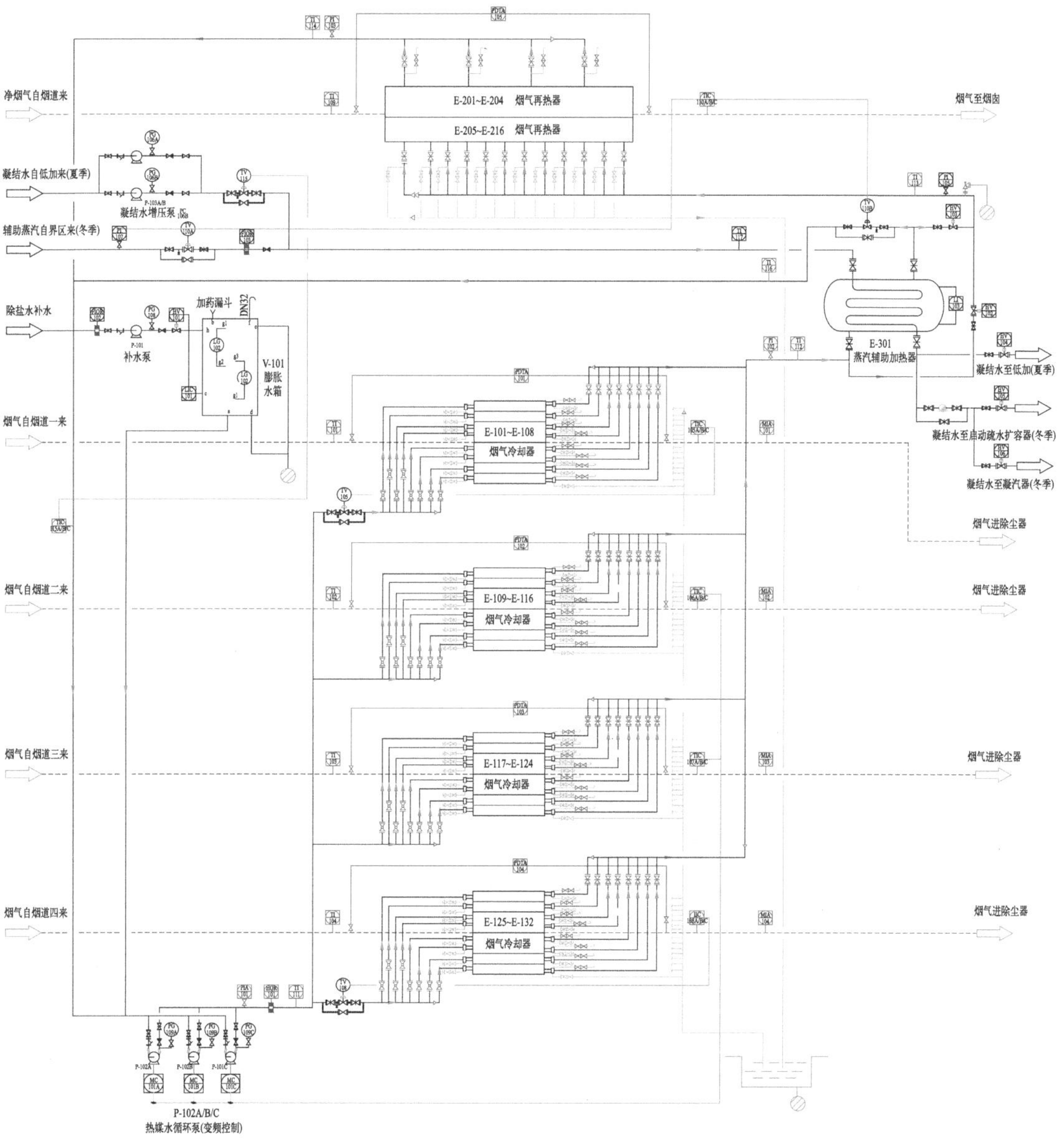

图 2.15　某 600MW 机组 MGGH 流程示意图

(低加指低压加热器)

G—就地指示；TV—由温度控制来调节阀门；PD—差压变送器；A—报警；M—电动

表 2.7 某 600MW 机组 MGGH 烟气冷却器性能参数

项目	单位	春秋季	夏季	冬季
烟气流量(标准状况)	m^3/h	1938960	1938960	1938960
烟气进口温度	℃	120～125	140	113
烟气出口温度	℃	85	90	85
进水流量	t/h	752～880	808	600
进水温度	℃	70	70	70
出水温度	℃	100	110	100
烟气侧阻力增加	Pa	≤600	≤600	≤600
水侧压力损失	MPa	≤0.2	≤0.2	≤0.2
换热量	kW	23340	28318	18665

表 2.8 某 600MW 机组 MGGH 烟气再热器性能参数

项目	单位	春秋季	夏季	冬季
烟气流量(标准状况)	m^3/h	2100600	2100600	2100600
烟气进口温度	℃	50	50	50
烟气出口温度	℃	76	80	75
投入辅助蒸汽耗量	t/h	4.5	0	10
投用辅助蒸汽后烟气出口温度	℃	80	—	80
热媒水流量	t/h	752～880	530	600
热媒水进水温度	℃	100	100	100
热媒水出水温度	℃	70	70	70
烟气侧阻力增加	Pa	≤600	≤600	≤600
水侧压力损失	MPa	≤0.2	≤0.2	≤0.2
换热量	kW	22173	26902	17732

MGGH 与电除尘相结合应用，不仅可节能，还能有效去除烟气中的粉尘微粒，达到超低排放，缓解下游烟道、烟囱的腐蚀，解决石膏雨、酸雾、粉尘、气溶胶等问题，对改善区域环境有重大贡献，具有显著的社会效益。

当今，火力发电仍然占据主要地位，进一步挖掘潜力，持续技术创新，提升发电效率，加大排污控制力度，注重节能减排是电力企业实现最低能源消耗和环境保护的重要手段，帮助实现社会效益和经济效益的双赢。

2.3 钢铁冶金行业余热回收

钢铁冶金行业是我国经济快速发展的重要支柱，也是典型的高能耗、高碳排放、低附加值产业。据报道，2022 年的吨钢综合能耗为 551.36 千克标准煤，2022 年粗钢产量按 10.18 亿吨计算，钢铁行业能源消费总量为 5.61 亿吨标准煤，约占全国能源消费总量的 11％，其中煤炭和焦炭占比高达 90％以上，然而仅有 30％～50％的能量得到了有效利用，剩余的能量则以余热形式存在。“十四五”期间是钢铁行业推进碳达峰工作的关键时期，我国粗钢产量总体仍处于高位，面临的总量压力依然巨大。为推动钢铁行业节能降碳，促进绿色低碳发展，中国钢铁工业协会出台了《钢铁行业能效标杆三年行动方案》，并于 2022 年 12 月 9 日正式启动，标志着钢铁行业极致能效工程进入了实质性实施阶段。

“极致能效”工程是继“产能置换”“超低排放”之后，覆盖钢铁全行业的第三大工程。极致能效主要以流程结构调整为主，激发钢铁行业节能、降碳活力，同时降低能源消耗和减少大气污染物排放，使行业整体能效和碳排放强度达到国际先进水平。通过开展能效评估、节能诊断和审查、低碳升级规划等工作，降低生产能耗及能源成本，带动资源和能源结构不断优化。极致能效提升主要有以下六方面：

（1）工艺和装备节能极致化

以先进和高效装备替代落后或低效装备，合理适度发展绿色化、智能化、高效化电炉短流程炼钢。推广烧结烟气内循环、干式真空精炼、连铸连轧等工艺技术改造。推广铁水一罐到底、铸坯热装热送、在线热处理等技术，打通、突破钢铁生产流程工序界面技术，推进冶金工艺紧凑化、连续化。加快富氢碳循环高炉、氢基竖炉、氢基熔融还原炼铁等低碳冶金革命性工艺研发等。

（2）二次能源回收利用极致化

对钢铁企业余热余能进行极致回收利用。重点推动各类低温烟气、冲渣水和循环冷却水等低品位余热回收。大力推广焦化上升管余热回收、烧结低温段余热回收、电炉烟气余热回收利用等先进技术。重点研发转炉煤气极限回收、冶金渣显热高效回收及综合利用工艺技术、烧结矿和球团矿显热回收技术、铸坯显热回收技术等。

（3）能源转换极致化

大力推广燃气-蒸汽联合循环发电（CCPP）、亚临界等高参数全燃煤气发电、副产煤气制甲醇和液化天然气、低能耗大型化空分机组、吸附制氧、集中群控智慧压缩空气节能系统、液压系统伺服控制节能、势能回收等技术。重点研发更高参数发电机组小型化、副产煤气资源化和高附加值化等极致能源转换技术。

（4）设备节能极致化

开展量大面广的用能设备改造提升。大力提高高效节能电机、空压机、水泵、风机、变压器、水轮机等高效节能产品的使用比例。合理配置电机功率，实现系统节电，优化治理电能质量，提升钢铁企业终端用能电气化和低碳化。积极研发推动钢铁企业用电锅炉、电窑炉、电加热等技术。

（5）新能源体系建立极致化

鼓励钢铁企业因地制宜，充分利用风能、太阳能、生物质能等能源，提高新能源和可再生能源的使用占比。鼓励钢铁企业通过电力市场购买绿色电力，试点建设工业微电网，与能源企业合作开展“源网荷储”（以“电源、电网、负荷、储能”为整体规划的新型电力运行模式）一体化项目建设。推动新能源技术应用，推动储能储热装置与钢铁企业煤气发电、余热发电进行耦合，强化钢铁企业能源系统可调节能力。在可再生能源丰富的区域，积极探索通过绿色电力制氢气和氧气用于钢铁企业生产的技术。

(6) 能源管理极致化

大力推动能源精细化管理，完善能源管理体系。完善能源管控中心功能，提高信息化管控水平。加强能源计量、统计等基础能力建设。定期开展能源审计、能效诊断。以能效标杆值为引领，在全行业营造对标达标环境。

能效提升是实现碳减排最重要、最经济、最直接的路径，是钢铁工业实现绿色低碳高质量发展的核心举措，是达到能效标杆值的最重要途径，也是一项复杂的系统工程，包含了主体工序能耗达标、余热深度回收及梯级利用、能源网络分布式耦合优化、煤气发电（自发电）能效提升、跨行业协同与碳氢元素原料利用耦合等。

目前，钢铁行业能耗强度尚有15%～20%的下降潜力，余热回收率低于50%，主要的余热资源有：高炉煤气、转炉煤气、焦炉煤气等可燃气体和各种烟气（废气）携带的显热，烧结矿、球团矿、铁水、钢水、坯料、钢渣、高炉渣等具有的显热等。常规节能措施如干熄焦余热发电、烧结余热发电、高炉炉顶煤气余压发电、余热余能发电等技术逐渐普及，但进一步的节能新技术创新难度大、进度慢，如焦炉煤调湿、上升管余热回收、钢铁渣余热利用、低碳冶金等节能技术与先进国家相比还存在差距。

根据余热资源的品位，采取不同的回收方式，在绿色低碳转型过程进行余热余能资源化、余热的深度回收利用、副产煤气极限回收和资源化等，实现余热余能应收尽收。

2.3.1 烧结环冷机全流程余热回收

烧结矿是高炉炼铁的主要原料，主要采用烧结法生产烧结矿，即将0～10mm粉状含铁原料（铁矿粉）配入适量的无烟煤粉和焦粉、石灰石、消石灰、生石灰等燃料和溶剂，并按一定配比混合均匀后，在烧结设备上经烧制、黏结为具有一定粒度和足够强度的块状固体过程。烧结是复杂的物理化学过程，烧结过程中的热平衡也非常复杂。其中，释放热量包含：固体、气体燃料燃烧放出的热量；硫化物、低价铁的氧化反应等各种物理化学反应放出的热量；空气、原料带入的显热等等。吸收热量包含：石灰石、结晶水、三价铁的部分还原剂等分解的吸热反应，水分蒸发所需要的热量；成品烧结矿带出的显热；烧结烟气、冷却废气带走的显热；设备散热，系统的热损失；等等。其中，烧结烟气和冷却废气的显热就占全部热支出的近50%，因此，这部分余热的高效回收与利用是烧结工序能效提升的重要途径。

在烧结与冷却时，矿料从烧结机头随台车被缓慢推进移动到烧结机尾部，通过风机为烧结台车下方大烟道上的若干风箱提供引风动力，使热烟气强制穿过烧结矿料层，烧结矿经加热灼烧后，烧结机尾部大烟道内废气温度为300～400℃，最高可达450℃。经过烧结后赤热的烧结矿料经破碎后通过溜槽落到冷却机上的传送带，在溜槽下落处，赤热的烧结矿料表面温度高达700～800℃，并以热辐射的形式向外界释放热量，落到冷却带上的料温仍在600℃以上。为使其降温，在冷却机上布置3～5台抽风（或鼓风）罩，在风罩内通过轴流引风机或鼓风机的作用，使外界空气穿过矿料层，对其进行风冷，通过3～5只风罩后，矿料温度降到100℃以下。在冷却机上一般布置3～5只风罩，第1、2风罩内，空气由常温经过矿料层加热后，风温分别提高到250℃～350℃及200℃左右排空，该过程会向环境排放较大的热量，造成烧结机周围操作环境较差。

烧结余热属于中低品位的余热资源，这部分余热可用于：直接回收热风烧结、热风点火助燃、混合料预热、生产热水、供暖、产生蒸汽、发电等。

早期的开发，首先对冷却机 1～2 风罩内的高温废气开展余热回收，然后进一步开发烧结大烟道废气的余热回收。烧结冷却机有环式冷却机（环冷机）和带式冷却机两种，依据其温度分布与结构形式研制开发了烧结机余热锅炉，产生的中、低压饱和蒸汽和过热蒸汽可用于并网或发电等，冷却机上三、四段为低温冷却区，废气温度相对较低，低温余热基本没有得到回收而直接排空。

随着生产过程中节能减排的有序推进，近年来国家将钢铁企业烧结、球团、高炉、转炉的排污纳入了环保监测范围，禁止无组织排放，中国钢铁工业协会发布了《低碳排放钢评价方法》等。南京圣诺热管有限公司率先研制开发对环冷机后续三、四冷却段废气的余热回收及废气的再循环利用技术，实现了环冷机高、低温全段全流程的废气余热回收＋发电，以及废气的再循环利用技术，达到了余热的深度回收与废气的零排放，推进了二次能源回收利用极致化在烧结低温段余热回收的实现。

在某 $450m^2$ 烧结机中，对其配套的环冷机开展全流程热废气的深度余热回收与循环利用，达到废气零排放。对环冷机中一、二段采用“机下冷却循环式”余热回收引出高温废气，经多管除尘器除尘后进行余热回收，采用双压式自然循环余热锅炉，可产出 1.27MPa、290℃的高参数过热蒸汽，约 48t/h；低压余热锅炉产生的 0.3MPa 的低参数饱和蒸汽（约 8.0t/h），可供锅炉系统自身热力除氧用。经热量回收后，废气温度降低到 160℃左右，通过循环风机送回到环冷机下部 1＃鼓风机出口管处，而后送入风箱内继续去冷却矿料。对于环冷机三、四段处的低温余热，采用机上直接布置低温余热系列回收装置，利用产生的低参数蒸汽、加热锅炉给水以及加热系统凝结水等回收低温废气余热，其中，所产 0.4MPa、180℃的低参数过热蒸汽（30t/h）可用于机组发电，装机功率可达 2000kW。在二段末布置了过热器，经过热器后取出的部分热风用于烧结，在环冷机尾部低温处设置给水加热器，所产热水可供烧结工段拌料使用，不仅节省了系统中的饱和蒸汽，还可提高混合料的料温，降低烧结矿固体燃料的消耗等。降温后的废气通过循环风机再送回环冷机下部风箱内冷却矿料，循环利用无排放，仅三、四段低温余热回收部分每小时产生 85℃的热水约 40t，每小时发电约 1340kW·h，经折算，节约标准煤量约 4586t/a，减排 CO_2 约 11200t/a。图 2.16 为环冷机（展开）余热回收流程示意图。图 2.17 为其现场部分图片。

2.3.2　高炉热风炉余热回收

高炉炼铁是一个连续的大规模高温生产过程，也是我国冶金生产过程中能耗较高的工序环节。将铁矿石在高炉中还原、熔化炼成生铁，鼓入高炉的热风需经热风炉加热至 1200℃以上，加快了高炉内焦炭燃烧的速度从而增加产量，同时也提高了燃烧温度，并降低了焦炭的消耗量。热风炉是为高炉配套产生热风的设备，通常一座高炉配 3～4 座蓄热式格子砖热风炉，以高炉煤气或高焦混合煤气为燃料，为高炉内提供持续的高温热风。过程中，热风炉所排放的烟气温度约 350℃，若回收这部分余热来预热炉内燃烧所需的助燃空气和煤气，将常温的入炉助燃空气、煤气预热到 180℃以上，则热风炉顶温度可达 1250℃以上。目前，我国大型钢铁企业的高炉热风炉均采用了余热回收技术，有效改善了炉内燃烧状况，提高了炉顶温度和冶炼强度，降低了焦比。

热风炉的余热回收大都采用了高效的热管相变换热技术，主要有整体式和分离式热管换热器两种形式，需要根据具体的现场布置条件、管线走向等来确定。整体式热管煤气、空气

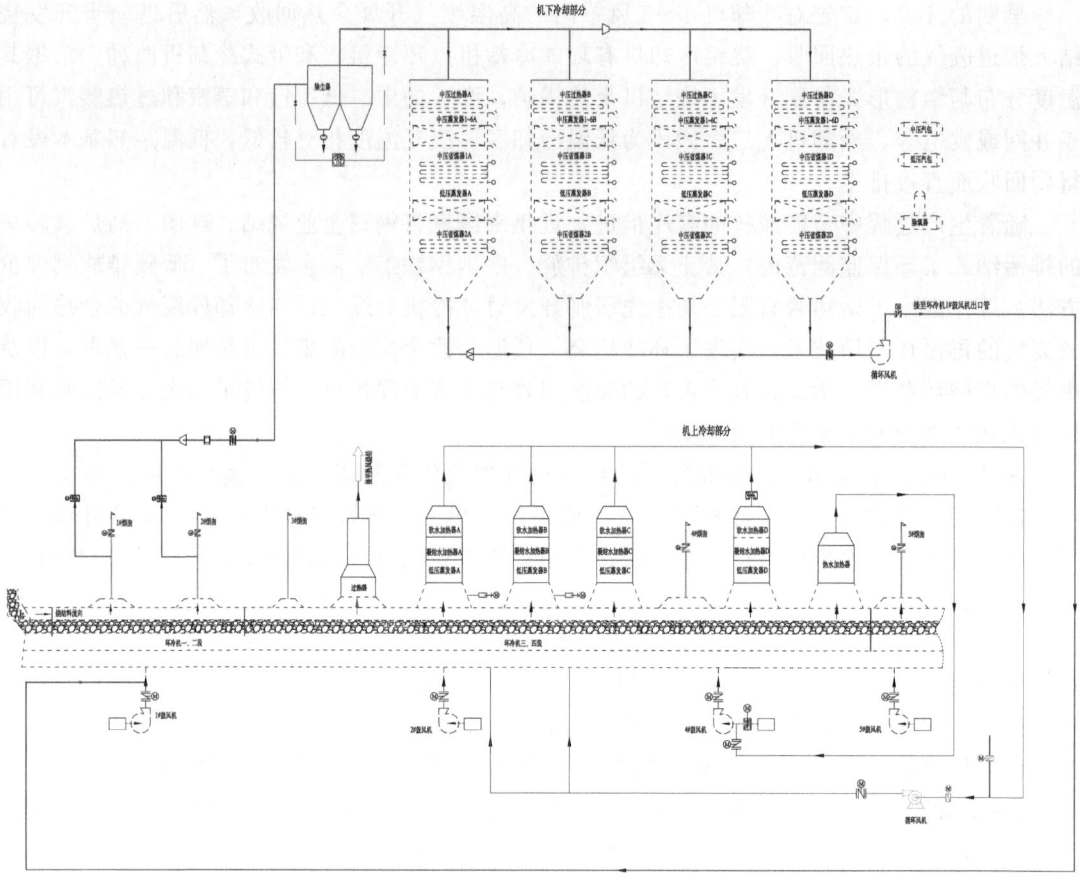

图 2.16　450m^2 烧结机后环冷机（展开）余热回收流程示意图

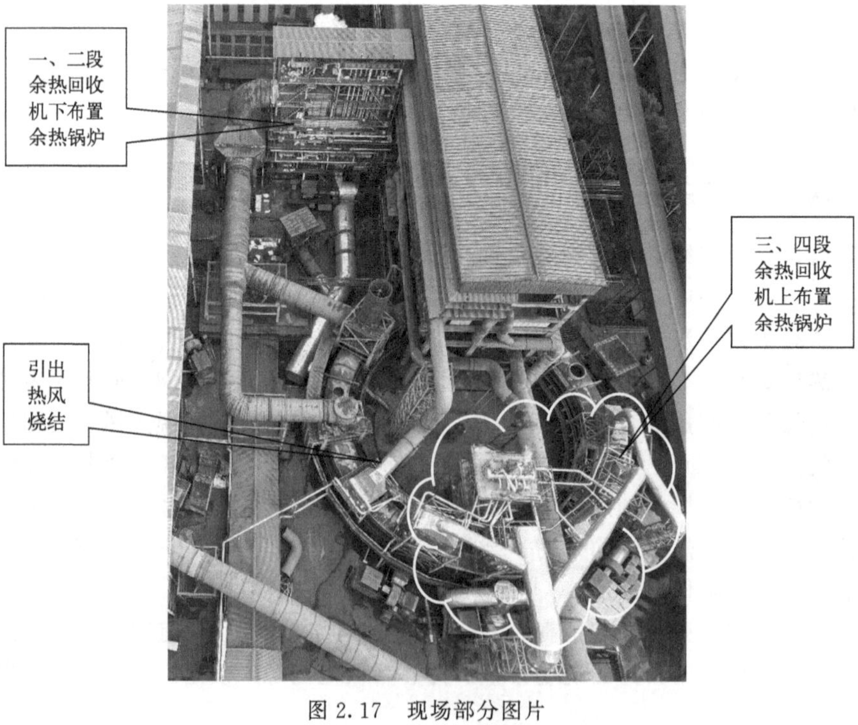

图 2.17　现场部分图片

预热流程示意如图 2.18 所示，热风炉排出的烟气分两路，一路进入整体式热管煤气换热器，另一路进入整体式热管空气换热器，通过换热器内热管的传热分别加热煤气和空气。经加热后的煤气、空气进入热风炉助燃，降温后的烟气去烟囱排放。

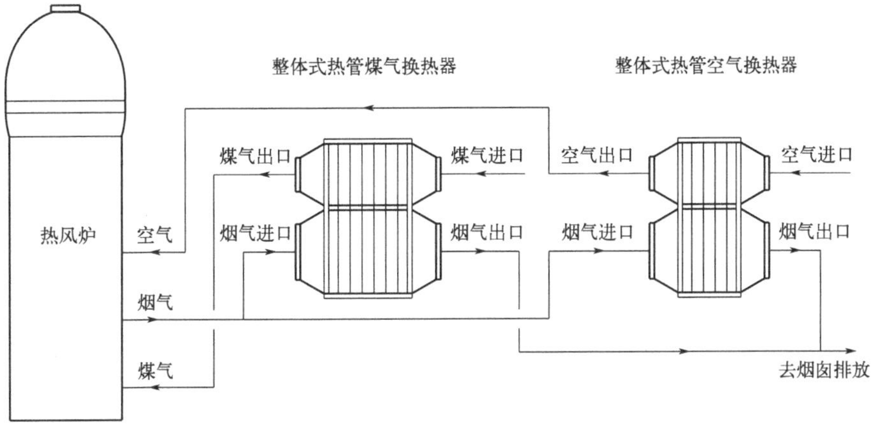

图 2.18 整体式热管煤气、空气预热流程示意图

分离式热管换热器预热流程示意如图 2.19 所示。在高炉热风炉现场，烟气、煤气、空气等管道直径较大，设备布置场地受限时，采用分离式热管换热器，分别将热管蒸发段的烟气换热器、热管冷凝段的煤气换热器及空气换热器布置在各自管段中，通过蒸汽上升管和液体下降管的连接构成了热管内工质蒸发、冷凝循环的换热系统。系统中主烟道上的烟气通过并联布置在烟气换热器内的若干排对应煤气侧、空气侧的热管蒸发段管束，换热降温后去排放；热管蒸发段内工质吸收热量后蒸发，蒸汽通过联通的上升管分别送到布置在煤气、空气管线中的煤气换热器和空气换热器内的热管冷凝段管束内，凝结放热，放出的热量达到同时将各自管束外流经的煤气和空气预热的目的，工质冷凝液再通过联通的下降管流回到蒸发段吸收热量，继续蒸发换热，此结构被称为分离式热管煤气、空气的双预热形式，如图 2.19 (a) 所示。也有根据现场条件以及分离式热管换热器冷、热流体均在各自独立的壳体内流动的特点，为确保煤气设备的安全性，对预热空气部分采用整体式热管换热器，预热煤气部分采用了分离式热管换热器，称为分离式单预热形式，如图 2.19 (b) 所示。

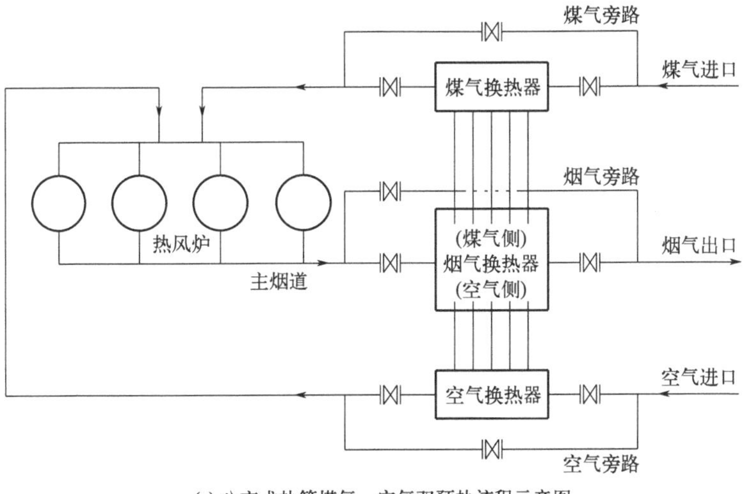

(a) 分离式热管煤气、空气双预热流程示意图

图 2.19

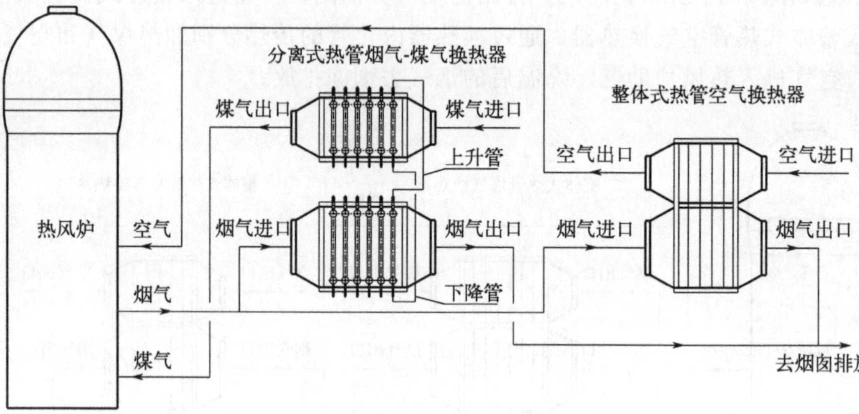

(b) 分离式热管烟气-煤气单预热流程示意图

图 2.19　分离式热管换热器预热流程示意图

为便于换热器的安装及现场调试以及高炉热风炉运行中负荷的调节等，可在烟气、煤气、空气换热器的管线上分别设置烟气、煤气、空气旁路及调节阀门等。

图 2.20 中列举了在部分 2000～5800m³ 高炉热风炉余热回收中，通过热管换热器分别将煤气、空气预热至 180℃以上，以及所回收的余热量，经折算每炉每年节约标准煤在 20725～34985t。

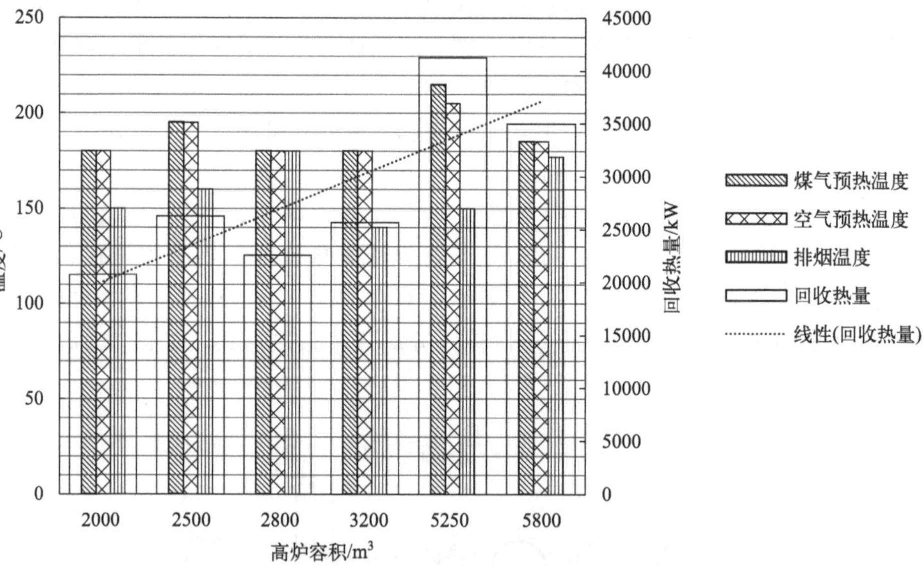

图 2.20　部分高炉热风炉余热回收

在余热回收过程中，炼铁生产工艺产生的大量含尘高炉煤气需要除尘净化，采用湿法除尘后的煤气中含有的大量机械水，会造成煤气管道及其换热设备的腐蚀、泄漏等问题。在热管煤气预热器之前设置专用煤气脱湿器，其脱水效率可达 90%以上，去除了大部分机械水且能够捕捉粉尘，有效解决了对换热器造成的腐蚀、灰堵、磨损等问题，可进一步回收烟气余热降低排烟温度，将煤气、空气预热至 190℃以上。图 2.21 为某 1080m³ 高炉含前置脱湿器的整体式热管煤气预热器现场部分图片，其设计运行值见表 2.9。仅从设计值计算所回收的热量达12700kW，折合每小时节约标准煤约1.563t，按年运行8000h计，折合每年节约标准煤约12500t，至少可减排CO_2约3.25万t/a，可助推钢铁企业的节能、减碳。

图2.21　某1080m^3高炉含前置脱湿器整体式热管煤气预热器

表2.9　设计运行值

项目	烟气		煤气		空气	
	设计值	运行值	设计值	运行值	设计值	运行值
进口温度/℃	300	343	40	40	30	34
出口温度/℃	165	150	≥190	236	≥200	203

2.3.3　电炉炼钢余热回收

钢铁行业节能减排、超低排放、绿色发展是当今持续创新的重要任务，我国粗钢产量占全球一半以上，其生产工艺以采用铁矿石为主要原料的高炉-转炉长流程炼钢为主，过程的能耗和碳排放均较高，而以废钢为主要原料的电炉短流程炼钢，在吨钢资源消耗、工程投资、占地面积、氮氧化物和硫氧化物等污染物及二氧化碳排放等方面均大幅降低，节能降碳效果显著。在工业和信息化部等三部委印发的《工业领域碳达峰实施方案》中提出，到2030年，短流程炼钢占比达20%以上；同时，在《关于促进钢铁工业高质量发展的指导意见》中提出，有序发展电炉炼钢，鼓励有条件的高炉-转炉长流程企业就地改造转型发展电炉短流程炼钢。到2035年我国电炉钢的比例有望突破30%，因此电炉炼钢也正在成为钢铁行业中一个重要的低碳炼钢工艺流程。

电炉炼钢主要是靠电极和炉料间放电产生的电弧，使电能在弧光中转变为热能，并借助辐射和电弧的直接作用加热并熔化金属和炉渣，冶炼出各种成分的钢和合金的一种炼钢方法。目前，电炉炼钢是世界各国生产特殊钢的主要方法。通过用废钢、铁合金和部分渣料进行配料冶炼，熔制出碳钢或不锈钢钢水送入精炼装置，如LF钢包精炼炉、VD真空处理炉等，进行精炼，对钢水进行升温、调整化学成分、脱气和去除杂质等操作，最后连铸成坯。

电炉炼钢时含有害污染物的烟气主要产生在电炉的加料、冶炼和出钢这三个阶段。电炉冶炼一般分为装料期、熔化期、氧化期和出钢期。熔化期主要是炉料中的油脂类可燃物质的燃烧和金属物质在电极通电达高温时的熔化过程，此时产生的是黑褐色烟气；氧化期强化脱碳，吹氧或加矿石而产生大量赤褐色浓烟时，烟气温度最高。在这几个过程中氧化期产生的烟气量最大，含尘浓度和烟气温度最高，从电炉炉口排出的烟气温度达1000～1500℃，标准状况下含尘浓度高达20～30g/m^3。随着电炉兑铁水比例的增加、碳氧枪的应用和供氧强度的加大，电炉冶炼强度明显提升，冶炼周期缩短，在熔化和氧化期内烟尘的生成量急剧增加，其所携带的热量约占电炉输入总能量的15%～30%，吨钢烟气带走的热量超过150kW·h/t，也是电炉冶炼过程中最大的能量损失。因此，高效回收高温烟气的热量具有较大的经济和社会效益。

电炉冶炼所产生的高温烟气的流量、温度、粉尘浓度等参数随电炉冶炼周期的变化而变化，造成了热负荷变化大、热强度高等。在每一个冶炼周期（20～50min）内，温度可在200℃到约1000℃之间变化，标准状况下烟气流量可从几万到数十万立方米，呈现出强周期性变化。烟气中粉尘含量高，灰尘粒子在烟气降温降速过程中对换热管会存在冲刷、磨损、沉积等。该处的余热回收设备要承受大幅度的热应力、高含尘等。综上，要充分合理地回收电炉炼钢烟气中所蕴含的巨大热能，需要解决一系列的技术难题。

国内外对电炉炼钢产生的高温烟气，通常采用较长的水冷烟道和机力风冷却降温后去除尘系统，经除尘后达标排放，如图2.22所示，热量不仅没有得到回收利用，反而增加了冷却用电及水资源用量。少部分钢厂对烟气余热进行部分利用，如汽化冷却产生的蒸汽并网，或与ORC结合、预热废钢等，这些只利用了烟气的高温余热，即对800℃以上的热进行了回收，而对800℃以下的余热并未采取回收与利用措施。

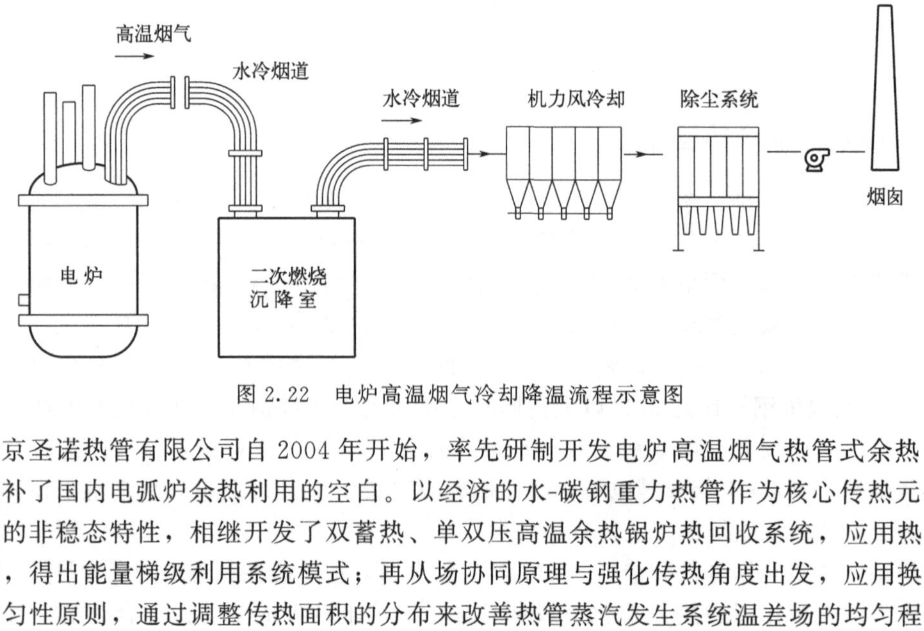

图2.22　电炉高温烟气冷却降温流程示意图

南京圣诺热管有限公司自2004年开始，率先研制开发电炉高温烟气热管式余热回收技术，填补了国内电弧炉余热利用的空白。以经济的水-碳钢重力热管作为核心传热元件，针对烟气的非稳态特性，相继开发了双蓄热、单双压高温余热锅炉热回收系统，应用热力学分析方法，得出能量梯级利用系统模式；再从场协同原理与强化传热角度出发，应用换热器温差场均匀性原则，通过调整传热面积的分布来改善热管蒸汽发生系统温差场的均匀程度，达到高效传热的目的。通过热管内部性能的改善以及灵活排列和对冷热段长度的调整，控制一定的流速和管壁温度，降低和避免灰尘的沉淀，同时热管两端的无约束自由状态，避免了结构中热应力的问题，通过热管与系统工程的协同开发，实现了高温交变、高含尘量烟气余热的高效回收，产生连续稳定的饱和蒸汽输出，并网使用或用于后续工艺中VD炉精炼抽真空所需的蒸汽供给。多单元模块式电炉余热回收热管式蒸汽发生装置于2006年12月在莱芜钢铁股份有限公司特殊钢厂50t超高功率电炉炼钢烟气余热回收系统一次点火成功，设备投运后，节能效果显著，备受业界的关注。正常状态下，烟气进入设备的温度波动范围大，每冶炼一炉钢，需要约40min，温度基本在200～800℃之间波动，最高瞬时温度可达1023℃，烟气中含尘量每天达12t以上，在此条件下设备运行了8年多，回收的热量所产生的蒸汽能够满足后续VD炉精炼抽真空所需要的蒸汽量，完全取代了原有的15t/h柴油锅炉。仅此一项，每月节约柴油锅炉燃料费约130万元，每年可节约1430万元。根据回收的热量计算，每小时可回收17052kW热量，一年可回收的热量折合标准煤为16764t/a，年节约标准煤1.7万t。按产蒸汽量计算，每炉钢产汽为15t，一天生产33炉钢，一年按330天计算，年产蒸汽163350t，如每吨蒸汽价格按70元计，即约1143万元。另外，对上述改造的某100t电炉的烟气余热回收热量可达5.32×10^{11}kJ/a，折合节约标准煤为18154t/a。

图2.23（a）为热管式余热锅炉（也称热管式蒸汽发生器）流程示意图，来自电炉炉顶的高温烟气中含有未燃尽的CO等可燃性成分等，所以需要设置二次燃烧室，同时利用燃烧室的空间，将烟气粉尘中大颗粒灰分进行重力沉降，减少出口烟气中的含尘量，对减少设备磨损起到有利作用，电炉出口到沉降室的高温烟道采用汽化冷却烟道形式，二次燃烧沉降室的壁面也布置成汽化冷却壁形式，回收部分余热，所产蒸汽送入后续蒸汽蓄热器。这里，余热锅炉采用多单元模块串、并联组合形式，中压蒸发器与中压汽包（锅筒）构成自然循环产汽系统，通过相变式蒸汽蓄热器形成连续稳定的饱和蒸汽输出，低压蒸发器与低压汽包（锅筒）所构成的产汽系统，所产低压蒸汽用于余热锅炉给水的自身除氧。图2.23（b）为现场装备照片。在热管式余热锅炉中，热管的蒸发段放置在热流体（烟气）通道内，冷凝段放置在套管内，套管通过蒸汽上升管、液体下降管与汽包（锅筒）相连，在具有一定的位差条件下构成水汽的自然循环，而无须外加动力。热管式蒸汽发生器的显著特点是安全可靠。热管元件的破损，不影响蒸汽系统的循环，无须为此停车检修。目前，采用水-碳钢热管的分离套管式蒸汽发生器产生的蒸汽压力可达2.5MPa，进入的热流体温度可达1000℃以上，其结构原理如图2.23（c）所示。

随着科技的不断进步，电炉冶炼工艺不断发展创新，从康斯迪电炉到量子电炉的推出，电炉冶炼的周期缩短、电耗减少、生产效率提高。量子电炉是由德国普瑞特公司采用西门子和奥钢联技术全套引进的一种高效、节能、环保型电炉，采用冶炼中产生的高温废气预热废钢至600℃以上，改变了传统的冷废钢入炉，从而减少了废钢熔化所需要的能量。量子电炉具有高效的连续预热系统、连续加料系统，独特的出钢结构以及加料和出钢期不断电系统，运用炉内70%的钢液留存等技术，降低了电炉冶炼时爆喷、大沸腾的剧烈程度，缩短了冶炼周期，降低了冶炼用电以及电极和氧气等的消耗，减少了灰尘和CO_2排放，降低了一次除尘系统的风量和装机容量，降低了除尘系统电耗和冶炼系统运行成本，吨钢CO_2排放总量减少30%以上。但是，过程中产生的CO、NO_x等污染物在废钢预热至600℃时，不能像传统电弧炉那样简单地利用吸入空气进行二次燃烧而彻底烧掉，因此需要在二次燃烧室中设

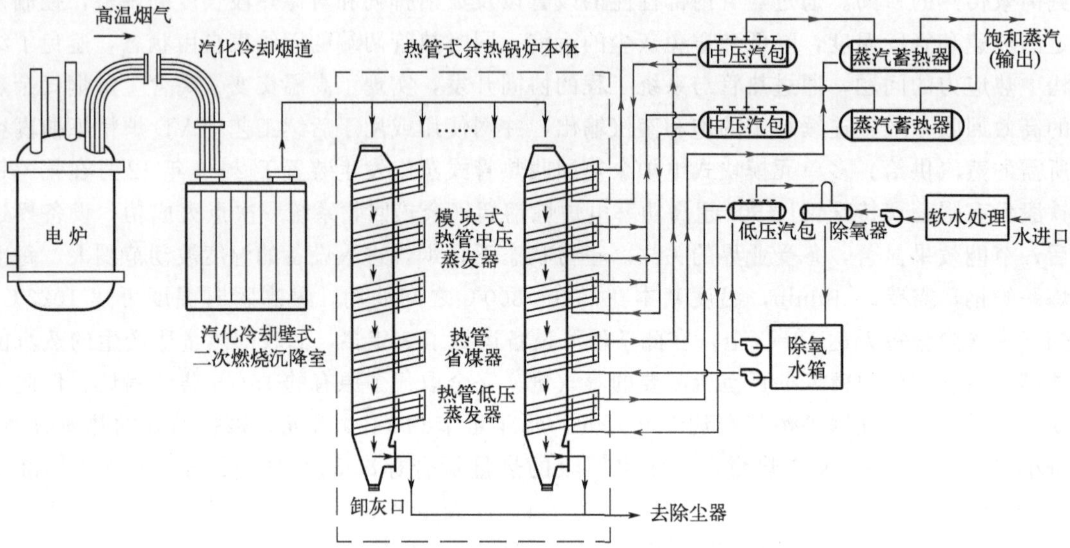

(a) 热管式余热锅炉流程示意图

50t电炉余热回收　　110t电炉余热回收

(b) 热管式余热锅炉部分现场图

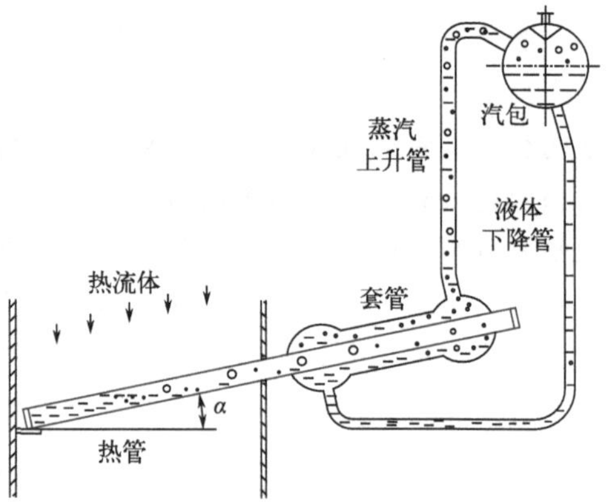

(c) 热管式余热锅炉结构原理示意图

图 2.23　热管式余热锅炉
（α 为热管与水平方向夹角）

置烧嘴将烟气加热到 850℃以上，最大限度地减少二噁英和呋喃类物质的产生。如此，烟气温度波动幅度、含尘量等较常规电炉要低，后续余热锅炉可采用列管形式，同样电炉出口到二次燃烧沉降室的高温烟道采用汽化冷却烟道形式，燃烧沉降室的壁面为汽化冷却壁形式，烟气的快速冷却可避开或缩短二噁英等的生成温度区间，回收部分余热所产蒸汽汇入后续中压余热锅炉系统。图 2.24 为量子电炉管式锅炉余热回收流程示意图。对于某 80t 量子电炉，采用管式余热锅炉，可产 1.6MPa 蒸汽 16t/h 以上，0.3MPa 低压蒸汽 4t/h，排烟温度≤200℃。

2.3.4 冶金动力锅炉余热回收

冶金高炉炼铁中，副产的高炉煤气主要成分为 N_2、CO_2 和 CO，其中 CO 仅占 20%～25%，高炉煤气热值较低，燃烧不稳定，不易着火且含尘量大，除部分自用外，其余部分采用了放散。随着高炉煤气锅炉发电技术、蓄热式燃烧技术、高炉煤气富化技术、空气和煤气

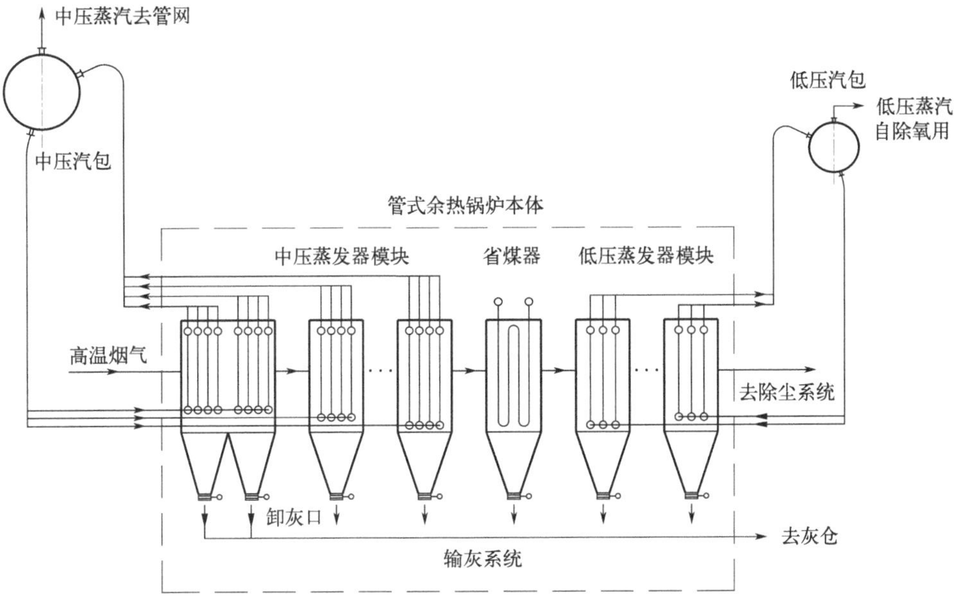

图 2.24　量子电炉管式锅炉余热回收流程示意图

预热技术等的开发应用，高炉煤气的放散趋近于零。高炉煤气锅炉发电等系列技术彻底解决了高炉煤气的放散问题，煤气利用水平提高，企业自发电量大幅增加，不仅节约燃煤消耗，减少企业外购电量，而且解决了煤气放散对环境造成的污染，取得了良好的社会效益。

高炉煤气热值较低，入炉煤气量大，入炉的煤气温度较低，将会直接影响燃烧效率、炉子热效率、炉子热量利用等，下面仅从炉子热量利用系数也称炉子燃料利用系数进行简要分析。

炉子燃料利用系数 η_c 为炉内有效热 Q_e 与炉子热损失 Q_l 之和与供给炉子燃料的燃烧热 Q_c 之比，即：

$$\eta_c=\frac{Q_e+Q_l}{Q_c} \tag{2.2}$$

根据炉子的热平衡，有关系式：

$$Q_e+Q_l=Q_c-Q_y \tag{2.3}$$

式中，Q_y 为燃烧产物（烟气）带走的热量，kJ/h，其计算式为：

$$Q_y=V_yC_p\rho t_y \tag{2.4}$$

式中，V_y 为燃烧产物（烟气）量，m^3/h；C_p 为烟气平均温度下的比热容，kJ/(kg·℃)；ρ 为烟气密度，kg/m^3；t_y 为烟气温度，℃。

供给炉子燃料的燃烧热 Q_c 为：

$$Q_c=V_fq_d \tag{2.5}$$

式中，V_f 为标准状况下的燃料用量，m^3/h（或 kg/h）；q_d 为标准状况下的燃料低位发热量，kJ/m^3（或 kJ/kg）。

由式（2.3）～式（2.5），式（2.2）可表示为：

$$\eta_c=\frac{Q_c-Q_y}{Q_c}=\frac{Q_c-V_yC_p\rho t_y}{Q_c} \tag{2.6}$$

当入炉燃料量一定时，提高入炉燃料和助燃空气温度（如预热煤气、空气）时，假设煤气和助燃空气代入的物理热分别为 Q_g 和 Q_a，则式（2.6）可表示为：

$$\begin{aligned}\eta_c'&=\frac{Q_c-Q_y}{Q_c}=\frac{Q_c+(Q_g+Q_a)-V_yC_p\rho t_y}{Q_c}\\&=\frac{V_fq_d+(Q_g+Q_a)-V_yC_p\rho t_y}{V_fq_d}\end{aligned} \tag{2.7}$$

显然，$\eta_c'>\eta_c$，即炉子燃料利用系数提高。

当炉子燃料利用系数一定时，预热入炉燃料和助燃空气又可有效降低燃料用量，改善燃烧，提高炉膛温度，增强辐射能力，节省燃料。

通过煤气锅炉自身排烟余热来预热入炉煤气、空气，实现烟气余热回收再利用。鉴于高炉煤气的毒性和易爆特性，优先采用烟气和煤气壳体完全分开布置的分离式热管换热器更为安全、可靠，实现煤气、烟气两箱体独立分开布置，完全杜绝了两换热流体之间的窜漏。在有些场地受限的条件下，也可采用整体式热管换热器来预热煤气，此时对烟气、煤气之间的分隔管板及壳体需要做好安全、可靠的有效密封。

为进一步降低煤气锅炉的排烟温度，实现烟气余热深度回收，与锅炉发电系统配套结合，通过设置与该锅炉发电系统配套的煤气预热器、低温省煤器、凝结水加热器等装置，将锅炉经余热回收系统后的排烟温度降至≤100℃排放，在此，将属于余热回收与利用范畴的系统与装置集中起来统称为低温换热岛。图 2.25 为低温换热岛烟气深度余热回收流程示意图，其中空气预热器采用了二级预热（管式或热管式），煤气预热器可采用分离式或整体式，凝结水加热器采用径向热管式，加热来自冷凝器的凝结水，再进入除氧器，可有效提高余热利用率，提高发电量。

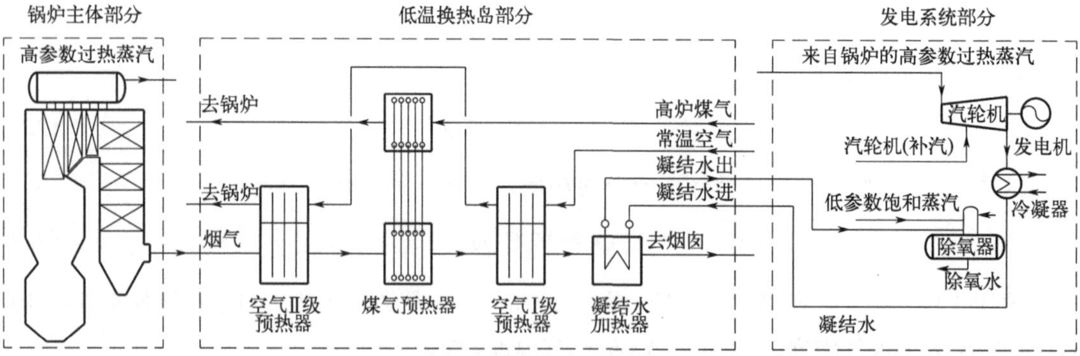

图 2.25　低温换热岛烟气深度余热回收流程示意图

以某单套 135MW 煤气发电机组高炉煤气锅炉为例，采用低温换热岛后将锅炉排烟温度降至 95℃以下排放，高炉煤气预热至 150℃以上送入锅炉，加热 145t/h 凝结水至 110℃以上。该低温换热岛所回收的余热量达 23312kW，按年运行 8000h 计，折合节约标准煤为

22945t/a，减排 CO_2 达 59660t/a。通过烟气余热回收提高锅炉效率，减少热力系统低压蒸汽的使用，再利用低压蒸汽进行发电，实现低品质热能到高品质电能的转化，增加发电量约 1300×10^4kW·h/a。图 2.26 为单套低温岛设备部分运行参数曲线及现场图片。

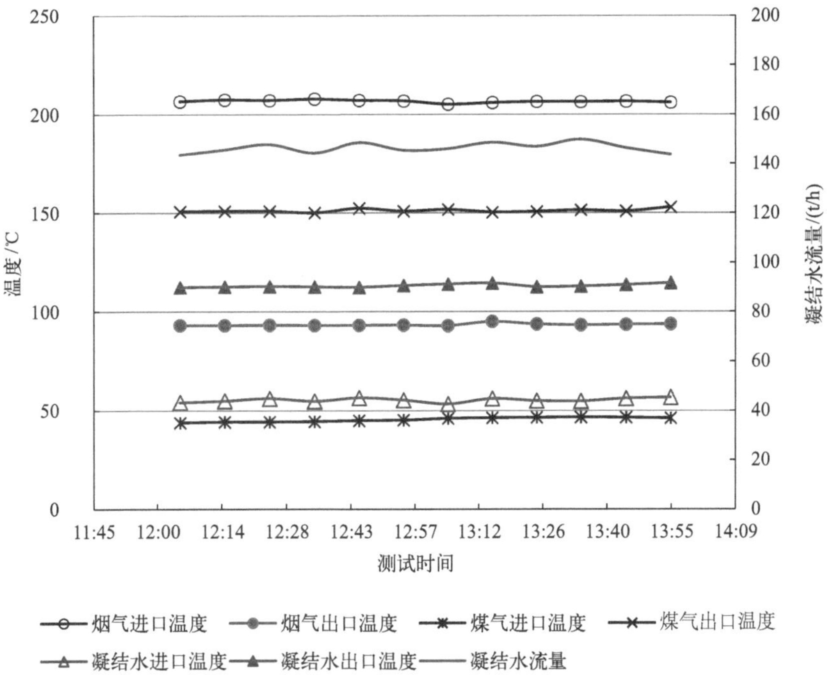

(a) 单套 135MW 煤气锅炉烟气深度余热回收低温岛设备运行数据

(b) 135MW系列煤气锅炉烟气深度余热回收低温岛设备现场图片

图 2.26　单套低温岛设备部分运行参数曲线及现场图片

在满足炼铁工艺需求的前提下，钢铁厂剩余高炉煤气可用作热电厂锅炉的燃料。选择合理的发电方案能够充分利用剩余煤气、实现高炉煤气“零排放”，同时为企业增加了一定的自备电力和供热能力。

2.3.5 冶金焦化余热回收

我国的焦炭产量占全球总产量的60%左右，其中约80%用于冶金行业，在钢铁联合企业中一般都设有焦化厂，主要用于冶金焦炭及焦化产品的生产等。冶金焦炭广泛用于高炉炼铁、铁合金和有色金属的冶炼等方面，其中高炉炼铁用焦炭占绝大多数。炼焦系统中焦炭显热和副产焦炉煤气余热约占72%，燃烧的废气热量约占20%，回收这些热量并进行余热利用是炼焦工序中节能的重点。

红焦显热的回收，主要采用干熄焦技术（CDQ），赤红的焦炭从干熄炉上部进入，与惰性气体直接进行热交换，焦炭冷却到200℃以下，从下部经过排焦装置卸到皮带输送机上，然后送往筛贮焦系统。循环风机将冷却焦炭的惰性气体（氮气）由干熄炉底部的鼓风装置送入干熄炉内，在干熄炉冷却段里经过与热焦炭换热变为热气体后，从炉膛中间风道汇入上部风道排出，进入一次降尘室，自干熄炉排出的高温惰性循环气体的温度在880～960℃，经一次除尘器后进入干熄焦余热锅炉换热，温度降至160～180℃，从锅炉出来的循环气体经多管旋风除尘器二次除尘，由循环风机加压后，再经副省煤器换热冷却至135℃以下后再次进入干熄炉循环使用。

干熄焦的整个工艺过程都是在密闭的空间中进行的，可回收利用的红焦显热高达80%以上，通过余热锅炉产生高温、高压的过热蒸汽用于汽轮机发电，所以，干熄焦的废热回收具有节能、环保、提高焦炭质量的三重效益。干熄焦高温、高压余热锅炉发电系统的开发已有数十年，基本趋于成熟，但对于锅炉尾部低温余热的深度利用还在不断完善，由于焦炭中含有S、Cl、F等元素，在干熄焦的过程中会产生SO_2、HCl、HF等腐蚀性介质，当排烟温度进一步降低，到达露点温度以下时，对管道及设备的腐蚀、积灰等问题逐渐凸显出来，此时可利用低温部分采用热管式低压蒸发器、径向热管省煤器等，发挥热管传热的特点与优势，确保系统长周期稳定运行。

如在某4×75t/h干熄焦的循环风机前增加了径向偏心热管省煤器，将循环气体温度降至105℃以下再去循环利用。某170t/h干熄焦配套的径向热管给水预热器（副省煤器），安装在循环风机出口至干熄焦入炉之间的循环气体管路上，利用锅炉常温给水与循环气体进行初级热交换，降低干熄焦循环气体的入炉温度，强化干熄焦换热效果，从循环气体中回收的热量可用于加热锅炉给水，节约除氧器的蒸汽耗量，从而降低整个干熄焦的能耗。其特性参数见表2.10。

表2.10 170t/h干熄焦配套副省煤器特性参数

项目	循环气体	锅炉给水
流量	226800m^3/h(标准状况)	约90t/h
进口温度/℃	175	25
出口温度/℃	约130	约65
压力/MPa	—	1.4
回收热量/kW	4345	

炼焦过程中炭化室所需热量由煤气在燃烧室内的燃烧所提供，燃烧后产生200～250℃

的高温废气，对这部分烟道废气余热回收难度较大，采用余热锅炉，尾部低温处容易在换热面上形成积灰、造成腐蚀，进而影响系统运行。所以，在余热锅炉系统中，应充分考虑换热管的结构与布置，避免积灰、积炭等现象，低温段采用水平径向偏心热管式的结构装置可有效解决恶劣工况条件下的烟气余热回收。偏心热管独特的结构和高效传热方式，使得烟气与被加热流体双重隔离，在低温余热回收中，设备运行更加安全可靠。图 2.27 为某钢铁企业焦化厂 150 万 t/a 焦化烟气双压余热锅炉，对原焦化烟道直接排空的 210～280℃废气，通过设置余热回收系统，排烟温度降至约 160℃，可产 1.1MPa 的蒸汽约 34.5 万 t/a，0.5MPa 蒸汽约 10t/h，同时在余热锅炉烟道尾部再增加空气预热器，进一步降低排烟温度至 120℃以下，余热回收量达 33200kW，经折算每年节约标准煤约 32678t，相当于减排 CO_2 约 84960t/a。

图 2.27　焦化烟气双压余热锅炉

炼焦煤在炭化室内高温干馏，经热解生成焦炭并产生 650～950℃的荒煤气，温度呈周期性变化，汇集到炭化室顶部通过上升管，经在桥管内喷氨冷却后汇入集气管，送至煤气净化车间进行焦油的脱除。焦炉荒煤气中成分复杂，主要成分有 CO、CH_4、H_2、N_2、O_2、CO_2、水蒸气、硫化氢、氰化物、氟化物等，还含有苯、酚、萘、蒽等有机物，易结焦且结焦温度较高（约 450℃），同时荒煤气中所携带的煤焦油还存在石墨化等问题，限制了荒煤气的余热回收。近半个世纪以来，对于焦炉上升管荒煤气余热回收的试验研究一直在进行，有间接冷却式、上升管汽化冷却式、有机热载体式、夹套式、盘管式、分离热管式等热回收方式，大都出现了结焦、泄漏等问题，焦炉顶部的上升管中一旦有水泄漏进入炭化室，将会造成重大事故。

采用分离热管式上升管荒煤气余热回收技术，从炭化室出来的 850℃左右的荒煤气进入上升管，通过导热和辐射换热方式将热量传给水-碳钢热管，温度降至 500℃左右；上升管内周向分布的热管蒸发段环形管束吸收热量，热管内的工质蒸发上升至上联箱汇集，然后一起通过汽导管送入汽包内的热管冷凝段，与汽包内的水进行热交换，产生饱和蒸汽输出。工质冷凝液通过液导管送入蒸发段管束中的下联箱，分配给各热管蒸发段，再次吸收热量传输出来，汽包可远离上升管布置在焦炉顶部安全位置。整个过程是一个无须外加动力的自然循环过程。即使热管有破损，热管内工质的量很少，也不会导致整个汽包中的汽水混合物漏入炭化室，不会造成安全事故，能够保证焦炉的安全运行。

图 2.28 为分离热管式焦炉上升管余热回收示意图，图 2.29 为在某 65 孔（200×10^4t/a）焦炉的一个上升管的现场试验及汽包产汽图片，图 2.30 为试验期间某一段 48h 内的温度变化及瞬时产气量曲线。

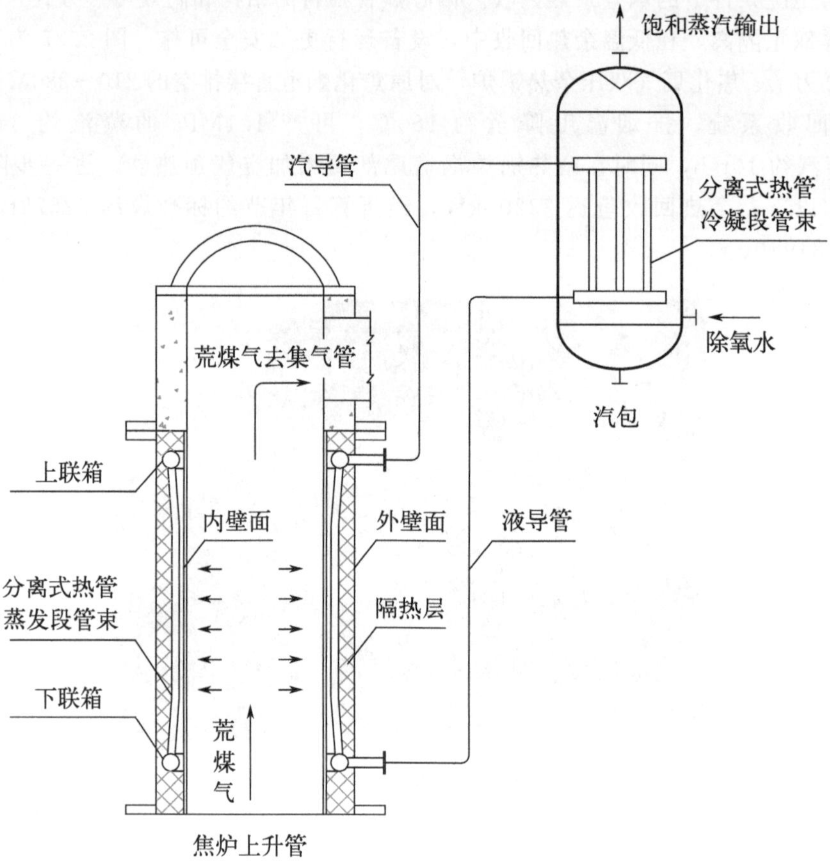

图 2.28　分离热管式焦炉上升管余热回收示意图

(a) 试验上升管　　(b) 汽包产汽

图 2.29　某 65 孔焦炉现场试验汽包产汽图

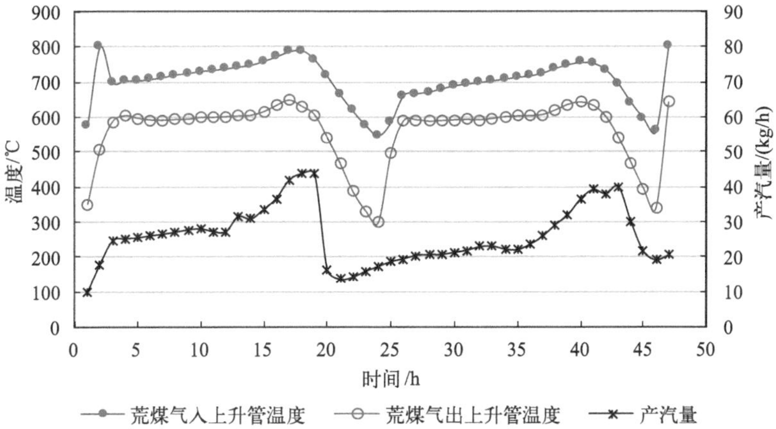

图 2.30　单个上升管试验测试数据曲线

随着材料及其表面工程技术的不断发展，南京圣诺热管有限公司对上升管内壁面采用多种特殊方式处理，使之持有较高的光洁程度，能有效阻止石墨在此附着沉积，并具有耐高温氧化，抗 H_2S、CO_2、渗碳、渗氮腐蚀，抗冲击，耐温差应力等特质。上升管内壁面外置双螺旋盘管式结构，通过汽水双循环换热将荒煤气温度降至约 500℃，所回收的余热可产生 1.0～1.6MPa、200℃以上的过热蒸汽并网，吨焦产汽量≥80kg。图 2.31（a）为双螺旋盘管式焦炉上升管余热回收示意图，其中少部分上升管余热用于蒸汽过热，图 2.31（b）为其现场图片。

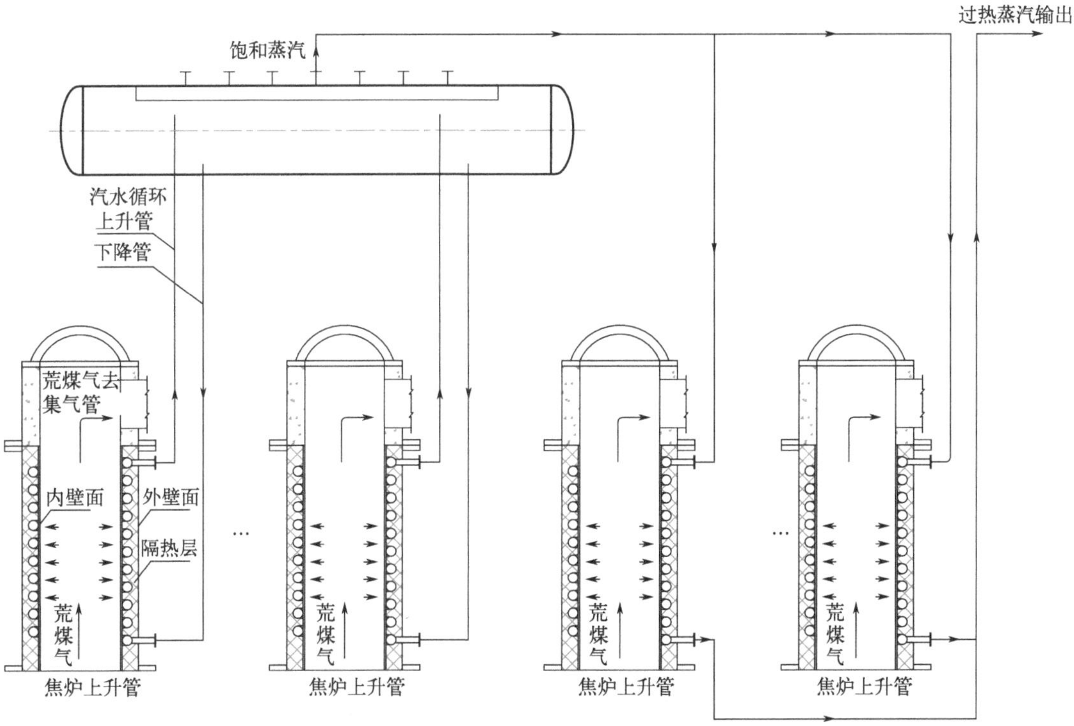

(a) 双螺旋盘管式焦炉上升管余热回收示意图

图 2.31

(b) 双螺旋盘管式焦炉上升管余热回收现场

图 2.31　双螺旋盘管式焦炉上升管余热回收示意图及其现场图片

2.3.6　冶金综合节能展望

在钢铁冶炼烧结、炼铁、炼钢、轧钢等各主要工序中蕴含着丰富的余热余能，在各单体工序节能余热回收不断深入开展的基础上，面向全厂、面向区域、面向社会，从单个工序余热回收节能向系统余热回收节能综合发展，在研究开发烧结系统的低品位余热、高炉废渣废水余热、电炉转炉炼钢和轧钢的余热、低热值高炉煤气锅炉及焦化工段等余热的协同与高效深度回收系统工程基础上，优化单体节能技术，构建高效节能系统网络，形成低品位余热与高效发电耦合技术，促进钢铁企业与其他行业和社会间的工业生态链建设。

冶金废气余热深度回收与发电耦合高效系统工程技术及循环利用工业生态链建设，更加宽泛地提高了能源利用率，助推钢铁行业节能减碳，促进绿色低碳智慧制造。

在主要工序单体节能深入研究的基础上，对钢铁生产全流程不同工序的余热资源进行分析研究，结合基础理论，从能量的数量和质量上协同开展研究。将各工序中所回收的余热分级、分类构建余热网络，按照“温度对口、梯级利用”原则，与各工序中能量需求侧进行优化匹配，最大程度地利用余热。对于过剩的低温余热，可开展为民用供热、为其他行业供能的工业生态链。通过节能技术、网络技术、生态链建立耦合流程，其流程示意如图 2.32 所示。

主要技术包含了：

（1）烧结冷却机全流程烟气余热回收、循环再利用零排放技术

以往，通常只对烧结冷却机一、二冷却段处的高温废气开展余热回收，对位于三、四冷却段的低温废气余热基本不回收利用，而是直接排入大气。对于环保排放的禁止或限制和余热资源的深度利用，对环冷机后续三、四冷却段废气的余热回收及废气的再循环利用，实现了环冷机全流程的废气余热回收与循环利用，达到余热深度利用与废气的零排放，有效地解决了环保问题，提高了余热利用率。

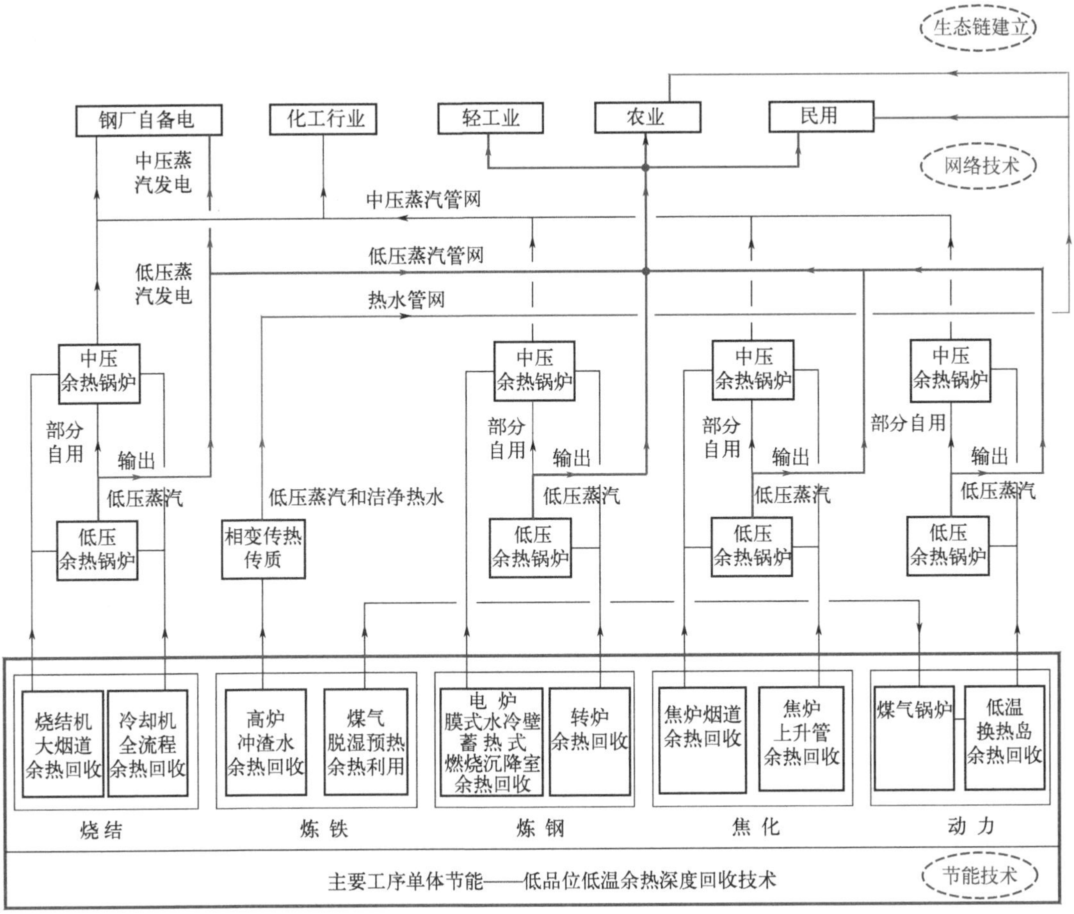

图 2.32　钢铁冶炼余热回收节能技术、网络技术、生态链建立耦合流程示意图

（2）高炉炼铁冲渣水低品位低温余热利用技术

炼铁工序中冲渣水是一种低品位的废热，其流量大且含有腐蚀性介质及悬浮物等，给余热回收带来了较大的难度，回收成本相对较高。炉渣从高炉中刚排出时温度高达约 1500℃，目前主要采用水淬法对高温红渣进行冷却处理，每冷却 1t 高温红渣，就消耗约 11.2t 水，其中循环用水量约 10t，高炉炉渣经水淬后产生水蒸气排入大气，同时产生大量的冲渣水。高炉冲渣水温度在 70～90℃，流量大，属于低温废热资源。冲渣水成分复杂，水中悬浮物、固体颗粒物较多，主要成分有氧化钙、二氧化硅、三氧化二铝、氧化镁等，在高炉冲渣水长期循环使用过程中，其浓度已近似达到饱和状态，容易产生结晶、结垢。冲渣水 pH 值为 7～9，含有大量硫酸根、氯离子等成分，对钢材具有较强的腐蚀性，对此余热回收难度较大。针对高炉冲渣水余热利用存在的诸多困难，研制出了利用多级闪蒸工艺提取冲渣水低温余热的回收系统。通过闪蒸工艺可有效提取冲渣水中的热能，将冲渣水的热能转化为真空状态下的蒸汽汽化潜热，再通过冷凝器与洁净的低温水进行相变换热，将蒸汽的潜热转化为低温水的显热，蒸汽被重新冷凝为凝结水，该过程可获取工艺所需品质的热水。研制多单元独立抽取式渣水余热回收系统，在渣水流道中内置若干取热模块，所取热量可用于加热生产供水、泳池供热、民用热水以及提供制冷用热水等。轻量化的活动抽取式取热模块，

更加利于系统装置的维护、检修、冲洗、清渣，解决了高含渣水在余热回收中对换热管束造成的结垢、堵塞、腐蚀等问题，实现了对低温且具有腐蚀性的含渣水余热的有效回收。

（3）炼钢电炉深度余热回收、转炉（电石炉）易爆燃工况下的余热回收新技术

在发展短流程炼钢的推动下，在已开发的电炉炼钢余热回收基础上进行创新提升，深入挖掘余热回收潜力，进行梯级利用，如膜式水冷壁二次燃烧沉降室和新型高效余热锅炉技术，汽化冷却烟道等综合节能措施可提高余热的回收量。

目前普遍采用汽化冷却烟道回收转炉高温烟气余热，温度降至约 900℃后即采用喷水降温、除尘，造成大量热量浪费的同时，带来了水资源和能源的高消耗。转炉冶炼为周期性、间歇生产过程，烟气温度在 300～1600℃波动，烟气量也存在频繁大幅波动，因此，研发了余热锅炉在高温交变状态下的运行结构、材料及工艺系统。烟气中 CO 含量高达约 60%，在空气中爆炸浓度范围为 12.5%～75%，极易爆燃。同时，烟气中粉尘含量高且含有腐蚀性成分等，为此应开展应对高含尘烟气的灰堵、腐蚀、磨损等试验研究。

（4）焦化烟道、上升管、干熄焦气体深度余热回收技术

在该工序中，一直受到困扰的难题是烟道气、荒煤气中煤焦油的析出、结焦及灰堵、腐蚀问题。通过二次开发，研制耐腐蚀高效传热元件作为烟道余热回收中的副省煤器。干熄焦余热锅炉低温省煤器等可再次降低排烟温度，提高锅炉效率。

（5）冶金动力低温岛深度余热回收技术

在冶金动力燃烧、焦炉煤气锅炉系统中，深入挖掘余热，组建专门的低温换热岛，研发了低温、小温差下系列换热装备的高效传热，解决了系统管线和装置的低温腐蚀问题，提高了锅炉效率。

（6）钢铁企业煤气发电、余热发电与储能储热耦合技术

该技术可强化钢铁企业能源系统的可调节能力。

在以上主要工序单体节能深入研究的基础上，对低温余热进行高效、低成本回收。深入研究完善各单体节能技术，形成一系列先进的低温余热回收与高效发电的耦合技术，提高低压蒸汽发电效率；完善烟气循环利用、零排放关键技术，有效解决环保问题；建立冶金动力低温余热回收换热岛，达到余热资源的高效协同利用；构筑高效节能系统网络，开展整体系统节能研究，把各个生产工序、各装备的能源生产和使用联系起来，分析整个系统的能源消耗，实现能源供给侧与需求侧的最优分配。从单体设备节能推向系统节能，直至能量流的网络建设，实现更高层次的系统节能，推动钢铁企业与其他行业和社会的生态链建设，有效解决钢铁企业主要流程工序的低温烟气余热深度回收与高效利用问题。解决烟气无序排放问题，实现流程工序烟气超低排放，烧结工序烟气循环利用，达到零排放。

2.4 化工行业余热回收

在化工及石油化工生产过程中存在丰富的余热资源，主要来自各类装置所排放的气体、液体和固体物质所蕴含的热能，应当加以回收利用。

2.4.1 化工余热回收

化工行业是传统高碳行业，其门类繁多、工艺复杂、产品多种多样，主要分为基础化工、石油化工、化学化纤三大类，在基础化工中有化肥、氯碱、精细化工、农药、塑料与橡胶制品、日用化学品等。

在煤化工中，耗煤最多的就是合成氨和甲醇的生产，占行业煤耗的一半以上，约 90% 的合成氨用于加工氮肥，合成氨主要用于化肥工业，是产量较高的化工产品，在化学工业中具有重要的地位。合成氨生产的主要过程有原料气的制取、原料气的净化与合成。从造气开始直到氨的合成过程都伴随着放热，合理利用这些热量，可以降低生产能耗，提高 CO 变换率及氨的合成率。采用热管技术回收工艺过程中所放出余热，产生的中、高品位蒸汽可用于原料蒸汽的补充或并入蒸汽管网，或预热助燃空气。

(1) 合成氨工艺中的余热回收

如某原有的合成氨装置主要以石脑油中压蒸汽转化工艺，通过侧壁式布置烧嘴的一段转化炉、径向合成塔、压缩机等一系列装备实现合成氨。在增产节能改造工程中，在该装置一段转化炉对流段后增加热管式换热器（图 2.33），充分利用烟气余热来预热转化炉烧嘴助燃空气，烟气通过热管换热，温度由 335℃ 降至 160℃ 以下，将常温空气预热至 260℃ 以上，回收余热达 10000kW 以上，相当于每年节约燃料气 6500t 以上。

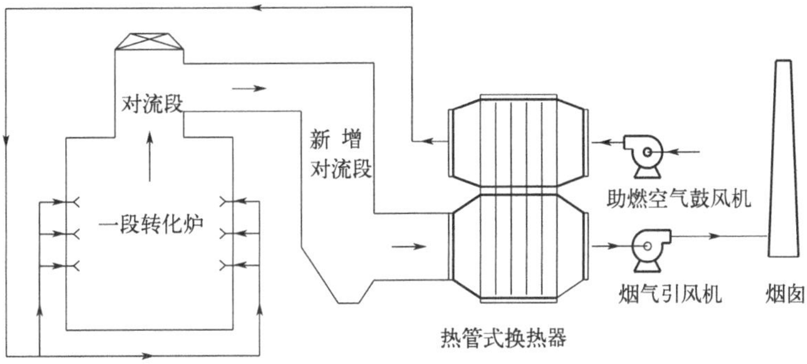

图 2.33 合成氨一段转化炉烟气余热回收示意图

换热器中采用轴向重力式热管组合，在烟气进口温度较高处采用了四排中温热管，之后全部采用水-碳钢热管，如图 2.34，由中间管板及密封组件分隔成上部冷流体（空气）通道和下部烟气通道，烟气与空气逆流布置，每根热管独立安装在换热器中，换热器上部顶盖为可拆卸式结构，可实现热管在线检修、再生、更换。热管的排布用叉排形式，并且沿烟气流动方向热管的根数逐排递减，形成气流的变截面通道，避免了烟气在换热降温的过程中速度递减。烟气流速过低时会造成烟尘粒子的沉积，在换热管表面形成积灰等，增加热阻，影响换热效果，而烟气流速过高时烟尘粒子又会对换热管壁造成冲刷磨损等问题，所以需通过变截面通道使烟气通过每排热管时的工况流速基本相同。当烟气流速控制在 8～10m/s 时，大部分烟尘粒子被气流带走，减轻了烟尘粒子的沉积，形成自清灰效应，同时在换热器低温部分还增加了声波吹灰器，提高了整体清灰能力。

换热器利用热管专有的热流密度可调特性，通过调整换热器内热管蒸发段与冷凝段的热流密度达到控制热管工作温度的目的。例如，以较小的传热面积输入热量，而以较大的冷却

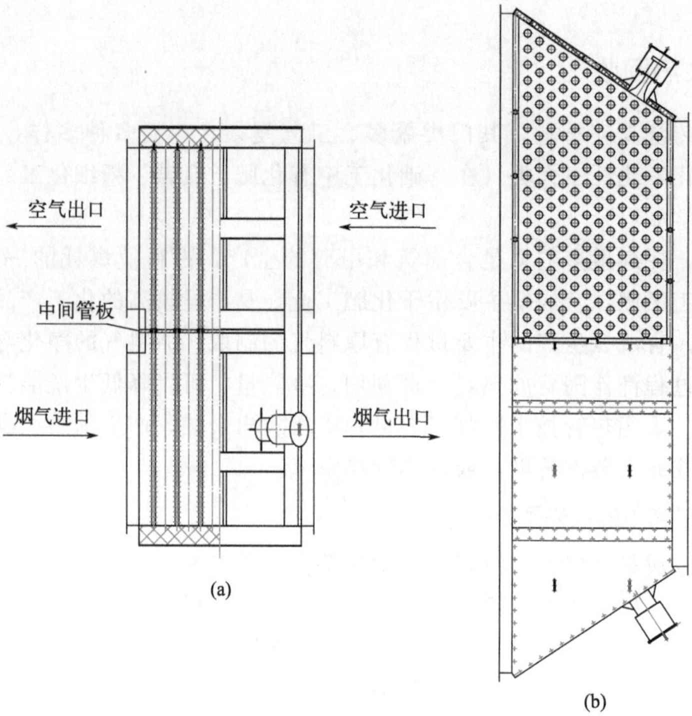

图 2.34　合成氨一段转化炉烟气余热回收热管换热器示意图

面积输出热量，或以较大的传热面积输入热量，而以较小的冷却面积输出热量，使得单位面积上的热流量发生变化。通过改变热流密度，可以在一定范围内调节热管内的蒸汽温度及管壁温度，这种方法在工程应用中可以起到重要的调控作用。热管基管外装设了翅片，可通过调整翅片形状、几何尺寸等多种措施来调节换热面积，达到调节热流密度的目的。图 2.35 中的水-碳钢热管区域内，对前面三排采用增大热管蒸发段管外翅片螺距的方法，使蒸发段传热面积<冷凝段传热面积，从而降低热管管内蒸汽温度，避免了热管运行中管内的蒸汽压力过高，或负荷波动引起的超温超压，起到确保运行安全、可靠的作用。反之，在烟气出口处的后四排采用调整热管冷凝段管外翅片螺距的方法，逐步增大这几排的冷凝段翅片螺距，使蒸发段传热面积>冷凝段传热面积，管内蒸汽温度可适当升高，进而达到提高管壁温度的目的，可避免露点腐蚀等问题。

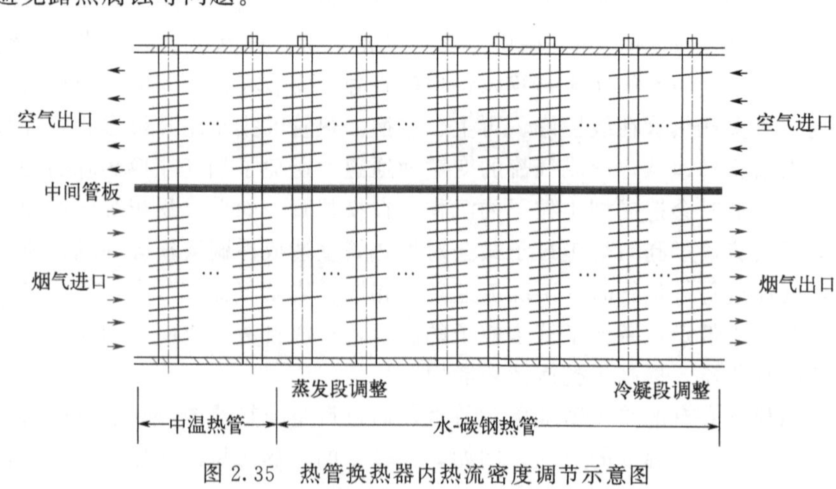

图 2.35　热管换热器内热流密度调节示意图

节能改造的重点是降低排烟温度，在大化肥合成氨装置一段炉中，回收烟气余热用来加热助燃空气。一段炉中使用的燃料有重油、柴油和天然气，燃料的品质和差异，特别是燃料中的硫含量，在烟气低温换热面处对金属腐蚀和灰堵有较大的影响，利用热管换热器的等流速结构、热流密度可调特性等，可使管壁温度避开腐蚀速率高的温度区间，同时在低温处采用防腐蚀涂层，起到双重保障作用。对于积灰问题，除安装吹灰器外，还可在结构上采用增大螺距、降低翅片高度，以及气流速度的分段控制与调节或等流速设计等。图 2.36 为热管技术在某 30 万吨/年合成氨一段炉余热回收中的应用，表 2.11 为其热管空气预热器的相关参数。在热管换热器中使用变截面等流速设计，再结合热管换热面结构、尺寸及防腐措施等，解决了换热器灰堵、腐蚀严重等问题。当燃料改为天然气时，通过热管换热器可将排烟温度降到 100℃左右，回收热量达 15000kW，可有效节省燃料。

(a) 现场图　　(b) 热管布置截面示意图

图 2.36　某 30 万吨/年合成氨一段炉热管空气预热器

表 2.11　某 30 万吨/年合成氨装置一段转化炉热管空气预热器相关参数

项目	烟气	空气
流量/(kg/h)	255115	230155
进口温度/℃	290	30
出口温度/℃	150	195
压力降/Pa	445	340
回收热量/kW	10600	

（2）制酸工艺中的余热回收

根据制酸原料的不同，硫酸生产可分为硫磺制酸、硫化氢制酸、冶炼烟气制酸、硫铁矿制酸、硫磺与硫化氢联合制酸等工艺。在各种工艺生产过程中，从原料的焚烧到后续各段的转化与吸收等阶段中，均放出大量热能。以硫磺制酸生产过程为例，在焚硫炉中燃烧生成 SO_2、SO_2 催化氧化生成 SO_3、SO_3 吸收生成硫酸的每一阶段均为放热反应，其中焚硫和转化部分的高、中温余热约占 60%，干吸部分的低温余热约占 40%。

对于硫磺制酸典型的“3+1”转化吸收工艺流程而言，可回收的余热包括：

① 焚硫炉出口 1050℃左右的高温炉气冷却到 440℃左右进入一段转化；

② 一段转化出口 600℃左右的炉气冷却到 440℃左右进入二段转化；

③ 三段转化出口经换热器后，240℃左右的炉气冷却到180℃左右进入中间吸收塔；

④ 四段转化出口430℃左右的炉气冷却到160℃左右进入最终吸收塔。

对于硫磺与硫化氢联合制酸，除具有制酸的共同特点外，还具有反应后工艺气中水分增加、工艺气露点高约240℃等特质，充分合理地利用余热，既可回收焚烧炉后高温工艺气的热量，又可回收后续各段转化与吸收等过程中放出的大量热能，对硫酸装置的安全、连续性生产至关重要。

针对硫磺与硫化氢联合制酸的余热回收，在焚硫炉后设置余热锅炉，用以回收工艺气中的高温余热，产生4.5MPa饱和蒸汽，炉气由1050℃降至约430℃后进入后续转化器；在转化三段出口设置中温过热器及省煤器；在转化一段出口设置高温过热器，饱和蒸汽经中、高温过热器过热至390℃后并网。这些设备组成了一套产中压过热蒸汽的余热锅炉回收系统，其简要流程如图2.37所示。

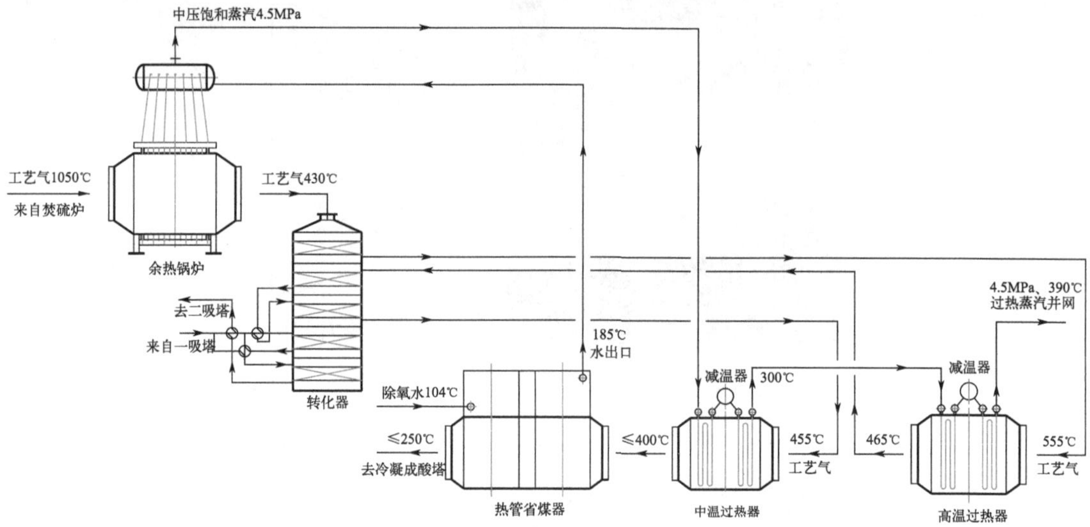

图2.37 硫磺与硫化氢联合制酸的余热回收流程示意图

在此，余热锅炉为水管式自然循环锅炉，以光管管束和翅片管管束组合，管束内走水、汽，管外走高温工艺气，根据换热量计算，调节每排管束的传输功率，确定管束结构形式及侧壁的膜式水冷壁结构，设备无固定支座，范围可以自由滑动，有效地解决了高温膨胀、热应力等问题。对于锅炉负荷在60%～110%之间的要求，在锅炉内管束排布中间设有专门的内置调节闸门，取代了传统工艺中工艺气的旁路和多套高温阀门，减少直接投资上百万，减少了系统泄漏点、检维修工作量等。

高温过热器、中温过热器均由两组管束组成，两组管束间配备减温器，当出口温度超设定的温度时，采用低温软水，对蒸汽进行降温，从而控制管束的壁温，使设备不超温工作，并且保证过热蒸汽的出口温度。

热管省煤器，采用轴向重力热管，冷凝段水侧为套管形式，见图2.2（b），水在热管与套管之间的环状间隙中流过并被加热，在本制酸工艺中，工艺气露点温度较高，约为240℃，利用热管热流密度可调的特性来调节管壁温度，对热管冷凝段和套管的长度进行调节，热管蒸发段在热工艺气中采用翅片强化传热，并且翅片的螺距也是可以调节的，因此省煤器中形成了多种规格形式的热管组合，有效避免了露点腐蚀问题。图2.38为现场图片。

(a) 余热锅炉　(b) 高温过热器　(c) 中温过热器　(d) 热管省煤器

图 2.38　硫磺与硫化氢联合制酸余热回收设备

该系统装置回收余热量 22149kW，产汽量约 27600kg/h，折合节约标准煤 21800t/a，可减少 CO_2 排放约 56680t/a。

在硫铁矿制酸、冶炼烟气制酸中，由于工艺气中含尘量较高，采用热管式余热锅炉更为安全、可靠。热管的蒸发段放置在热流体工艺气通道内，冷凝段放置在套管内，套管通过蒸汽上升管、液体下降管与汽包（锅筒）相连，在具有一定的位差条件下，构成水汽的自然循环，而无须外加动力。当热流体横掠热管蒸发段外壁时，热管内部工质吸收热量开始蒸发，并迅速到达热管冷凝段凝结放热，加热套管中的水并汽化，形成汽水混合物，通过上升管进入汽包后进行汽水分离，产生饱和蒸汽，套管中的水由汽包给水通过下降管补充。在分离套管式结构中根据现场布置条件，热管可以采用如图 2.39 中立式或斜置式的布置方式，在斜置式中热管与水平方向夹角 α 宜≥12°。对于含尘量高的热流体，首选竖直烟道热管斜置式，气体侧管外翅片采用大螺距、低翅高螺旋翅片或光管形式。这里热管的蒸发段与冷凝段套管中，气-汽（水）完全隔离，相互独立，互不影响，即使热管蒸发段在热流体中被磨损、腐蚀导致泄漏，其冷凝段套管与汽包中的水-汽也不会进入热流体烟道而造成事故。这就使得热管式余热锅炉有别于一般余热锅炉的结构，运行更加安全可靠，所以热管式余热锅炉特别适用于恶劣工况条件下的余热回收。

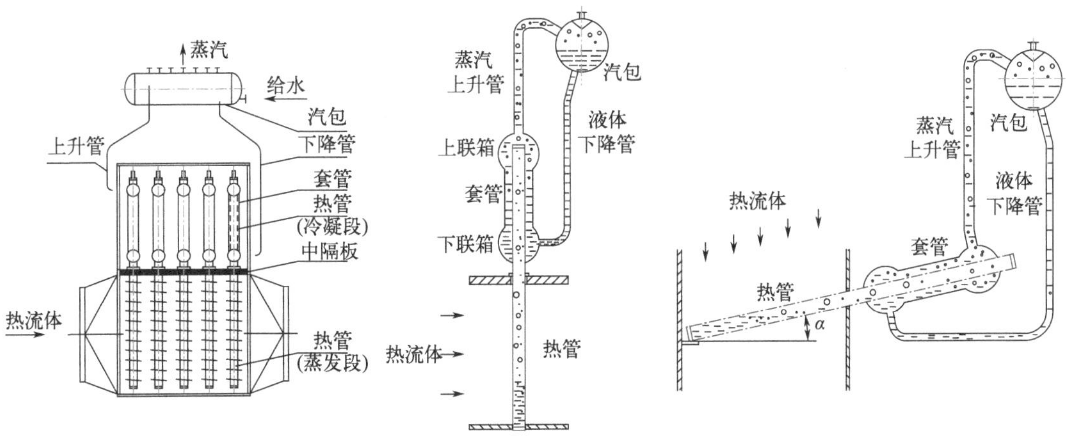

(a) 热管式余热锅炉　(b) 立式　(c) 斜置式

图 2.39　热管式余热锅炉示意图

对于含尘量高且含尘粒子粒径较大的工艺气体，如硫铁矿制酸沸腾焙烧的 SO_2 工艺气温度约 950℃，标准状况下含尘量高达 250g/m^3，露点温度在 200℃左右，采用热管式余热锅炉，考虑磨损等因素，工艺气沿热管纵向流动，热管蒸发段在工艺气流道中，热管外壁采用纵向直翅片，以防积灰，尾部加装省煤器预热汽包给水，将工艺气降至355℃去后续转化工段，如图2.40所示，其技术特性参数见表2.12。

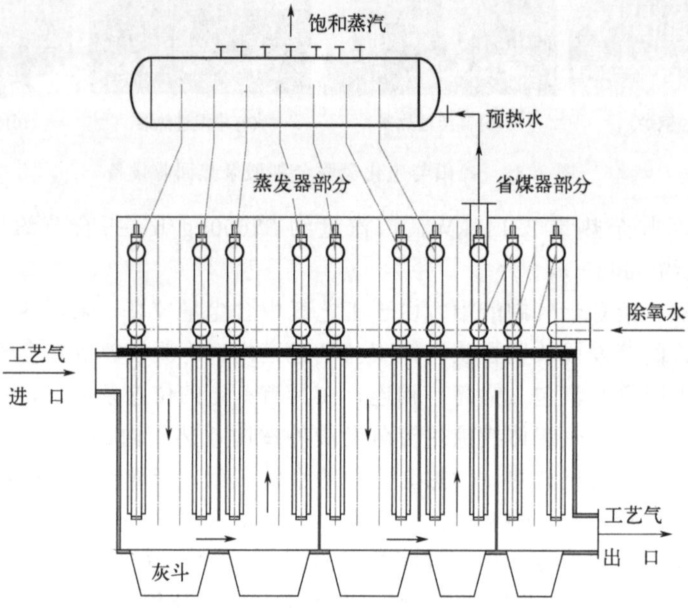

图2.40 硫铁矿制酸热管式余热锅炉示意图

表2.12 技术特性参数

项目	单位	数据
SO_2 工艺气流量(标准状况)	m^3/h	27745
烟气进口温度	℃	950
烟气出口温度	℃	355
蒸汽压力	MPa	2.5
蒸汽量	t/h	9.5
给水温度	℃	104
回收热量	kW	约6495

冶炼烟气制酸主要指在有色金属铜、铅、锌、镍、钴等的冶炼过程中，因其有色金属矿物多以硫化物形态存在，冶炼过程中释放出大量含有 SO_2 的烟气，可作为制酸的原料。在制酸的转化与吸收工艺过程中同样会产生大量余热，主要通过建立余热锅炉系统回收，产生蒸汽发电。对于这部分余热的回收，主要是解决装备在高、中、低温度下具有腐蚀性气体中的传热、应力、腐蚀、灰堵、安全等关键技术问题。在冶炼烟气制酸工艺中，各转化和吸收工序的余热根据现场条件及能源的综合利用，均可设置轴向水-碳钢热管式余热锅炉和径向水-碳钢热管省煤器，达到低成本余热回收与可靠利用。图2.41分别为近年来有色金属冶炼烟气制酸中所采用的热管式余热锅炉和省煤器的部分现场图片，表2.13～表2.15为其特性参数。根据用户的要求，余热锅炉所产蒸汽压力在0.6～1.6MPa，产汽量可达到用户的要求，热管式余热锅炉的独特结构及个性化设计在制酸系统强腐蚀性条件下，设备运行稳定、可靠。

(a) 锌冶炼余热锅炉　(b) 铜冶炼余热锅炉　(c) 铜冶炼省煤器

图 2.41　有色金属冶炼烟气制酸热管式余热锅炉和省煤器现场图片

表 2.13　某锌冶炼余热锅炉特性参数

项目	单位	数值
额定蒸汽压力	MPa	0.8
额定蒸汽温度	℃	175
额定蒸发量	t/h	3.5
烟气流量(标准状况)	m^3/h	95850
烟气进口温度	℃	250
烟气出口温度	℃	180
给水温度	℃	104
给水压力	MPa	1.2

表 2.14　某铜冶炼余热锅炉特性参数

项目	单位	数值
额定蒸汽压力	MPa	1.35
额定蒸汽温度	℃	196
额定蒸发量	t/h	17.2
烟气流量(标准状况)	m^3/h	150680
烟气进口温度	℃	365
烟气出口温度	℃	210
给水温度	℃	104
给水压力	MPa	2.4

表 2.15　某铜冶炼径向偏心热管省煤器特性参数

热流体侧		冷流体侧	
介质	工艺气	介质	水
流量(标准状况)/(m^3/h)	126500	流量/(kg/h)	55000
进口温度/℃	270	进口温度/℃	104
出口温度/℃	180	出口温度/℃	170
压力降/kPa	≤1.0	工作压力/MPa	6.0

2.4.2 石油化工余热回收

2021 年发布了《2030 年前碳达峰行动方案》和《“十四五”工业绿色发展规划》。在

《2030 年前碳达峰行动方案》中提出，推动石化化工等行业开展节能降碳改造，提升能源资源利用效率；到 2025 年，非化石能源消费比重达到 20%左右，单位国内生产总值能源消耗比 2020 年下降 13.5%，单位国内生产总值 CO_2 排放比 2020 年下降 18%。2021 年 10 月，国家发展改革委制定了《石化化工重点行业严格能效约束推动节能降碳行动方案（2021—2025 年）》，明确要求到 2025 年，通过实施节能降碳行动，炼油、乙烯、合成氨、电石行业达到标杆水平的产能比例超过 30%，行业整体能效水平明显提升，碳排放强度明显下降，绿色低碳发展能力显著增强。

（1）石化加热炉烟气余热深度回收

石化企业最主要的能源消耗是各工艺中的加热炉、裂解炉、锅炉的燃料消耗。一方面，新的高效燃烧技术可减少燃料耗量、降低排放，助力行业直接减排；另一方面，提高加热炉、裂解炉、锅炉的热效率，淘汰、削减或改造落后、低效、高排放设备。加热炉热效率提升达到 95%以上是当前各石化企业首推技改路线。

加热炉效率的提升可以从烟气余热回收、配置高效节能燃烧器、精准控制炉内燃烧空气系数范围、减少炉子散热损失等方面着手。其中对于烟气余热回收，尽可能降低排烟温度是提高加热炉效率的主要途径。为避免烟气温度过低而对设备造成的露点腐蚀，优先采用炉前处理方式，即对加热炉源头燃料进行脱硫脱氮净化处理，燃烧后烟气中氮氧化物、硫氧化物含量大幅度降低，烟气酸露点温度降低，可避免设备腐蚀等，有效提高加热炉效率（≥95%），达到节能、减排、降本的目的。

通常，加热炉烟气用于预热自身炉用助燃空气，采用高效间壁式、相变式等换热器或其组合形式，如某 800 万吨/年常减压装置加热炉，采用了管式换热器与热管式换热器的组合，构成了高效、经济的换热模式组合形式。如图 2.42 所示，在烟气温度较高处采用管式内含

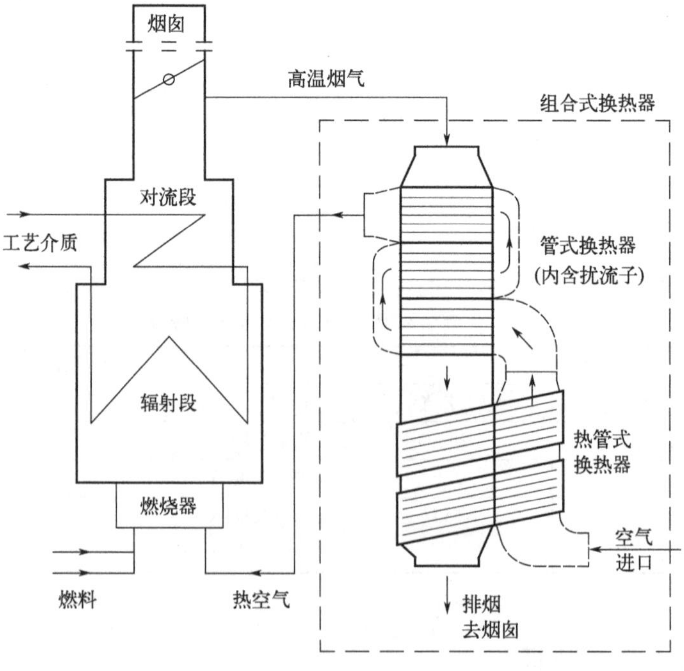

图 2.42 加热炉烟气余热回收组合式换热器示意图

扰流子的高效间壁换热模式，设备布置紧凑，结构简单，而对烟气温度较低处的余热回收采用了相变传热的热管式，充分利用热管在气-气式换热模式中，可以通过管外装设翅片形式同时对烟气侧和空气侧拓展传热面积的优势来强化换热；再利用热管的热流密度可调特性，在一定范围内通过调整热管冷、热两侧的传热面积，调整热流密度，从而提高管壁温度，避开烟气露点温度；随烟气温度的进一步降低，在烟气侧换热管外表面采用喷涂防腐蚀涂层的方式，抵御烟气低温露点腐蚀问题。现场图片见图 2.43，特性参数见表 2.16。在本项目的热管式换热器中，管壁温度在 120℃以下的尾部数排热管采用了防腐措施。

图 2.43　800 万 t/a 常减压烟气余热回收组合式换热器

表 2.16　800 万 t/a 常减压烟气余热回收组合式换热器特性参数

内容	烟气	空气
流量/(kg/h)	213260	200120
进口温度/℃	340	约 16
出口温度/℃	≤100	≥300
压力降/Pa	≤2500	≤2000
回收热量/kW	约 16265	

在炼油系统某 S-Zorb 催化汽油吸附脱硫装置中，烟气的深度余热回收同样采用了高效、经济的组合式换热装置，根据现场条件，尾部的热管式换热器布置在水平烟道中，如图 2.44 所示，将排烟温度降至 100℃以下排放，同样尾部换热管采取防腐蚀措施，其特性参数见表 2.17 和表 2.18。

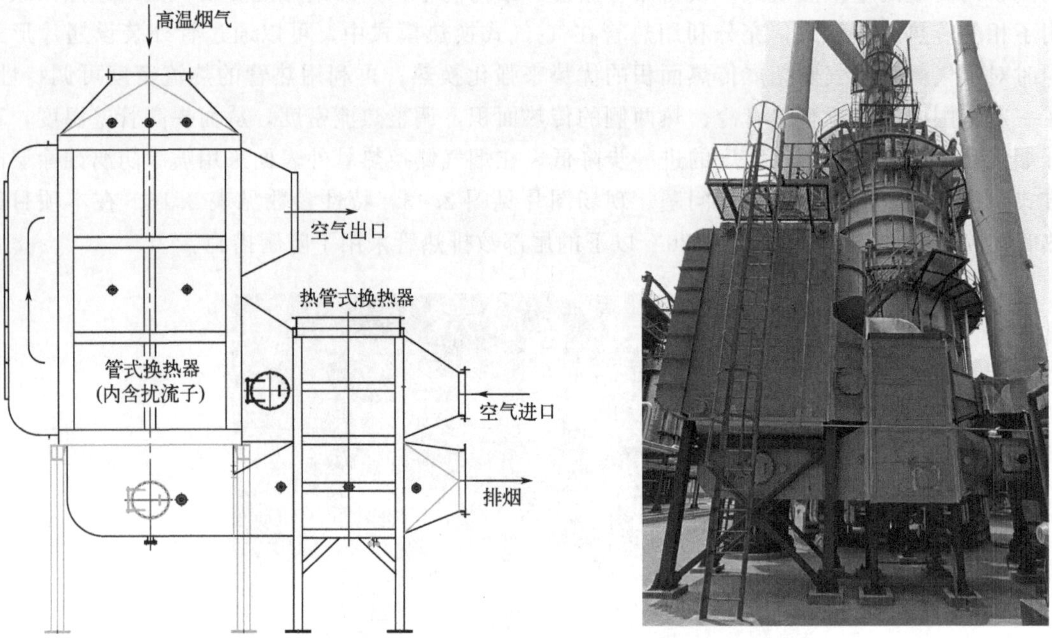

(a) (b)

图 2.44 S-Zorb 催化汽油吸附脱硫装置烟气的深度余热回收组合式换热器

表 2.17 扰流子空气预热器（高温部分）

项目	烟气	空气
流量/(kg/h)	21000	19800
进口温度/℃	325	118
出口温度/℃	182	283
压力降/Pa	370	400
回收热量/kW	约 930	

表 2.18 热管空气预热器（低温部分）

项目	烟气	空气
流量/(kg/h)	21000	19800
进口温度/℃	182	20
出口温度/℃	95～98	118
压力降/Pa	200	160
回收热量/kW	约 550	

（2）炼化废弃物焚烧余热回收

对于 PO/SM（环氧丙烷/苯乙烯）装置产生的危险废燃料油及燃料气配置焚烧炉及余

热回收装备，对废燃料焚烧产生的高温烟气进行余热回收，用于副产蒸汽自用和预热入炉的PO/SM 废气等。根据系统运行中负荷的变化及换热装置的两台并行设置，正常时单台处理量为每个工况的 50%，当一台停运检修时，另一台的处理量为 100%。对于系统多种工况下的运行，PO/SM 废气成分复杂，除含有氮气、氧气、水外，还含有甲烷、丙烷、乙醛、环氧丙烷、丙醛、苯、苯乙烯、苯甲醛、苯甲醇、苯乙酮、甲基苄醇等多种组分，且随工况负荷的不同在变化。同时，燃烧后烟气的成分也在一定范围内变化，所以必须做好可能出现的各种工况的核算。图 2.45 为主要工况下，烟气深度余热回收预热入炉废气的气-气换热器特性参数，排烟温度在 100℃左右，余热回收量随工况的变化见图 2.46。鉴于烟气、焚烧废气的成分复杂，其换热器采用了管式与分离式热管换热器组合形式，在烟气温度较高处的余热回收，采用管式间壁换热形式，在烟气温度较低处的余热回收，采用分离式热管换热器，有效地将烟气与废气两个换热箱体独立分开，应用分离式热管相变换热原理进行冷热流体换热，保证设备运行安全、稳定，见图 2.47。

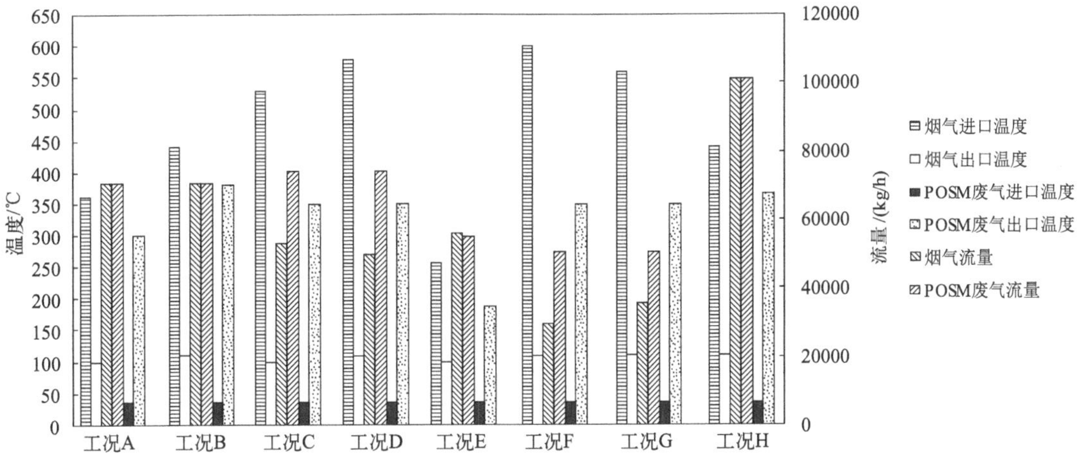

图 2.45 PO/SM 装置废气焚烧烟气深度余热回收预热入炉废气的气-气换热器特性参数

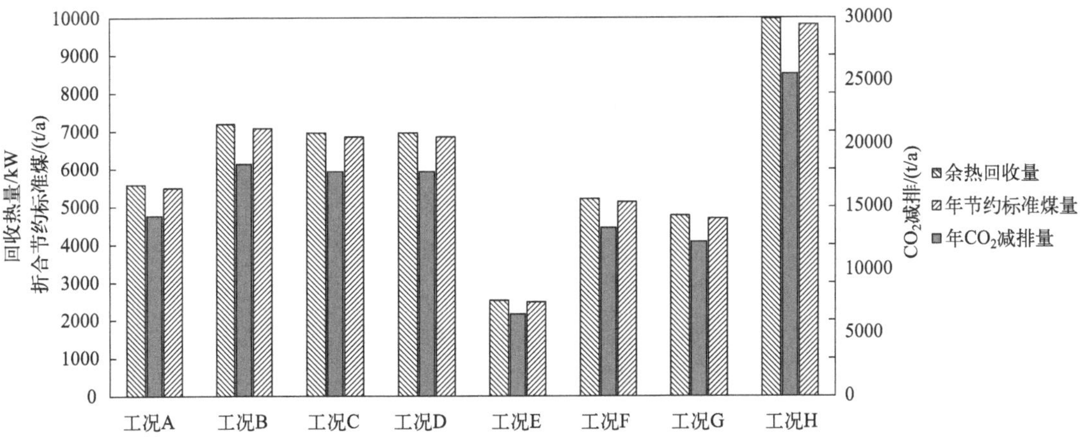

图 2.46 PO/SM 装置废气焚烧烟气深度余热回收量随工况的变化

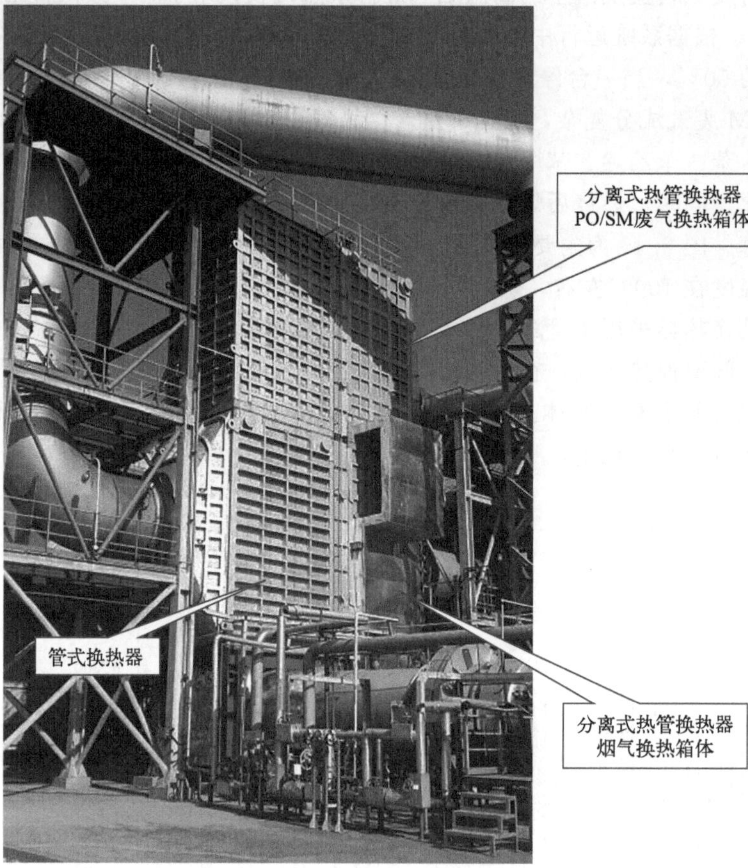

图 2.47　PO/SM 装置废气焚烧烟气深度余热回收组合式换热器

对于炼化煤制氢联产醋酸装置，以煤为原料，生产氢气、甲醇、醋酸、燃料气等，其中对醋酸装置的高压放空尾气和低压放空尾气需要进行环保处理。南京圣诺热管有限公司率先研制开发了 2000 万吨/年炼化一体化煤制氢联产醋酸装置尾气回收系统，集低氮燃烧、脱硝控制等技术为一体的焚烧炉处理醋酸装置的高、低压放空尾气，并配置高效余热锅炉系统回收其燃烧后产生的高温烟气余热，产生的低压蒸汽供至厂区管网。解决了高、低压尾气火炬排放对大气的污染与热量的耗散，同时又回收了焚烧烟气的余热，达到了节能、环保、减排效果。

系统主要包含了焚烧炉系统、SNCR（选择性非催化还原）脱硝系统及余热回收系统。

在焚烧炉系统中，需要处理的 0.20MPa 的高压放空尾气经调压减压后，与 0.06～0.07MPa 的低压放空尾气混合，然后送至焚烧炉底部的燃烧器，其中高、低压放空尾气的成分较为复杂，如表 2.19 所示。焚烧炉中燃烧器是核心部件，主要包括燃烧器管理系统、燃烧控制系统。系统采用一键式启动点火，按下启动按钮，系统自动点燃助燃气，再根据实际需要启动醋酸尾气主管路。自动升降负荷，根据运行负荷大小，可调整对应燃料阀门开度，从而实现燃料系统的自动调节。进燃烧器一次风为燃烧用补充氧气，用流量信号与调节阀联动进行自动调节，通过检测二次风通过空气预热器出口烟气温度的信号自动调节助燃鼓风机频率，从而实现系统助燃风的自动调节。同时，根据进口烟气量的变化自动调节引风机频率。

表 2.19　醋酸装置所排放的尾气成分及参数

组分及项目		低压放空气	高压放空气
质量分数/%	H_2	1.57	0.94
	N_2	7.23	5.91
	CO	58.20	75.10
	H_2O	—	0.010
	CH_4	0.67	1.64
	CO_2	30.90	15.21
	CH_3COOH	微量	微量
	CH_3OH	1.26	1.20
压力/MPa		0.06～0.07	约 0.201
密度/(kg/m^3)		2.17	29.66
平均分子量		28	25
温度/℃		−15	15
放空量/(kg/h)		900	1800

SNCR 脱硝系统设置在焚烧炉出口处。在尾部烟气不满足环保达标排放时，启动 SNCR 系统。向约 900℃的炉膛中喷入氨基还原剂氨水，与烟气中 NO_x 还原反应生成 N_2 和水蒸气。

高、低压放空尾气在焚烧炉内焚烧后产生约 1200℃的高温烟气，与引风机出口约 140℃的低温烟气混合降至 900℃后，进入余热锅炉系统。经蒸发器 1、蒸发器 2、水预热器及空气预热器降温至 140℃后，一部分回用调节炉膛出口处烟气温度，另一部分送至焚烧炉膛用作冷却风，其余外送至低温烟气总管。锅炉水系统由 104℃、5.0MPa 的除氧水，经水预热器预热至 140℃左右送至汽包，与蒸发器构成自然循环系统产汽，所回收的烟气余热产生的 1.25MPa、12t/h 低压饱和蒸汽送入管网。项目建成后一次开车成功，排放达标，节能减排效果显著，回收了系统余热约 7510kW，经折算相当于年节约标准煤约 7310t。

图 2.48 给出了系统的原则性流程简图及现场照片。

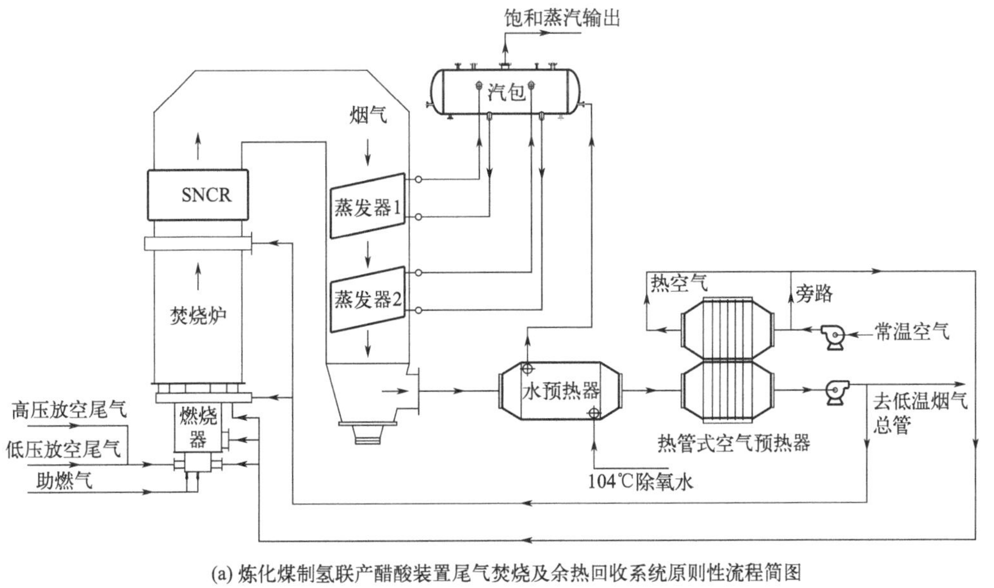

(a) 炼化煤制氢联产醋酸装置尾气焚烧及余热回收系统原则性流程简图

图 2.48

(b) 炼化煤制氢联产醋酸装置尾气焚烧及余热回收现场照片

图 2.48　系统的原则性流程简图及现场照片

2.5　工业窑炉余热回收

工业窑炉是指在工业生产中用燃料燃烧或电能转换产生的热量，对物料或工件进行冶炼、焙烧、烧结、熔化、加热等加工的热工设备，也是工业加热中的关键设备。窑炉种类较多，按所煅烧物料品种可分为水泥窑、陶瓷窑、玻璃窑、石灰窑等。窑炉所使用的燃料大多为煤气、天然气、重油、柴油等，窑炉的热效率一般在30%左右，而被高温烟气、炉渣及产品等带走的热量在50%以上，包含烟气余热、炉体散热、高温产品余热、废气和废料余热等，其中烟气余热又占燃料消耗量的30%以上，是主要的余热资源。通常采用直接热交换回收利用或转化为动力、电力后利用。

为提高余热利用率，可采取梯级回收利用。对于高品位的余热，通过余热锅炉产生蒸汽发电，或考虑窑炉自身系统的利用，如预热燃料、预热入炉的助燃空气等，降低燃料消耗；对于低品位低温烟气的余热，可用来供暖或供热水，或用于制冷空调等，实现最大限度的余热回收与利用。

（1）玻璃窑炉余热回收

玻璃生产的主要工艺有：原料预加工，混合配料制备、熔制、成形、热处理等。生产过程的主要能耗在玻璃的熔制过程中，熔制工艺是一个非常复杂的过程，包含了一系列的物理、化学反应，即在高温下将多种固相的配料经熔融转变为均匀的玻璃液后送入炉内，与炉内配料混合加热。其过程为：在600～900℃时，硅酸盐形成；1200～1250℃时，玻璃（普通玻璃）形成；1400～1500℃为普通玻璃的澄清阶段；均化，即玻璃液长时间处于高温下，其化学组成趋向均一；冷却，澄清均化好的玻璃液，一般需要将温度降至200～300℃（加工工艺所要求的黏度温度区域），成形、加工制造出所需产品。

采用不同的工艺技术，熔化不同的玻璃品种，其能耗差距较大，熔化玻璃的平均能耗约为 1670～6270kJ/kg，玻璃窑炉有效热能利用率平均约为 30%，而大部分没有被利用。由于在玻璃窑炉中，烟气中的粉尘含量高，粉尘不仅在高温下（>600℃）容易产生熔融性结渣，而且在低温下也会产生沉积，同时粉尘中还含有大量的碱金属和硫化物等，加之玻璃窑炉烟气中的水蒸气含量较高，所以可在壁面形成高温黏结的积灰，在低温处又形成具有腐蚀性的灰垢。因此，余热回收具有一定的难度，需要控制好烟气温度、换热管温度等，避免低温腐蚀。在余热回收系统中，还必须做好与窑炉中生产的匹配与协同，不能影响窑炉的生产质量、产量等。

对于从玻璃窑炉蓄热室出来的 500℃左右的烟气，目前采用的余热回收方式有为通过设置余热锅炉、空气预热器、水预热器等装置回收烟气余热。余热锅炉所产饱和蒸汽经过热后达到 400℃以上，可用于自身窑炉系统的燃料重油雾化、加热燃料油，也可用作 LNG 气化剂等。余热锅炉所产饱和蒸汽，可用于封阻煤气铅封、吹扫烟道、并网外供。低温烟气余热可采用水预热器，所产热水用于余热锅炉给水或供暖等。

图 2.49 为某 320t/h 玻璃窑炉烟气余热回收示意图，表 2.20 为其特性参数。采用立式多模块布置形式，通过过热器、管束式蒸发器、省煤器多级换热模块，经与烟气换热，所回

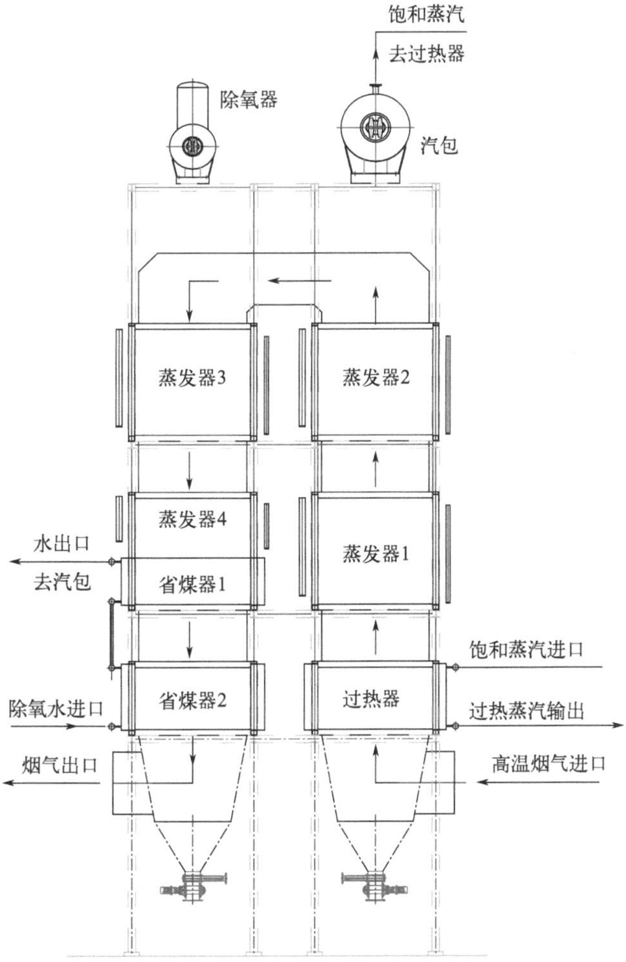

图 2.49　某 300t/h 玻璃窑炉烟气余热回收锅炉示意图

收的余热产生 2.5MPa、400℃的过热蒸汽约为 7.8t/h，烟气温度降至 200～230℃后进入后续烟气处理系统，使之达标排放。余热锅炉水系统中的常温自来水经过软化水装置后送入软水箱，并由软水泵加压送至热力除氧器完成除氧过程，除氧蒸汽来自余热锅炉自产蒸汽，除氧后的水经锅炉给水泵加压后进入省煤器预热，然后进入汽包（锅筒）。蒸发器与汽包通过上升、下降管进行汽水循环，在锅筒内进行汽水分离后进入过热器，产生的过热蒸汽现阶段用于厂区燃料油罐加热，后续用于并网发电。

表 2.20　玻璃窑炉余热锅炉特性参数

项目	单位	数值
烟气流量(标准状况)	m^3/h	65000
烟气进口温度	℃	470
烟气出口温度	℃	215±15
给水(除氧水)温度	℃	104
产汽压力	MPa	2.5
(过热)蒸汽温度	℃	400
产汽量	t/h	约 7.8
烟气侧压损	Pa	约 800

图 2.50 为某 450t/h 玻璃窑炉烟气余热回收热管式余热锅炉示意图，表 2.21 为其特性参数。该系统采用了热管的一系列高效传热特性原理及结构布置特点应对积灰且确保清灰方便，锅炉中设置了一定数量的清灰器，壳体壁面设置了清灰门，利于人工清灰，便于操作，锅炉底部设置了卸灰组合装置，促使卸灰畅通且具有良好的密封性能。

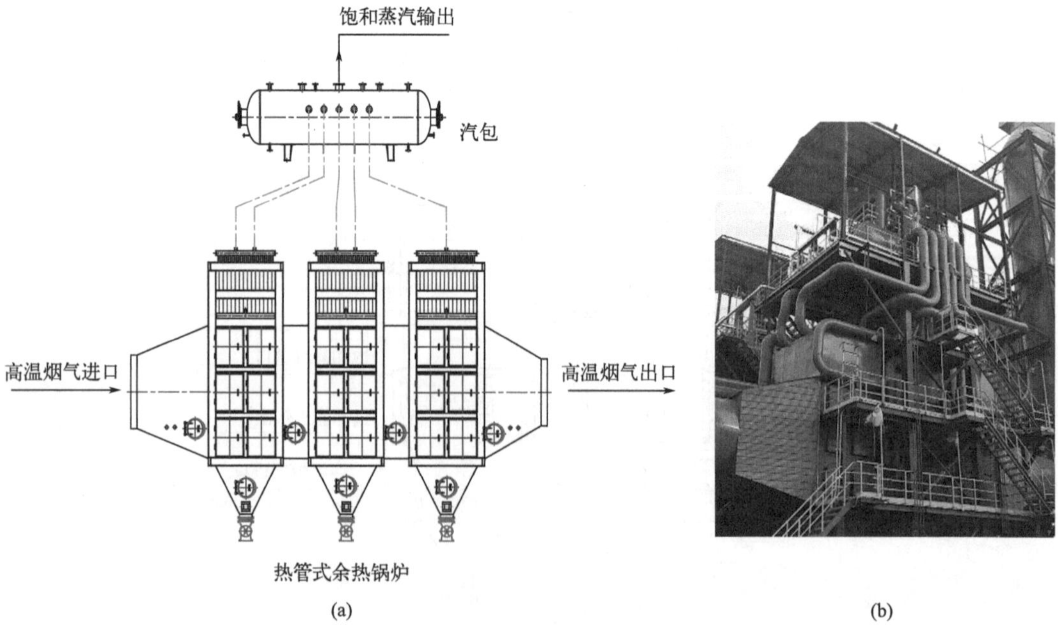

图 2.50　某 450t/h 玻璃窑炉烟气余热回收热管式余热锅炉示意图

表 2.21　玻璃窑炉热管余热锅炉技术特性参数

项目	单位	数值
烟气流量(标准状况)	m^3/h	90000
烟气进口温度	℃	530～590
烟气出口温度	℃	345～355
蒸汽压力	MPa	0.5
蒸汽量	t/h	11.0
给水温度	℃	25
回收热量	kW	约 9600

图 2.51 为回收玻璃窑炉烟气余热预热空气示意图，表 2.22 为其特性参数。该组合式空气预热器由热管式空预器和管式空预器组合而成。在管式空预器中，换热管内装设螺旋扰流片，提高管内流体的湍流程度，同时打破管内壁面层流底层，可有效强化传热，提高管内换

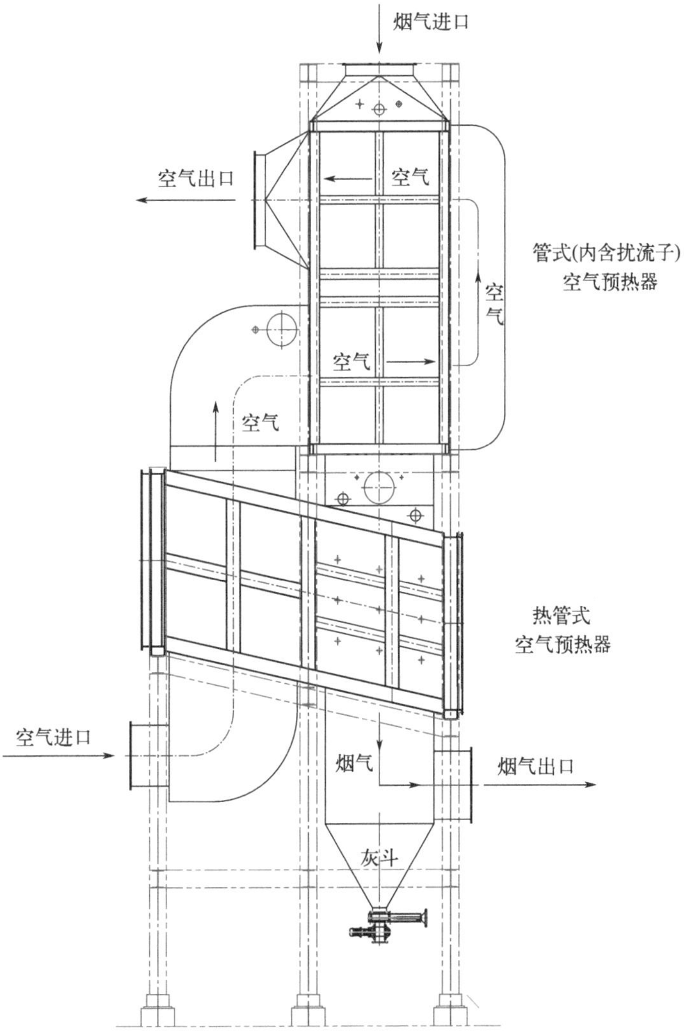

图 2.51　回收玻璃窑炉烟气余热回收组合式空气预热器示意图

热系数。热管式空预器置于烟气低温段，利用热流密度可调特性，提高管壁温度，避免腐蚀等问题，利于设备安全运行。在设备的壳体、连接段上，均装设多台吹灰器，同时在换热器烟气侧内布有水冲洗管，底部设有灰斗、卸灰装置等，可有效开展吹灰、清灰，防止灰堵，同时多段设置测温、测压检测口，在线检测运行状态。

表 2.22 组合式空气预热器特性参数

项目	热流体	冷流体
介质名称	烟气	空气
设计流量(标准状况)/(m^3/h)	70000	55000
进口温度/℃	550	20
出口温度/℃	约 120	215±5
阻力损失/Pa	410	1045
总传热量/kW	3920	

利用热管式空预器回收窑炉烟气余热用于预热空气，使常温空气预热后送入窑内，可以提高燃料的理论燃烧温度，加快升温速率，快速达到要求的炉温，显著节约燃料。通常空气预热温度每提高 100℃可提高理论燃烧温度 50℃左右。

(2) 化工废弃物焚烧炉余热回收

焚烧是处理化工废弃物的常用方式之一，对焚烧过程中产生的大量热量必须进行回收利用。化工废弃物成分复杂，有些废弃物中 Cl^- 含量较高，致使在焚烧产生的烟气中，HCl 浓度高达 2000mg/m^3（标准状况）以上，因此，焚烧系统设备应该具有良好的耐腐蚀性能。这对系统配置提出了较高的要求。同时，处理过程中设备应先进、合理，废弃物应燃烧完全，应符合国家环保要求，无二次污染等。

某化工废渣、废液焚烧炉处理的废弃物成分复杂，燃烧的废弃物组分如表 2.23 所示。焚烧炉处理量为：液体 20～25m^3/d，固体 5～10t/d，焚烧温度 800～1100℃，炉内烟气滞留时间≥2s。使用的辅助燃料有：废溶剂，热值 30000～40000kJ/kg，3～5t/d；柴油。

表 2.23 燃烧的废弃物主要组分

名称	成分占比/%					处理量/(t/d)
	Cl	S	N	C	H	
香兰素蒸馏焦油	0.37	0.09	0.75	60.03	4.66	7(固体)
愈创木酚水解焦油	0.33	3.68	0.56	35.07	5.71	20(液体)
香兰素中和焦油	10.35	0.10	9.80	44.63	6.81	25(液体)
三废处理压滤滤渣	8.31	0.16	8.87	28.59	7.86	8(固体)

焚烧处理后的烟气成分复杂，粉尘含量和熔融的无机盐类较多，如 NaCl、Na_2SO_4 等。因此，设计和制造过程中必须考虑设备防腐蚀和抗堵塞，以及在使用过程中防熔融盐对热管等换热元件的黏附。图 2.52 为某化工废弃物焚烧余热回收热管式余热锅炉，表 2.24 为其技术特性参数。回收焚烧烟气余热可产 1.0MPa 的蒸汽 7000kg/h 以上并入管网，经余热回收后烟气温度降至 280℃以下，送入后续尾气处理工序。在此余热锅炉中，因废弃物的特性，烟气含尘量高且具有腐蚀性，采用热管式余热锅炉，热管的蒸发段在烟道内，冷凝段置于烟

道之外，通过上升与下降管与汽包构成循环产汽，有利于系统安全运行，设备采用多单元、分级变截面布置形式，内部布有清灰、检修通道等。

图 2.52　某化工废弃物焚烧余热回收热管式余热锅炉

表 2.24　技术特性参数

项目	数值
废气流量(标准状况)/(m^3/h)	18000
废气成分(摩尔分数)	HCl＜2000mg/m^3；N_2＋CO_2＞77.0%；O_2＜10.5%；H_2O＞13.5%
废气含尘量(标准状况)/(g/m^3)	1.5
废气进口温度/℃	约 800
废气出口温度/℃	280
蒸汽压力/MPa	1.0
产汽量/(kg/h)	＞7000
压力降/Pa	1200
回收热量/kW	5170

图 2.53 为某化工厂燃烧炉高温废气余热回收装置，表 2.25 为其技术特性参数，采用水-碳钢热管回收约 1000℃的烟气余热，产生低压饱和蒸汽，热管冷凝段采用直接插入汽包的结构形式。热管蒸汽发生器为立式结构，由上、下两部分组成，上部是汽包，下部是烟气通道，热管直接插入汽包；省煤器由焊有高频焊翅片的管束组成，安装在蒸汽发生器之后与之配套。

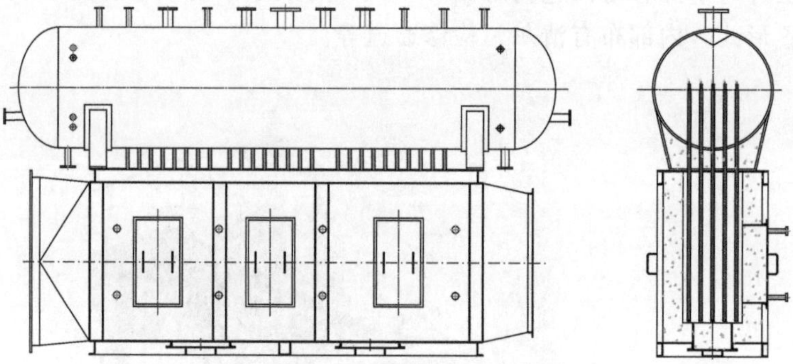

图 2.53 某化工厂燃烧炉高温废气余热回收热管式余热锅炉

表 2.25 热管蒸发器技术特性参数

项目	单位	数据
烟气流量(标准状况)	m^3/h	5380
烟气进口温度	℃	1000
烟气出口温度	℃	180
蒸汽压力	MPa	1.1
蒸汽量	t/h	2.5
给水温度	℃	20
回收热量	kW	约 1700

(3)石灰窑炉余热回收

针对钢铁炼制中所需的生石灰、消石灰，一般通过石灰窑高温煅烧石灰石来产生。石灰窑的种类有很多，常用的有回转窑、套筒窑、竖窑等。套筒石灰窑是一种结构紧凑、负压操作、燃料适应面较宽的窑炉，产品主要为冶金行业炼钢工序提供优质的活性石灰。在石灰的煅烧过程中，窑内反应温度和时间的控制尤为重要。套筒窑可采用气体燃料，如天然气、转炉煤气、高炉煤气等，燃烧强度高且较为稳定，气体燃料又相对较为干净，因烧制的活性石灰产品中硫、磷等有害杂质含量较低而被推广应用。在窑炉系统中，有效利用窑炉的排烟余热预热入炉燃料、助燃空气或水等是一种行之有效的节能减排措施。

某石灰窑节能环保改造中，煤气为电石炉气，成分见表 2.26。密闭式电石炉收集的电石炉尾气汇总至煤气总管道，温度 120～150℃，最高 180℃，经煤气管道送至煤气空冷器(空气冷却器)，温度降至 70℃以下，送至煤气柜内储存、稳压，再经煤气加压机加压至 15kPa 左右，供给套筒窑使用。煤气空冷器采用管式间壁换热形式，煤气走管程，空气走壳程。如图 2.54 所示，流量为 15000m^3/h (标准状况)、180℃的煤气经Ⅰ、Ⅱ两段式煤气降温器降温至约 50℃送去煤气柜，所预热的空气回炉使用，降温器中在煤气低温段需要采用耐腐蚀钢，由于煤气含尘，在设备底部均设置灰斗及排污口，以便清灰、清洗排污。

表 2.26 煤气(电石炉气)成分

CO	CO_2	H_2	N_2	O_2	CH_4	H_2O	煤焦油(标准状况)	粉尘(标准状况)
78%	7.5%	5%	7%	0.5%	1%	1%	≤20mg/m^3	≤50mg/m^3

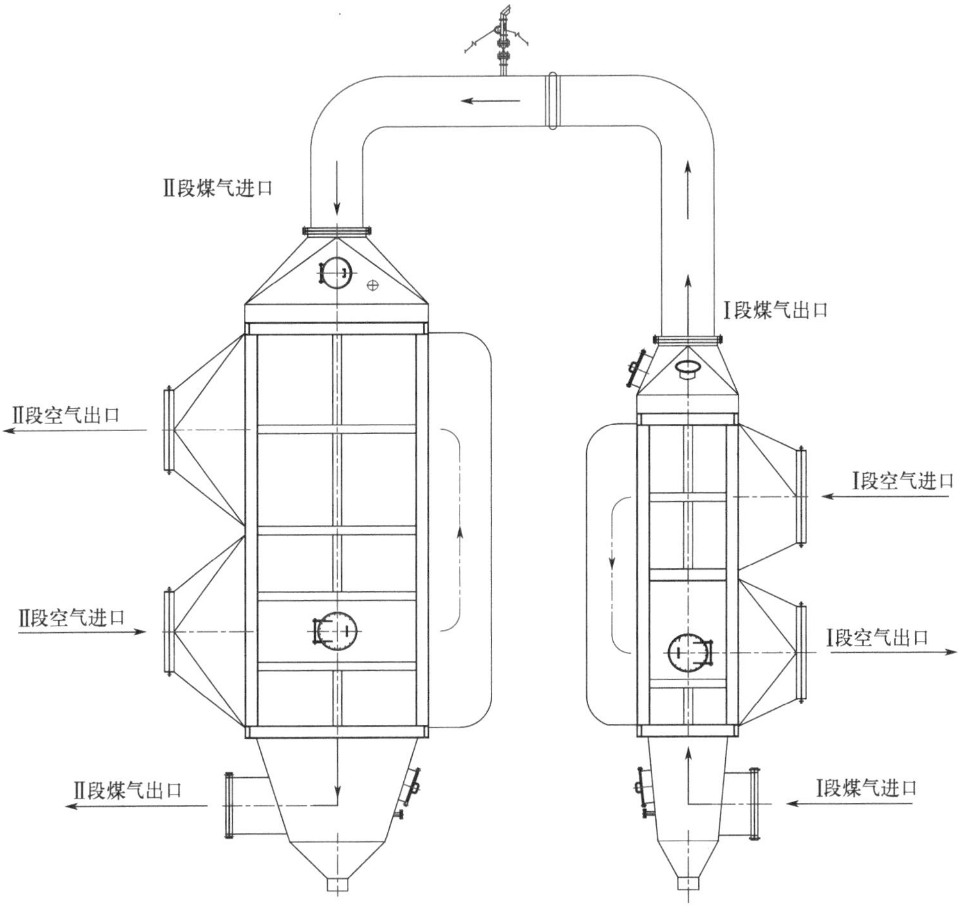

图 2.54　某石灰窑煤气空冷器

下面列举了 600TPD 套筒窑的烟气余热回收与利用的几种方式。

【例 1】 某 600TPD 套筒窑余热利用中，利用窑顶烟气余热、窑内筒放散的热空气余热，分别对循环水进行加热，在烟气-循环水换热器中，循环水加热采用两级管组串联方式，根据不同季节对热水量的需求可进行调节切换。窑顶烟气成分如表 2.27 所示。烟气温度 180℃，流量 38000m^3/h（标准状况），利用烟气余热将 40t/h、50℃的循环水进水加热至 75℃，汇入热水总管，烟气温度降至 105℃以下。在空气-循环水换热器中，空气流量 8000m^3/h（标准状况），由 180℃降至 100℃以下，将 8t/h、50℃的循环水进水加热至 75℃，汇入热水总管，其布置简图如图 2.55 所示，相应特性参数见表 2.28 和表 2.29。由于烟气中含尘量较高，优先采用立式布置，并布置清灰装置。

表 2.27　窑顶烟气成分表

项目	CO_2	N_2	O_2	H_2O	含尘量(石灰石粉，标准状况)
含量	36%	57%	6%	1%	7～10g/m^3

注：各气体成分含量为其体积分数。

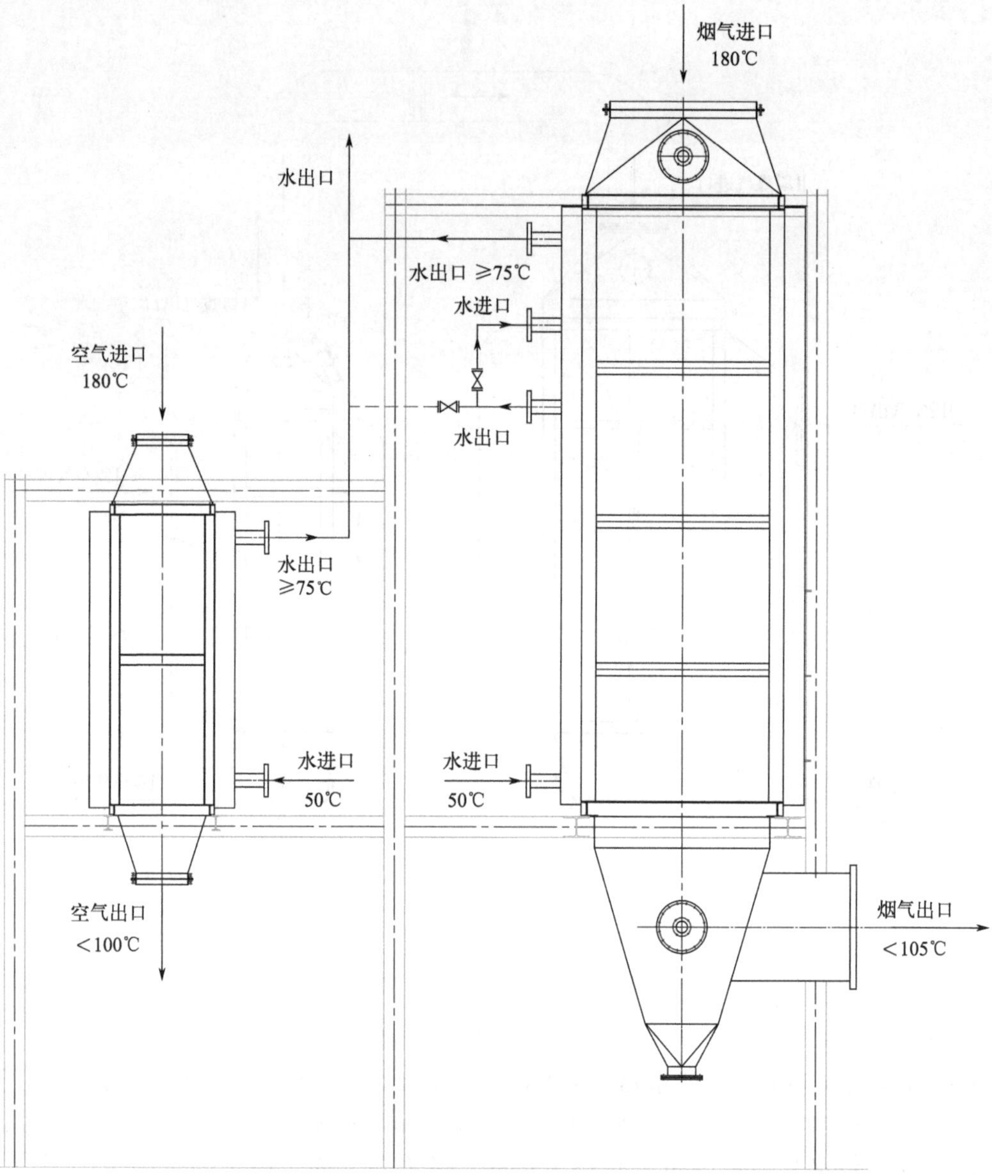

图 2.55 某石灰窑烟气-循环水预热器和内筒放散热空气-循环水预热器示意图

表 2.28 烟气-循环水预热器特性参数

项目	烟气	循环水
流量	38000m^3/h(标准状况)	≥40t/h
进口温度/℃	180	50
出口温度/℃	<105	≥75
流动压降/Pa	≤1000	—
回收热量/kW	1165	

表 2.29　放散热空气-循环水预热器特性参数

项目	空气	循环水
流量	$8000m^3/h$(标准状况)	≥8t/h
进口温度/℃	180	50
出口温度/℃	<100	≥75
流动压降/Pa	≤800	—
回收热量/kW	235	

表 2.30 和表 2.31 给出了在另一套 600TPD 套筒窑中烟气预热循环水和放散的热空气预热循环水的特性参数。

表 2.30　烟气预热循环水特性参数

项目	烟气	循环水
流量	$32000m^3/h$(标准状况)	33t/h
进口温度/℃	150	50
出口温度/℃	约 78	约 75
流动压降/Pa	≤800	—
回收热量/kW	958	

表 2.31　放散热空气预热循环水特性参数

项目	空气	循环水
流量	$6500m^3/h$(标准状况)	7t/h
进口温度/℃	165	50
出口温度/℃	约 77	约 75
流动压降/Pa	≤550	—
回收热量/kW	212	

【例 2】某 600TPD 套筒窑余热利用中，利用烟气余热一体化预热燃料煤气和入炉空气。约 400℃的高温烟气，首先进入管式空气预热器，烟气从上往下流经管外，空气自水平方向流经管内，管内装设扰流片以达到强化换热的目的，预热空气至 320℃以上，接下来烟气进入热管式煤气预热器Ⅰ、Ⅱ两级单元模块换热，将煤气预热至 200℃以上入炉，有效节约燃料，提高燃烧温度，其结构见图 2.56，特性参数见表 2.32。

在 600TPD 套筒窑余热利用中，也有的只设置煤气预热器预热入炉煤气，考虑窑炉烟气中的含尘量较大，装置通常采用立式布置，烟气从上往下流动，在其降温过程中，灰粒子自然沉降，为避免沉积在热管壁面上，在换热器上布置有吹灰器等。表 2.33 中为 600TPD 套筒窑烟气余热回收预热煤气的特性参数。

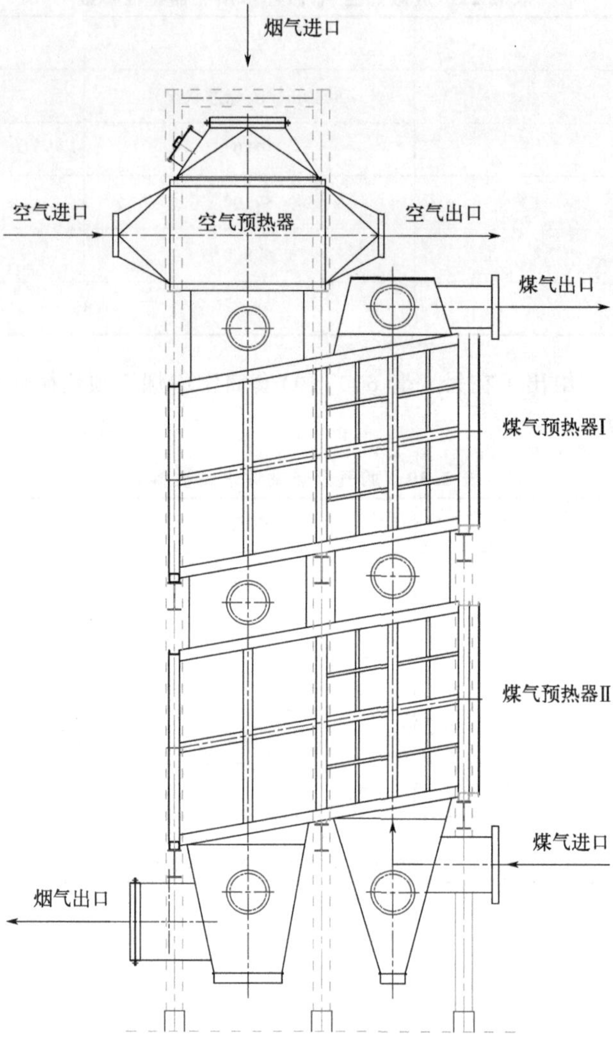

图 2.56　某石灰窑烟气余热一体化煤气、空气双预热示意图

表 2.32　烟气一体化煤气、空气双预热特性参数

项目	烟气	煤气	空气
流量(标准状况)/(m^3/h)	23000	24000	5250
进口温度/℃	400	30	180
出口温度/℃	228	200	320
流动阻力/Pa	＜500	＜600	＜200
回收热量/kW	约 2185		

表 2.33　600TPD 套筒窑烟气余热回收预热煤气的特性参数

项目	烟气 1	煤气 1	项目	烟气 2	煤气 2
流量(标准状况)/(m^3/h)	22500	15000	流量(标准状况)/(m^3/h)	19500	21050
进口温度/℃	300	20	进口温度/℃	400	20

续表

项目	烟气 1	煤气 1	项目	烟气 2	煤气 2
出口温度/℃	205	195	出口温度/℃	235	200
流动压降/Pa	≤600	≤500	流动压降/Pa	≤100	≤300
回收热量/kW	1016		回收热量/kW	1620	

（4）回转窑炉余热回收

钒钛磁铁矿是一种较难冶炼的多金属共伴生矿，钒、钛作为稀有金属用途广泛。在传统的高炉冶炼工艺中得到含钒铁水和含钛高炉渣，含钒铁水经转炉吹炼后，氧化形成五氧化二钒进入炉渣，可采用“钠化焙烧”的方法生产氧化钒，高温焙烧主要在回转窑中进行，在窑内高温下进行“钠化”反应等，焙烧后产生了大量的高温废气，是整个生产中重要的余热资源，对于这部分余热的回收不可或缺。值得注意的是，所产的高温废气中含尘量较高且夹带着金属氧化物颗粒，对换热管有一定的冲刷磨损；废气中含尘粒子在换热管壁面有吸附与黏结，易对换热设备造成灰堵、腐蚀等；随着窑内投料量的不同，过程中所产生的热量也不同，投料量、窑内温度控制、余热回收量的匹配等影响因素都需要协同考虑，因此，余热回收设备的选型与设计尤为重要。图 2.57 为某钒渣“钠化焙烧”回转窑配套的热管式余热锅炉，表 2.34 为其技术特性参数。根据现场布置条件，废气为水平流向，采用多模块结构组合，热管垂直布置，下部设排灰、清灰等装置。当现场条件许可时，对于高含尘废气，在余热回收中采用自上往下流动的布置方式更加利于清灰与防止灰垢的沉积等。采用热管分离套管产汽结构形式，锅炉的水-汽自然循环完全在废气烟道之外，高含尘废气中，热管的蒸发段采用光管、纵向肋片管或组合形式，通过设置合理的管排几何结构控制一定的废气流速，抵御积灰与磨损，选择惰性气体爆破式吹灰装置多点设置等方式，确保系统可靠运行。

图 2.57　某钒渣“钠化焙烧”回转窑废气余热回收热管式余热锅炉

表 2.34　某钒渣“钠化焙烧”回转窑废气余热回收热管式余热锅炉技术特性参数

项目	单位	数值
废气流量(标准状况)	m^3/h	60000
废气进口温度	℃	450～650
废气出口温度	℃	约 170
蒸汽压力	MPa	1.3

续表

项目	单位	数值
蒸汽温度	℃	≥230
蒸汽量	t/h	8.3～14.6
给水温度	℃	25
废气压力降	Pa	≤570
回收热量	kW	7000～12000

通过上述对电力与环保、钢铁冶金、化工、工业窑炉等高耗能行业相关装置的余热回收分析，其节能与减碳效果显著。节能是直接的减碳实践，也是践行“效益型环保”的行动，其核心是新质生产力。通过持续技术创新推动产业创新，加快培育新质生产力，加速构建绿色低碳发展体系，助力国家实现“双碳”目标。

参考文献

[1] 谢和平，吴立新，郑德志．2025年中国能源消费及煤炭需求预测［J］．煤炭学报，2019，44（7）：1949-1960.
[2] 何雅玲．工业余热高效综合利用的重大共性基础问题研究［J］．科学通报，2016，61（17）：1856-1857.
[3] 杨东华．火用分析和能级分析［M］．北京：科学出版社，1986.
[4] 邢奕，耿孟达，叶凯航，等．钢铁企业高能效低碳发展分析［J］．能源环境保护，2023，37（1）：102-114.
[5] 沈才芳，孙社成，陈建斌．电弧炉炼钢工艺与设备［M］．北京：冶金工业出版社，2001.
[6] 陆钟武．火焰炉［M］．北京：冶金工业出版社，1995.

第3章

LNG成套装备技术

3.1 概述

天然气是优质的燃料和化工原料，主要由甲烷和少量乙烷、丙烷、丁烷、氮等组成，甲烷含量一般在85%以上。天然气蕴藏在地下多孔隙岩层中，包括油田气、气田气、煤层气、泥火山气和生物生成气等。天然气从地下开采出来后，进行脱酸、脱水、脱重烃和汞等净化工序后变为清洁的燃料。净化处理后的天然气经制冷工艺低温液化后变成液化天然气(LNG)。液化天然气无色、无味、无毒且无腐蚀性，被公认是地球上最清洁的化石能源。

天然气在标准状态下的密度是0.7174kg/m^3，液化天然气的密度为430～470kg/m^3。天然气液化后体积减小至气态时的1/600，有利于储存和远洋运输。通常液化天然气储存在－161.5℃、0.1MPa左右的低温储罐内。用LNG船或LNG槽罐车运输，使用时重新汽化。在接收站，LNG被加压后送气化器汽化，然后利用天然气管道输送到用户。没有管道可达的地方或需要LNG的地方，可用LNG槽罐车或LNG集装箱式罐车送达。

天然气与煤炭相比是高效、低碳、清洁的能源。在发电和工业燃料领域，天然气热效率比煤炭高约10%。天然气二氧化碳排放量是煤炭的59%、燃料油的72%，其二氧化硫和粉尘的排放浓度接近零，天然气工业锅炉的氮氧化物排放量是煤炭的20%。提高天然气在能源结构中的比例有助于减少酸雨形成，减缓地球温室效应，从根本上改善环境质量。煤炭也曾经是欧美的主要能源，严重的空气污染迫使欧美出台法律严格限制煤炭大气污染物排放，鼓励使用天然气。天然气是清洁低碳的化石能源，将在全球能源绿色低碳转型中发挥重要作用。

3.1.1 我国天然气消费发展概况

天然气在世界能源结构中占比约为24%。中国天然气资源缺乏，煤炭资源丰富。中国能源结构中，煤炭比重偏高，天然气比重偏低，天然气消费增长空间较大。2012年9月，国务院批复了《重点区域大气污染防治“十二五”规划》；2013年9月，国务院颁布《大气污染防治行动计划》。天然气作为清洁低碳能源得到了迅速发展。重点区域增加了“煤改气”，促进了天然气消费量快速增加。2023年，我国天然气消费量3945亿立方米，比2022年增长7.6%；天然气在一次能源消费总量中占比8.5%，较2022年提高0.1个百分点。2023年中国超越日本成为全球最大的LNG进口国，进口量达到了984亿立方米(7132万吨)。

2023年，全球液化天然气市场重塑出口格局。美国以其8453万吨的出口量领先其他国家，成为最大的LNG出口国，占全球LNG出口总量的21%。美国出口量增长主要来自Freeport LNG项目在2022年完成维护后的产能恢复，以及Calcasieu Pass LNG项目新增的出口量。美国的LNG出口量大幅提高，不仅巩固了其作为能源超级大国的地位，也对全球能源市场产生了深远影响。澳大利亚以7956万吨的出口量稳居全球第二大LNG出口国的位置，占全球LNG出口总量的20%。2021年，我国天然气产量2076亿立方米，同比增长7.8%。预计2025年我国天然气消费规模将达到4300亿～4500亿立方米，2030年将达到5500亿～6000亿立方米。

按国家发展改革委和国家能源局发布的《能源生产和消费革命战略（2016—2030）》目标，2021—2030 年，可再生能源、天然气和核能利用持续增长，高碳化石能源利用大幅减少。能源消费总量控制在 60 亿吨标准煤以内，非化石能源占能源消费总量比重达到 20%左右，天然气占比达到 15%左右，新增能源需求主要依靠清洁能源满足；单位国内生产总值二氧化碳排放比 2005 年下降 60%～65%，二氧化碳排放 2030 年左右达到峰值并争取尽早达峰。“十三五”时期，新增天然气消费量同等量热值的煤炭相比，实现减排二氧化碳 5.7 亿吨、二氧化硫 630 万吨。当前及未来较长时期，我国能源发展进入增量替代和存量替代并存的发展阶段，包括天然气在内的化石能源，既是保障能源安全的“压舱石”，又是高比例新能源接入的新型电力系统下电力安全的“稳定器”。

3.1.2　我国 LNG 接收站发展概况

LNG 接收站（LNG terminal）是接收由 LNG 船从海外运来的 LNG 大型终端设施。LNG 接收站主要包括 LNG 码头、LNG 卸料臂、LNG 储罐、加压泵、压缩机、LNG 气化器、蒸发气（BOG）再冷凝器、LNG 槽车装车撬等。在接收站 LNG 卸船后，先储存在 LNG 储罐中，加压后送气化器汽化，然后利用天然气管道输送到用户。另外，也可利用 LNG 槽车运送到卫星站。有的接收站配备了 LNG 冷能利用设施，可以在 LNG 汽化的同时利用 LNG 冷能发电、制冰、空气分离、低温破碎、海水淡化等。LNG 接收站流程图见图 3.1。

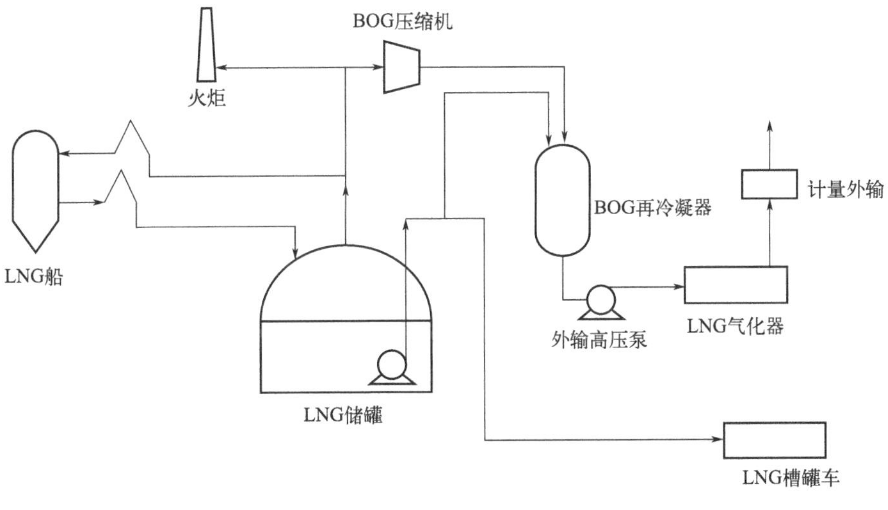

图 3.1　LNG 接收站流程图

世界上第一个投入运营的 LNG 接收站是英国的坎威尔岛接收站，于 1960 年 1 月开始接收来自美国的 LNG 船，该船运载了 2200 吨 LNG。随后，法国于 1965 年建成 LNG 接收站，日本于 1969 年建成 LNG 接收站，韩国于 1986 年建成 LNG 接收站，美国于 1988 年建成 LNG 接收站。

中国的 LNG 发展相对较晚，中国大陆的第一个 LNG 接收站是广东大鹏 LNG 接收站，在 2006 年 6 月于广东省深圳市建成投产。随后，2008 年在福建莆田和 2009 年在上海洋山港相继建成 LNG 接收站并投运。2010 年以前，中国接收站的 LNG 接收能力为 900 万吨每年。最近十年，LNG 接收站发展进入快车道。截至 2021 年，我国已建成投产的 LNG 接收站有 22 个，接收能力超过 9000 万吨每年。在建、扩建 LNG 接收站项目有 50 多个。2021 年中国进口 LNG 达 8140 万吨，超过日本成为全球最大的液化天然气进口国。

早期建成的接收站内的装备和材料主要依赖进口，包括气化器、罐内泵、高压泵、BOG 压缩机、储罐用钢、低温阀门等。2015 年以后，经过国产化攻关，主要装备、材料逐渐实现了国产化。目前 LNG 接收站装备和材料的国产化率已超过 85%。

BOG 处理和 LNG 汽化外输是 LNG 接收站比较重要的生产环节。LNG 储罐及管道吸收环境热量（“漏冷”）会导致一部分 LNG 蒸发变为 BOG，另外卸船、装车时也有一部分 LNG 变为 BOG。BOG 会导致储罐系统压力升高，应及时从储罐系统导出以保证储罐安全。LNG 管道和储罐的保冷效果好坏直接影响 BOG 的量。导出的 BOG 可以再冷凝回收，也可以用压缩机输送给用户。LNG 储罐内的 LNG 在汽化前先用高压泵进行增压，然后送入气化器加热汽化。LNG 汽化热源主要使用天然海水，可以节约大量的燃料。但在寒冷地区，冬季海水温度过低无法使用时，需要用天然气燃烧加热。长江以南沿海的 LNG 接收站一般全年都可用海水加热汽化 LNG。因此，LNG 汽化是 LNG 接收站耗能和碳排放最多的环节。

LNG 汽化前的温度在－160℃左右，是优质的冷能。LNG 冷能可用于空气分离、发电、制冰、低温破碎、冷库等，可以节省大量的电能，减少二氧化碳排放。由于我国的 LNG 接收站建设得较晚，且大多位于偏远的港口，所以没有良好的用冷配套产业规划，附近缺乏利用冷能的用户。目前，我国接收站的冷能利用主要是空气分离。2023 年 5 月上海洋山港 LNG 接收站投产了国内首套 LNG 冷能发电系统。截至 2023 年，我国每年进口 LNG 超过 8000 万吨，在不远的将来，我国 LNG 进口量将超过 1 亿吨。大力发展 LNG 冷能利用技术与装备，提高冷能利用率，对我国“双碳”目标的实现具有重要意义。

3.2 LNG 储罐

陆上 LNG 接收站液化天然气储罐的类型主要有单容罐、双容罐、全容罐与薄膜罐。单容罐、双容罐是较早应用的 LNG 储罐，后来被更安全可靠的全容罐与薄膜罐替代。目前我国已建成投产的 LNG 接收站的大型储罐主要是预应力混凝土 9%镍钢全容罐，储罐容积从早期的 16 万立方米增加到了现在的 27 万立方米。2023 年，北京燃气天津南港液化天然气应急储备项目一期工程建设的 2 座 20 万立方米 9%镍钢全容罐、2 座 22 万立方米薄膜罐全部投产成功。这 2 座薄膜罐是国内首次建设、世界上最大的陆上 LNG 薄膜型储罐，采用法国 GTT 公司的最新薄膜技术。

薄膜储罐是由金属薄膜内罐、绝热层及预应力混凝土外罐共同构成的储存液体的储罐。金属薄膜内罐为非自支撑式结构，用于储存液化天然气，其液相荷载和其他施加在金属薄膜上的荷载均通过可承受荷载的绝热层全部传递到混凝土外罐上，其气相压力由储罐的顶部承受。薄膜型储存技术是一种特殊的低温液体储存技术，其金属内罐采用壁厚 1.2～2mm 的薄钢板。由于薄膜罐具有储存容积大、用钢量少、建造周期短、低碳排放等优势，目前在国外已经广泛应用于液化天然气的储运行业中。

3.2.1　薄膜储运技术发展

薄膜型储运技术最早起源于船用液化天然气的长途运输。早在 1964 年，法国 Technigaz 公司设计了一种波纹型式的薄膜储存技术，成功建造了两艘 LNG 运输船，同一时期法国 Gaztransport 公司开发了一种殷瓦合金的薄膜储运技术，这种材料热收缩系数很小，不需要薄膜波纹设计。从 1972 年到 1980 年，Technigaz 公司采用薄膜技术在法国建造了两台液态地上乙烯储罐和两台地上液化天然气储罐。1994 年，Gaztransport 公司和 Technigaz 公司进行合并成为今日的 GTT 公司。从此薄膜型储存技术快速推广用于船用液化天然气的储存与运输，这两种技术被授权给多家造船厂。目前世界上超过 80% 的液化天然气运输船采用这两种技术，韩国船厂是采用这两种技术的 LNG 船建造大国。

液化天然气薄膜储罐在日本和韩国得到广泛应用。薄膜型储罐技术在陆地的应用开始于 20 世纪 70 年代。1971 年，世界上第一座地下液化天然气储罐建造于日本，该储罐采用了日本石川岛播磨重工（IHI）自主薄膜技术。日本是最早实施液化天然气进口的亚洲国家，在世界上长期处于进口 LNG 量第一的位置。日本地震频发的地质条件对 LNG 储罐的设计和建造提出了更高的安全要求。由于薄膜罐优异的抗震性能，截至 2020 年底，日本建设投产了 36 个接收站，共计 193 座储罐，调查显示，日本绝大多数液化天然气储罐使用的是薄膜技术。而日本不仅进口了法国 GTT 的薄膜技术，而且日本多家企业，如三菱重工（MHI）、川崎重工（KHI）和 IHI 都开发出了薄膜技术，具备薄膜储罐的设计开发和建造能力。韩国从 1987 年起先后引进了法国 GTT 以及日本 MHI、IHI、KHI 的薄膜储罐技术后，为韩国天然气公司（KOGAS）建造了多个 LNG 储罐。紧接着，KOGAS 于 2001 年自主研发出 KC-1 液化天然气薄膜围护系统，并于 2009 年成功在仁川 LNG 接收站二期建造了两座容积为 20 万立方米的地下液化天然气薄膜储罐。截至 2020 年底，韩国建设投产 7 个 LNG 接收站，共计 86 座 LNG 储罐，超过 18 座 LNG 储罐使用的是薄膜罐技术。

1999 年，中国沪东中华引进法国 GTT 公司的 LNG 船薄膜型液货舱围护系统专利技术和法国大西洋船厂设计技术，并于 2001 年 7 月成功试制出 LNG 船 NO.96 薄膜型模拟舱。2004 年 12 月，中国首艘 LNG 船“大鹏昊”轮开工建造，并于 2008 年 4 月成功交付。2014 年中国国际工程咨询有限公司组织对液化天然气薄膜储罐进行专家论证，得出结论：薄膜罐技术具有一定特点，设计理念新颖灵活，能满足不同设计规模的要求，可供国内相关单位在选择罐型时参考。中国首座陆上液化天然气薄膜罐在华港燃气集团河北河间液化天然气调峰储备库工程已建成，容积 2.9 万立方米，于 2022 年 10 月 28 日正式投产。2019 年 11 月，北京燃气天津南港液化天然气接收站签署了中国首批共计 8 座 22 万立方米大型陆上液化天然气薄膜型液化天然气储罐，采用法国 GTT 公司的薄膜技术，项目均完成安全论证。该项目一期工程两座薄膜罐于 2023 年 1 月顺利完工，2023 年 11 月成功投产，两座薄膜罐单座罐容 22 万立方米，是世界上最大的陆上液化天然气薄膜罐。

2021 年 3 月，中国的中太海事技术（上海）有限公司开发出了具有自主知识产权的 LNG 薄膜型液货围护系统，该薄膜型液货围护系统已获得中国船级社原则性认可和国家知识产权局的发明专利证书。2023 年 7 月，在中圣科技仪征基地建成容积 1000 立方米的试验薄膜罐。国内自主技术的开发和应用势必带动相关产业链的发展，这也预示着国内 LNG 薄膜罐技术即将进入新的国产化时代。

3.2.2 薄膜罐基本结构

薄膜储罐是由钢制金属薄膜主容器、绝热保温层和预应力混凝土外罐体共同构成的集成式复合结构低温液体储罐。通常为了防止低温液化气体泄漏到外部环境，在绝热层和混凝土罐体之间设置次层屏蔽金属薄膜。该复合结构组成的罐体能够用于储存低温液体，温度范围一般介于－196～0℃之间，包括液化天然气，以及乙烷、丙烷、丁烷、乙烯、丙烯、液化石油气（LPG）、液氮、液氩等低温液化气体。设计储存的液体施加在主容器即金属薄膜上的所有静态液压负荷以及其他负荷，均通过绝热保温层转移到外罐罐体上，即金属薄膜不承受压力。储罐的罐顶可以采用相似的复合结构，或采用吊顶加气密拱顶和保温层的形式，对储存液体的蒸发气进行存储。如发生金属薄膜失效导致低温液化气体泄漏的情况，外罐罐体以及次层屏蔽金属薄膜系统的设计能够防止低温液化气体泄漏到外部环境，保证低温液化气体安全储存。

图 3.2 为预应力混凝土外罐薄膜罐示意图，展示了 LNG 薄膜罐结构的主要组成部分。

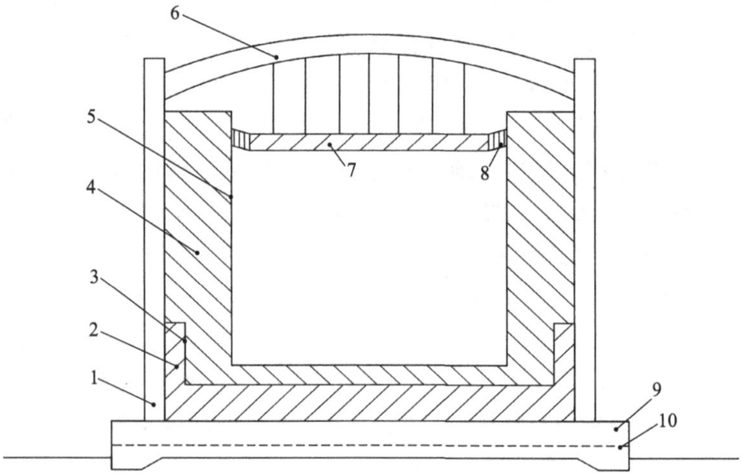

图 3.2 预应力混凝土外罐薄膜罐示意图

1—预应力混凝土外罐；2—次层绝热模块；3—次层屏蔽薄膜；4—主层绝热模块；5—主层屏蔽薄膜；6—混凝土罐顶；7—吊顶（绝热）；8—柔性绝热密封；9—基础；10—基础加热系统（如需）

3.2.2.1 混凝土外罐

薄膜型储罐外罐由混凝土浇筑而成，由罐顶、罐壁和承台组成，外罐的内壁为正多边形。薄膜罐外罐是储存 LNG 和承担气体压力荷载的支撑结构，除了可以向内罐低温液化气体提供一定的承载作用外，还能保护内罐，缓冲来自罐外的冲击。在混凝土罐内的罐壁和承台上表面均涂有防潮层，防止混凝土及外界的液体或水蒸气渗透到绝热填充层内，从而影响整个结构的使用寿命。

3.2.2.2 绝热填充层

薄膜储罐的外罐和屏蔽薄膜之间为承载绝热保温结构，是一种预制的绝热模块。薄膜储罐承载绝热结构主要具备两大功能：首先具有绝热保温功能，是一种热导率较低的复合性结构，可以保护外罐结构组件在低温环境中不受损害，并实现对储罐蒸发率的有效限制；其次具有承载功能，绝热模块的背部面板通过承重树脂胶泥和螺栓固定在外罐的内壁上，均匀分散静态液压负荷，并将其传导至外罐罐壁上，保护屏蔽薄膜不受损坏。绝缘模块始终处于外罐和屏蔽薄膜之间形成的一个独立密闭空间中，运行时通入适量氮气，通过对密闭空间温度、压力、泄漏浓度的实时监测，使绝热效果和气密性得到大幅度提升。

3.2.2.3 薄膜内罐

薄膜内罐是液化天然气薄膜罐的重要结构，是由若干个金属薄膜模块相互搭接形成的密闭容器，通过设置在绝缘层上的预埋件焊接在一起，与低温液体直接接触。金属薄膜通常采用在低温下具有较低膨胀收缩特性的金属，如殷瓦钢等材料，或采用带有预制波纹形状的耐低温金属材料，使得屏蔽薄膜在低温下产生的变形不影响周围的屏蔽结构，满足“原位收缩”的设计原理，从而降低整个储罐的应力水平。薄膜内罐一般设计有两层，主层与液体直接接触，而次层用于对主层薄膜泄漏的设防，同样形成密闭容器。若主层泄漏，次层薄膜直接接触液体，可临时存储泄漏的液体。

图 3.3 法国薄膜罐波纹结构示意图

薄膜的结构型式是各公司主要的专利创新点，至今全球已经有多种不同波纹型式的薄膜实际应用的案例。如图 3.3 所示，法国某公司薄膜罐的主层薄膜呈正交波纹状，互相交叉，在气相和液相中均可伸缩。

如图 3.4 所示，日本某公司的主层薄膜是在 2mm 厚的不锈钢板上冲压出垂直交叉的波纹组合形状。

图 3.4 日本薄膜罐波纹结构示意图

如图 3.5 所示，韩国某公司的主层薄膜板厚 1.5mm，一块薄膜板上有多条长短不一的波纹，薄膜板互相对接焊接，波纹布置上呈正交形式，但互不交叉干涉。

中国中太海事技术（上海）有限公司的主层薄膜板厚 1.2～1.5mm，由多个波纹板与平面板互相搭接而成，连续的双波纹纵横交错，但互不交叉干涉，解决了冷热收缩问题（图 3.6）。

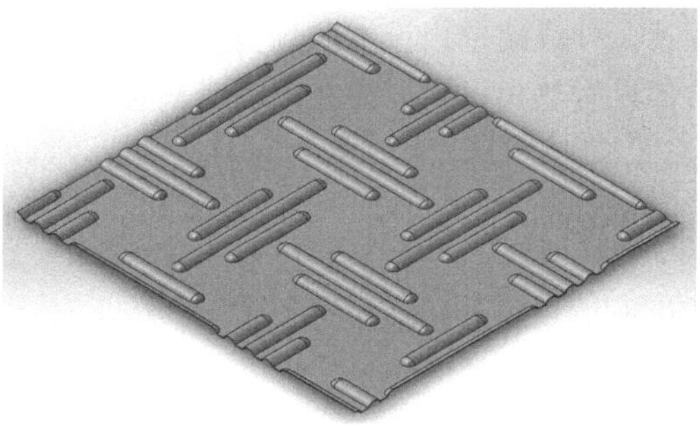

图 3.5 韩国薄膜罐波纹结构示意图

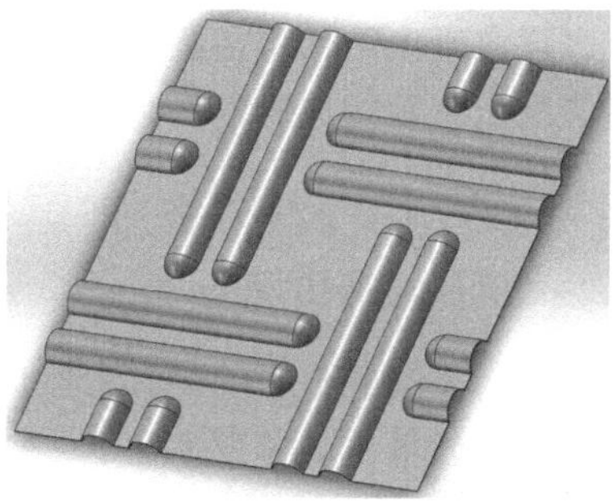

图 3.6 中国薄膜罐波纹结构示意图

3.2.2.4 罐内吊顶、管道、仪表等设施

对薄膜罐而言，其吊顶、配管、仪表的设计，都与常规全容罐相似。

3.2.3 全容罐的基本结构

全容罐是 LNG 储罐中最常见的类型之一，是一种具有液密性、气密性的次容器和建立在次容器之中的主容器共同组成的储罐，次容器为独立的自支撑带拱顶的闭式结构。全容罐一般采用 5～45mm 厚的 9%镍钢作为主容器（内罐），采用预应力混凝土结构作为次容器(外罐)，内外罐之间填充有珍珠岩用于储罐的保温绝热。

全容罐与薄膜罐的不同在于，全容罐具有明显的内外罐形式，属于自支撑结构，即内罐独立于外罐设计建造，液相及气相压力均由内罐承担。而薄膜型储罐内罐则是非自支撑结构，需要依附于外罐建设。图 3.7 为典型全容罐示意图。

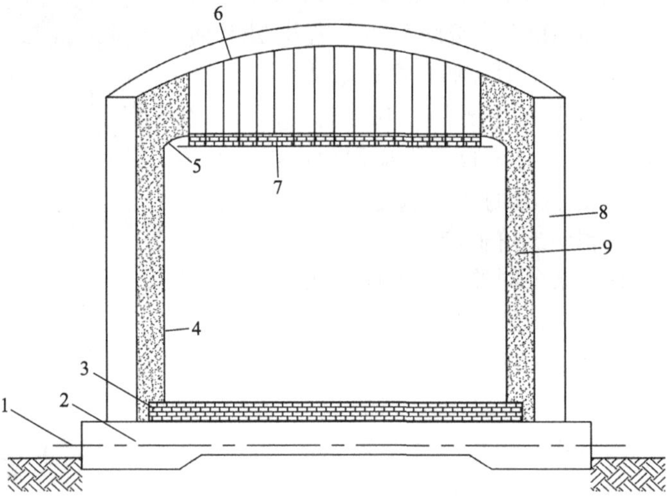

图 3.7　典型全容罐示意图

1—基础加热系统；2—基础；3—罐底保冷层；4—低温钢内罐；5—挠性保冷密封；6—混凝土罐顶；7—吊顶保冷层；8—预应力混凝土外罐；9—松散保冷填料

3.2.3.1 混凝土外罐

全容罐混凝土结构包括罐底、罐壁和罐顶。外罐罐壁内设有防潮金属衬板，罐顶为钢制穹顶与混凝土穹顶构成的复合穹顶。外罐角部设有热角保护，防止内罐泄漏时低温液体对该处造成破坏。

3.2.3.2 珍珠岩隔热层

在内罐与外罐罐壁之间的环形空间填放珍珠岩与弹性玻璃毡进行保冷，以维持储罐良好的保温性能和较低的日蒸发率。

3.2.3.3 金属内罐

全容罐的内罐主要由内吊顶、内直梯及支撑加强结构、筒体及加强圈、底板等组成，各部

件材料均采用金属材料。外罐底板和内罐底板之间铺设泡沫玻璃砖作为底部绝热层，承受内罐和介质的重量，在内罐筒壁正下方承压较大的环形区域，采用珠光砂混凝土圈梁来分配负荷。

3.2.3.4 罐内吊顶、管道、仪表等设施

对全容罐而言，其吊顶、配管、仪表的设计，都与常规薄膜罐相似。

3.2.4 薄膜储运技术在陆地应用的优势

薄膜罐作为一种特殊的低温液化气体储罐型式，较传统全容罐具有安全性较高（抗震性能好）、复热频率高、低碳环保、容积大、重量轻、建造周期短和运营维护成本低等诸多优点（图 3.8）。

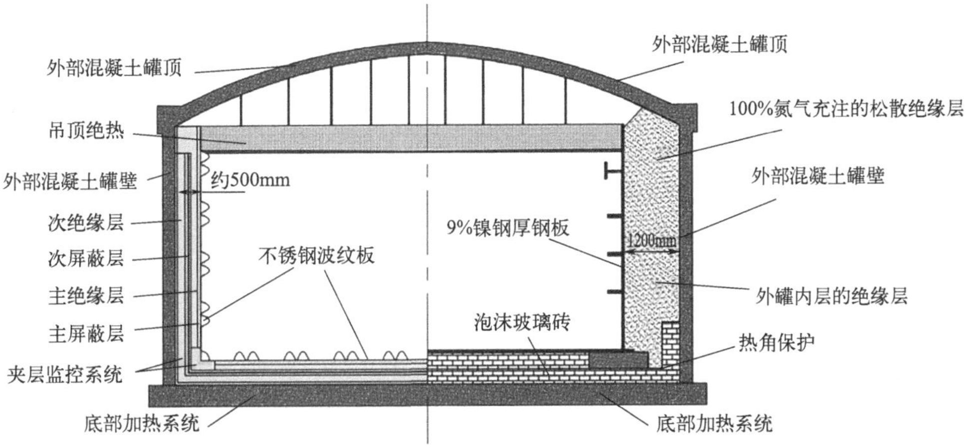

图 3.8 薄膜罐（左）与全容罐（右）结构对比图

3.2.4.1 储存容积大

得益于薄膜系统布置和厚度的优化，相同外罐直径下薄膜罐约比全容罐的储存容量大 10%。同样占地面积的薄膜罐，罐体建造高度则小于全容罐。表 3.1 以容积为 10 万立方米的 LNG 储罐为例，展示了薄膜罐设计值与全容罐的对比。

表 3.1 10 万立方米 LNG 储罐可用容积对比

项目	全容罐	薄膜罐
外罐直径/m	75.5	75.5
墙厚/m	0.75	0.75
环隙空间/m	1	0.4
内罐直径/m	72	73.2
最大液位设计/m	28.35	28.35
计算体积/m^3	115369	119246
可用体积/m^3	108044	118405
可用体积增加/m^3	—	10361
可增容积占比/%	—	10

储罐的最大可行存储容量取决于内罐的最大直径和内罐罐体高度。全容罐是无法将负荷转移到混凝土外罐的，所以要考虑内罐液体的高度、罐体直径以及控制脆性断裂风险的设计要求，才能确定内壳的最小厚度。对薄膜型储罐来说，薄膜内罐只作为一个密闭液体容器，则不存在这样的限制。没有容积理论极限，可以设计出超大型储罐是薄膜罐的优势。

3.2.4.2 建设周期短

因为薄膜罐模块化的设计让罐体结构变得更简单，薄膜罐施工建造中的焊接有90%为机器自动焊接，相比全容罐减少了40%的焊接量，而且薄膜罐大部分部件可标准化生产，提高了薄膜的预制率，提高了施工效率，缩短建设周期。

金属全容罐主要采用泡沫玻璃、弹性毡、珍珠岩、玻璃棉毡等材料进行保冷，薄膜罐主要采用聚氨酯泡沫、玻璃棉毡等材料进行保冷。总体来说，同等保温效果情况下，薄膜罐绝热保温层厚度较小，且绝热保温板采用工厂预制，现场施工工作较少，施工速度较快。

传统全容罐的施工顺序是先完成外罐建造后再开始内罐建造工作，内罐建造完成后需要进行水压试验，水压试验合格后才能将储罐投入运行。而薄膜罐的建造顺序则不同，薄膜罐的建造是在外罐建造过程中，内罐的聚氨酯保温材料和金属屏蔽膜材料即可在工厂同步进行预制化或提前进行预制化，在外罐建造完成且水压试验完成后即开始内罐聚氨酯保温材料和金属屏蔽膜的现场安装工作，这样不同的建造顺序和水压试验等相关因素叠加，薄膜罐的建造周期要比同等体积的传统全容罐缩短10%左右。

3.2.4.3 重量轻、成本低

全容罐使用5～45mm厚的S30408不锈钢板或9%镍钢，而薄膜罐使用1.2～1.5mm厚的不锈钢薄膜板作为主屏蔽层形成完整独立密闭结构。例如22万立方米储罐，若为9%镍钢全容罐，则需要至少2400t的9%镍钢，而薄膜型储罐只需200t不锈钢。同样净容积条件下，薄膜罐的混凝土用量要少于全容罐。薄膜罐绝热材料聚氨酯，设计厚度一般小于500mm，比全容罐采用的珍珠岩厚度1200mm小2倍以上，但其密度小于110kg/m^3，仅为珍珠岩密度（80kg/m^3）的1.5倍左右。所以从钢制内罐材料、混凝土材料和绝热材料各方面，薄膜罐的单位体积液化气体平均建造重量均比全容罐要轻。

薄膜罐有95%的部件可以标准化，加之建设周期缩短，在整个生产造价上，薄膜型储罐与全容罐相比可减少10%以上的投资。

3.2.4.4 安全性能高

由于薄膜的设计具有不扩展裂纹特性，甚至处于循环荷载中时也是如此，因此限制了最终的泄漏点大小以及可能发生的泄漏扩大。实际上，焊接均在应力接近于零的部位进行，因此不存在潜在的裂纹扩展。

薄膜罐设计将薄膜系统通过耦合件连接并粘贴在外罐上，绝热层与屏蔽层均匀地贴附在外罐壁上，荷载分布均匀，整体性能更好，抗震性能高。传统全容罐内罐和外罐是分离状态，储罐装液时在地震状态下，内罐和外罐呈现独立运动状态，内罐晃动将愈加严重。为了解决地震状态下内罐晃动问题，将增加很多辅助措施，这些措施也将导致桩基工程量的增加及承台厚度的增加。依据计算，在0.2g加速度的地震参数下，采用薄膜罐的钢筋混凝土用

量将比金属罐减少 10%用量。薄膜罐采用聚氨酯泡沫板和 1.2～1.5mm 厚度不锈钢板，总体重量较 9%镍钢大幅度降低。

3.2.4.5　复热性能好

由于全容罐结构的特殊性，在预冷进液状态下，内罐直径 20m 的金属容器收缩 100mm 以上，收缩导致的空隙需要用珍珠岩或弹性毡进行填补。多次复热后，储罐环隙空间底部珍珠岩密度变大，热导率增加，保冷效果大幅下降，外罐易漏冷结霜。同时由于复热，造成储罐内罐及热角保护焊接时残留的焊接应力二次分配，容易引起外罐漏冷，严重时甚至会引起内罐破裂。所以国际上一般将全容罐的复热次数限定为＜10 次。而薄膜罐由于波纹形薄膜自带收缩补偿，隔热层为块状高密度聚氨酯绝热板，不存在环隙空间，故薄膜罐复热次数可＞2000 次。所以现在新建造的 LNG 船舶几乎全部采用薄膜运输船，就是为了解决 LNG 船舶多次往返充装运输 LNG 的温度大范围变化问题。以 LNG 调峰储罐为例，在一年周期内，很有可能仅几个月的时间存储 LNG 作为调峰使用向外输送，其余时间储罐将有可能处于闲置状态。作为传统全容罐，因其设计原理和复热次数的限定，即使在不调峰闲置状态下也需要充装 LNG 进行保冷维护，维护期间蒸发气体需要使用压缩机压缩成液态后再返回到储罐内，这样不但增加了运营成本还增加了操作风险。而对于薄膜罐，因其独特的设计原理，允许较高频率的复热，储罐在不调峰闲置状态下是不需要充装 LNG 进行保冷维护的，也不需要启起动压缩机进行液化工作，仅使用氮气将储罐内的天然气置换即可。这样做不但减少了运营成本、降低了风险，同时氮气也可以保持薄膜罐内部储运干燥状态，需要再次使用储罐存储 LNG 时，使用 LNG 直接冷却储罐即可。其冷却速率是传统全容罐的 3 倍，可大幅度减少冷却时间，进而达到快速投入运行的目的。以 1 万 m^3 LNG 储罐进行对比，如果储罐每年有 6 个月处于闲置状态，薄膜罐较传统全容罐节省的费用将近 100 万元。

3.2.4.6　运行维护简单

传统全容罐在实际投产后受珍珠岩含水量、品种、填充密度及施工方法不同的影响，导致珍珠岩保冷效果不均衡。传统全容罐在多次充装泄放过程中，预冷阶段由于内罐壁钢板温度变化较大，内罐收缩及弹性毡形变，外罐较易出现漏冷问题。以 16 万 m^3 LNG 储罐为例，在建造过程中，珍珠岩填充阶段弹性毡受压变形导致相对于理论设计量将会产生约 2.2m 的沉降；在充装泄放过程中，沉降量增加约 5.7m，所需额外珍珠岩量约为 1845m^3。珍珠岩随罐壁收缩而再分配，考虑罐壁顶端膨胀珍珠岩变形造成 1m 真空连通区域，导致每隔几年外罐就会出现漏冷现象，该区域的漏热量将是正常情况下漏热量的 2.72 倍，所以必须补充珍珠岩以达到保冷的目的。传统全容罐珍珠岩后期运营过程中，填充所花费的费用大约在 200 万～300 万元。在实际运营中，全容罐的蒸发率要高于理论计算值。

而薄膜罐的绝热填充层采用块状聚氨酯，使用寿命周期长，质量可保持稳定，不存在漏冷现象，可保证低蒸发率。薄膜罐可多次频繁地清空液体，不用维护。

3.2.4.7　节能环保

传统全容储罐和薄膜罐在同等容积、蒸发率相同的前提下进行比较，依据两种储罐所使用的材料以及运输、施工等所产生的能耗值进行累计对比，薄膜罐较传统全容罐在绝热材料上所需量较多，但是金属材料的用量大幅减少，总体而言在碳排放上有较显著的降低。一般来说，薄膜罐整体碳排放比全容罐低25%左右。

3.3 BOG再冷凝回收

LNG在存储、装车和卸船期间产生大量的蒸发气（BOG）。LNG储罐的日蒸发率一般不超过0.08%。卸船期间产生的BOG总量最多。为了维持储罐压力稳定，BOG需要及时放空或冷凝回收。大型LNG接收站产生的BOG一般采用再冷凝工艺回收处理（图3.1）。再冷凝器是LNG接收站气化工艺的关键设备，在整个工艺中起到承上启下的作用。BOG经压缩机加压至0.65～0.8MPa（G）（G表示表压）后输送到再冷凝器，与从罐内低压泵输出的过冷LNG换热冷凝后，再由高压泵输送至LNG气化器。

目前LNG接收站的BOG再冷凝器主要是填料塔式再冷凝器，BOG与过冷的LNG顺流或逆流接触，在填料层内被冷凝为液体。BOG流量变化范围比较大，液位波动大。例如，高压泵的启停、槽车装车交叉启停等都会引起液位波动。这些因素给再冷凝器的稳定操作带来困难，需要复杂的控制系统和人工操作来保证设备较平稳运行。

中国石化工程建设有限公司自主开发了大型LNG接收站储运工艺包，其中BOG再冷凝工艺应用了水平安装的管道式新型高效BOG再冷凝器，克服了传统的填料塔式再冷凝器冷凝效率低、液位波动大的缺点。

3.3.1 填料塔式再冷凝器

图3.9为填料塔式再冷凝器示意图，从上到下主要包括填料区和缓冲区两个部分。填料区位于再冷凝器上部，包括填料、填料支撑板、气液分布盘等。BOG从顶部N1进入，LNG从中部N2进入，再冷凝后的LNG从底部的N3去高压泵。BOG与填料层中过冷的LNG直接接触，BOG被重新冷凝成为LNG进入再冷凝器下部。再冷凝器下部作为LNG高压泵入口的缓冲罐，确保进入高压泵的LNG过冷度和压力达到要求。在冷凝器上安装有液位计，在线监测液位的变化，通过控制器调节操作参数，使液位维持在一定范围，保证设备平稳运行。

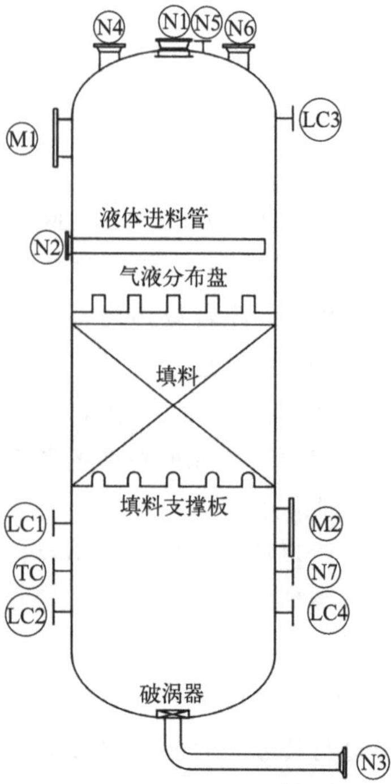

图3.9 填料塔式再冷凝器示意图

填料塔式再冷凝器属于连续接触式气液传热设备。填料塔以填料作为气液接触传热的区域，液体在填料表面呈膜状自上而下流动，气体呈连续相自下而上或自上而下与液体作逆向或同向流动，并进行气、液两相间的直接接触传热。

再冷凝器的填料一般为散装型填料，常用的有拉西环和鲍尔环（图3.10）。鲍尔环填料与拉西环填料的主要区别在于在壁上开有长方形窗孔，窗孔的窗叶伸入环内。由于鲍尔环壁上开孔，使得气、液的分布性能较拉西环得到较大的改善，特别是环的内表面积能够得到更多的利用。鲍尔环气流阻力更小，液体分布更均匀，具有通量大、阻力小、效率高及操作弹性大等优点，在相同压降下处理量可较拉西环大幅提高。

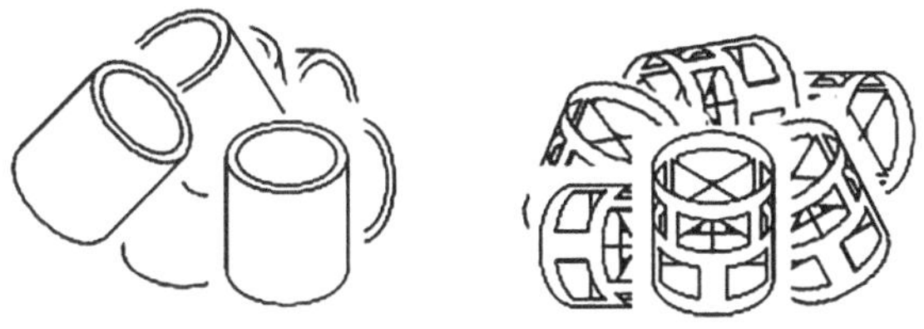

(a) 拉西环 (b) 鲍尔环

图 3.10 散装填料示意图

填料塔式再冷凝器设计、制造应符合标准《压力容器》（GB/T 150.1～150.4—2024）、《塔式容器》（NB/T 47041—2014）要求。主要承压件材料为奥氏体不锈钢。设计压力为－0.1～1.75MPa（G），设计温度为－170～165℃。再冷凝器典型填料层尺寸为直径 3m、高 2.5～3m，加上裙座设备总高 20m 左右。典型的填料塔式再冷凝器的液气质量比为 8.4～9.9，操作压力为 0.7～0.8MPa。

填料塔式再冷凝器有两个功能，BOG 在上部的填料层中与过冷的 LNG 直接接触被冷凝，再冷凝器下部作为 LNG 高压泵入口的缓冲罐，确保进入高压泵的 LNG 过冷度和压力达到要求。BOG 再冷凝器内稳定的液位是其安全稳定运行的关键，液位应保持在 50%～60%。液位波动会导致系统频繁振动，损坏设备，威胁 LNG 接收站的安全。

接收站在运行过程中，LNG 汽化外输量的波动是导致 BOG 再冷凝器液位波动的主要因素。高压泵启动时造成的再冷凝器底部和顶部压力波动也会导致液位波动，LNG 通过高压泵的放空管线倒流到再冷凝器中，可能触发液位高高联锁。当下游天然气需求量减少时，关闭部分高压泵会导致液位迅速增加。由于控制信号传输的滞后性和阀门的折损因素，用于冷凝 BOG 的 LNG 不能立即减少和完全关闭，导致过多的 LNG 进入再冷凝器，使液位加速升高。高液位时，再冷凝器的填料床层被浸没，从而大大减弱了换热能力，导致 BOG 不能完全再冷凝，部分 BOG 沿着放空管线反向流向高压泵吸入罐，迫使吸入罐液位下降，导致高压泵无法完全被淹没。因此，高压泵会发生汽蚀并引起再冷凝系统的振动。一旦液位上升到高报值，系统将用高压补充气体降低液位。如果此时再冷凝器内液体的温度过低，部分补充气会液化导致液位继续增高，甚至会触发液位高高联锁关闭设备。

综上所述，填料塔 BOG 再冷凝器的主要不足之处有：

① 填料造价高；

② 设备体积大；

③ 液气比高。当液体流量较小时不能有效地润湿填料表面，使接触传热效率降低；

④ 液体分布不均，当液体沿填料层向下流动时，塔壁附近的液体流量较大，这种壁流效应会造成气液两相在填料层中分布不均，使再冷凝效率下降；

⑤ 与 LNG 高压外输泵高度关联，液位波动大，填料层被淹没时，减弱了换热能力，过程稳定控制比较困难。

3.3.2 新型高效再冷凝器

针对传统填料塔式再冷凝工艺和设备的缺点，中国石化工程建设有限公司开发了全新的BOG再冷凝工艺。由中国石化工程建设有限公司牵头，联合江苏中圣压力容器装备制造有限公司共同开发出新型高效再冷凝器。2013年被列入中国石化“十条龙”科技攻关项目“大型液化天然气接收站工程成套技术”课题之一。利用CFD软件建立了微气泡冷凝多相流场模型，模拟研究了BOG气泡在LNG中的冷凝变化规律，获得了不同尺寸气泡的冷凝速率。搭建了气-液可视化试验系统以及氮气-液氮再冷凝器中试试验系统（图3.11），验证了理论计算与再冷凝器效果。开发了错流微孔气体分布直接接触与静态混合的BOG再冷凝技术，研制出了微孔式气液预混与湍流静态混合集成的高效BOG再冷凝器。

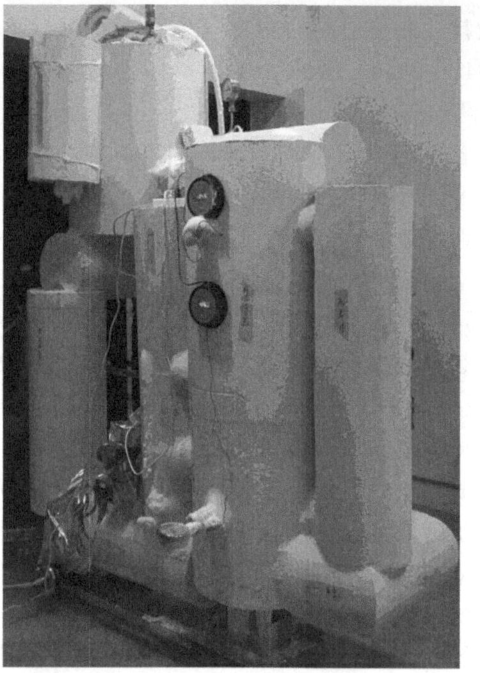

图3.11 BOG再冷凝器中试试验系统

依托某LNG接收站工程项目设计制造了一台新型高效BOG再冷凝器，于2018年3月投入使用。设备不仅满足了项目设计要求，而且设备再冷凝效率也得到提高，设备较传统的填料塔式再冷凝器更容易控制，创造了LNG接收站从投产到稳定运行最短时间5h的记录。设备总长小于9m，最大直径小于1m（图3.12）。N1为BOG进口，N2为LNG入口，N3为出口。设备水平安装，设计压力为1.75MPa，设计温度为－196～65℃。

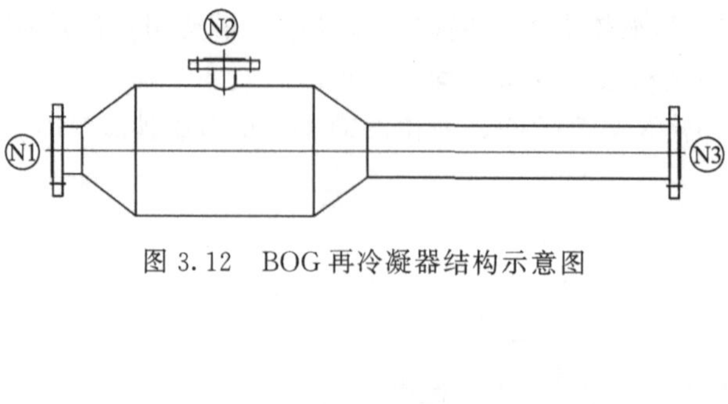

图3.12 BOG再冷凝器结构示意图

设备壳体材料为双牌号不锈钢 304/304L，内部除气体分布器之外，混合段还安装了静态混合器。静态混合器是一种没有运动部件的高效混合器件，利用固定在管内的混合单元改变流体在管内的流动状态，强化了 BOG 和过冷 LNG 的直接接触冷凝效率。BOG 进入微孔分布器，通过微孔产生小气泡进入低温 LNG 内。小气泡与低温液体接触后，迅速降温冷凝，与过冷 LNG 在静态混合器中充分混合，全部冷凝后离开，混合后的 LNG 经管路进入高压泵的缓冲罐。新型高效再冷凝器与外输高压泵关联度低，不受高压泵的启停影响，不存在填料塔式再冷凝器的液位波动问题，从根本上解决了传统再冷凝器的液位难以稳定控制的问题。

新型高效 BOG 再冷凝器的优点主要有：

① 体积小，重量轻。比填料塔式再冷凝器体积减小了 92%，重量减少了 80%。

② 冷凝效率高。操作液气比为 6.6，一次再冷凝效率可达 100%，比填料塔式再冷凝器冷凝效率提高了 32%。

③ 不需要液位控制，易于操作和控制，运行稳定。

④ 设备安装和维修方便。

3.3.3　BOG 再冷凝的节能减排

BOG 再冷凝器利用 LNG 冷能回收 BOG，与压缩制冷回收 BOG 相比节约了大量的电力，同时大幅度减少了 CO_2 排放。以一个 300 万吨每年的接收站为例，每小时产生的 BOG 量为 10 吨，经压缩机升压至 0.8MPa（G）后送至 BOG 回收单元，BOG 从 −48℃ 降至 −132℃，全部变为 LNG。表 3.2 比较了 BOG 再冷凝和压缩制冷的冷量、电耗和 CO_2 排放量。BOG 再冷凝的液气比为 6.6，BOG 组成为轻组分，其电耗是通过再冷凝器的压降计算得到的，压缩制冷效率为 2.0，每年运行 8000h。BOG 再冷凝所需的冷量全部由接收站的 LNG 提供，所以比压缩制冷的电耗和 CO_2 排放下降了 99%以上。

表 3.2　BOG 再冷凝和压缩制冷的比较

BOG 回收方法	冷量/kW	电耗/(kW·h/a)	CO_2 排放/(t/a)
再冷凝	1743	7760	6.5
压缩制冷	1743	6972000	5845

3.4　LNG 气化器

3.4.1　气化器的种类

从储罐来的低压 LNG 经高压泵增压后送气化器加热汽化，然后利用天然气管道输送到用户。LNG 气化器是 LNG 接收站的重要工艺设备。利用不同热源，各种形式的气化器被用于 LNG 汽化。LNG 汽化需要大量的热量。例如，汽化每吨以轻组分为主的高压［9.91MPa（G）］LNG，其单位热负荷约为 193kW/t。对于 1 台汽化能力为 200t/h 的气化器，其热负荷为 38.6MW。

LNG汽化可用热源主要有天然气燃烧热、海水、空气、工厂或电厂废热等。以海水为热源的气化器主要有开架式气化器（open rack vaporizer，ORV）、中间介质型气化器（intermediate fluid vaporizer，IFV）、管壳式气化器。以天然气燃烧热为热源的气化器主要有浸没燃烧式气化器（submerged combustion vaporizer，SCV）和水浴式气化器（water bath vaporizer，WBV）。以空气为热源的气化器主要有空温式气化器，目前主要用于中小型LNG气化站。如果接收站附近有工厂或电厂的废热（如热水、蒸汽等）可用，则可根据热源温度选用IFV或管壳式气化器。以天然气燃烧热为热源的气化器的能耗、CO_2排放以及操作费用最高。

目前世界上大型LNG接收站应用最普遍的LNG气化器有ORV、IFV、SCV。目前我国大型LNG接收站主要建在海边，都选用以海水为热源的ORV和IFV作为基本负荷气化器。ORV没有壳体，换热面板外表面允许结一定厚度的冰，因此ORV允许海水进口温度低至3～7℃。IFV采用中间介质把海水的热量传递给LNG，避免了海水结冰，允许海水进口温度低至1～6℃。ORV和IFV最大限度地应用海水汽化LNG，节省了大量的能量，同时减少了大量的CO_2排放。SCV以天然气燃烧热为热源，所消耗的天然气占再汽化天然气的1.3%～1.5%，操作费用比以海水为热源的气化器高得多，主要用作备用和调峰设备。当海水不可用时（北方冬季海水温度过低或在内陆），SCV可用作基本负荷气化器。美国不允许接收站使用海水汽化LNG，所以在美国的接收站主要使用SCV作为基本负荷气化器。现在美国的页岩气完全满足需求，并且大量出口LNG，美国原来的LNG接收站基本停用。

作为LNG接收站关键工艺设备的ORV、SCV和IFV以前主要依赖进口，LNG气化器的供货厂家很少。ORV由日本的神户制钢和住友精密两家公司垄断，IFV由日本的神户制钢独家垄断，SCV由德国林德公司和日本住友精密垄断。关键设备被垄断造成LNG气化器成为买方市场，采购价格很高，且供货周期长，在很大程度上影响了我国接收站的建设成本和周期，严重制约中国LNG行业发展。2015年以前，国内建成的接收站的LNG气化器全部依赖进口。

江苏中圣压力容器装备制造有限公司（简称江苏中圣）通过理论分析，数值模拟，ORV、IFV、SCV中试，样机试制，样机试验测试，系统地完成了IFV、ORV、SCV三种LNG气化器的设计与制造关键技术研究，取得了突破性进展。

2014年江苏中圣承接了天津LNG接收站项目4台IFV、2台SCV，广西LNG接收站项目2台ORV，山东LNG接收站1台SCV的合同。目前这三种国产气化器已推广应用于10多个接收站，汽化能力、能耗、NO_x排放浓度等技术指标均优于进口气化器，全面替代了进口设备。

3.4.2 开架式气化器

开架式气化器（ORV）是以海水为热源的LNG汽化设备，换热元件由铝合金制成，具有经济性好、安全性高、运行成本低、操作和维护容易等优点。早在20世纪60年代，在英国和日本就开始安装使用ORV。ORV是目前世界上应用最广的基本负荷型大型LNG气化器，约占70%，在日本、韩国和欧洲被广泛使用。我国建成的大鹏LNG接收站、莆田LNG接收站、如东LNG接收站、青岛LNG接收站、珠海LNG接收站、深圳LNG接收站、海南LNG接收站、粤东LNG接收站、唐山LNG接收站、大连LNG接收站等，都选用了进口 ORV 气化器。

3.4.2.1 ORV 的基本结构与工作原理

典型 ORV 结构由铝合金传热模块、海水系统、混凝土框架等三部分构成，见图 3.13。ORV 传热模块由若干个换热面板组成。每个换热面板由 70～90 支铝合金翅片管按照板状排列，两端分别与上集管、下集管焊接在一起。ORV 采用模块化设计，每台 ORV 由 1～3 个模块组成，每个模块有 4～8 个面板。设计压力≤16MPa，设计温度为－196～65℃。

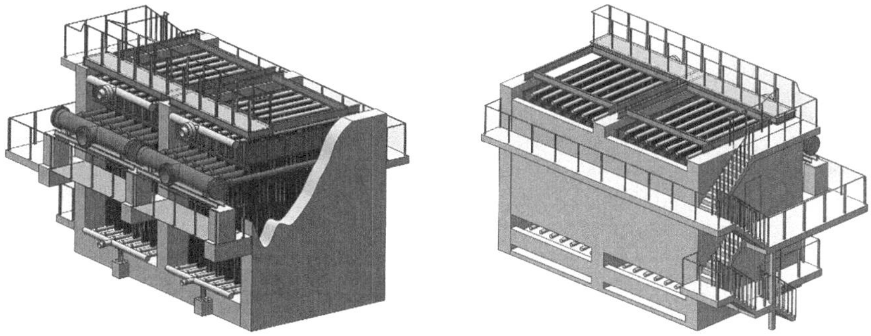

图 3.13 ORV 结构图

ORV 的工作原理如图 3.14 所示，在每个面板的上部两侧安装有开放的海水槽，海水通过开放的溢流槽均匀地喷淋在板型管束两侧的外表面上，形成水膜，依靠重力作用自上而下流动。LNG 在换热管内自下而上流动，与海水逆流换热。LNG 被海水加热汽化。天然气（NG）出口温度大于 1℃。换热降温后的海水经明渠或管道返回大海。

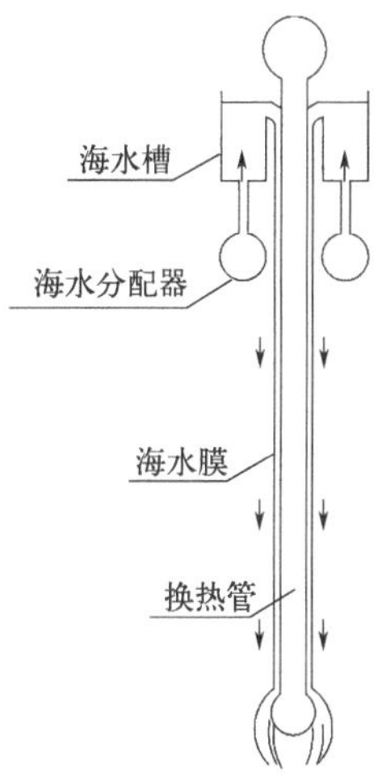

图 3.14 ORV 工作原理图

为了减小对海洋生态的影响，通常海水最大温降控制在 5℃以内。海水温度随地理位置和季节变化较大。夏季温度可达 25～34℃，冬季温度低至 0℃以下。ORV 的海水出口最低温度应在 1～2℃，继续降低会导致面板结冰严重，影响安全运行。以 5℃温降为限，ORV 的海水最低进口温度为 6～7℃。若当地最低海水温度低于 6～7℃，则以 6～7℃作为海水进口温度计算换热面积；若当地最低海水温度高于 6～7℃，则以当地最低海水温度作为海水进口温度计算换热面积。NG 出口温度接近海水入口温度，NG 温度随着海水入口温度升高而升高，气化热负荷随之升高。图 3.15 给出了我国南方某接收站的 ORV 汽化热负荷随海水温度的变化情况。海水冬季最低温度 13℃，海水夏季最高温度 33℃。由于有海水 5℃温降的限制，海水的流量也必须随海水温度升高增加。因此 ORV 最大海水流量应以夏季最高海水温度对应的热负荷计算。

3.4.2.2 传热模块

ORV 由 2～3 个相同的传热模块组成，每个模块有 1 个 LNG 进口和 1 个 NG 出口。每个传热模块由换热面板、天然气汇管、过渡接头等构成。每个换热面板由若干铝合金翅片管平行排列组成，两端分别与上集管、下集管焊接在一起。换热管长 4～7m，天然气汇管把

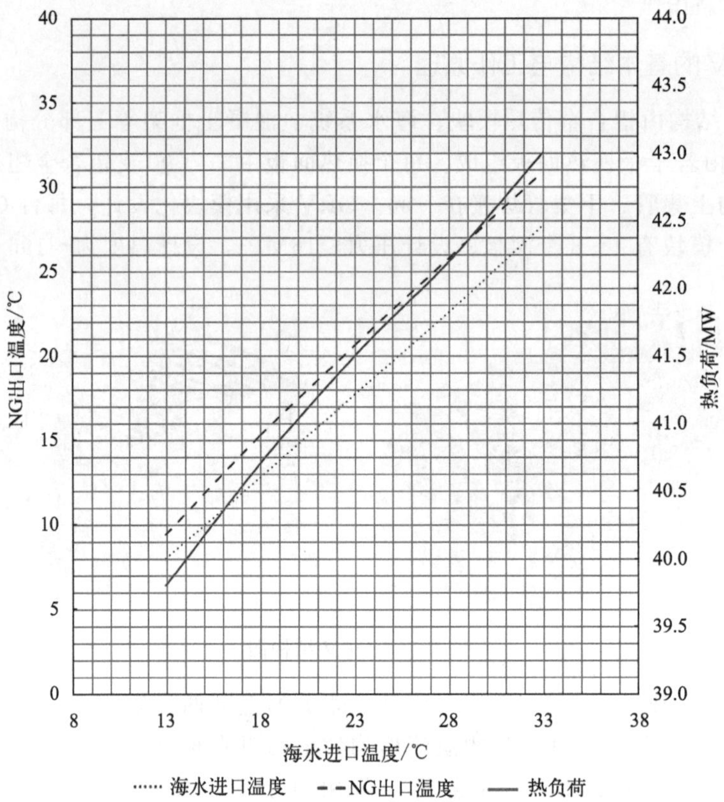

图 3.15 ORV 汽化热负荷随海水温度的变化情况

每个换热面板连接起来。除 LNG 进口处的过渡接头外，传热模块的其他部件都由铝合金材料制成。ORV 翅片管的材质牌号为 6063 或 5052，集管和汇管材质牌号为 5083。每个面板焊接组装完毕，对所有焊缝应进行无损检测。焊缝检测全部合格后对每个面板进行耐压试验和气密试验。若干面板通过与汇管焊接连接组合成一个传热模块，焊缝检测全部合格后对每个模块进行耐压试验和气密试验。为了防止水残留在 ORV 内部，压力试验采用气压试验。

传热模块 NG 出口接近常温，可用法兰与 NG 管道连接。由于 LNG 是低温流体，若传热模块 LNG 进口直接用铝合金法兰和不锈钢法兰连接，两种材料膨胀系数差别较大，容易导致管道泄漏。用过渡接头把铝合金 LNG 入口管和不锈钢 LNG 管道焊接连接起来更可靠。过渡接头依次由铝合金、铝、钛、镍、不锈钢等 5 层金属材料爆炸复合板加工而成。一侧为与 LNG 进口接管相同的铝合金，另外一侧为与 LNG 管道相同的奥氏体不锈钢，中间金属为过渡层。每层复合层爆炸复合后进行超声波检测（UT），金属贴合率为 100%。ORV 出厂前把过渡接头的铝合金端与 ORV 进口铝合金接管焊接，到现场把过渡接头的不锈钢端与不锈钢管焊接。过渡接头应满足以下技术条件：

① 设计温度为 $-170\sim65$℃。设计温度下抗拉强度不低于 140MPa，钛铝结合面剪切强度不低于 80MPa，钛镍结合面剪切强度不低于 140MPa。

② 过渡接头应按设计压力进行水压试验。氦检漏率不大于 1×10^{-9} Pa·m^3/s。

③ 过渡接头进行 100%超声波检测，Ⅰ级合格。

④ 过渡接头爆炸复合界面渗透试验符合压力容器规定。

为了提高气化器总换热效率，减小设备尺寸，ORV 采用了组合式双面强化传热技术。高效换热管外表面有纵向高翅片增加外表面换热面积，换热管内表面有纵向低翅片增加换热面积，并且管内还安装了螺旋内插件强化湍流换热。

ORV 翅片管应符合以下要求：

① 翅片管应采用无缝热挤压工艺成形，且不允许拼接。

② 翅片管外表面应平整、光洁，不允许有裂纹、腐蚀斑点、起皮、气泡、擦伤、压痕、鱼鳞状缺陷、划伤等。

③ 翅片管直线度不应大于 1mm/m，全长不应大于 3mm。

④ 翅片管最大截面尺寸处扭拧度不应大于 0.5mm/m，全长不应大于 2mm。

⑤ 翅片管应进行不高于设计温度下的低温冲击试验。

换热管表面结冰会使汽化效率降低，特别是换热管下部 LNG 温度较低的地方容易结冰。日本的大阪燃气公司和神户制钢公司联合研发了减少结冰的高效开架式气化器。主要改进是在换热管下部温度较低的蒸发段采用了双层换热管结构（图 3.16），把进入换热管内的低温 LNG 分成两股流，LNG 同时进入内管和环隙。环隙内的 LNG 直接被海水加热汽化，而内管的 LNG 被环隙内汽化的天然气加热而逐渐汽化。这样使换热管下部的直接汽化量减小，减少了吸热量，从而减小了下部结冰厚度，提高了海水温度较低时的换热能力。

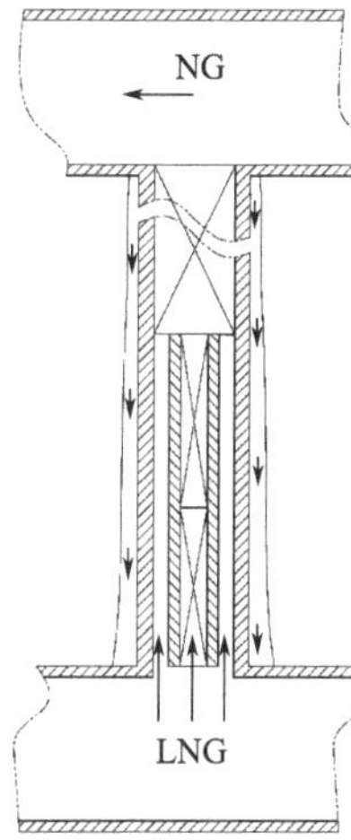

图 3.16　双层换热管结构

3.4.2.3　防腐涂层

铝合金传热模块与海水接触会发生电化学腐蚀。通常铝合金在海水里的腐蚀率很低，主要是点蚀和缝隙腐蚀等局部腐蚀破坏。在金属基材表面热喷涂保护阴极的金属涂层是有效且可靠的电化学防腐技术。ORV 铝合金传热模块外表面（法兰和过渡接头除外）需要热喷涂防海水腐蚀的 Al-Zn（2%）合金涂层，金属涂层作为阳极，其腐蚀电位比基材更负，对作为阴极的基材起到很好的保护作用。即使金属涂层局部破损，暴露的铝合金基材表面也可从周围的热喷涂金属涂层得到阴极保护。通常用火焰热喷涂法把 Al-Zn 合金喷涂在开架式气化器表面，用封孔剂对多孔涂层进行封闭，涂层厚度为 150～450μm。

Al-Zn 合金涂层寿命与海水水质密切相关，ORV 对海水水质要求如下：海水中的重金属离子会加速腐蚀铝合金涂层，要求 Cu^{2+} 浓度小于 10μg/L，Hg^{2+} 小于 0.5μg/L；海水中的固体悬浮物浓度应低于 80mg/L；pH 值应在 7.5～8.5；残留氯（HClO 和 ClO^-）应低于 0.5mg/L。

含固体颗粒的海水冲蚀破坏了铝合金钝化膜，加速了腐蚀。海水中的固体悬浮物浓度在 10mg/L 以内，Al-Zn 合金涂层的寿命为 7～8 年；海水中的固体悬浮物浓度在 80mg/L 以上，Al-Zn 合金涂层的寿命在 3 年左右；对于更高含沙量的海水，涂层寿命为 1～2 年。特别是在 ORV 换热面板的下部，温度较低，腐蚀速率最大。温度越低海水溶解氧浓度越高，这是低温部分腐蚀速率高的原因。

换热面板底部 LNG 集管及其顶部线以上 200～300mm 处涂层局部脱落最严重。一般使用一年左右这些部位就会出现局部涂层剥落。可根据涂层局部脱落面积大小和涂层厚度，及时在现场进行涂层再喷涂修复。

造成开架式气化器下部热喷涂的 Al-Zn 合金涂层鼓包、脱落的原因主要有：

① 位于开架式气化器下部 LNG 集管及换热管的温度最低（－160～－150℃），海水温度 1～30℃，管内外温差较大，较高的冷热温差应力导致金属涂层的局部脱落；

② 开架式气化器运行过程中开停频繁，冷热交变次数多，造成热应力疲劳；

③ 热喷涂形成涂层过程中会产生残余应力，热喷涂涂层在局部越厚残余应力越大；

④ 表面喷砂处理、喷涂距离与角度、喷枪移动速度、环境湿度等热喷涂操作和条件控制不当，形成的涂层在局部的附着力偏低。

3.4.2.4 海水系统

海水系统安装在换热面板上部，由海水集管、海水汇管、溢流槽和阀门等构成。每个溢流槽底部与一个海水集管连接，海水集管上装有蝶阀调节海水流量，使每个换热面板的海水分布均匀。每个传热模块的海水集管与一个海水联箱管连接。ORV 运行时，每个面板要保持足够的海水流量，使翅片管外表面被液膜均匀覆盖。

海水溢流槽由铝合金板加工而成。海水溢流槽的溢流导板与面板平行，溢流间隙保持一致。海水蝶阀宜选用双相钢等耐海水腐蚀的材料。海水集管和海水汇管由玻璃钢制成。海水管所用的玻璃钢承压元件材料应符合行业标准 HG/T 20696 的规定。

3.4.2.5 基础构件

基础构件包括混凝土基础、操作平台和限位支吊架等。混凝土基础上埋设固定传热模块、水槽、挡风板等的金属预埋件。传热模块和海水分布系统安装固定在基础构件上，操作平台方便调试操作和检维修。

每个模块用吊耳悬挂在固定于混凝土框架顶部的不锈钢支吊架上。不锈钢支吊架、梯子、平台等钢结构表面按工程要求涂耐盐雾油漆。

3.4.2.6 中试及工程应用

通过 CFD 模拟，分别研究了管外侧海水和管内侧 LNG 的流动与传热特性，采用分段优化的渐变组合内插件结构。开发了无缝热挤出铝合金翅片管，管内、管外翅片扩展了换热面积。管内内插件强化 LNG 侧传热。设计了海水导流分布系统结构，形成了均匀稳定的海水液膜传热技术。开发了 ORV 传热计算程序，研制了专用的热喷涂技术和防腐材料，满足了固体悬浮物浓度＜80mg/L 海水水质的耐腐蚀和磨蚀的要求。

对开发的 ORV 翅片管试件进行了水压爆破试验。图 3.17 为 3 根样管 ORV 翅片管试件，翅片管两端翅片被撤掉，一端焊接封死，另一端与水压试验系统螺纹连接。图 3.18 给出了 ORV 翅片管试件爆破加压过程，水压系统从 0 开始加压，直到管子破裂时所承受的最大压力即为试件的爆破压力。爆破后的状态见图 3.19。从爆破结果可以看出，3 根翅片换热管试件的爆破部位都处在光管位置，爆破压力分别为 76.0MPa、77.1MPa、78.2MPa。爆破试验证明所开发的翅片管耐压能力完全满足设计要求。

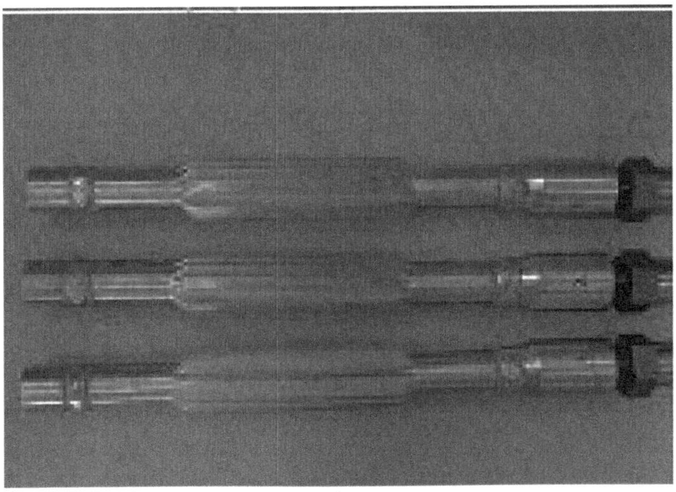

图 3.17　ORV 翅片管试件

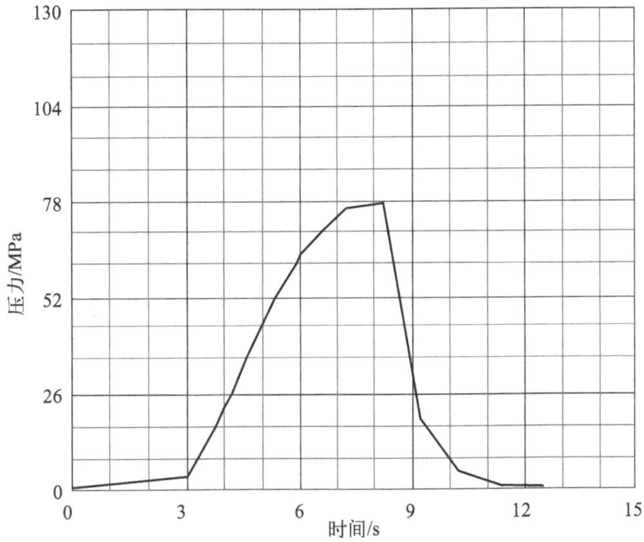

图 3.18　ORV 翅片管试件爆破加压过程

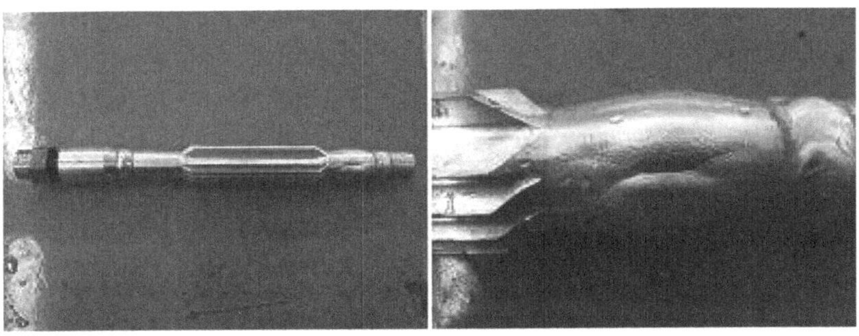

图 3.19　翅片换热管试件爆破位置

2013 年江苏中圣设计制造了 ORV 中试样机，汽化能力 5t/h，换热管长 6m。在某接收站完成了中试试验考核（图 3.20），验证了 ORV 的理论分析结果、汽化能力和安全可靠性。

图 3.20　ORV 中试系统

2016 年 2 月在海南接收站率先投运，运行良好，达到了项目设计要求。研制的 ORV 性能达到国际先进水平，替代了进口产品。图 3.21 为国产的 ORV，设计压力为 16MPa，其内部结构（换热面板、玻璃钢海水集管、检修踏板）见图 3.22，其顶部结构（海水槽与海水分布）见图 3.23。国产的 ORV 已被海南、北海、粤东、阳江、漳州、滨海、烟台、营口等 LNG 接收站项目采用。

图 3.21　某 LNG 接收站国产 ORV

3.4.3　中间介质气化器

中间介质气化器（IFV）是一种复杂的管壳式气化器，它利用中间介质把海水管束的热量传递给 LNG 管束，避免海水结冰。海水管束用耐海水腐蚀和冲蚀的钛材，主要用于高含

图 3.22　ORV 内部结构

图 3.23　ORV 顶部结构

沙海水和 LNG 冷能发电等。我国早期建成的上海 LNG 接收站、宁波 LNG 接收站所处海域属于海水含沙量较高的海域，都选用了日本神户制钢公司制造的 IFV。

3.4.3.1　IFV 结构与工作原理

IFV 结构如图 3.24 所示，由 LNG 汽化段、NG 过热段、连通管、海水管箱等部件组成。LNG 汽化段是具有双管束的管壳式换热器。LNG 汽化段的壳体内有一定液位高度的中间介质。位于下部的海水管束浸没在中间介质液面下方，管内走海水；位于上部的 LNG 管束在中间介质液面上方，管内走 LNG。LNG 管束的出口与 NG 过热段进口用连通管连接。NG 过热段与 LNG 汽化段由一个中间海水管箱连接，即海水流经 NG 过热段后通过中间海水管箱直接进入 LNG 汽化段。

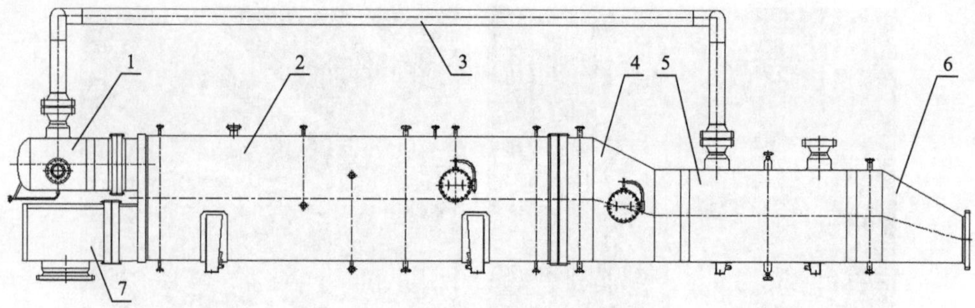

图 3.24 IFV 结构示意图

1—LNG 进口管箱；2—LNG 汽化段；3—连通管；4—中间海水管箱；
5—NG 过热段；6—进口海水管箱；7—出口海水管箱

IFV 工作原理见图 3.25。海水为 LNG 汽化热源，中间介质一般为丙烷。在 LNG 汽化段，下管束管外的中间介质被管内海水加热汽化，中间介质气体到达上部遇到 LNG 管束，在 LNG 管束表面冷凝释放出热量，加热管内的 LNG。中间介质冷凝液在重力作用下回到下部中间介质液池，再次被下管束内海水加热蒸发，从而形成中间介质的蒸发-冷凝内部自动循环。吸收了中间介质热量的 LNG 升温汽化，然后经连接管道进入 NG 过热段壳侧，由管侧海水继续对其加热升温，直至温度达到 0℃以上。

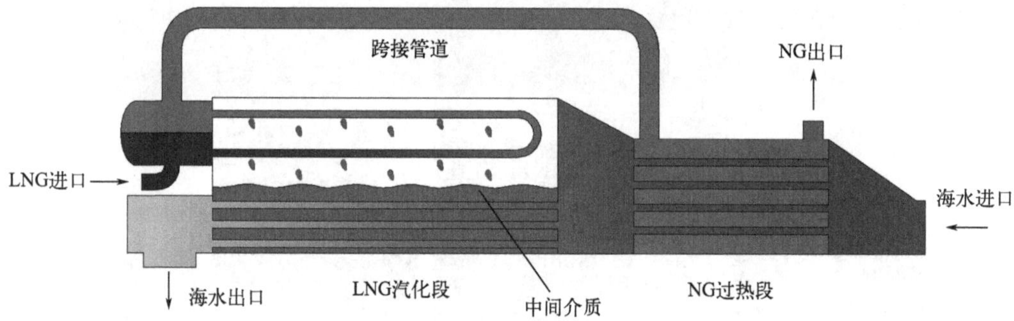

图 3.25 IFV 工作原理示意图

IFV 通过中间介质的蒸发、冷凝把海水的热量间接地传递给 LNG 的热交换过程，可以避免低温 LNG 管束与海水直接接触导致的结冰问题。

IFV 应用范围更广泛，还可应用于 LNG 冷能利用，如发电、制冷等。在冷能发电中，LNG 管束需要与中间介质蒸发管束分开，通过管道连接起来，如图 3.26 所示。

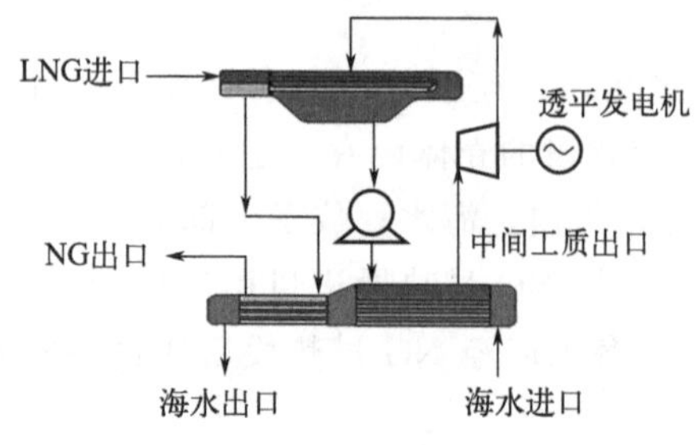

图 3.26 用于冷能发电的 IFV

IFV 的海水管箱上应设置检修通道。大于等于 DN300 的海水接管宜采用钛钢复合板卷制。每个管束的换热管与管板应采用胀接加焊接的连接形式，确保密封可靠。LNG 管束应采用可拆式结构，便于管束抽芯检维修。中间介质壳体应设置超压泄放装置、液位计、温度计等安全附件。中间介质壳体上应设置便于检维修的人孔。

汽化段和过热段都应有独立的鞍座支承。LNG

汽化段与 NG 过热段的连通管应充分考虑设备间的热胀冷缩变形协调及管道支撑，宜采用弯管自然补偿措施。

3.4.3.2　IFV 材料与制造要求

IFV 材料选用应充分考虑使用条件、腐蚀环境、制造工艺及经济合理性。IFV 材料应符合设计文件的要求，还应符合以下规定：钢制承压元件应符合 GB/T 150.2 标准的规定；钛制承压元件应符合 NB/T 11270 标准的规定。

与 LNG 接触的材料采用奥氏体不锈钢，与海水接触的材料采用钛，与中间介质丙烷接触的材料可采用低温碳钢。与海水接触的管板采用爆炸复合的钛-钢复合管板。海水管箱采用钛-钢爆炸复合板，耐含固体颗粒海水的冲蚀及腐蚀。

IFV 的两个海水管束全部应用耐海水腐蚀和冲蚀的钛（TA2）换热管，寿命长，对高含沙海水也适用。钛材硬度高，表面易形成致密的氧化膜，氧化膜自修复速度快，耐海水腐蚀和冲蚀性能优异。钛材耐应力腐蚀和耐疲劳，在 80℃以下海水里无点蚀和缝隙腐蚀。此外，钛材耐微生物腐蚀，生物污垢不容易在钛材表面生成。LNG 管束应用奥氏体不锈钢换热管。换热管与管板采用胀接和焊接连接。

板材：承压元件用钢板应按炉号复验化学成分，按批号复验力学性能；低温承压部件用钢板应进行不高于设计温度下的低温冲击试验，并逐张进行超声检测；壳体用复合板材料应不低于 NB/T 47002.1 标准中规定的 B2 级，且应复验结合率。

管板：管板锻件应不低于 NB/T 47009 或 NB/T 47010 标准中规定的Ⅲ级，不允许拼接；管板材料应进行化学成分和力学性能复验，低温管板材料应进行不高于设计温度下的低温冲击试验；用于胀接时，应限制管板材料的硬度或规定屈服强度最低值；管板爆炸复合板材料应不低于 NB/T 47002.1 标准中规定的 B1 级，并进行复合界面结合率和结合剪切强度复验。

换热管：承受高压的换热管，如 LNG 管束和 NG 过热段管束，应采用无缝管，不允许拼接；不锈钢换热管应符合 GB/T 13296 标准的规定；钛换热管应符合 GB/T 3625 标准的规定，同时还应符合 NB/T 47019.8 标准的规定；用于胀接时，应限制换热管的硬度或规定屈服强度最高值，应分别低于管板的硬度或屈服强度；换热管采用高效换热管时，应符合 GB/T 24590 标准的规定。

锻件：低温碳钢用法兰、接管锻件应不低于Ⅲ级，且应按批进行不高于设计温度下的低温冲击试验；出口海水管箱异型法兰宜采用整体锻件。异型法兰拼焊应保证全焊透，其对焊接接头按 NB/T 47013.2 进行 100%射线检测，合格级别不低于Ⅱ级，且应进行 100%超声检测，合格级别不低于Ⅰ级。

3.4.3.3　中试及工程应用

以某 LNG 接收站项目为依托工程，系统研究了不同中间介质的热力学特性、资源可获得性、成本因素等，通过对不同工质的冰点、汽化潜热、蒸发-冷凝热力学特性及其与冷热源的匹配性综合比较，丙烷与海水和 LNG 匹配性好，其汽化潜热大、传热效率高，且资源容易获得、成本低、材料相容性好。研究了汽化段与过热段多种介质的流动与传热规律，开发了 IFV 传热设计方法。

为了验证IFV传热设计方法的准确性及可靠性，设计和搭建了IFV中试试验系统。通过中试，还可以检验设备设计及制造工艺的可靠性，检验中间流体介质在封闭空间内的充装方法。中试试验系统包含IFV本体、氮气吹扫系统、丙烷充装系统、液氮供给系统、测试仪表等。用液氮来代替低温流体LNG，用自来水作为热源，中间流体介质采用高纯度丙烷。

2013年完成了中试试验考核（图3.27），验证了IFV的理论分析结果和安全可靠性。IFV测试系统可长时间安全运行，且经历了长达三个月的室外露天场地静置，试验场地环境温度从15℃上升至40℃，丙烷充装容易操作，丙烷系统无任何泄漏。证明了设计方案可靠、制造工艺成熟，为设计和制造大型IFV设备积累了经验。

图3.27　IFV中试系统

2018年3月投入LNG汽化外输使用（图3.28），已经运行了6年多，IFV运行良好，满足项目设计要求，高、低负荷工况各项指标均满足生产运行要求。冬季海水进口温度为1.4℃时设备运行状态良好，NG出口温度达到1.1℃。冬季IFV比ORV运行时间更长，节能效果显著。所开发的IFV已推广到舟山、东莞、青岛、上海、宁波、如东等地的LNG项目。在此基础上开发出了用于浮式再汽化（FSRU）的IFV。

图3.28　某LNG接收站IFV

3.4.4 浸没燃烧式气化器

浸没燃烧式气化器（SCV）是通过燃烧接收站的天然气产生的热能汽化 LNG，是接收站运行费用最高的气化器。目前我国除广东、广西、福建、浙江、海南等海水温度较高的地区之外，其他地区的接收站都配备了 SCV，主要在冬季海水温度过低，ORV 和 IFV 不能满负荷运行时使用。

典型 SCV 结构如图 3.29 所示，由混凝土水槽、换热管束、燃烧器、鼓风机、水泵、碱液罐、燃气阀撬、空气管道、烟囱及烟气采样平台等组成。

SCV 的主要特点：在水浴中加热，水侧不会结冰；没有明火进入水槽，安全性好；排烟温度低，热效率高，可达 95%～99%；启动迅速，具备快速启动能力（15～30min），适合于紧急情况或调峰时的启动要求；低 NO_x 燃烧器满足环保要求；控制系统一键启动，自动点火运行；实时监控压力、温度、流量、火焰信号等运行参数，超限报警、自动停机，安全可靠；用天然气作为燃料，运行费用高。

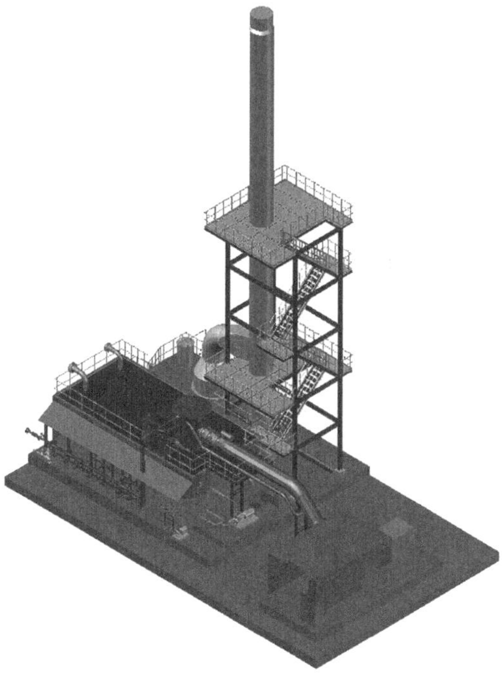

图 3.29　SCV 结构三维图

3.4.4.1 SCV 工作原理

SCV 是 LNG 接收站常用的气化器之一，以天然气为燃料，通过燃烧加热浸没在水浴中的 LNG 管束来汽化 LNG。SCV 主要由混凝土水槽、LNG 蛇形管束、燃烧器、烟气分布器、烟囱、鼓风机、循环水泵、燃气阀撬、pH 值调节系统、控制仪表、阀门、燃烧管理控制系统等部分组成。SCV 工作原理如图 3.30 所示。

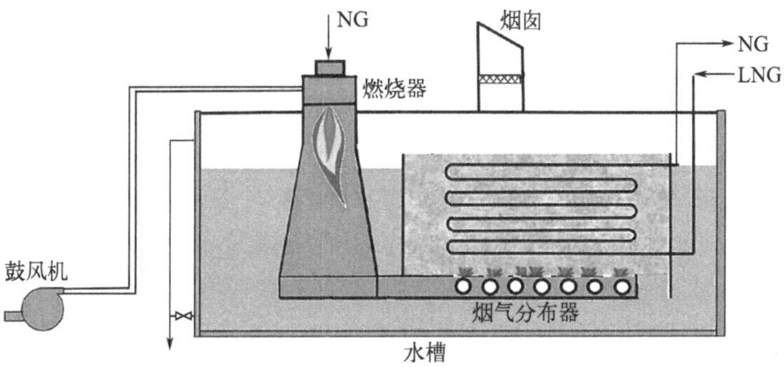

图 3.30　SCV 工作原理示意图

LNG 蛇形管束浸没于水槽液位以下，烟气分布器位于 LNG 管束下方。NG 与空气被输送给燃烧器，在炉膛内燃烧产生高温烟气，烟气经分布器直接排入水槽中。高温烟气通过分布器的鼓泡管高速喷射进入水浴，与水直接接触换热，大量气泡搅动水浴，促进了烟气与水之间的传热，同时也强化了水浴与管束的换热。烟气显热和燃烧产生的水蒸气冷凝放出的潜热传递给水浴，加热管内的 LNG。这种气液两相流在浮力驱动下产生上升作用，在围堰的顶端溢流向下，在换热管外形成自下而上的循环流动，强化了水与管束的换热。管内的 LNG 被加热汽化并过热到要求的外输温度。烟气从水面逸出并经烟囱除沫器除去液滴后排入大气。循环水泵把冷却水送入炉膛和燃烧器的水夹套，保证不过热。燃烧管理控制系统自动控制 SCV 的运行，包括设备开车、设备停车、负荷变化、运行状态监控与调整。

3.4.4.2 SCV 热效率

普通天然气锅炉的排放烟气温度一般高于 100℃，燃烧产生的水以气态存在。普通天然气锅炉的天然气热效率按天然气低热值（LHV）计算。因为 SCV 的管束内 LNG 温度较低，NG 出口温度在 0～20℃，所以 SCV 运行时水浴温度一般在 15～25℃。烟气与水接触换热较充分，烟气中的气态水在水浴中冷凝，大部分气态水的潜热得到回收。烟囱的排烟温度接近水温，含水量接近饱和。因此，SCV 燃烧热效率比普通锅炉高得多，SCV 的热效率按天然气高热值（HHV）计算。

SCV 的燃烧热效率 $E_{\rm SCV}$ 等于管束内 LNG 汽化吸收的热量 $Q_{\rm c}$ 除以天然气燃烧释放的热量 $Q_{\rm h}$，即

$$E_{\rm SCV}=\frac{Q_{\rm c}}{Q_{\rm h}}\times 100\%$$

因为燃烧产生的气态水在水浴中冷凝，所以 $Q_{\rm h}$ 按 HHV 计算。燃烧热量除了用于 LNG 气化之外，SCV 系统主要的热损失为烟气排放带走的热量 $Q_{\rm f}$。水槽保温效果较好，热损失可忽略不计。因为烟气与水换热充分，烟气离开水浴的温度约等于水浴温度，所以排烟带走的热量主要是对应温度下烟气中饱和水蒸气的潜热。SCV 运行时的水浴温度越低，烟气带走的水越少，则烟气带走的热量就越少，SCV 的热效率就越高。近似地，SCV 燃烧热效率可以用烟气带走的热量和天然气燃烧热估算，即

$$E_{\rm SCV}=\frac{Q_{\rm h}-Q_{\rm f}}{Q_{\rm h}}\times 100\%$$

图 3.31 给出了典型的 SCV 热效率曲线，以 HHV 计算燃烧热负荷。当水浴温度等于 51℃时，SCV 热效率等于 90%，此时烟气带走的水与燃烧产生的冷凝水量平衡。当水浴温度大于 51℃时，烟气带走的水量大于燃烧产生的冷凝水量，水槽需要补水。当水浴温度低于 51℃时，燃烧产生的冷凝水量大于烟气带走的水量，多余的水需要从水槽溢流口排掉，维持水槽液位恒定。当水浴温度维持在 15℃时，SCV 热效率达到 99%。正常情况下，只需开车前把 SCV 水槽充水至溢流口高度，运行过程中不需要补水。

由于 SCV 运行时排烟温度通常在 10～25℃，所以最高热效率可达 100%。而水浴式气化器（WBV）排烟温度通常在 51℃以上，其最高热效率为 90%。表 3.3 给出了 SCV 与 WBV 在节能减排方面的对比。在同样的 LNG 汽化热负荷下，WBV 比 SCV 多消耗 10%的燃料，会向环境中排放更多 CO_2。

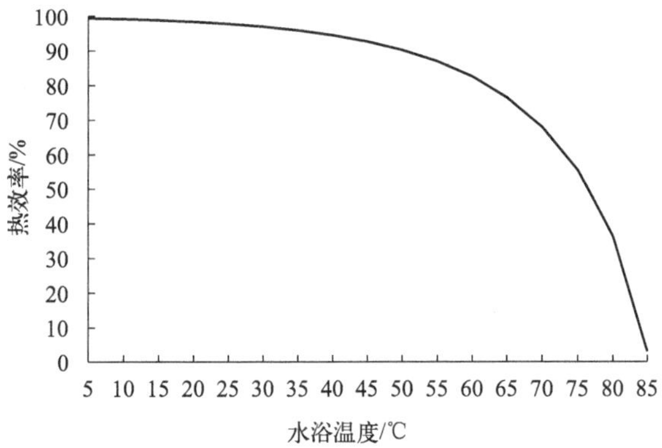

图 3.31　SCV 热效率随水浴温度的变化曲线

表 3.3　SCV 与 WBV 节能减排比较

项目	SCV	WBV
加热热源	天然气燃烧热	天然气燃烧热
LNG 流量/(t/h)	200	200
天然气热效率(按 HHV)/%	100	90
汽化热负荷/MW	38.6	38.6
电机功率/kW	560	630
天然气消耗量(标准状况)/(m^3/h)	3570	3967
CO_2 排放量/(t/a)	65588	72934

3.4.4.3　燃烧系统

SCV 的燃烧系统由燃烧器、燃烧室、燃气阀撬、供风系统、循环冷却水系统、注水系统组成。燃烧室被固定在混凝土水槽底部，大部分浸没在水面以下，水面以上部分设置水冷夹套。燃烧器安装在燃烧室顶部。燃烧器是 SCV 的核心部件，早期采用几台小的燃烧器并联供热，占地面积大，控制复杂。现在大型 SCV 通常采用单个大功率燃烧器。大型 SCV 燃烧器功率在 40MW 左右。SCV 的热量由燃烧器燃烧供应，燃烧器的设计、选用、制造、操作的好坏直接影响 SCV 热效率、排放烟气 NO_x 浓度等。

SCV 的燃烧室一般高 2～3m，直径 1.5～2m，热强度 5～8MW/m^3。SCV 燃烧器需要满足高背压、大功率、短火焰、单位容积热强度高、低氮排放、燃烧充分、安全可靠等要求。SCV 低氮燃烧技术主要有贫燃预混技术和注水降氮技术。通过加大过量空气或向火焰喷水来降低火焰温度，以达到降低 NO_x 排放的目的。目前国内已开发出专门用于 SCV 的大功率（≥40MW）低氮燃烧器，打破了依赖进口的局面。目前，国产燃烧器能够满足 NO_x 排放浓度低于 50mg/m^3（标准状况，按 3% O_2 基准折算）要求。

如果低 NO_x 燃烧器不能达到某些地区更低的烟气 NO_x 排放浓度要求，则可对烟气进行脱硝处理，例如采用选择性催化脱硝法进行脱硝。

燃烧器应配置独立的点火器、2 个 UV（紫外）火焰探测仪、至少 1 个火焰观察孔等。

SCV 燃烧器不工作时，燃烧室内有水，在燃烧器的表面会结露，所以燃烧器应采用无耐火衬里结构，用不锈钢材料制造，耐火衬里容易受潮损坏。燃烧器冷却主要有风冷和循环水冷却，循环水冷却效果更佳。燃烧室由水夹套冷却。

燃烧器的燃气由燃气阀撬提供。燃气阀撬应符合安全规范，需配备燃气自动切断阀、流量调节阀、调压阀，以及压力、温度、流量等仪表。燃气阀撬为燃烧器、点火器分别设置燃气管线，每个燃气管线上应配备 2 个切断阀，在紧急情况下能够及时切断燃气供应，保证安全。

燃烧器的助燃空气由鼓风机输送。因为烟气进入水浴需要克服水压和分布器阻力，燃烧室压力比一般锅炉高。鼓风机出口压力应大于燃烧系统的背压，一般在 20～30kPa。鼓风机进出口应配置消声器，鼓风机配消音风机房。空气管道连接燃烧器空气入口与鼓风机出口，管道上应设置流量调节阀门、流量计、压力和温度传感器。鼓风机电机应为防爆电机，电气防爆等级为 2 类地区。鼓风机上应设置温度和振动传感器，实时监控鼓风机的轴承温度、轴承振动以及电机关键部位的温度。

3.4.4.4 换热系统

换热系统安装在混凝土水槽内，由奥氏体不锈钢蛇形管束（图 3.32）、堰流箱、烟气分布器等组成。蛇形管束一般为 6～8 管程，管外径 25～32mm，压降 150～200kPa，被固定在堰流箱内。堰流箱除了支撑和固定管束，在围堰的限制和浮力作用下，气水两相在换热管外形成自下而上的循环流动，增加传热效率。烟气分布器位于管束下部，由若干鼓泡管组成。每个鼓泡管的上半部分均匀分布着若干个直径相等的小孔。烟气从烟气分布器高速向上喷射进入水浴。高速烟气射流产生了大量小尺寸气泡和向上的动力，强化了气-水接触换热。

图 3.32　SCV 蛇形管束

3.4.4.5 pH 值控制系统

燃烧时产生的酸性气体 CO_2 和 NO_x 会导致水浴 pH 值呈酸性。为了保护不锈钢管束不受腐蚀，需要向水槽内加碱液中和，使水浴 pH 值在 5 以上。碱液一般为浓度 20%～25%的 NaOH 溶液。

pH 值控制系统包括碱液罐和 pH 在线分析仪。碱液罐安装在水槽上方，当 pH 值小于设定值时，在自动开关阀控制下向水槽内加碱液，直到中性为止。

3.4.4.6　排烟系统

排烟系统包括烟囱、在线烟气分析系统、采样梯子平台。钢制烟囱内部防腐采用环氧衬里，外表面用耐盐雾油漆。烟囱带有除雾器、人孔、采样口和仪表管嘴。烟气取样口和采样梯子平台的设置应符合相关固定源废气监测技术规范。在线烟气分析仪放置在 SCV 附近的分析小屋内。

烟气分析系统采样符合当地环保要求，应能够在线测量烟气中的颗粒物、NO_x、CO、O_2 及其流量、温度、湿度、压力。烟气分析系统包括烟气分析仪、流量计、温度传感器、压力传感器、湿度测量仪、颗粒物浓度计等。安装在烟囱取样口上的取样探头和烟气分析仪预处理系统之间用专用电伴热自动控温式取样管线连接，气体在取样管线内不会产生冷凝。

烟气分析数据通过 Modbus RS485 通信协议传输到接收站 DCS（分布式控制系统），同时通过无线网络实时传输至当地环保局。

3.4.4.7　水槽

SCV 水槽通常采用钢筋混凝土制成。供货商提供水槽设计条件，由工程承包单位设计建造。混凝土水槽内部应进行防渗漏处理。水槽顶部有钢制盖板，盖板上应设置人孔、观察孔。水槽底部应设置排污口，水槽墙壁上应设置溢流口，水槽应设有供检修用的梯子、平台。

对于小型 SCV，水槽可由钢板制造。水槽壁面应设置保温层，减少热损失。

最冷月平均温度低于 5℃的地区，水槽内应设置辅助电加热器，防止结冰。

3.4.4.8　控制系统

SCV 由燃烧管理控制系统（burner management system，BMS）自动控制运行，一键启动后，自检无误即可自动点火运行。BMS 包括就地控制表盘和远程控制柜。

BMS 的就地控制表盘安装在现场设备附近。就地控制表盘按钮至少包含 SCV 自动启动按钮、停机按钮、紧急停车按钮、复位按钮、指示灯等。就地控制表盘要求防爆等级为 2 类地区。现场控制仪表应符合防爆和防护要求，接线箱应隔爆。操作人员可以在现场就地启动、停机与紧急停车、复位。

BMS 的远程控制柜安装在位于远端安全区域的控制室或机柜间内，与 DCS 实时通信，可进行远程监控和控制。远程控制柜设有 PLC（可编程控制器）模块、I/O（输入/输出）模块、通信模块、电源模块、接线端子、空气开关、继电器、人机界面等。PLC 模块、电源模块、通信模块采用 1∶1 冗余配置。BMS 的人机界面（HMI）可以是触摸屏或工作站，至少应显示整套 SCV 系统的工艺流程画面、仪表联锁报警画面、设备操作画面、燃烧启动流程画面、热负荷自动调节画面、紧急停车画面、燃烧器调节阀控制画面、鼓风机联锁停车画面、SCV 停机报警画面、数据历史趋势等。

BMS 与 DCS 之间采用 Modbus RS485 通信协议进行通信。BMS 可将相关变送器、压力开关、阀门状态、移动设备状态信息、停车信息、故障信息、报警信息、自动及手动状态等实时数据传送给 DCS。BMS 可查询历史数据，同时 DCS 可以通过硬接线触点对 BMS 进行紧急停车操作。

BMS 与 ESD（紧急停车系统）通过硬接线的形式接收 ESD 的紧急停车信号（干触点），进行紧急停车，同时 BMS 将紧急停车信号输入全厂 ESD（SIS 安全仪表系统）中。

BMS 对 SCV 系统集中监控，控制与监测燃烧器、点火枪、火焰检测探头、鼓风机、燃料气的切断阀与控制阀、助燃空气控制阀、水泵、碱液罐等。BMS 实时监控压力、温度、流量、液位、火焰信号、pH 值、振动等运行参数。自动检测水浴 pH 值，自动加碱液中和，防止 LNG 管束酸性腐蚀。自动超限报警，自动停机。

BMS 提供的报警信号主要有：仪表空气压力低报警、助燃空气压力低报警、鼓风机轴承振动高报警、鼓风机轴温高报警、鼓风机电机定子温度高报警、鼓风机电机轴温高报警、燃烧器冷却水流量低报警、炉膛冷却水出口温度高报警、炉膛冷却水流量低报警、水泵出口压力低报警、NG 出口温度低报警、NG 出口温度高报警、水浴 pH 值低报警、水浴 pH 值高报警、水浴液位高报警、水浴液位低报警、水浴温度高报警、水浴温度低报警、烟囱温度高报警、碱液罐液位高报警、碱液罐液位低报警、燃料气供给压力低报警、燃料气供给压力高报警。

BMS 提供的跳闸信号主要有：

仪表空气压力低跳闸、助燃空气压力低跳闸、鼓风机轴承振动高跳闸、鼓风机轴温高跳闸、鼓风机电机定子温度高跳闸、鼓风机电机轴温高跳闸、燃烧器冷却水流量低跳闸、炉膛冷却水流量低跳闸、水泵出口压力低跳闸、燃料气供给压力低跳闸、燃料气供给压力高跳闸、水浴液位高跳闸、水浴液位低跳闸、水浴温度高跳闸、水浴温度低跳闸、NG 出口温度低跳闸、烟囱温度高跳闸。

除了以上警告的指示以外，应提供以下就地显示：

仪表空气供气压力、燃气供气压力、调压后的燃气压力、调压后的点火燃气压力、NG 出口温度、助燃空气压力、循环水泵出口压力、循环水流量、水槽液位、水浴温度、烟气温度、碱液罐液位、水浴 pH 值、燃烧器火焰信号。

3.4.4.9 材料

所有与水浴接触的部件都应采用不锈钢 304 材料。所有与 LNG 接触的部件都应采用不锈钢 304L 或 316L 材料。烟囱采用碳钢材料，内部应加环氧衬里。烟囱除沫器材料应采用奥氏体不锈钢。所有与碱液接触的部件应采用不锈钢。所有紧固件采用不锈钢 304 材料。与不同材质表面的接触的材料应充分绝缘以避免局部电化学腐蚀。

换热管的材料应符合《锅炉、热交换器用不锈钢无缝钢管》(GB 13296) 中的规定，固溶处理，逐根做涡流检测。承压用锻件的材料应符合《承压设备用不锈钢和耐热钢锻件》(NB/T 47010) 中的规定，固溶处理。

燃气管道应采用无缝钢管，一般为碳钢，若项目有特殊要求也可用不锈钢。燃气管道的连接，除与设备、阀门附件等处可用法兰连接外，其余宜采用焊接连接。

碱液、循环水、仪表风管道上的所有金属材料及阀门、仪表等管道附件应采用奥氏体不锈钢材料。最冷月平均温度低于 5℃的地区，所有水管路、碱液管路应进行电伴热、保温等防冻处理措施。

与水槽内水浴接触的非承压件金属材料应采用奥氏体不锈钢。与水槽内水雾环境接触的非承压件金属材料可采用碳钢材料，表面应采取防腐措施。

3.4.4.10　中试及工程应用

2013 年江苏中圣针对 SCV 水槽内的烟气-水-管束多相传热问题，建立了 CFD 模型，模拟计算了不同烟气喷射速度、喷射孔分布等因素对传热的影响，优化设计了烟气分布器结构，确定了 LNG 换热系统设计计算方法。设计制造了 SCV 中试样机，建立了可视化的 SCV 中试实验装置（图 3.33），完成了中试试验。试验验证了燃烧器点火流程、烟气喷射流动与多相传热特性、烟气排放 NO_x 浓度、烟气排放温度等大型工程样机设计所需的试验数据。

(a) 中试实验系统照片　　　　(b) 烟气分布器可视化照片

图 3.33　SCV 中试实验装置

2017 年投入使用，最大 LNG 气化能力 207t/h，设计压力 12.1MPa。经过几个冬季的运行，SCV 运行效果良好，排烟温度低于 18℃，热效率高，标准状况下烟气排放 NO_x 浓度低于 $70mg/m^3$（按 3% O_2 基准折算），满足了当时的 LNG 接收站项目设计要求。

日益增强的环保污染物排放要求的提高和新颁布环保法规的落地，对 SCV 烟气排放 NO_x 浓度提出了更高的要求。天津市颁布了新的地方标准《锅炉大气污染物排放标准》（DB 12/151—2020），标准规定在用燃气锅炉 NO_x 排放从 2022 年 11 月 1 日起执行 $50mg/m^3$（标准状况）限值。此前的排放标准为 NO_x 浓度低于 $80mg/m^3$（标准状况）。

在运行经验基础上，组织大力开展 SCV 低氮燃烧技术自主研发工作。基于预混和喷雾增湿调节火焰温度规律研究，开发了降低 NO_x 含量的设计技术，使烟气中 NO_x 含量进一步降低，满足项目设计要求，减少大气污染。2021 年 1 月通过了国产低氮燃烧器（图 3.34）连续 15 天运行考核，实现了烟气低氮排放目标，按 3% O_2 基准折算后，NO_x 浓度低于 $50mg/m^3$（标准状况），并通过具有国家 CMA（中国计量认证）环境检测资质的第三方现场测试验证。该氮氧化物排放指标满足了天津市颁布的《锅炉大气污染物排放标准》（DB 12/151—2020）中的规定限值。

相关文献比较了国产 SCV 的和进口 SCV 的运行性能和排放指标。在相同气化负荷下，国产 SCV 在排烟温度、燃料消耗、烟气 NO_x 浓度等关键数据上都优于进口 SCV（表 3.4）。国产低氮 SCV 可在宽负荷范围内实现高效燃烧和超低排放目标，在设备运行期间，低氮燃烧器的烟气氮氧化物排放浓度都低于 $50mg/m^3$（标准状况），满足天津市新颁布的排放标准。国产大型 SCV 低氮燃烧系统开发成功，使我国低氮 SCV 技术水平超过了进口产品。

图 3.34 中国石化天津 LNG 项目 SCV

表 3.4 国产 SCV 和进口 SCV 运行性能及排放指标比较

项目	国产 SCV	进口 SCV
排烟温度/℃	16.1～17.8	25
燃料吨耗比/%	1.202	1.414
烟气 NO_x 浓度(标准状况,按 3%O_2 基准)/(mg/m^3)	31～42	72～88

3.4.5 LNG 气化器选型与碳排放比较

LNG 气化器选型考虑的主要因素有设计压力、设计温度、LNG 组成、汽化量、热源、成本、操作维护、安全、环保等因素。

IFV、ORV 满负荷时最低海水入口温度一般不低于 6℃。如果海水入口温度继续下降，应减负荷运行。ORV 表面铝锌合金涂层不耐冲蚀，因此海水固体悬浮物含量不宜过高，一般要求低于 80mg/L，并且海水中的铜离子、汞离子浓度应极低。冬季海水温度较低时需要监控 ORV 表面结冰高度，结冰一般不能超过 3m 高，并且毗邻两管间的结冰高度之差应小于 1m。IFV 海水侧采用耐海水腐蚀、冲蚀的钛换热管，适用于固体悬浮物含量高于 80mg/L 的海水。

SCV 的燃料为清洁的天然气，主要考虑烟气排放 NO_x 和 CO 浓度符合国家和地方的大气污染物排放标准。SCV 的排烟温度应在 25℃以下，以减少天然气消耗。

管壳式气化器需要特别考虑结冰问题，海水或热水进口温度一般不应低于 25℃。如果水走壳侧，设计时要考虑避免流动死区温度过低，如采用窗口不布管可减小死区影响。管壳式气化器常采用 J21 型，即海水或热水分两股进入壳体，合并为一股流出。

综合考虑，我国沿海的大型 LNG 接收站选用 ORV、IFV 和 SCV 作为基本负荷气化器。ORV 和 IFV 使用海水的温度范围比管壳式气化器大，能够尽可能在更长的时间里使用海水汽化 LNG，节约天然气消耗，减少污染物和温室气体排放。国外有个别工程选用管壳式气化器作为 LNG 汽化设备。例如，用热电厂的蒸汽透平发电系统的余热把循环水加热到 30℃以上后送入管壳式气化器。

由于所用热源不同，大型 LNG 接收站气化器的能耗和 CO_2 排放量差别较大。表 3.5 给出了 IFV、ORV 和 SCV 三种气化器在相同汽化能力下的能耗和 CO_2 排放。由于 IFV 和 ORV 以天然海水为热源，仅消耗电能泵送海水，能耗和 CO_2 排放量较低。SCV 通过燃烧天然气加热汽化 LNG，在燃烧天然气的同时鼓风机需要电能送风，能耗和 CO_2 排放量远高于其他两种气化器。在我国南方沿海海域全年都可以用海水的热量汽化 LNG，在北方沿海海域冬季需要燃烧天然气汽化 LNG。如果冬季附近有电厂、工厂废热可用，可大幅减少天然气消耗和 CO_2 排放，同时降低 LNG 汽化成本。

表 3.5　大型 LNG 接收站气化器能耗与 CO_2 排放比较

项目	IFV	ORV	SCV
加热热源	海水	海水	天然气燃烧热
LNG 流量/(t/h)	200	200	200
热负荷/MW	38.6	38.6	38.6
电机功率/kW	800	800	560
天然气消耗量(标准状况)/(m^3/h)	0	0	3570
CO_2 排放量/(t/a)	5365.76	5365.76	65588.40

3.5　LNG 超低温管道保冷

LNG 储运是天然气产业技术的关键，其中接收站是 LNG 储运的核心，也是国家天然气管网的重要气源点。截至 2022 年底，中国沿海已建成投产的 LNG 接收站达 22 座，已投用的 16 万立方米及以上容积的 LNG 储罐约 70 座，天然气产业战略布局快速推进。

保冷管道是天然气管网的重要环节（图 3.35），也是国家天然气管网中技术难度最高的环节，LNG 输运过程中管道承受着－162℃的超低温，绝冷（绝热冷却）技术不过关不仅会造成冷能损失，而且极易导致 LNG 汽化，管道压力急剧升高、天然气泄漏，最终产生爆炸等严重事故，直接影响国家天然气大管网的运行安全。LNG 管道绝冷节能安全监控与保障技术已成为 LNG 产业关注的重中之重。LNG 超低温管道保冷材料与结构直接关系到 LNG

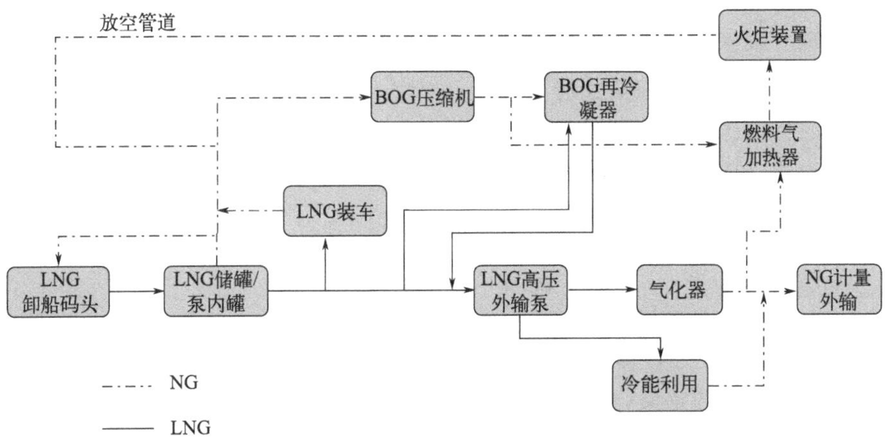

图 3.35　LNG 接收站系统 LNG 管道示意图

管道的节能效果与安全运行。几十年来，LNG 绝冷技术及核心装备均被日本、欧美等国家所垄断，2013 年开始，江苏中圣管道工程技术有限公司承担中国石化、中国海油委托的大型 LNG 接收站 LNG 核心装备、管道绝冷国产化技术攻关任务，为低温管道开发了新的保冷结构与技术。

3.5.1 保冷材料的选用

3.5.1.1 LNG 管道保冷材料选用原则

LNG 管道保冷材料的选用原则如下。

① 保冷材料及其制品的性能应符合的要求：a. 保冷性能良好，有供设计计算的热导率方程式或热导率图表；b. 阻燃型保冷材料及其制品的氧指数应不小于 30；c. 含水率不大于 1%。

② 保冷材料及其制品的允许使用温度应低于设备和管道的最低设计温度。

③ 在主要技术性能均满足保冷要求的范围内，有不同保冷材料可供选择时，应优先选用热导率小、密度小、吸湿率低、耐低温性能好，且易施工、造价低、综合经济效益较高的材料。

④ 在低温条件下，经综合技术经济比较后，可选用两种或多种保冷材料复合使用，或直接选用复合型保冷材料制品。

3.5.1.2 保冷材料及其制品的性能要求

① 泡沫塑料及其制品 25℃时的热导率应不大于 0.044W/(m·K)，密度应不大于 60kg/m^3，吸水率应不大于 4%，硬质成型制品的抗压强度应不小于 0.15MPa。

② 泡沫橡塑制品 0℃时的热导率应不大于 0.036W/(m·K)，密度应不大于 95kg/m^3，真空吸水率不大于 10%。

③ 泡沫玻璃及其制品 25℃时的热导率应不大于 0.064 W/(m·K)，密度应不大于 180kg/m^3，吸水率应不大于 0.5%，成型制品的抗压强度应不小于 0.3MPa。

④ 保冷材料尚应具有的指标：

a. 最低和最高安全使用温度；b. 线膨胀系数或线收缩率；c. 必要时还需提供抗折强度、燃烧（不燃、难燃、阻燃）性能、防潮（吸水、吸湿、疏水）性能、腐蚀或抗蚀性能、化学稳定性、热稳定性、抗冻性及透气性等。

综合来看，目前国内外主流的 LNG 管道保冷材料有两类：一类是以泡沫玻璃（FG）、聚异氰尿酸酯泡沫（PIR）为代表的硬质保冷材料；另一类是以橡胶发泡保温材料（FEF）为代表的柔性保冷材料。

3.5.1.3 保冷材料种类

(1) 泡沫玻璃

根据 ASTM C552 的定义，泡沫玻璃是由玻璃加工形成的闭孔结构占主导的硬质泡沫。泡沫玻璃最早由美国康宁公司发明，主要由粉碎的玻璃、发泡剂、改性添加剂和发泡促进剂等均匀混合后，再经过高温熔化、发泡、退火等工艺制造而成。泡沫玻璃结构中充满封闭的玻璃薄膜气孔，具有吸水率小、水蒸气透湿系数极低、线膨胀系数小、不燃烧、安全使用温度范围广等诸多优点，特别适用于陆上液化气体大容量容器的基底承载保冷工程以及埋地管道保冷工程，其主要缺点是易破碎、耐磨性差、热导率较高。

泡沫玻璃作为一种较为传统的保冷材料，在LNG储罐基础保冷领域应用广泛。在管道保冷方面，泡沫玻璃本身热导率较高，导致保冷层较厚，加之泡沫玻璃较脆，保冷层结构易遭到破坏，维修成本较高。近几年泡沫玻璃开始逐渐被其他新型保冷材料所取代，但在国内市场中，泡沫玻璃仍占据重要的地位。在国外，鉴于LNG管道保冷领域严苛的防火要求，改性后的泡沫玻璃仍有大量应用，但综合成本较高。

（2）聚异氰尿酸酯泡沫

聚异氰尿酸酯泡沫（PIR）是20世纪70年代发展起来的一种有机高分子深冷绝热材料，是以异氰酸酯和聚醚为主要原料，与催化剂、防火剂及发泡剂充分混合、反应、发泡生成的具有闭孔结构的硬质泡沫材料。PIR可用于－196～150℃范围内的各种管道和设备。烧蚀时在PIR表面能够形成一层致密的碳化层，阻碍和延缓了泡沫塑料的继续燃烧。相比于聚氨酯泡沫（PUR），PIR的耐低温性能、绝热性能、耐热及阻燃性能更好。此外，PIR泡孔结构优异的气孔耐压差及尺寸稳定性，使得材料在深冷环境中不会产生收缩裂纹，从而能够长期安全使用。PIR既能预制成型，也可现场浇注成型。

20世纪90年代，PIR开始在国内部分保冷工程中得到应用。目前，我国已经实现PIR的自产。近年来，PIR作为主体保冷材料广泛应用于我国沿海大型LNG接收站的管道及设备保冷工程，充分显示了其优异的综合性能。

江苏中圣管道工程技术有限公司研发的“一种可膨胀石墨改性高阻燃聚氨酯硬泡的制备方法”获得了发明专利授权，在绝热性能、防火、防水性能上取得了显著进步。

（3）橡塑发泡保温材料

橡胶发泡保温材料（FEF）是由橡胶或包含其他聚合物及添加剂的混合物制造而成的闭孔弹性泡沫，适用温度为－200～175℃。FEF在石化标准SH 3010中对应为“二烯烃弹性体发泡制品”，推荐使用温度限定为－196～125℃。FEF具有抗水汽渗透性能优异、可有效吸收外力冲击、施工维护方便、可部分重复利用、防火性能好等优点。其缺点是热导率比PIR塑料稍高，且材料本身为柔性，不能在承压较大的部位使用。由于其柔性大，常年运行的保冷管道中FEF材料易变形漏冷，造成结冰等现象，目前使用在逐渐减少。

（4）纳米气凝胶毡

纳米气凝胶毡（SA）是一种纳米多孔轻质的绝热材料，它的孔隙尺寸为1～100nm，比表面积大，最高可达800～1000m^2/g，孔隙率高达80%～99.8%。纳米气凝胶的热导率可达0.013W/(m·K)以下，远低于常温下空气的热导率0.025W/(m·K)。SA是目前已知最轻的固体材料，也是迄今为止保温性能最好的固体材料。在力学、声学、热学、光学等方面显示出独特的性质，在航天、军事、石油、化工、建材、电子等领域有广泛的应用。

纳米气凝胶一开始采用有机硅或水玻璃为原料，采用超临界干燥的方法将水凝胶中的水分去除得到纳米气凝胶，价格非常昂贵，主要用于航天、军事等领域，限制了它的推广使用。北京建筑材料科学研究总院以水玻璃为原料，采用常温常压干燥的技术制备纳米气凝胶，生产所需时间从 100h 以上缩短至 4～5h。新技术大幅度降低了气凝胶的制造成本，使纳米气凝胶毡大面积推广成为可能。

SA 材料的特点：

① 绝热性能：热导率低，常温下小于 0.021W/(m·K)，而且随温度上升热导率增量减小，是一种高效保冷材料。在同等保冷效果下，其厚度小，空间利用率高，SA 使用温度为－200～650℃。

② 防水性能：SA 材料疏水率可达 98%以上，可有效防止水分进入保冷层内部。

③ 防火性能：SA 防火等级为 A 级不燃。

④ 密度及抗压强度：SA 常规密度约为 200kg/m^3，柔性材料可弯可压，有良好的回弹性，能承受很大的外部破坏能力。

⑤ 易于施工：成品为卷材，施工简便，容易裁剪以适应管道附件不同的形状，由于厚度小，施工工作量也较小。

纳米气凝胶毡已开始应用于 LNG 管道保冷领域。在 LNG 管道保冷实际工程应用中，保冷材料的选取还需要综合考虑设计要求、材料成本、施工成本、运维成本等各个方面，从而选取综合性能优异、性价比高的保冷材料。

3.5.2 保冷结构的选取与发展

3.5.2.1 多层 PIR 保冷结构

优势：PIR 热导率小，在 0.02 W/(m·K) 左右，因此多层 PIR 结构（图 3.36）保冷效果好，保冷厚度薄，现场施工方便，施工周期适中，PIR 结构总体造价最低。

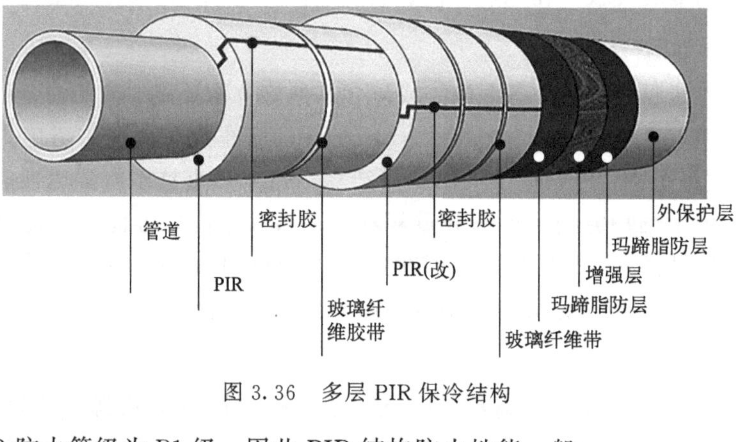

图 3.36 多层 PIR 保冷结构

劣势：PIR 防火等级为 B1 级，因此 PIR 结构防火性能一般。

3.5.2.2 PIR+FG 复合保冷结构

优势：FG 防火等级为 A 级不燃，因此 PIR＋FG 复合结构较 PIR 系统防火等级提高；另外，FG 为无机材料，耐老化性和耐水性好，使用寿命长。

劣势：FG 保温性能较差，热导率在 0.045W/(m·K) 左右，因此该复合结构保冷厚度最厚；另外，FG 弧板切割尺寸有限，因此 PIR＋FG 复合结构（图 3.37）拼接缝最多；辅材用量多；FG 硬脆易碎，运输及施工难度大，施工周期最长，总体造价最高。

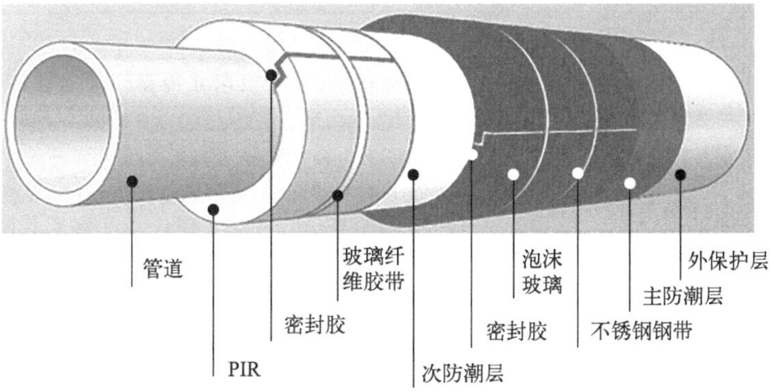

图 3.37　PIR+FG 保冷结构

3.5.2.3　PIR+ SA 复合保冷结构

优势：SA 热导率为 0.018W/(m·K)，防火等级为 A 级，因此 PIR+SA 结构（图 3.38）既有 PIR 结构的优异保温性能，又有 PIR+FG 结构良好的防火性能；该结构现场施工方便，SA 为卷材，裁剪方便，拼接缝少，可大大缩短施工周期，与传统保冷结构相比可缩短 10%～15%的施工周期。

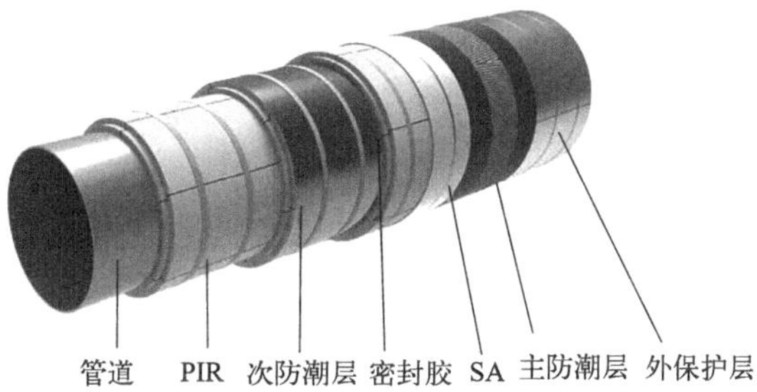

图 3.38　PIR+SA 保冷结构

劣势：SA 材料价格昂贵，但 PIR+SA 结构只在外层加一层 10mm 厚的 SA，其用量有限，因此该结构综合造价较 PIR 结构略高，较 PIR+FG 结构造价低，随着 SA 在国内的产量增加，成本会进一步降低。

三种保冷结构对比见表 3.6。

表 3.6　三种保冷结构对比

项目	PIR+FG	PIR	PIR+SA
使用温度	−196～120℃	−196～120℃	−196～120℃
保冷性能	保冷效果一般	保冷效果优秀	保冷效果优秀
安全性	防火性能好，高效阻止燃烧	防火性能一般，可以阻止火势蔓延	防火性能优秀，高效阻止燃烧
保冷厚度	较厚	较小	最小
施工状况	施工程序较多，工期较长	施工方便，工期适中	施工方便，可缩短工期，缩短成本回收周期

续表

项目	PIR＋FG	PIR	PIR＋SA
拼接缝	拼接缝较多，冷量容易从拼接缝损失	拼接缝少，有效阻止冷量损失	拼接缝最少，SA 为毯状，有效阻止冷量损失
经济效益	① 保冷厚度较大，占地面积大，外防护材料用料多，安装成本高，保冷系统总投资较大； ② FG 粉尘大，对安装工人会造成人身伤害	① 材料损耗少，可以满足使用年限； ② 绝热厚度小； ③ 工程总投资较少	① 保冷厚度较小，外防护材料用料少，总投资小； ② 安装简单，对工人不产生伤害； ③ 节约土地空间，降低工程总造价
绝热厚度（DN1000 管道）	PIR 保冷厚度 140mm，FG 厚度 70mm	PIR 保冷厚度 180mm	PIR 保冷厚度 160mm，SA 厚度 10mm

经过比较可知 PIR＋SA 的新型保冷结构在保冷效果、防水及防火性能、造价、施工等方面均具有优势，是近些年保冷结构的发展趋势之一，已在中国石化、中国海油的某些 LNG 接收站中推广应用。

3.5.2.4 不同管径不同保冷结构计算结果分析

通过传热计算可以计算出不同管径不同保冷结构的厚度。以 DN1000 的管道的不同保冷结构为例，对比分析多层 PIR、PIR＋FG、PIR＋SA 三种保冷结构在相同条件下的绝热厚度。管道保冷厚度按防结露厚度计算，以最大允许冷损失不超过 $25W/m^2$ 为计算依据。

介质温度 T_0 为－165℃；环境温度 T_a 为 32.8℃；露点温度 T_d 为 29.7℃。各保冷层冷损失量按下式计算：

$$Q_n=\frac{2\pi\lambda_n(T_{n-1}-T_n)}{\ln\left(\frac{D_n}{D_{n-1}}\right)}$$

式中，Q_n 为第 n 层冷损失量，W/m；λ_n 为第 n 层保温材料热导率，W/(m·℃)；T_{n-1} 和 T_n 分别为第 $n-1$ 层和第 n 层保温层外表面温度，℃；D_{n-1} 和 D_n 分别为第 $n-1$ 层和第 n 层保温层外径，m。

保冷结构外表面向环境的散热量可用下式计算：

$$Q_s=a_s\pi D_s(T_s-T_a)$$

式中，Q_s 为保冷结构外表面向环境的散热量，W/m；a_s 为保温结构外表面放热系数，W/(m²·℃)；D_s 为保温结构外径，m；T_s 为保温结构外表面温度，℃。

由以上热量公式联立方程 $Q_1=Q_2=\cdots=Q_n=Q_s$ 求解，得到各层保温结构的厚度，并将厚度进行圆整。

由计算结果可得知 DN1000 管道不同保冷结构的厚度。PIR＋SA 保冷结构总绝热厚度为 170mm，总厚度最薄；多层 PIR 结构总绝热厚度为 180mm，总厚度次之；PIR＋FG 保冷结构总绝热厚度为 210mm，总厚度最厚。其他管径的绝热厚度对比见表 3.7。综上，新型保冷结构 PIR＋SA 结构在相同的保冷效果下能大大降低保冷厚度，减少绝热空间，特别适用于空间狭窄的低温管道及设备，而且能满足 A 级防火的要求。

表 3.7 不同管径不同保冷结构的总绝热厚度及分层厚度对比 单位：mm

管径	PIR＋FG 结构				多层 PIR 结构				PIR＋SA 结构			
	内层 PIR	中间层 PIR	外层 FG	总厚度	内层 PIR	中间层 PIR	外层 PIR	总厚度	内层 PIR	中间层 PIR	外层 SA	总厚度
15	40	—	50	90	40	—	40	80	70	—	10	80
25	50	—	50	100	40	—	50	90	70	—	10	80
50	60	—	60	120	50	—	50	100	80	—	10	90
80	40	40	60	140	50	—	60	110	50	50	10	110
100	40	40	60	140	50	—	60	110	50	50	10	110
150	50	50	60	160	60	—	60	120	50	60	10	120
200	50	50	60	160	60	—	60	120	50	60	10	120
250	50	50	60	160	40	40	60	140	60	60	10	130
300	50	60	60	170	40	40	60	140	60	60	10	130
350	50	60	60	170	40	40	60	140	60	70	10	140
400	60	60	60	180	40	50	60	150	60	70	10	140
500	60	60	60	180	40	50	60	150	60	70	10	140
600	60	60	60	180	40	50	60	150	70	70	10	150
650	60	70	60	190	50	50	60	160	70	70	10	150
700	60	70	60	190	50	50	60	160	70	70	10	150
750	60	80	60	200	50	60	60	170	70	80	10	160
800	60	80	60	200	50	60	60	170	70	80	10	160
900	60	80	60	200	50	60	60	170	70	80	10	160
1000	60	80	70	210	60	60	60	180	80	80	10	170
1100	60	80	70	210	60	60	60	180	80	80	10	170

随着世界能源结构的调整和对节能环保的重视，液化天然气将在能源领域中占据更大的比例，LNG 保冷材料的选择是影响工程质量的关键因素。以上所述 LNG 保冷材料 FG、PIR、FEF 和 SA 各有特点，保冷材料的选择需要根据材料成本、施工效率、保冷效果等因素综合考虑。中国于 2017 年 10 月发布了国家标准《纳米孔气凝胶复合绝热制品》（GB/T 34336—2017）。现在纳米气凝胶毡被列入节能减碳领域重点推广产品。从 2017 年开始，江苏中圣管道工程技术有限公司在天津、山东、海南等地接收站的 LNG 管道保冷工程中应用了 PIR＋SA 复合保冷结构。新型保冷结构比 PIR＋FG 保冷结构减少了拼接缝，防水性能更好，整体保冷效果更好，并且管道综合保冷成本降低了 10%。良好的管道保冷效果减少了管道内 BOG 量，降低了处理 BOG 的电耗，从而减少了 CO_2 排放。

随着纳米气凝胶毡隔热材料国产化速度的加快，其成本进一步下降，具有更加优越保冷性能、防火安全性能好、保冷厚度小、安装施工速度快等优点的 PIR＋SA 复合保冷结构在 LNG 接收站中会得到更普遍的推广应用。

3.6 LNG冷能利用

LNG蕴藏着大量的低温能量，在被用作燃料或化工原料之前，需要进行热交换汽化为常温气体，然后再作为城市居民用气、工业燃料以及化工原料。天然气在低温液化过程中，每生产1t LNG的动力及公用设施耗电量约为850kW·h。当LNG在1atm（1atm＝101325Pa）压力下汽化时，从－162℃升温到5℃约释放出230kW·h/t的冷量。在实际操作中，LNG需升压汽化外输，部分冷能转化为压力能，因此在不同压力下所释放的冷能不同。在8MPa下，LNG汽化释放出的冷能为190kW·h/t。

制冷温度越低耗电量越高。－60℃以下的深冷冷能具有更高的经济价值。如果能够把LNG冷能用于适当温度范围内的冷能用户，便可节省制取低温冷能的大量电力。一个300万t/a的LNG接收站扣除消耗于高压外输气体的压力能后可利用的冷功率为64MW，折合电能约为5.6亿kW·h/a，相当于每年可节约标准煤17.92万t，可减排46.95万t二氧化碳。

2020年我国LNG进口总量达到6250万t，同比增长约3%。近年来，进口LNG合同模式由“点对点”、长期合同，向不限制目的地的中短期合同方向发展。我国LNG进口市场将持续扩大，预计到2035年将超过1.2亿t，则可用冷能可折合电能224亿kW·h，相当于每年节约标准煤716.8万t，减排1878万t二氧化碳，减排17.2万t二氧化硫，减排5万t氮氧化物。

中国经济持续快速发展，能源供需矛盾日益突出，实现2060年前碳中和目标要求每个领域节能低碳，LNG冷能利用越来越迫切。LNG冷能的利用方式包括：发电、空气液化分离、冷冻仓库、制造液态CO_2和干冰（固态CO_2）、工业用冷、空调和低温养殖等。LNG冷能利用在中国具有重大的节能减排价值，经济效益和社会效益显著。因此，LNG冷能利用潜力和市场前景十分广阔。

3.6.1 LNG冷能利用概况

目前，世界上LNG冷能利用率较低，约为20%。一方面受区域市场需求限制，未进行规模化利用，用量较小；另一方面大多为单一利用，采取冷能梯级利用的项目少，过程冷能利用率较低。日本东京湾区域五个LNG接收站冷能利用处于领先水平，作为集中低温仓库、深冷发电装置、冷冻食品厂、空气分离及液化装置以及液化二氧化碳和干冰生产厂等企业的工业聚集区，其冷能利用率达到43%。随着LNG产业的发展及LNG冷能综合利用市场和技术的开发，LNG冷能规模化梯级综合利用必将成为清洁能源领域的重要产业之一。

LNG产业是典型的链条式产业，从上游的天然气开采与生产，到天然气液化、LNG贸易、LNG运输、LNG再汽化，再到下游的发电和城市燃气利用，形成了产业链条。在LNG运输、汽化过程中蕴含大量冷能，冷能的综合梯级利用也是LNG产业链上重要的一环。表3.8给出了不同温度区间对LNG的冷能需求。目前我国的LNG冷能利用刚刚起步，主要用于空分（空气分离）和发电。

表 3.8　不同温度区间对 LNG 的冷能需求

温度/℃	用冷行业	备注
5～15	冷冻水、空调	工厂、建筑
−30～4	冷库	蔬菜、水果、肉、鱼
−30～−20	CO_2 液化	压力在 1.6～2MPa，节省电耗 50%以上
−35	冷媒、制冰	盐水、乙二醇、制冷剂
−50～−10	冷冻干燥	水分冷冻升华，生物制品和药品、蛋白质、蔬菜和水果等
−90～−60	超低温冷库	海产品、药物
−78.3	干冰	固态 CO_2
−140～−50	低温粉碎	将冷却到脆化点温度以下的物质在外力作用下破碎成粒径较小的颗粒或粉体，废橡胶、塑料、废电路板、食物等
−100～−90	轻烃分离	回收天然气中的乙烷、丙烷
−100～20	乙烯厂	为低温精馏单元制冷系统供冷
−160～−40	冷能发电	朗肯循环
−160～−130	BOG 再冷凝	回收储罐系统蒸发气
−182	空气分离	节省电耗 50%以上，节约冷却水 70%
−253	H_2 液化	用 LNG 预冷节省电耗 30%～50%

冷能的梯级利用要做到“高能高用、低能低用”，根据冷能利用最好的日本的经验，空气液化分离、液体二氧化碳和干冰、低温冷库和冷能发电都是利用 LNG 冷能的成熟路线。根据文献数据，日本东京煤气公司 Negishi 接收站在 1993—1994 年间利用了 95 万 t LNG 冷能，其中 36.3%用于空气液化分离，56.3%用于深冷发电，其余用于生产液体二氧化碳和干冰、低温冷库。其中空气的液化分离是最合理、最能充分利用 LNG 低温位冷能的方法；低温冷库是节能效果最明显的 LNG 冷能利用方法。

表 3.9 列出了大阪燃气公司从 20 世纪 70 年代到 21 世纪 10 年代 LNG 接收站的冷能利用情况。日本大阪燃气公司在世界上最早实现冷能发电、BOG 再液化等 LNG 冷能利用项目。此外，大阪燃气公司 LNG 接收站为邻近化工厂、乙烯厂供冷，进行梯级利用，取得了良好的节能减排效果。利用 LNG 为三井化学的乙烯装置低温分离供冷，每年节能约 1.3 万立方米原油当量，每年减少 CO_2 排放 3 万吨，节能减排效果显著。

表 3.9　日本大阪燃气公司 LNG 接收站冷能利用发展情况

20 世纪 70 年代	1977：空分，泉北 1 号接收站 1979：冷能发电（1450kW，朗肯循环），泉北 2 号接收站
20 世纪 80 年代	1980：CO_2 液化（Kinki Ekitan Co. Ltd.），泉北 1 号接收站 1982：冷能发电（6000kW，朗肯循环＋直接膨胀），泉北 2 号接收站 1983：空分，泉北 2 号接收站 1987：冷能发电（2800kW，朗肯循环），姬路接收站 1987：为邻近化工厂提供冷冻水或冷媒，泉北 1 号接收站 1989：冷能发电（2400kW，直接膨胀），泉北 1 号接收站

续表

20世纪90年代	1993:空分,泉北1号接收站 1997:BOG再液化(BOG为15t/h),泉北2号接收站
21世纪00年代	2000:冷能发电(1520kW,直接膨胀),姬路接收站 2004:燃气透平吸入空气冷却(50MW,燃气透平),姬路接收站 2004:冷能梯级利用(CO_2液化、丁烷冷却、制冷水),泉北1号接收站 2005:为附近化工厂低温精馏单元供冷,泉北1号接收站
21世纪10年代	2011:为附近乙烯厂供冷,泉北1号接收站

在中国集中大规模引进LNG的同时，恰逢推行建设集约化区域产业带、循环经济、工业园区、节能减排、碳达峰、碳中和、城镇化等重大举措，这给我国跨越式发展LNG冷能利用产业提供了极好的政策机遇和可能性，提供了一个能够与LNG接收站项目同步构建下游产业链的历史机遇。目前，以较为成熟的LNG冷能利用技术为基础，在LNG汽化站能做到尽可能充分地进行冷能利用，扩展LNG产业链，推动冷能利用进一步发展，形成较好的经济与社会效益。表3.10列出了国内部分大型LNG接收站规划及已实施冷能利用的情况。

表3.10 中国进口LNG接收站项目冷能利用规划与实施情况

接收站	一期规模/(万t/a)	冷能利用规划及实施
福建莆田	260	冷能空分(已经投产)、低温橡胶粉碎、冷库、冰雪世界等梯级利用
广东大鹏	370	为电厂供低温循环水、空分、冰雪世界、冷水养殖(已经投产)
上海	300	冷能空分、冷能发电(已经投产)、轮胎粉碎、冷库、煤IGCC气化合成氨、干冰、海水淡化
浙江宁波	300	冷能空分(已经投产)、轻烃回收(备选)、冷能发电(已完成设计审批)
江苏如东	300	冷能空分(已经投产)
河北唐山	300	冷能空分(已经投产)
天津(中国石化)	300	冷能空分、冷能发电、为乙烯厂供冷(已经投产)、氢液化等
山东青岛(中国石化)	300	轻烃分离(已经投产)
浙江舟山	300	冷能发电

注:IGCC表示整体煤气化联合循环。

目前我国LNG接收站已投产的冷能利用项目最多的是冷能空分项目。已有一套冷能发电项目和轻烃分离项目投产。传统方式生产1m^{3}的液化空气大约需要650kcal（1cal=4.1868J）的冷能。利用回收的LNG冷能和两级压缩式制冷机冷却空气制取液氮、液氧，电能消耗可减少50%，水耗可减少90%，这样就会大大降低液氮、液氧的生产成本，同时降低了LNG汽化的成本，具有可观的经济效益，所以引入LNG进行空气分离可使LNG冷能得到充分的利用，被称为“技术上最合理”的冷能利用方式。

工业气体是整个工业的基础，中国工业气体的主要消耗领域是石化、金属、玻璃、电子等工业，这些产业都属于重点发展的减碳经济产业体系。2019年在工业气体市场，用于钢铁行业的工业气体约占中国市场总量的24%，收益为355亿元；用于石化工业的气体需求占13.2%；其他化学工业需求占工业气体市场总量的10.2%。随着工业气体在半导体、医疗保健、光伏产业和冷冻食品等领域的广泛应用，这一部分工业气体的需求总量将会进一步增加。

LNG 冷能空分项目是 LNG 产业链的扩展项目，其设计理念是利用 LNG 的冷能和少量电能使空气低温液化，并通过空气分离装置将空气分离，以制造液氮、液氧和液氩等工业气体产品，是一个节能环保型和资源循环利用型项目。因此，在低碳经济的时代大背景下大力发展冷能空分项目，对于我国生态环境的良性循环和经济的可持续发展，具有重大而深远的意义。

3.6.2　LNG 冷能发电

3.6.2.1　国内外 LNG 冷能发电情况

低温发电可在较低温度下利用 LNG 冷能，而且低温冷能发电是世界上利用 LNG 冷能实例最多的方式，技术上也较为成熟。较之冷能空气分离等，冷能发电流程简单，投资较少，更容易在 LNG 接收站内实施，发电可自用也可并网。

LNG 冷能发电是利用 LNG 汽化为气体状态过程中释放的冷量进行发电，可以提高冷能利用率，降低 LNG 汽化成本和汽化过程中对周围环境造成的影响。目前利用 LNG 冷能发电的技术主要有利用 LNG 压力能的直接膨胀法、利用 LNG 低温冷量的中间冷媒低温朗肯循环法，以及这两种技术串联的联合法。

日本是冷能发电利用较好的国家，自 1979 年至今，已有 26 套独立的冷能利用设施建成，其中冷能发电 15 套，输出功率 7.5 万 kW。根据冷能利用“先自用、后市场”的常规经验，冷能发电具有现实的可行性。

据统计，日本部分利用 LNG 冷能发电的装置如表 3.11 所示。

表 3.11　日本部分利用 LNG 冷能发电装置一览表

所在地	LNG 公司	LNG 接收量/(万 t/a)	发电功率/kW	LNG 使用量/(t/h)	发电方式
根岸基地	东京瓦斯 东京电力	400	4000	100	朗肯循环
知多基地	中部电力 东邦瓦斯	860	1000	—	朗肯循环
泉北第一	大阪瓦斯	680	2400	—	直接膨胀
泉北第二	大阪瓦斯	680	1450	60	朗肯循环
泉北第二	大阪瓦斯	680	6000	150	朗肯循环＋直接膨胀(联合法)
姬路制造所	大阪瓦斯	680	2800	40	朗肯循环
户畑基地	北九州 LNG	200	9400	—	朗肯循环＋直接膨胀(联合法)

中国台湾中油永安 1990 年建成一套 LNG 冷能发电装置，输出功率 2000kW。虽然国内一些公司对于 LNG 冷能发电及其他应用已经开发出了一系列的技术工艺包，并且能够做到 LNG 冷能发电工艺设计和设备制造的完全国产化，但大陆地区受各种条件限制，冷能发电工程应用较晚。2023 年 5 月，申能集团旗下上海 LNG 公司国内首套冷能发电装置成功通过

性能及可靠性试验。

上海LNG冷能发电装置以IFV中间介质丙烷为工作介质，利用LNG的优质低温冷能和海水的低品位热能通过有机朗肯循环（ORC）产生电能。在常规一体式IFV的基础上，将以海水为热源的丙烷蒸发器和以LNG为冷源的丙烷冷凝器这两个换热器分开设置，增加丙烷增压泵，增加透平发电机组，利用丙烷蒸气膨胀降压降温，由此构成丙烷的闭路朗肯循环。该冷能发电装置在每小时汽化200t LNG的同时可利用冷能发电3000kW·h，既完成了天然气安全保供，又通过冷能综合利用发挥了节能减排作用。上海LNG冷能发电装置采用国外技术与设备，设计年发电量2400万kW·h，每年可减少能耗近7000t标准煤，减少碳排放约1万t。根据国家发展改革委的数据，火电厂平均每千瓦时供电消耗320g标准煤，每燃烧1t标准煤产生2620kg的CO_2。LNG冷能发电没有CO_2、NO_x、SO_x以及颗粒物等排放，是名副其实的绿电。该装置不仅有效开发利用了LNG冷能，实现上海LNG冷能利用“零”的突破，也填补了我国在冷能发电领域的空白。

LNG冷能发电作为可再生能源发电并网项目，具备潜在CCER（国家核证自愿减排量）开发资源。根据《温室气体自愿减排交易管理暂行办法（试行）》，参与自愿减排的减排量需经国家主管部门在国家自愿减排交易登记簿进行登记备案，经备案的减排量称为“国家核证自愿减排量（CCER）”。自愿减排项目减排量经备案后，在经备案的交易机构内交易。欧洲碳交易价格为80～100欧元/t，目前国内碳交易价格约50元/t。预计2030年前碳达峰后碳排放成本和碳交易价格会大幅上升，冷能发电的效益相应得到提升。上海LNG公司在行业内形成冷能发电示范效应，助力国家“双碳”目标实现。

3.6.2.2 LNG冷能发电方式

LNG冷能将利用温度范围拓展到低温领域，以普遍存在的低品位热能（海水、空气、低温工业余热等）作为低温动力循环的热源成为可能。LNG冷能发电主要包括直接膨胀法、朗肯循环法、联合循环法、布雷顿循环法等四种发电方式。前三种已在日本的LNG接收站实施，国内已有朗肯循环法实施。朗肯循环法应用最广泛，布雷顿循环法尚无应用。

（1）直接膨胀法

直接膨胀法的系统工作原理见图3.39，LNG从储罐中抽出，经LNG泵加压后与热源换热汽化，然后进入透平膨胀做功，输出电能，最后由加热器加热至供气所需温度，输送给用户。此种冷能利用方式系统简单，对设备要求低，初期投资也较少，但冷能利用率较低，只有24%左右，发电量也较少，每吨LNG仅能输出20kW·h左右的电量。对于LNG接收站，一般需要将LNG加压至4～10MPa后汽化输送给下游用户。直接膨胀发电一般是在LNG被加热汽化后输送给距离接收站较近的用户时使用，用户不需要高压天然气，可采用高压天然气直接膨胀减压发电，主要回收天然气的压力能。针对国内绝大多数接收站在高压下输送LNG这一实际情况，直接膨胀法发电的适用情况有限。

（2）朗肯循环法

朗肯循环法也称为低温有机朗肯循环发电法，其基本流程见图3.40。以LNG作为冷源，以普遍存在的低品位热能（如海水）作为热源，循环工质采用有机工质（如丙烷），组成闭式的低温蒸汽动力循环。液体循环工质被工质泵加压后进入蒸发器，液体工质在蒸发器

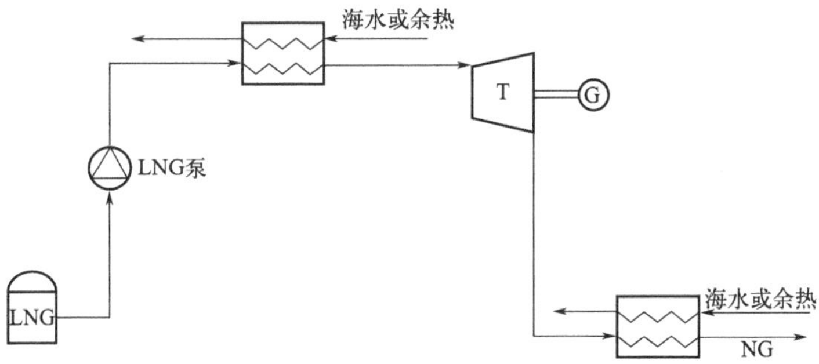

图 3.39　LNG 冷能直接膨胀发电示意图
（T 为透平；G 为发电机）

内被海水加热变成气体，气体工质进入透平膨胀做功发电，然后进入冷凝器被 LNG 冷却后变成液体。朗肯循环法相比于直接膨胀法，其冷能利用率得到较大提高。朗肯循环法受外部条件限制较小，在 LNG 接收站内很容易实现，在用海水汽化 LNG 的同时获得绿电，是目前国内外应用最广泛的冷能发电方式。

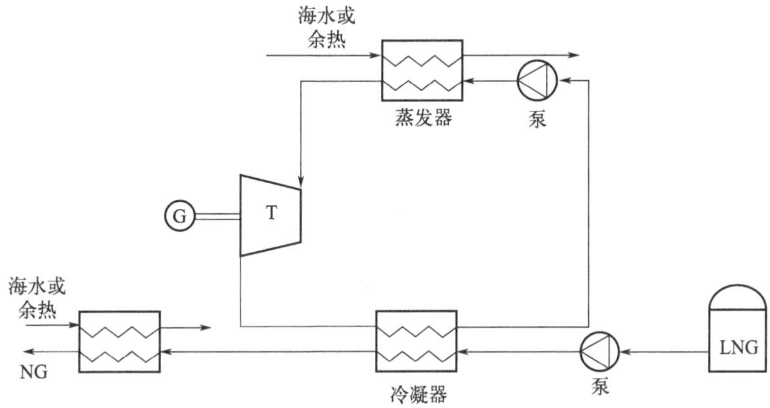

图 3.40　LNG 冷能朗肯循环发电示意图

影响朗肯循环发电量有以下几个因素：

① LNG 的组成与操作压力的影响。轻组分较多、操作压力较小的 LNG 冷㶲较多，发电量较大；反之，重组分较多、操作压力较大的 LNG 冷㶲较小，发电量较小。LNG 在 0.1MPa 时释放的冷㶲最多，为 896kJ/kg；随压力升高冷㶲迅速变小，8MPa 时 LNG 释放的冷㶲仅为 0.1MPa 时的 42%。

② 工质的影响。因为 LNG 是多组分混合物，气化温度区域较宽。在冷凝器内，LNG 汽化曲线与工质冷凝曲线一致性越好发电量越高。混合工质冷凝曲线比单一工质匹配得更好，发电量更大。但是混合工质较单一工质的流程与操作更复杂，成本更高，鲜有实际应用。

③ 热源的影响。热源温度越高发电越多。如夏季海水温度最高，此时系统发电量最大。

因素①和③主要由接收站运行条件决定，一般很难改变。海水是 LNG 接收站最易得的热源，也是汽化 LNG 最主要的廉价热源。

为了提高发电效率，人们对各种工质（包括单一工质和混合工质）进行了理论计算与比较分析。发电工质选择需要满足如下要求：

① 容易取得，价格低廉；

② 三相点温度必须低于冷凝器温度，在使用温度范围内不凝固；

③ 比热容大，传热特性好，黏度低；

④ 性质稳定，常温下不产生异常高压；

⑤ 安全性好，包括腐蚀性、毒性和可燃性；

⑥ 环境友好，不破坏臭氧层，所产生的温室效应很小，即 ODP（臭氧消耗潜势）值为 0，GWP（全球变暖潜势）值低；

⑦ 临界温度必须高于环境温度，操作压力下工质沸点应低于热源温度；

⑧ 属于干工质或者等熵工质，系统运行中工质不需要进行过热处理或仅需很小的过热度即可满足工程要求；

⑨ 冷凝压力应高于大气压力，避免冷凝器出现真空造成泄漏，同时降低冷凝器运行成本。

经过流程模拟计算比较，丙烷在工质用量、发电量、冷能利用率、环境友好、成本、冷凝压力、过热需求等各方面表现较好。综合各方面考虑，在选择工质时，优于其他循环工质，比较适用于 LNG 低温朗肯循环发电系统。

因为 LNG 汽化温度区域较宽，在冷凝器内经过调配的混合工质冷凝曲线与 LNG 汽化曲线匹配比单工质更好，可提高发电量。模拟结果表明，甲烷、乙烷和丙烷混合工质的最大发电量高于该混合物中的任一单工质。混合工质配比存在一个最佳值。由于混合物的配比必须视 LNG 组成的变化而变化，理想的混合成分不易配置，而且一旦循环工质发生泄漏，很容易引起循环工质组成成分的变化，给实际操作带来困难。故实际运行的冷能电站主要以丙烷作为单一工质实现 LNG 冷能发电。

我国发明了一种以烃类混合物为工质的 LNG 冷能发电系统，发电流程示意图见图 3.41。所采用的混合工质为甲烷、乙烯、丙烷组成的混合物。流程中混合工质吸收 LNG 冷能的换热器是一个三流道换热器（如板翅式换热器）。高压 LNG 进入三流道换热器的第一流道释放冷能被加热汽化后去外输管道。膨胀做功后的气态混合工质进入三流道换热器的第三流道吸收 LNG 冷能被冷凝成液体，经混合工质泵加压后再进入三流道换热器的第二流道换热部分蒸发，然后进入下一个蒸发器与热源换热气化升温后进入透平膨胀做功带动发电机发电。

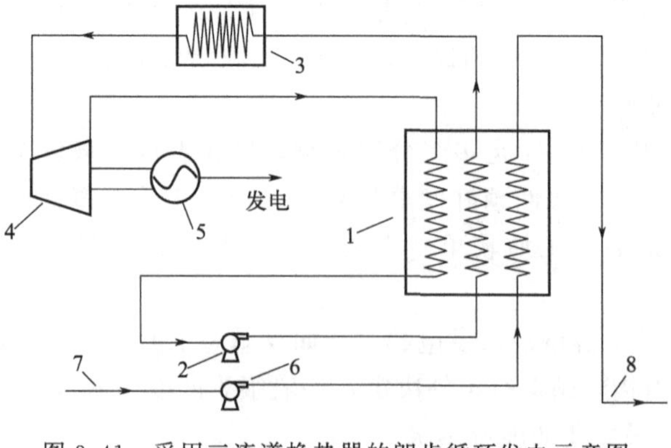

图 3.41　采用三流道换热器的朗肯循环发电示意图

1—三流道换热器；2—工质泵；3—蒸发器；4—透平；5—发电机；6—LNG 泵；7—LNG；8—NG

为了提高冷能利用率和增加发电量，在朗肯循环法的基础上做了许多理论研究与改进。抽汽回热朗肯循环、多级朗肯循环等工艺提高了发电量。

为了更好地吸收 LNG 冷能，程文龙等在工质朗肯循环中应用了抽汽回热技术。抽汽回热式 ORC 发电系统的循环过程图如图 3.42 所示，由一级抽汽回热的蒸汽透平发电机组、蒸发器、抽汽回热装置、冷凝器和工质泵组成。过热蒸汽进入透平，绝热膨胀到某一状态后，即从透平中抽出一部分蒸汽，将之引入回热器。剩下的蒸汽在透平内继续膨胀到出口状态，然后进入冷凝器过冷，再经泵Ⅰ加压进入回热器，在其中被抽汽加热，并与所抽取的蒸汽凝结后的液体汇成一股过冷工质。然后被泵Ⅱ加压泵入蒸发器，加热、汽化、过热成新蒸汽，完成循环。抽汽回热不仅减少了工质循环的可用能损失，也增加了工质与天然气之间换热的可逆性，抽汽回热可以提高发电效率 5%～10%，可由计算来确定工质在透平膨胀过程中的抽汽回热点的最佳状态参数。联合直接膨胀法，该流程可以大幅提高发电量，液化天然气冷能的回收效率可以达到 50%左右。

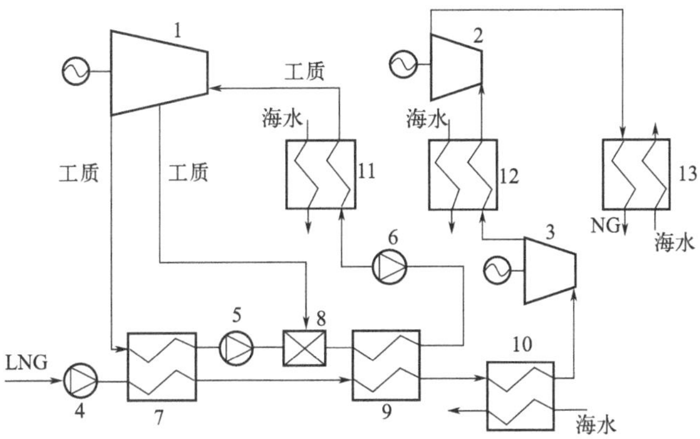

图 3.42 抽汽回热式 ORC 发电示意图

1—抽汽透平；2,3—膨胀透平；4—LNG 泵；5—工质泵Ⅰ；6—工质泵Ⅱ；7—工质冷凝器Ⅰ；8—回热器；9—工质冷凝器Ⅱ；10—海水加热器Ⅰ；11—工质蒸发器；12—海水加热器Ⅱ；13—海水加热器Ⅲ

日本较早公开了 LNG-海水的横向两级朗肯循环，从左至右依次为第一、二级循环。如图 3.43 所示，LNG 先后通过工质 1 冷凝器、工质 2 冷凝器，两种工质分别获得 LNG 冷量后与海水换热汽化，分别进入透平完成朗肯循环发电。

杨红昌分析了亚临界和超临界压力下 LNG 汽化时回收冷㶲的潜力，不同压力下 LNG 在不同的汽化阶段冷㶲量分布不同。发现在亚临界压力下汽化的 LNG 冷㶲分布在三个阶段，在超临界压力（7MPa）下汽化的 LNG 在液相区的冷㶲占 80%以上，剩余 20%在气相区。杨红昌针对汽化压力为超临界（7MPa）的 LNG，构建了 LNG-海水的横向两级朗肯循环。LNG 先后通过 R170（乙烷）冷凝器、R1270（丙烯）冷凝器与这两种工质换热，乙烷（工质 1）、丙烯（工质 2）分别获得 LNG 冷量后各自完成朗肯循环。相较于单级丙烯朗肯循环，双级循环系统发电量提高了 36%。通过 C_2 和 C_3 工质分段与 LNG 换热，每一段工质的冷凝曲线能更好地与 LNG 的汽化曲线相接近，提高了冷能的利用效率。同样，采用横向三级朗肯循环发电量比单级丙烯朗肯循环发电量提高了 66%。

为了进一步提高循环㶲效率，杨红昌又建立了由下至上的纵向三级朗肯循环，分别采用

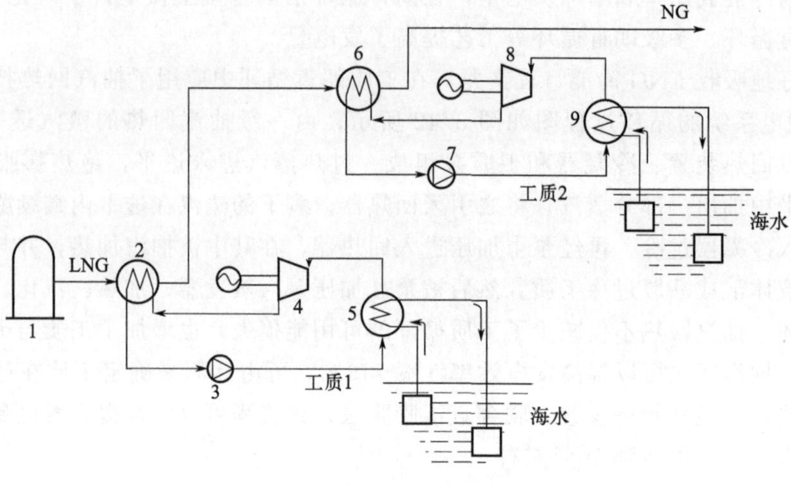

图 3.43 LNG-海水的横向两级朗肯循环
1—LNG 储罐；2—工质 1 冷凝器；3—工质 1 泵；4—工质 1 透平；5—工质 1 蒸发器；
6—工质 2 冷凝器；7—工质 2 泵；8—工质 2 透平；9—工质 2 蒸发器

丙烯、乙烯、乙烯为工质，如图 3.44 所示。该方案只有温度较高的第三级循环以海水为热源，第二级由第三级放热提供热源，第一级由第二级放热提供热源。第二、三级的工质各自经泵加压、蒸发后进入透平，自透平出口分作两股，其中一股进入冷凝器换热，另一股与 LNG 换热，而后经混合器回到工质泵。纵向三级朗肯循环比横向三级朗肯循环发电量提高了 15.23%。

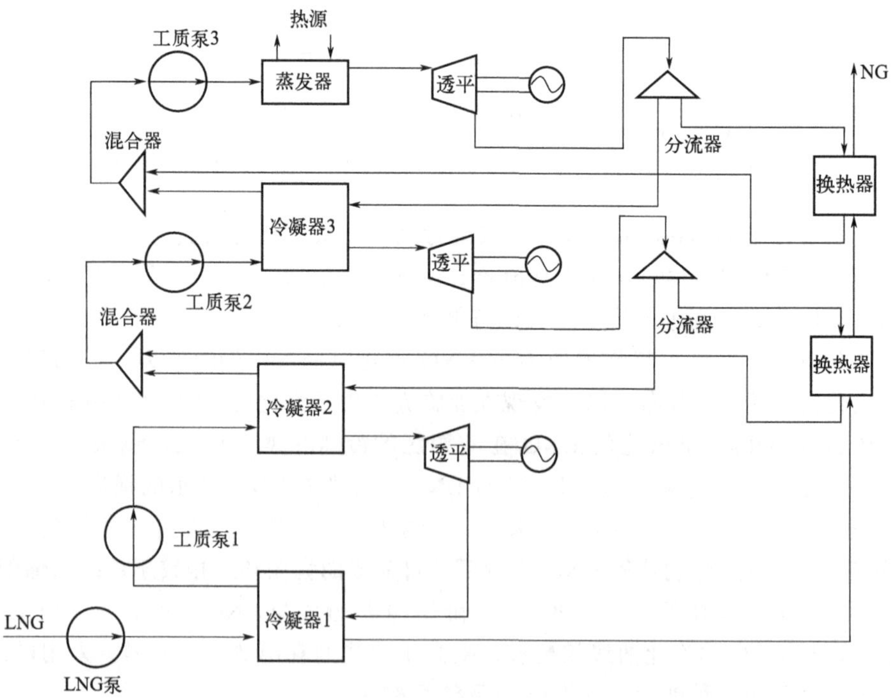

图 3.44 纵向三级朗肯循环

朱鸿梅等提出了一种回收 LNG 冷能的两级膨胀朗肯动力循环，以乙烯作为工质。两级膨胀朗肯动力循环工艺流程如图 3.45 所示。LNG 与工质的换热在多股流低温换热器内实现。LNG 被提升至一定压力后进入多股流换热器的第一流道并释放冷量。出口的 LNG 利用换热器通过冷媒向空调系统提供冷量。高压乙烯气体进入第一级膨胀机膨胀至中压，之后分成两部分：第一部分乙烯气体进入多股流换热器的第二流道并冷凝为乙烯液体，中压乙烯液体用泵提升压力；第二部分乙烯气体首先加热至环境温度，然后进入第二级膨胀机膨胀至低压。从第二级膨胀机出来的低压乙烯气体进入多股流换热器的第三流道并冷凝，之后低压乙烯液体进入另一个乙烯泵提升至高压，并返回多股流换热器的第四流道回收冷量。这两部分高压乙烯液体汇合后加热，并回到第一级膨胀机入口，完成循环。此流程使乙烯膨胀至两个不同的压力再冷凝，从而可以更好地与 LNG 的加热汽化曲线相接近，提高不同品质冷能的利用效率。

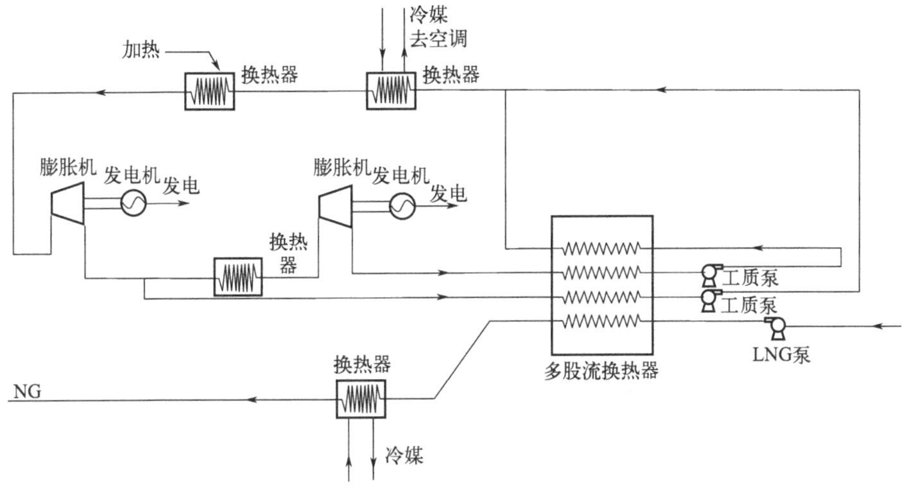

图 3.45　新型乙烯两级膨胀朗肯动力循环流程图

多级循环虽然提高了系统的发电量，但是流程变得更复杂，操作难度增大，投资也增加较多。如果某一级出现故障可能会导致整个系统无法工作。LNG 接收站大多是以保障天然气外输为主，在发电的同时不能影响汽化外输；在不能发电的时候，要保证 LNG 能够实现汽化。单级朗肯循环流程最简单，在保障天然气外输方面最可靠，即使透平出现故障也很容易切换到汽化工况。采用何种循环方式要根据接收站实际情况确定。如果接收站有足够的气化器保障天然气外输，可以考虑采用多级循环系统生产更多的电力。如果冷能发电系统同时也承担接收站的汽化外输，则采用单级朗肯循环流程在发电的同时可保障汽化外输。

（3）联合循环法

联合循环法即直接膨胀法与朗肯循环法联合，以达到充分利用 LNG 的冷能的目的，循环流程如图 3.46 所示。该方法包括 LNG 膨胀做功与以 LNG 为冷源的朗肯循环两部分。联合循环法冷能利用率较高，可达 50%，LNG 发电量在 45kW·h/t 左右。联合循环法的主要限制与直接膨胀法相同，即天然气进入下游管道前是否允许减压。

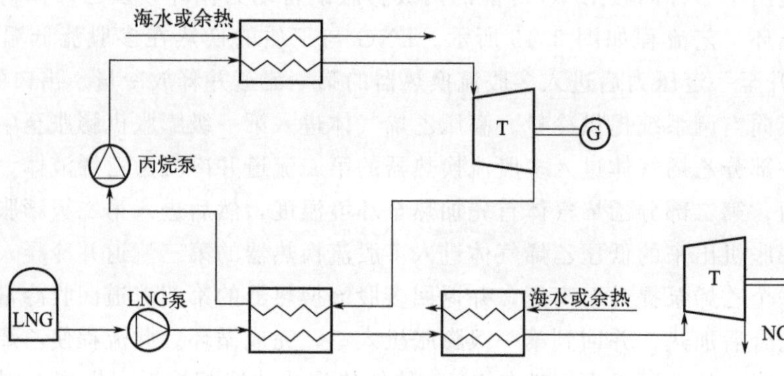

图 3.46　LNG 冷能回收联合循环发电示意图

（4）布雷顿循环法

布雷顿循环法也称气体动力循环法，以氮气为循环工质，其循环工作原理如图 3.47 所示。LNG 经泵加压，在 LNG-氮气换热器中将冷量传递给氮气，氮气获得冷量，以较低温度进入压缩机，与热源换热后，以高温高压的状态进入透平做功，再次回到 LNG-氮气换热器。布雷顿循环法利用 LNG 将压缩机入口的氮气温度降低，以提高循环效率。根据理论计算，当设定压缩机入口气体温度为－130℃，透平进口温度为 720℃，换热器平均温差为 15℃，加热炉效率为 90％时，整个装置热效率可达 53％。

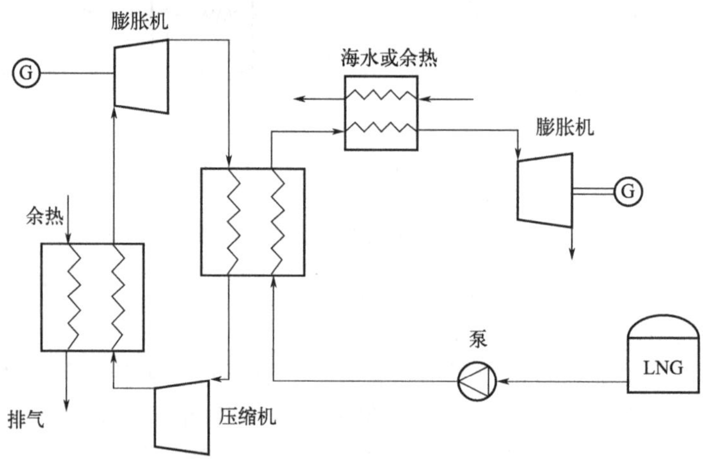

图 3.47　LNG 冷能布雷顿循环发电示意图

虽然布雷顿循环法可提高循环效率，但需要高温热源加热氮气。如果接收站附近没有这种所需的热源，布雷顿循环法将无法使用。

3.6.3　LNG 冷能空分

空气分离的方法主要有低温空气分离、变压吸附、膜分离、化学分离等。低温空气分离技术是利用空气中各组分沸点的不同，通过一系列工艺过程，在低温下将空气深冷液化，并通过精馏来使不同组分分离的方法。该方法可实现空气组分的全分离、产品纯化、装置大型化、状态双元化（液态及气态），故在空气分离行业中占据主导地位。传统空分流程一般采用氮气或空气循环通过压缩机和膨胀机制取冷量。把氮气或空气加压然后膨胀制冷，会消耗大量的电能，电力成本约占生产成本的 70%。空气中各气体组分的分离需在 100K 以下的低温环境下才能实现，比 LNG 的温度低，所以在空气分离过程中可以使 LNG 冷能得到较充分的应用。

LNG 冷能空分工艺主要通过压缩与净化、冷却、换热与精馏、液化四个过程完成，如图 3.48 所示。LNG 冷能空分流程的压缩及净化系统、空气冷却系统、空气精馏系统与传统空分流程基本相同，主要不同之处在于制冷系统。传统空分工艺制冷系统主要依靠循环氮气膨胀制冷，而 LNG 冷能空分主要依靠低温 LNG 与循环氮气换热提供冷量。另外，冷能空分系统的空气压缩热由作为冷媒的乙二醇溶液替代水进行冷却，节约了冷却水量。

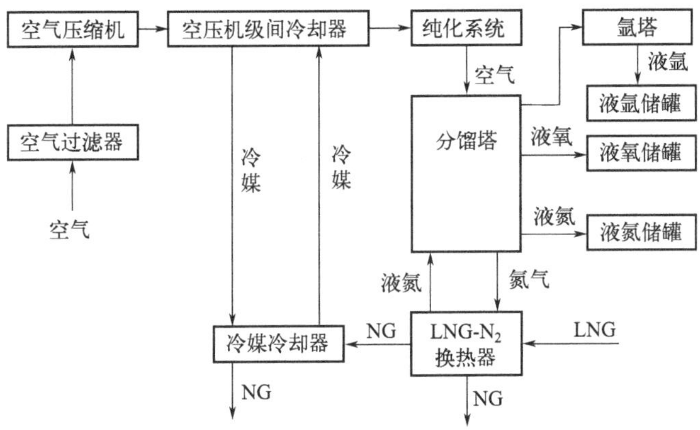

图 3.48　LNG 冷能空分流程图

冷能空分的液化系统通过 LNG 来冷却循环氮气和压缩机多级进料，实现 LNG 冷量利用。LNG 来自接收站的高压外输泵。LNG 和循环氮气在换热器中进行换热，氮气作为冷介质将 LNG 的汽化冷量传递给空气精馏过程，整个过程不断循环。液化系统产生的液氮分为两路，一路送入储罐作为产品，另外一路去空分系统的主换热器冷却空气。从主换热器复热后的氮气又进入液化系统进行循环过程。从 LNG-N_2 换热器出来的一部分低温天然气与乙二醇溶液换热，用于冷却压缩空气。在 LNG 冷能空分工艺中，循环氮气用量大幅度降低，空压机和氮压机的压缩能耗也相应降低。

传统全液体空分中㶲值需求量最大部分为氮气膨胀制冷系统，主要靠氮压缩机压缩做功提供；而 LNG 冷能空分中㶲值需求量最大部分为冷能利用系统，主要由 LNG 的汽化冷量提供。罗浩对氧气产能为 10000m^3/h 的 LNG 冷能冷却空分流程进行了模拟分析，结果表明该流程单位液氧产量的耗电量为 0.4kW·h/m^3，相比于传统流程约 1.0kW·h/m^3 的单位耗电量降低了约 60%，具有明显的节能优势。江蓉等对空气处理量为 51950m^3/h（标准状况）的 LNG 冷能空分与传统空分能耗分别进行了模拟计算，结果显示传统全液体空分流程生产单位液态产品的能耗为 0.99kW·h/m^3（标准状况），而 LNG 冷能空分流程生产液态产品的单位能耗为 0.41kW·h/m^3（标准状况），见表 3.12，比传统空分节省电耗 58.58%。若以火电厂平均 1kW·h 供电消耗 320g 标准煤和每燃烧 1t 标准煤产生 2620kg 的 CO_2 为基准，则传统空分流程的 CO_2 排放量为 14165kg/h，LNG 冷能空分流程的 CO_2 排放量为 6713kg/h，减少了 CO_2 排放 52.6%，每年减少 CO_2 排放超过 6 万 t。

表 3.12 LNG 冷能空分与传统空分的能耗和 CO_2 排放比较

项目	LNG 冷能空分	传统空分
空气处理量(标准状况)/(m^3/h)	51950	51950
LNG 用量/(t/h)	55.3	0
循环氮用量(标准状况)/(m^3/h)	12600	135000
液氧产量(标准状况)/(m^3/h)	9050	10330
液氮产量(标准状况)/(m^3/h)	10468	6500
液氩产量(标准状况)/(m^3/h)	227	237
空压机功耗/kW	3987	4038
循环氮压机功耗/kW	2574	11295
其他能耗/kW	1600	1600
单位液态产品能耗(标准状况)/(kW·h/m^3)	0.41	0.99
单位液态产品 CO_2 排放量(标准状况)/(kg/m^3)	0.34	0.83

10000m^3/h（标准状况）氧气产能的 LNG 冷能空分系统需要 55.3t/h 的 LNG 供应汽化冷量，LNG 压力为 6.67MPa，温度为－145.0℃。若位于北方的 LNG 接收站冬季用 SCV 汽化 55.3t/h 的 LNG，所需天然气燃料为 979m^3/h（标准状况），相应 CO_2 排放 1987kg/h。若将这部分 LNG 供给空分厂，则接收站一个冬季（3 个月）将减少燃气消耗 2114640m^3（标准状况），按天然气单价 3 元/m^3（标准状况）计算，节约燃气费 634 万元，相应减少 CO_2 排放 4292t。所以接收站将 LNG 输送给空分装置对双方都有好处，双方节能降耗的同时又减少了大量的碳排放，可创造良好的经济和社会效益。

我国 LNG 冷能空分装置已经在莆田、如东、宁波、唐山、珠海等地的 LNG 项目上成功应用，液态产品产能为 614.5～723t/d。LNG-N_2 高压板翅式换热器的 LNG 通道设计压力需要与接收站的 LNG 高压泵设计压力一致，设计压力有的高达 13.2MPa(G)。目前国产板翅式换热器最高设计压力约为 10MPa(G)，因此 LNG-N_2 高压板翅式换热器选型时需要采用进口产品。

LNG 接收站有丰富的 LNG 冷能资源，将传统空分装置中的循环氮气压缩回路与 LNG 汽化耦合，可为空分提供冷能，同时为 LNG 汽化提供热能。通过两者比较可以看出，冷能空分系统中将 LNG 汽化释放的冷量代替了传统空分的膨胀制冷，节省了大量压缩电耗，节能和碳减排优势明显。同时减少了 LNG 接收站汽化成本和二氧化碳排放。双方的有机结合互惠互利，值得大力推广。

3.6.4 LNG 冷能用于石化

石化行业有很多装置是在低温下运行的，例如乙烯装置深冷分离过程、异丁烯和异戊二烯聚合反应过程等，需要在－100℃左右的低温下进行。通常需要压缩制冷系统提供冷量，温度越低能耗越高。LNG 汽化从－160℃到 0℃可提供石化行业低温过程所需的冷量，节约压缩机制冷的能耗，同时减少 CO_2 和氮氧化物排放。

乙烯装置深冷分离过程需要制冷系统提供大量的不同温位的冷量，使裂解气中的甲烷、乙烯和乙烷、丙烯和丙烷等 C_1、C_2、C_3 烃类分离，制冷压缩机一般由蒸汽驱动。制冷压缩机的能耗是乙烯装置分离系统的主要能耗之一。乙烯装置通常采用乙烯、丙烯复迭制冷（图 3.49），乙烯制冷系统提供−101～−55℃各温位的冷量，丙烯制冷系统提供−40℃～20℃各温位的冷量。

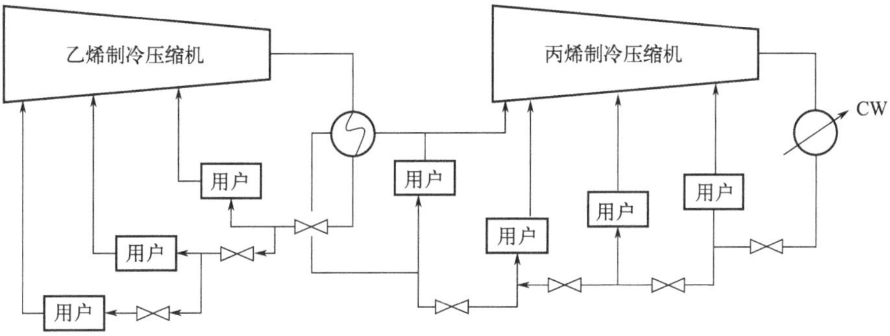

图 3.49 乙烯装置乙烯、丙烯复迭制冷系统示意图
（CW 表示冷却水）

LNG 接收站向石化厂低温装置提供冷能主要有两种方式（图 3.50）：一种是利用中间冷媒在接收站和 LNG 换热后把冷能输送给用冷装置；另外一种是把 LNG 直接输送给用冷装置，汽化后的 NG 返回 LNG 接收站管网。

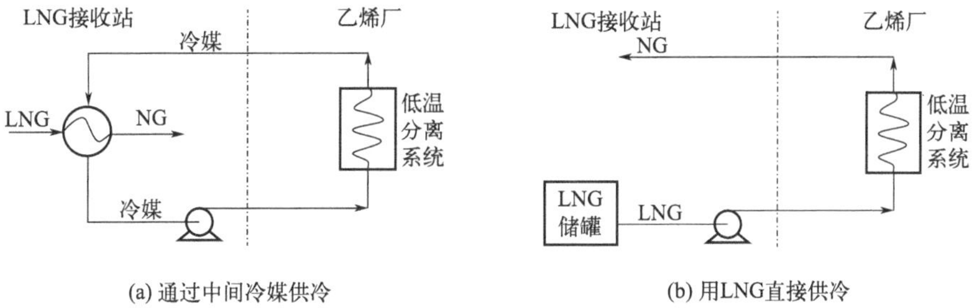

图 3.50 LNG 接收站向石化厂提供冷能方式

日本的三井化学大阪工厂将邻近的大阪燃气公司 LNG 接收站−160℃的 LNG 直接接入乙烯厂为其乙烯装置低温精馏供冷，LNG 被加热到 20℃后送回到大阪燃气公司的 NG 管网，大幅降低了乙烯生产成本。

LNG 冷能利用流程如图 3.51 所示，其中 LNG 与乙烯、丙烯冷剂换热部分以及膨胀发电机组是改造后添加的。LNG 先与乙烯制冷压缩机的乙烯冷剂换热，再与丙烯制冷压缩机的丙烯冷剂换热，然后返回接收站外输管网。考虑到天然气供应量存在高峰和低谷的波动特点，为了保证乙烯装置冷量负荷稳定，三井化学公司保留了原有乙烯、丙烯制冷系统，使其在允许的不喘振的最小负荷下运行。当 LNG 接收站因外输量减少导致 LNG 冷能供应量低于乙烯装置冷能需求时，用制冷机补足冷能。而当燃气公司的 LNG 供应充足时，将乙烯制冷机设定为最低运转状态，利用新安装的膨胀涡轮机，将剩余压缩气转换成电力，可使能耗最小。上述系统有效解决了 LNG 冷能供需不平衡问题，不仅可最大限度地利用 LNG 冷能，还具有操作稳定性高、高效节能等优点。2011 年投产后，LNG 接收站供气高峰时向乙烯厂提供 LNG 的流量为 50t/h，供气低谷时 LNG 接收站向乙烯厂提供 LNG 的流量约为 38t/h。该乙烯厂每年节能约 1.3 万立方米原油当量，每年减少 CO_2 排放 3 万吨，节能减排效果显著。

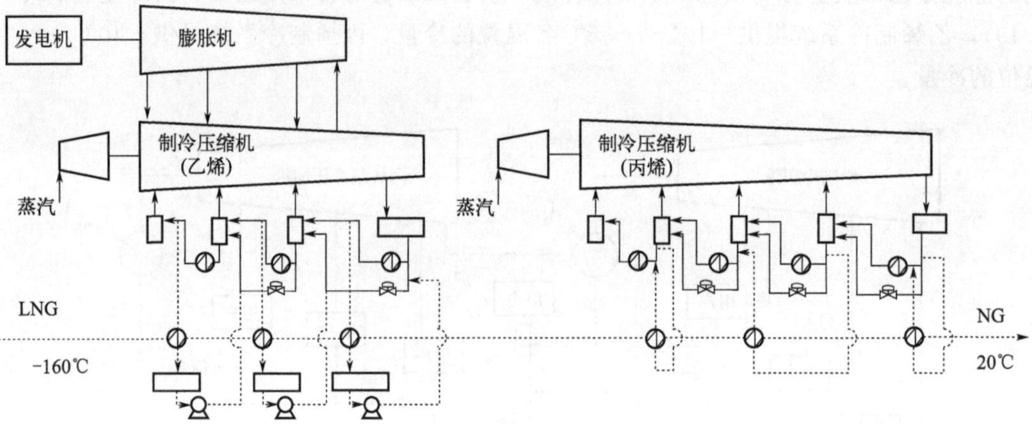

图 3.51　与压缩制冷系统耦合的 LNG 冷能利用流程示意图

对于 120 万吨每年规模的乙烯装置，乙烯制冷系统提供的总冷量负荷约为 17MW，丙烯制冷系统提供的总冷量负荷约为 112MW。如果直接用 LNG 提供冷量，理论上可以提供 120 万吨每年乙烯装置深冷分离的全部冷量 129MW。为了稳妥起见，可通过中间冷媒把 LNG 接收站的冷能输送到乙烯装置。利用与 LNG 换热后的−80℃中间冷媒依次替代乙烯制冷压缩机−55℃温位的乙烯冷剂、丙烯制冷压缩机−40℃、−25℃、−4℃、12℃温位的部分丙烯冷剂，冷量分配见表 3.13，总共替代了 28.3MW，占总制冷量的 21.94%。丙烯制冷压缩机能耗从 38.351MW 降至 26.738MW，乙烯制冷压缩机能耗从 5.879MW 降至 4.409MW。LNG 冷能的利用使压缩制冷能耗降低约 30%，每年减少 CO_2 排放约 8.8 万 t，节能减排效果显著。

表 3.13　中间冷媒的冷量分配

项目	冷媒名称	冷媒出口温度/℃	冷量负荷/MW
脱甲烷塔 1 号进料冷却器	中间冷媒	−58	7.49
乙烯精馏塔尾气冷凝器	中间冷媒	−58	1.12
甲烷汽提塔进料冷却器	中间冷媒	−46	5.58
脱乙烷塔冷凝器	中间冷媒	−22	9.03
乙烯制冷压缩机脱过热器	中间冷媒	−22	3.03
丙烯精馏塔尾气冷凝器	中间冷媒	12	2.05

丁基橡胶是异丁烯和异戊二烯在催化剂作用下进行阳离子聚合反应生成的，聚合温度控制在−100℃左右，是典型的低温反应。所需冷量通过丙烯、乙烯复迭制冷系统提供，需要大量的电能。张婷婷等以 5 万 t/a 丁基橡胶工艺其中的一条生产线为对象研究了利用 LNG 冷能的节能效果。丙烯、乙烯复迭制冷系统的总压缩功耗为 4587.1kW。以乙烯为中间冷媒与 LNG 换热后，去为催化剂溶液、混合进料、聚合反应提供所需冷量。与传统工艺相比，利用 LNG 冷能可使整个工艺节省压缩制冷功耗 4008kW，降低能耗 87.4%。

3.6.5 LNG 冷能用于冷库与制冰

冷库是长期保存水果、蔬菜、肉、海产品、预制菜等的设施，需要消耗大量电能来维持冷库的低温。如果用 LNG 气化时提供的冷能为这些冷库制冷，则可以节约大量的电耗，同时减少 CO_2 排放。日本是利用 LNG 冷能最多的国家之一，自 1976 年开始在神奈川县根岸基地的金枪鱼超低温冷库用 LNG 提供冷能，营业至今效果良好。

黄美斌等以总容量 3000t 的海产品冷库为例研究了 LNG 在低温冷库中的利用，冷库分三间，以适应不同的冷藏或冷冻产品：最低温度是－60℃，为金枪鱼冷藏库；中间温度是－28℃，为鱼虾冻结库；最高温度是－18℃，为鱼虾冷藏库。各冷库的热负荷分别为 191kW、309kW 和 107kW。采用冷媒 R23 与 LNG 换热后为各库房提供冷量，可以完全替代压缩制冷。冷媒无相变流程的设备简单，控制方便，但冷媒质量流量大；有相变流程的冷媒质量流量小，但流程、设备与控制更复杂一些。

熊永强等以一个年加工 75 万 t 鲜活水产品的冷库为例研究了利用 LNG 为冷库供冷的节能与减排效果。冷冻水产品 60 万 t/a，鲜活水产品 6 万 t/a，水产干品 9 万 t/a，各库房的温度分别为－42℃、－28℃、－15℃，总负荷约 13.9MW。采用压缩制冷方式，以氨作为制冷剂，则压缩制冷的功耗约为 6.9MW，年耗电量约为 6.04 万 MW·h。图 3.52 为冷库中利用 LNG 冷能的制冷流程，LNG 通过换热器（$E_1 \sim E_4$）逐级与各冷库的冷媒 R410A 换热，把不同温度的冷量传递给各冷库。来自接收站 LNG 的压力为 10MPa，温度为－155℃。冷库全部冷量所需 LNG 流量为 82.7t/h。LNG 与－15℃的冷库冷媒换热后用海水加热至 0℃以上送天然气管网。用 LNG 汽化时提供的冷能为这些冷库制冷，不仅节约大量的电耗，且每年减少 CO_2 排放约 5 万 t。

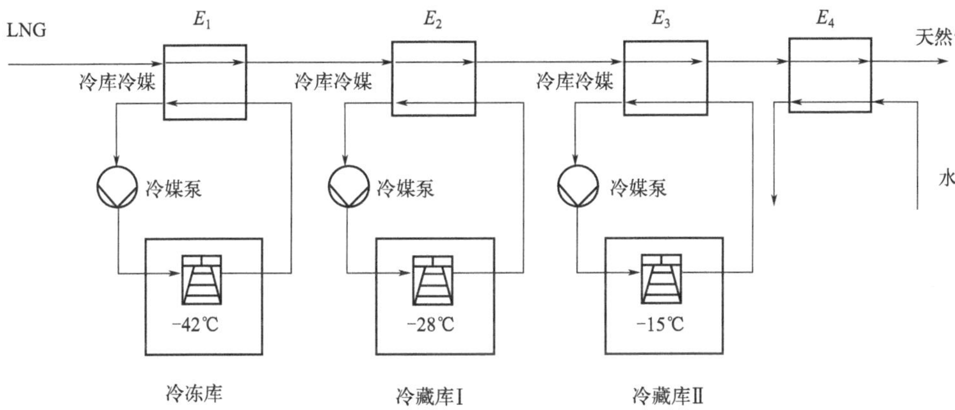

图 3.52 冷库中 LNG 冷能利用流程

与冷库类似，传统制冰行业属于高耗能行业。冰的相变潜热为 335kJ/kg，制冰电耗达 80kW·h/t。采用冷媒与 LNG 换热后为制冰机供冷，可以降低制冰电耗 90%左右。利用冰的相变潜热大的特点，陈秋雄等分析了利用 LNG 冷能通过冷媒与冰蓄冷技术结合为办公楼提供空调循环水的效益。当 LNG 流量为 2t/h 时，可为冷水空调提供的冷量约为 464kW·h/h，若给办公楼供冷，每年可节电 33.4 万 kW·h，每年节电效益约 26.72 万元，每年减排二氧化碳 280t。

3.6.6 LNG 冷能用于氢液化

氢能以其来源广、可储存、可再生、燃烧性能好、点燃快、无毒无污染的特性，成为国际能源变革的重要选择，被视为21世纪最具发展潜力的高效清洁能源。结合我国实际，发展氢能对保障国家能源供应安全、应对气候变化以及优化能源结构具有一定的支撑作用。

氢是所有元素中最轻的，在常温常压下为气态，密度仅为0.0899kg/m^3（标准状况），是水的万分之一，因此其高密度储存一直是一个世界级难题。储运氢气的方式主要分为气态储运、液态储运和固态储运（储氢材料）。我国目前氢气运输的主要方式是高压气态长管拖车，长距离运输成本高。我国在一些城市已建设了351座加氢站，占世界加氢站总量的32%。

液态氢的密度为70.9kg/m^3，约是气态氢的845倍。液态储运的储氢密度高，能运送大量氢气，适用长距离运输，甚至是海运。液态氢的体积能量密度比压缩状态下的氢气高出数倍，如果氢气能以液态形式存在，那它替换传统能源将水到渠成，储运简单安全，体积占比小。2019年12月，日本川崎重工神户工厂建造了一艘液氢船，是用来评估液氢海上运输技术条件的原型船，全长116m，宽19m，约8000t。船上搭载了川崎重工播磨工厂制造的椭圆形储罐，这种长25m、高16m的储罐能够储存1250m^3的液化氢。2021年年底启动首航，从日本神户出发前往澳大利亚，在澳大利亚哈斯汀港（Hastings）装载了澳大利亚氢能源供应链（HESC）项目的氢气后返回日本神户，完成了世界上首次液化氢长距离海运的实证试验。

氢气在常压下的液化温度为−252.87℃，从常温降低至液化温度，会消耗很多电能。此外，因为氢气分子中的两个氢原子核自旋方向有同向和反向两种状态，所以氢气存在正氢（原子核自旋方向相同）和仲氢（原子核自旋方向相反）两种平衡状态。常温时仲氢的比例只有25.07%，而温度降低至−252.87℃时，仲氢的比例增至99.8%。氢气在降温的过程中存在正-仲态转化放热，比其他气体更难液化。正-仲氢转化时放出的热量大于氢的汽化潜热。目前典型在运行的国外氢液化装置的能耗在11.9～13.58kW·h/kg，高达液氢燃烧产热量的30%～40%。

工业常用的规模化氢液化装置原理都基于氢气Linde-Hampson（L-H）循环、氦气逆Brayton循环和氢气Claude循环（图3.53），并在循环过程中添加正-仲氢催化转化器，以满足液氢的长效储存要求。Claude循环的单位能耗较低，Claude循环的能源利用效率大于单独使用J-T（焦耳-汤姆逊）效应的L-H法（均采用液氮预冷），且该方法使用原料氢作为制冷介质，所需动力小于需要用两种介质的氦气逆Brayton法，具有更优的经济性，适用于产能超过5t/d的中大型氢液化装置。

全球目前已经有数十座液氢工厂，总液氢产能470t/d，其中北美占了全球液氢产能总量的85%以上。美国本土已有15座以上的液氢工厂，液氢产能达326t/d以上，居于全球首位。欧洲4座液氢工厂液氢产能24t/d。亚洲有16座液氢工厂，总产能38.3t/d，其中日本占了亚洲三分之二的产能。从目前的市场应用来看，美国垄断了全球85%的液氢生产和应用，其中美国Air Product和Praxair两大集团垄断了美国90%的液氢市场。根据美国氢能分析中心的统计，截至2016年，北美地区共有产能5t/d以上的大型液氢工厂10座，其中18t/d以上的有6座。

为了满足高端制造、冶金、能源、电子和航空航天等领域不断增长的需求，近两年来美国又加大了液氢工厂的建设力度。Praxair公司2018年11月在得克萨斯州La Porte开工建设第五座液化氢工厂，计划2021年投产，产能超过30t/d。美国Air Product公司2019年初

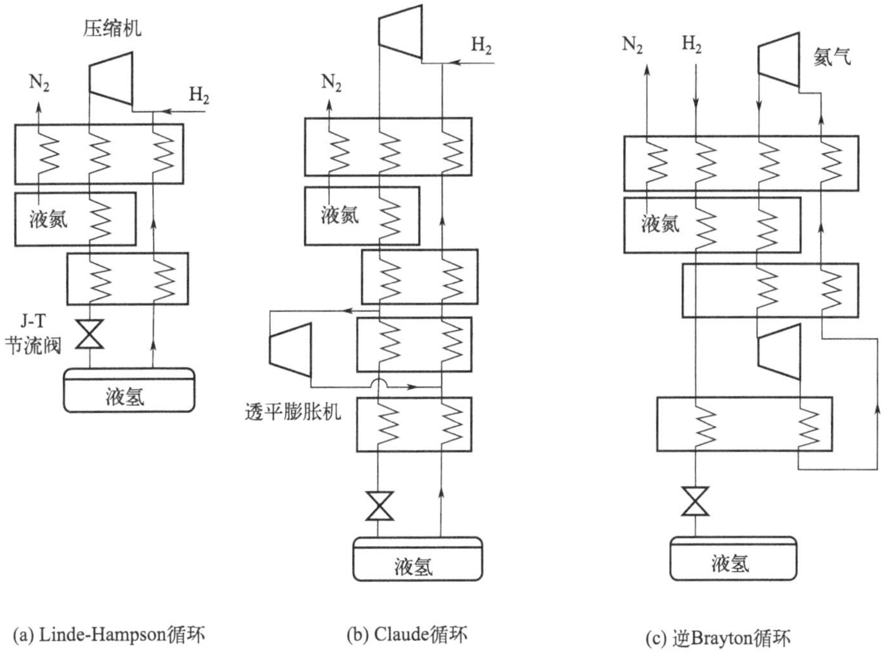

图 3.53　三种氢液化原理图

在美国西部建造一个日产百吨级的液氢工厂，致力于氢能源市场，向 FEF（First Element Fuel Inc.）位于加利福尼亚州的加氢站提供液氢。同时法国液化空气公司也将投资 1.5 亿美元，2019 年初在美国开工建设一座 30t/d 的液氢工厂。

中国在用的液氢工厂仅有海南文昌、北京 101 所和西昌基地，均服务航天火箭发射，总产能仅有 4t/d。最大的海南文昌液氢工厂产能也仅 2t/d。2021 年中国航天 101 所在氢气液化方面取得重要进展，建成国内第一套 1.5t/d 的氢气液化装置并通过开车考核。另外，中国科学院理化技术研究所也开发出了 1.5t/d 的氢气液化装置。

LNG 接收站 LNG 储存温度低至－162℃，使用时需汽化至常温。利用 LNG 汽化时的冷能预冷氢气可使氢气液化节省更多的能耗，降低氢气液化成本。随着我国 LNG 接收站的不断扩建和新建，每年从海外进口 LNG 的量增加至近 1 亿 t，将 LNG 的冷能用于氢气液化具有很大的市场潜力。

岩谷公司（Iwatani Corporation）是日本最大的氢能供应商，气体氢和液氢加起来市场占有率 70%，液氢市场占有率 100%。岩谷公司于 2004 年与 Sakai LNG Co.，Ltd. 合资成立了 Hydroedge Co.，Ltd，利用 LNG 冷能预冷生产液氢。该液氢厂共有 3 条生产线，每条生产线产能 3000L/h，其中 1 条生产线 2006 年投产，另外 2 条生产线于 2020 年投产。

有研究者研究了以 LNG 接收站的天然气重整制氢［5000m^3/h（标准状况）］，过程利用了 LNG 冷能节能与二氧化碳捕集。制氢流程如图 3.54 所示，在氢气冷却、CO_2 液化回收、氢气压缩、氢气液化等环节利用 LNG 冷能进行冷却降温。氢气进压缩机前利用 LNG 冷却可以降低压缩机功耗 50%左右。用变压吸附法（PSA）提纯氢气，把离开 PSA 单元的 CO_2 加压至 4.95MPa 后送 CO_2 液化单元。在 CO_2 液化单元，用－60～－50℃中间工质把 CO_2 降温至－30℃液化，可回收 2.6t/h 液态 CO_2；升温后的中间工质离开 CO_2 液化单元进入换热器被 LNG 降温至－60～－50℃返回 CO_2 液化单元，LNG 用量 1.7t/h。

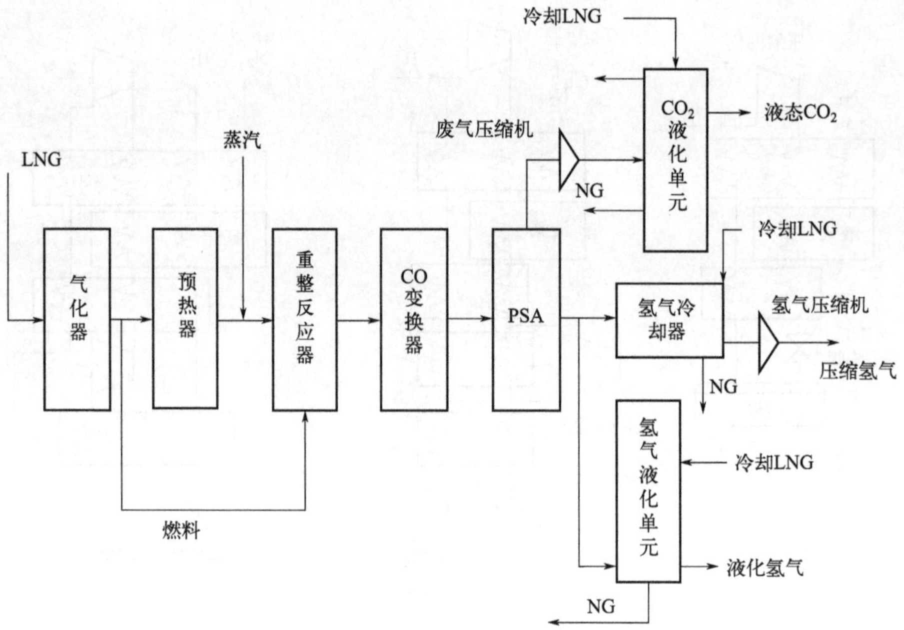

图 3.54 天然气重整反应制氢流程示意图

在氢气液化流程中（图 3.55），有研究者用 LNG 预冷氢气完全取代了 Claude 流程中的液氮预冷氢气，采用 2 级循环氢气膨胀制冷。利用 LNG 对进入压缩机的原料氢气和用于膨

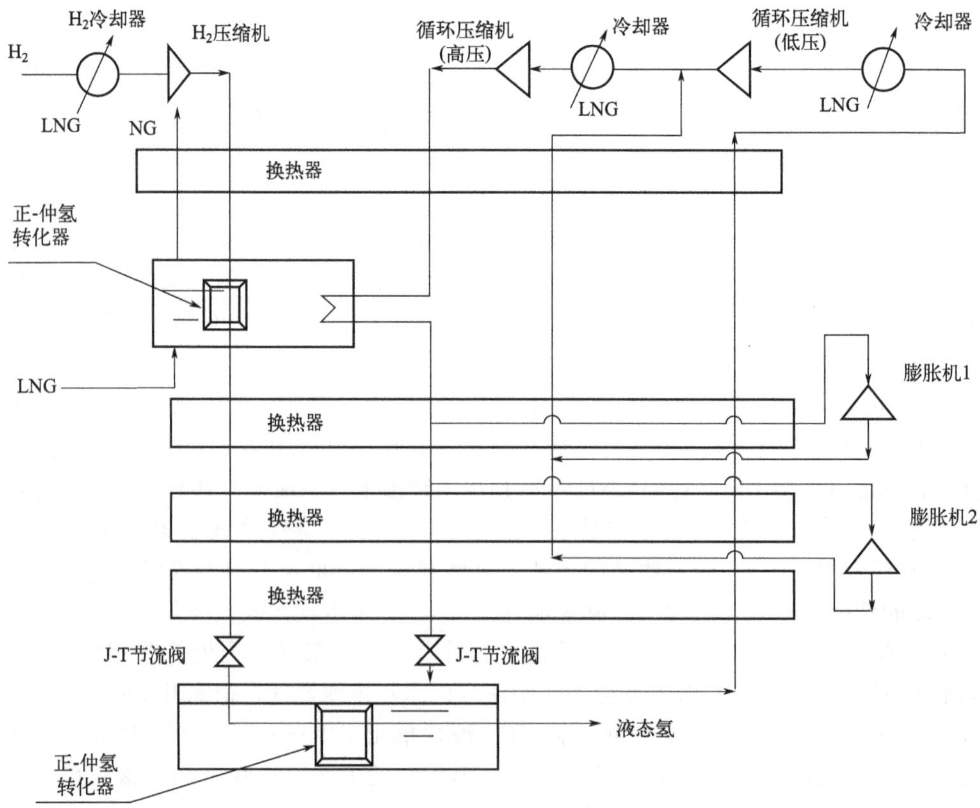

图 3.55 氢液化流程中的 LNG 冷能利用

胀制冷的高、低压循环氢气分别降温。LNG 预冷需要 LNG 流量 10t/h，压缩机前预冷需要 LNG 总量 80t/h。采用液氮预冷的 Claude 流程的氢气液化功耗为 1.38kW・h/L，而采用 LNG 预冷流程的氢气液化功耗为 1.0kW・h/L，功耗下降了 27.5%，大幅降低了液化氢气的成本。

曹学文等设计了一种液氢产量为 5t/d 的新型双压 L-H 系统。在氢气循环中，混合后的氢气在三级压缩后进入带有 LNG 预冷的两级多股流换热器，氢气被预冷至－155℃左右。预冷后的氢气进入深冷单元，进行换热冷却和膨胀降温后，氢气被深冷至－238℃左右。深冷后的氢气进入两相膨胀机膨胀为气、液两相。液氢进入储罐储存，氢气则作为制冷剂回流至入口。经过预冷单元后的 LNG 本身完成汽化并被加热至常温，可以直接进入城市供气管网。该氢液化系统的比能耗为 9.802kW・h/kg，较常规 L-H 液化系统显著提高了液化性能，降低能耗 40%。

王超等提出一个全部利用 LNG 接收站的冷能发电制氢并液化的集成系统。用一部分 LNG 的冷能发电作为电解水制氢的电力来源，同时提供氢液化用电，用另一部分 LNG 冷能将电解水获得的氢气预冷后深冷液化（图 3.56）。此过程仅使用 LNG 一种冷源就实现了利用冷能发电、绿色制氢及氢液化。经模拟计算，一座汽化外输能力为 300 万 t/a LNG 的接收站，利用冷能发电 20240kW・h，可生产液氢 323.9kg/h。发电所需 LNG 量为 349.05t/h，氢气预冷所需的 LNG 量为 0.90t/h。氢液化单元能耗约为 6.609kW・h/kg，比传统氢液化能耗大幅度降低。

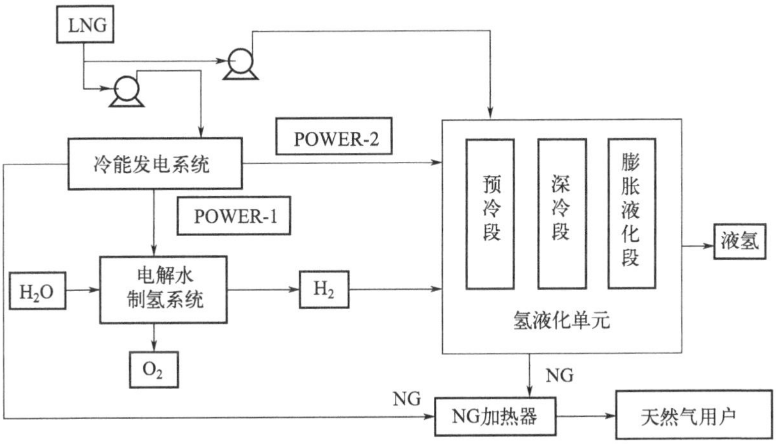

图 3.56　LNG 冷能发电制氢及液化综合系统工作图
（POWER-1 表示去电解水单元的电；POWER-2 表示去氢液化单元的电）

3.7　新技术应用及发展趋势

3.7.1　大型薄膜储罐

中国石化工程建设有限公司和中圣科技（江苏）集团股份有限公司等单位合作开发大型薄膜罐的设计、建造技术，在中圣的仪征基地建设了 1000m^3 中试薄膜罐，已完成测试和阶段成果评定。波纹金属薄膜内屏蔽层、绝热材料与模块、混凝土外罐等各项指标均满足设计要求，为在国内 LNG 接收站设计建造大型薄膜罐奠定了基础，解决了对国外技术的依赖。将来可在我国 LNG 接收站建造大型薄膜储罐，降低建造成本，缩短建造周期，提高储罐有效容积，进一步提升我国 LNG 储运能力。

3.7.2 气化器

从国内外 ORV 保护涂层的腐蚀情况看，ORV 下部低温区的金属涂层脱落、减薄最严重，ORV 上部区域涂层基本完好。主要是因为位于 ORV 下部 LNG 集合管及换热管的温度最低，受到的冷热温差最大、海水冲击速度最大。金属涂层的局部脱落主要是较高的冷热温差应力所导致的。涂层脱落对涂层的破坏最大，设备在 LNG 高压低温状态下运行，威胁运行安全。当涂层脱落面积过大，裸露的铝合金基材周围的金属涂层无法对其起到阴极保护作用时，必须停车再喷涂修复涂层。目前涂层的寿命在 3～5 年，海水含沙量大时涂层寿命更短。限于现场条件，再喷涂涂层质量及寿命不及在车间初次喷涂，而且再喷涂成本更高。需要开发新的 ORV 涂层技术，大幅度提高涂层结合强度，防止金属涂层脱落，增加设备的可靠性，保障设备运行的安全，同时延长涂层再涂覆的周期，为用户降低操作维护成本。

IFV 不仅可用于 LNG 汽化，而且是 LNG 冷能发电等的核心设备。开发下一代的 IFV，采用高效特型管技术，提高传热效率，减小设备尺寸，降低成本，还可利用微通道、多流道技术以及增材制造技术开发紧凑式 IFV，进一步减小尺寸和占地空间。

目前 SCV 烟气的 NO_x 排放浓度已降至 $50mg/m^3$（标准状况）以下。需研发超低氮燃烧排放技术，使 SCV 烟气的 NO_x 排放浓度降至 $30mg/m^3$（标准状况）以下，以满足更高环保要求的地区。

3.7.3 管道保冷

PIR+SA 复合保冷结构使拼接缝减少，与传统保冷结构相比可缩短 10%～15%的施工周期。在工厂里进行管道保冷预制，应用直接喷涂发泡技术在管道表面形成无缝 PIR 保冷层，不仅可提高保冷质量，而且能够进一步缩短现场安装施工时间。可利用保冷管道智能监控技术，建设智能管网，及时发现和修复漏冷点，减少 BOG 的产生。

3.7.4 冷能利用

我国已建成投产超过 20 座 LNG 接收站，沿海地区正在建设和计划建设的接收站还有很多，冷能利用的潜力非常大。有条件的接收站可将冷能梯级利用，最大化利用 LNG 冷能。冷能应用不仅需要技术创新，而且需要运营模式创新。

除了冷能空分，已有较多的项目投产运行，冷能发电刚刚起步。需要在不同的接收站建立各种形式的冷能利用示范装置，为更多的冷能利用提供经验。

LNG 冷能利用受接收站周边环境与用户距离约束较大，多数接收站距离冷能用户较远。另外，LNG 汽化外输季节性强，冬季满负荷，夏季负荷较小，使冷能难以得到充分利用。建立配套的蓄冷装置可以缓解供冷不稳定的问题。有的接收站建在距离陆地较远的岛上，如江苏如东洋口港和浙江舟山六横岛，如何将冷能输送到陆地上是这些岛上 LNG 接收站在冷能利用上需要解决的课题。

参考文献

[1] 国家能源局石油天然气司国务院发展研究中心资源与环境政策研究所，国土资源部油气资源战略研究中心．中国天然气发展报告（2016）[M]. 北京：石油工业出版社，2016.

[2] 国家能源局石油天然气司国务院发展研究中心资源与环境政策研究所，自然资源部油气资源战略研究中心．中国天然气发展报告（2022）[M]. 北京：石油工业出版社，2022.

[3] 孙丽丽，李凤奇．液化天然气接收站工艺与工程 [M]. 北京：中国石化出版社，2022.

[4] GB 51156—2015. 液化天然气接收站设计规范 [S].

[5] GB/T 26978—2021. 现场组装立式圆筒平底钢质低温液化气储罐的设计与建造 [S].

[6] T/CCGA 40012—2022. LNG 薄膜罐设计、施工和验收技术规范 [S].

[7] T/CANSI 99—2022. 陆上薄膜罐设计和建造要求 [S].

[8] 常旭宁，赖建波，郭保玲，等．日本 LNG 薄膜罐技术发展 [J]. 煤气与热力，2022，42（3）：43-46

[9] 常旭宁，郭保玲，赖建波，等．韩国 LNG 储罐技术的发展 [J]. 石油工程建设，2022，48（3）：68-72.

[10] 陈瑞，张国中，薛峰，等．LNG 储罐膨胀珍珠岩沉降计算研究 [J]. 低温建筑技术，2021，43（9）：149-152.

[11] 刘港．考虑珍珠岩变形的 LNG 储罐热应力分析 [D]. 哈尔滨：哈尔滨工程大学，2017.

[12] 王松汉．石油化工设计手册 [M]. 北京：化学工业出版社，2002.

[13] 杨信一．LNG 接收站再冷凝器自动控制设计 [J]. 油气田地面工程，2017，36（1）：22-27.

[14] 王雪颖，曹耀中，翟广琳．江苏 LNG 接收站再冷凝器操作工艺优化 [J]. 天然气技术与经济，2017，11（S1）：28-31.

[15] 邓励强，李宁，郭开华．LNG 接收站再冷凝器非设计工况运行动态模拟分析 [J]. 石油与天然气化工，2016，45（4）：31-37.

[16] 中国石油唐山 LNG 项目经理部．液化天然气（LNG）接收站重要设备材料手册 [M]. 北京：石油工业出版社，2007.

[17] Yang C，Huang Z. Lower Emission LNG Vaporization [J]. LNG Journal，2004（11/12）：24-26.

[18] 裘栋．LNG 项目气化器的选型 [J]. 化工设计，2011，21（4）：19-22.

[19] 张成伟，马铁轮，盖晓峰，等．LNG 接收站开架式气化器在高含沙海水工况下使用的探讨 [J]. 石油工程建设，2007（6）：8-10，83.

[20] Tsuyoshi M，Kazuo F，Shuzou K，et al. Investigation on Electrochemical Behavior of Al-Zn Alloy Thermal-Spryed Coat in Flowing Sea-Water at Low Temperature [J]. Journal of the Society of Materials Science Japan，1994，43（494）：1422-1426.

[21] 吴永忠．LNG 接收站海水开架式气化器（ORV）涂层失效分析和可靠性评估 [J]. 中国特种设备安全，2014，30：96-99.

[22] 胡锦武，罗玉亮．海水开架式汽化器（ORV）涂层腐蚀分析及修复办法 [J]. 石油和化工设备，2017，20（3）：81-84.

[23] Bagley J L. Consider Submerged Combustion for Hot Water Production [J]，CEP Magazine，2002（3）：48-51.

[24] 黄华，于海英，赵颖，等．基于新环保标准的国产低氮 SCV 在 LNG 接收站的工程应用 [J]. 化工设计通讯，2022，48（9）：148-150.

[25] 周守为，朱军龙，单彤文，等．中国天然气及 LNG 产业的发展现状及展望 [J]. 中国海上油气，2022，34（1）：1-8.

[26] GB/T 50264—2013. 工业设备及管道绝热工程设计规范 [S].

[27] 王鸿奎．聚氨酯改性聚异氰脲酸酯泡沫塑料和聚氨酯泡沫塑料的性能比较 [J]．宇航材料工艺，1995（1）：45-49.

[28] 曲顺利．聚异氰脲酸酯（PIR）在 LNG 管道中的应用介绍 [J]. 山东化工，2016，45（24）：79-85.

[29] 郭建平，路国忠，何光明．纳米二氧化硅气凝胶新型制备技术及其在建材领域的应用 [J]. 新材料产业，2012（4）：30-34.

[30] 鹿院卫，杨红昌，吕鹏飞，等．液化天然气冷能发电系统参数分析与工质选择 [J]．北京工业大学学报，2011，37（12）：1874-1879.

[31] 张磊，高为，余黎明，等．LNG 冷能发电朗肯循环工质研究 [J]．低温与超导，2015，43（2）：51-54，83.

[32] 张超，金海刚，邵国芬，等．LNG冷能发电工质选择与参数优化［J］．石油与天然气化工，2015，44（4）：54-58.
[33] 胡苏阳，秦锋，刘同，等．基于LNG冷能发电的ORC混合工质研究［J］．低温与超导，2022，50（9）：101-106.
[34] 孙恒，舒丹，刘丰，等．一种以烃类混合物为工质回收液化天然气冷能发电的系统：CN201220656782.0［P］. 2013-07-03.
[35] 程文龙，伊藤猛宏，陈则韶，等．一种回收液化天然气冷能的低温动力循环系统［J］．中国科学技术大学学报，1999，29（6）：44-49.
[36] 杨红昌．液化天然气（LNG）冷能发电系统的优化研究［D］．北京：北京工业大学，2010.
[37] 朱鸿梅，孙恒，刘丰，等．回收LNG冷能的新型碳二烃两级膨胀朗肯循环［J］．低温与超导，2013，41（9）：10-14.
[38] 金滔，胡建军，陈国邦，等．利用液化天然气冷能的新型空分流程及其性能［J］．浙江大学学报（工学版），2007，41（5）：836-839.
[39] 罗浩．LNG接收站输气负荷波动与冷能空分系统适配性研究［D］．广州：华南理工大学，2015.
[40] 江蓉，黄震宇．LNG冷能空分技术的开发与应用［J］．低温与特气，2016，34（4）：1-4.
[41] 田野，赵百仁，王振维．考虑LNG冷能利用的乙烯装置制冷系统节能分析［J］．乙烯工业，2021，33（3）：58-61.
[42] 张婷婷，李亚军．丁基橡胶生产工艺中LNG冷能的利用［J］．低温工程，2010（3）：46-51.
[43] 黄美斌，林文胜，顾安忠．利用LNG冷能的低温冷库流程比较［J］．制冷学报，2009，30（4）：58-62.
[44] 熊永强，华贲．基于LNG冷能利用的低温冷库与冷能发电系统的集成［J］．华南理工大学学报（自然科学版），2012，40（9）：20-25.
[45] 陈秋雄，徐文东，陈敏．LNG冷能用于冰蓄冷空调的技术开发［J］．煤气与热力，2012，32（8）：6-9.
[46] 毛宗强，毛志明，余皓，等．制氢工艺与技术［M］．北京：化学工业出版社，2021.
[47] 张振扬，妙丛，王峰，等．规模化氢液化装置现状及未来技术路线分析［J］．化工进展，2022，41（12）：6261-6274.
[48] 曹学文，杨健，边江，等．新型双压Linde-Hampson氢液化工艺设计与分析［J］．化工进展，2021，40（12）：6663-6669.
[49] 王超，孙恒，李兆慈，等．LNG冷能发电制氢及液化的综合能源系统研究［J］．石油与天然气化工，2022，51（2）：46-52.

第4章

光伏新能源多晶硅生产工艺及装备技术

4.1 概述

在清洁能源中，太阳能是无污染、取之不尽、用之不竭的能源，每秒送到地面上的能量高达 80 万亿千瓦，相当于全世界发电量的十几万倍。人类可以通过光热、光化学以及光电转化技术以极低成本获取这一零污染、零碳排放的永续清洁能源。在所有能源形式中，电能是人类在日常生产和生活中最常用的，因此不论是使用化石能源还是清洁能源，大部分都是将其转化为电能进行应用。化石能源需要通过燃烧先将化学能转化为热能，然后再转化为电能。水能、风能需要将水与风的动能转化为机械能，然后再转化为电能。这些能源在多次转化的过程中必然存在大量的能量损失。而太阳能光伏发电是将光能直接转化为电能，这意味着光伏发电的能量损失最小。光伏发电除了具备太阳能总量巨大、分布广泛、清洁干净安全、能量损失小的特点外，还拥有应用场景广泛的优势。不仅可以建设集中式大型电站，还可以建设分布式小型电站，甚至可以在每家每户的屋顶安装光伏发电装置进行发电。除此以外，在建筑、城市照明、交通、航天航空、军事、农业等领域都可以应用太阳能光伏发电。这些优势决定了太阳能光伏发电具有巨大的发展潜力。

光能可以转化为电能是由法国物理学家亚历山大·埃德蒙·贝克勒尔于 1839 年在一次实验中首次发现的：在光的照射下将两片铂金属片浸没在氯化银酸性溶液中，金属片两端产生了电压。1873 年，英国电气工程师威洛比·史密斯发现了硒的光电导性能，说明硒在吸收太阳光时会导电。1883 年，美国发明家查尔斯·富里茨利用硒制造了世界上第一块太阳能电池，该电池的能量转换效率为 0.5%～1%。关于光电效应的真实面纱直到 1905 年才由物理学家阿尔伯特·爱因斯坦揭开。光具有波粒二象性，只要频率足够高，光子的能量就能使金属或者半导体内的电子脱离正常轨道变成自由电子。在金属或者半导体上接入两极使自由电子形成固定的移动方向就会形成电流。随后的半个世纪，太阳能电池未能得到发展，究其原因是硒电池的转换效率太低，不具备应用基础。直到硅的投入应用，才打破了太阳能转换效率的桎梏。硅与光能发电的首次联系是在 1940 年，贝尔实验室的研究人员发现有裂痕的硅在阳光照射下有电流通过。1953 年，贝尔实验室的卡尔文·富勒和杰拉尔德·皮尔逊揭开了硅材料太阳能发电原理：硅片浸没在锂溶液中吸附锂后形成 P-N 结，在光的照射下产生电流。1954 年，卡尔文·富勒、杰拉尔德·皮尔逊和达里尔·查宾研发出第一块以硅为原材料的太阳能光伏电池，该电池的能量转换效率为 2.3%。经过一年时间的改进，达里尔·查宾将硅材料太阳能电池转换效率提高到 6%。随着技术的不断进步，光伏电池的转换效率已经从最初的不到 10%提升到现在的 23%左右，此转换效率已经完全可以进行光伏电池产业化。

从 20 世纪 40—50 年代起，欧洲、日本、美国不断进行光伏研究，积极推动光伏产业的发展。1996 年，世界太阳能高峰会议的召开让中国首次接触到光伏太阳能的信息，从此拉开了中国光伏行业弯道超车的序幕。2024 年中国光伏新增装机量为 278GW，同比增长 28%。其中，集中式光伏 160GW，分布式光伏 118GW。

截至 2024 年 12 月，全国光伏发电装机容量达到 886GW，同比增长 45%，其中集中式光伏电站 511GW，分布式光伏电站 375GW。2024 年，全国光伏发电量 8341 亿千瓦时，同比增长 44%，此发电量等效于 1.7 亿吨原油输出的能量。消费 1.7 亿吨原油大约产生 5.27 亿吨碳排放，而建设光伏系统大约产生 2520 万吨碳排放。换算可知，建设光伏系统每产生 1 吨碳排放，在建设完成后可减少大约 21 吨的碳排放。光伏系统可稳定运行 25 年以上，在一个生命周期将减少至少 525 吨的碳排放。

4.2 多晶硅生产工艺

多晶硅是太阳能光伏系统最核心组件生产的原料，工业生产中主要存在两种工艺制备技术：三氯氢硅还原法（又称西门子法）和硅烷热分解法。

4.2.1 西门子法工艺路线

1954 年，德国西门子公司成功开发出三氯氢硅还原法（又称西门子法）多晶硅工艺技术，并于 1957 年开始了工业规模的生产。此技术是在钟罩型反应器内的细硅芯发热体上利用氢气（H_2）还原三氯氢硅（$SiHCl_3$）的气相沉积法制备多晶硅，工艺流程图如图 4.1 所示。

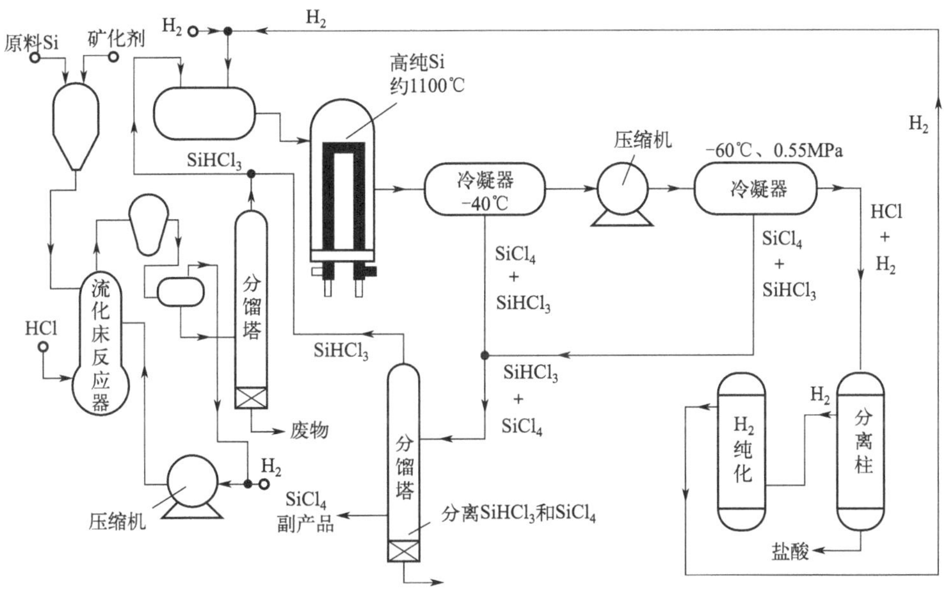

图 4.1　西门子法多晶硅生产流程示意图

此工艺先以冶金级硅和氯化氢（HCl）为原料制备 $SiHCl_3$。反应温度 300℃、反应压力 0.07～0.6MPa。反应方程式为：

$$Si+3HCl \longrightarrow SiHCl_3+H_2 \tag{4.1}$$

主要副产物是二氯氢硅（SiH_2Cl_2）、四氯化硅（$SiCl_4$）和氯硅烷，含量分别为 11.4%、51.2%和 11.9%。产物通过沉降器进行气固分离除去固体颗粒，再经过冷凝器分离 H_2，H_2 通过压缩机压缩后再返回进入流化床反应器。液相产物 SiH_2Cl_2、$SiHCl_3$、$SiCl_4$ 和氯硅烷则进入分馏塔进行分离。提纯后的 $SiHCl_3$ 进入储罐，再与 H_2 共同进入钟罩反应器，在1100℃的硅芯上进行还原沉积。反应方程式为：

$$SiHCl_3 + H_2 \longrightarrow Si + 3HCl \tag{4.2}$$

同时伴随如下副反应：

$$4SiHCl_3 \longrightarrow Si + 3SiCl_4 + 2H_2 \tag{4.3}$$

在此工艺流程中，HCl 和 $SiCl_4$ 不再循环使用，而是作为副产品收集起来，$SiHCl_3$ 和 H_2 则回收利用。从钟罩反应器出来的混合物经过冷凝器冷却至－40℃，再进一步加压至0.55MPa，深冷至－60℃，将 H_2、HCl 与 $SiHCl_3$、$SiCl_4$ 分离。HCl 通过水吸收成为盐酸，H_2 循环使用。$SiCl_4$ 和 $SiHCl_3$ 混合液体进入分馏塔分离，$SiHCl_3$ 进入储罐待用，$SiCl_4$ 则作为副产品出售。

西门子法制备 1kg 多晶硅，会产生 15～18kg 的 $SiCl_4$，大量硅元素未能转化为产品。因此，西门子法制备多晶硅生产成本高，仅适合小规模生产。

4.2.2 改良西门子法工艺路线

由于西门子法生产多晶硅存在转化率低、副产物（HCl 和 $SiCl_4$）排放污染严重的问题，改良西门子法在原来基础上增加了尾气回收和 $SiCl_4$ 氢化工艺，实现了生产过程的闭路循环。尾气中的 H_2、HCl、SiH_2Cl_2、$SiHCl_3$ 和 $SiCl_4$ 通过干法回收进行分离，H_2 可再用于 $SiCl_4$ 氢化与 $SiHCl_3$ 还原，HCl 可再用于 $SiHCl_3$ 合成与 $SiCl_4$ 氢化。

$SiCl_4$ 氢化技术中，热氢化法和冷氢化法在工业中得到应用。其中热氢化法以 $SiCl_4$ 和 H_2 为原料，在热氢化炉内进行反应，反应温度为 1200～1400 ℃，反应压力为 0.2～0.6 MPa，氢气和 $SiCl_4$ 的摩尔比为（2～6）：1，反应方程式为：

$$SiCl_4 + H_2 \longrightarrow SiHCl_3 + HCl \tag{4.4}$$

热氢化技术单程转化率较低，在 10%～20%，还存在反应温度高、能耗大的缺点。

冷氢化法是目前多晶硅企业普遍采用的方法，反应方程式为：

$$Si + 3SiCl_4 + 2H_2 \longrightarrow 4SiHCl_3 \tag{4.5}$$

以 H_2、硅粉、$SiCl_4$ 为原料，采用镍基、铁基或者铜基等催化剂，反应温度在 450～650 ℃，反应压力为 1.5～3.5 MPa，H_2 与 $SiCl_4$ 的摩尔比为（1～10）：1。该方法 $SiCl_4$ 单程转化率能达到 18%～35%。相比于热氢化法，冷氢化法 $SiCl_4$ 单程转化率提升，能耗明显降低。

为了进一步降低能耗，提高原料利用率，在冷氢化工艺反应物中加入适量 HCl，使式（4.1）和式（4.4）所示反应同时进行。对其进行热力学分析，$SiCl_4$ 与 H_2 反应［式（4.4）］是吸热反应，硅粉与 HCl 反应［式（4.1）］是放热反应，两个反应在同一个反应器中进行，热量可互相抵消，减少热损失，同时通过副产物 HCl 的循环，提高原料的利用率。

改良西门子法工艺路线采用 $SiHCl_3$ 氢还原法生产棒状多晶硅，主要包括以下工序：HCl 合成、$SiHCl_3$ 合成、制氢、$SiCl_4$ 冷氢化、氯硅烷精馏、尾气回收、$SiHCl_3$ 还原、产品后处理、废液废气处理、工艺废水处理等，工艺流程图如图 4.2 所示。硅粉与 HCl 进行

反应合成 $SiHCl_3$，生成的气固混合物进入精馏、尾气回收工段进行分离。其中，废气与废液分别进入废气、废液处理系统；H_2 和 HCl 进入 $SiHCl_3$ 合成以及 $SiCl_4$ 冷氢化工段参与反应；粗 $SiHCl_3$ 进入精馏系统进行精制；粗 SiH_2Cl_2 进入歧化精馏系统反应生成粗 $SiHCl_3$，再进入精馏系统进行精制。精 $SiHCl_3$ 气体进入还原炉内在高温硅棒表面发生气相沉积生成多晶硅，还原尾气进入尾气回收系统进行分离。其中，H_2 和 HCl 进入 $SiHCl_3$ 合成以及 $SiCl_4$ 冷氢化工段参与反应；还原氯硅烷进入还原精馏系统分离得到 $SiCl_4$ 和精 $SiHCl_3$，$SiCl_4$ 与补充的新鲜硅粉进入冷氢化工段，精 $SiHCl_3$ 与补充的新鲜 H_2 以及还原尾气分离出的部分 H_2 进入多晶硅还原工段。硅棒经过后处理后得到多晶硅产品，产生的含氟废水与废气废液处理系统产生的废水进入工艺废水处理装置。

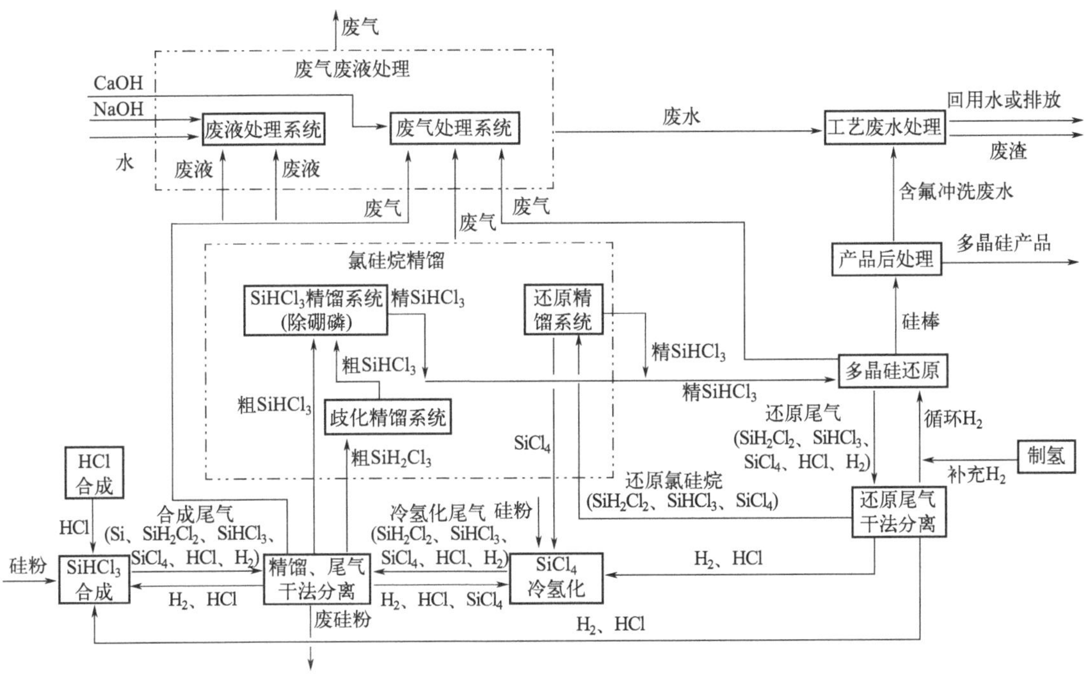

图 4.2 改良西门子法多晶硅生产流程示意图

4.2.3 硅烷热分解法工艺路线

硅烷热分解法通常有流化床和钟罩式分解炉两种方式生产多晶硅。其中，钟罩式分解炉内部装有特殊内构件以降低无定形硅粉的生成，结构复杂，能耗高，且沉积速度慢。因此工业上基本采用硅烷流化床法生产多晶硅，其生产工艺第一步与改良西门子法一致，都是以 HCl 和工业硅粉为原料生成 $SiHCl_3$，反应方程式如式（4.1），然后分离提纯得到其他还原尾气，且都采用了相同的 $SiCl_4$ 冷氢化技术。不同之处在于第二步，硅烷流化床法的原理是 $SiHCl_3$ 经过歧化反应生成 SiH_2Cl_2 和 $SiCl_4$，然后 SiH_2Cl_2 再次进行歧化反应生成 SiH_3Cl 和 $SiHCl_3$，SiH_3Cl 迅速发生歧化反应生成 SiH_2Cl_2 和 SiH_4，最后 SiH_4 进行热分解反应得到产品多晶硅，其反应方程式为：

$$2SiHCl_3 \longrightarrow SiH_2Cl_2 + SiCl_4 \tag{4.6}$$

$$2SiH_2Cl_2 \longrightarrow SiH_3Cl + SiHCl_3 \tag{4.7}$$

$$2SiH_3Cl \longrightarrow SiH_2Cl_2 + SiH_4 \tag{4.8}$$

$$SiH_4 \longrightarrow Si + 2H_2 \tag{4.9}$$

硅烷流化床法主要包括以下工序：HCl 合成、$SiHCl_3$ 合成、精馏、尾气干法分离、硅烷生产及分离、$SiCl_4$ 冷氢化、硅烷提纯、硅烷热裂解还原、尾气分离回收、废液废气处理、工艺废水处理等。工艺流程图如图 4.3 所示。硅粉与 HCl 进行反应制备 $SiHCl_3$，生成的气固混合物进入精馏、尾气回收工段进行分离，废气与废液分别进入废气、废液处理系统，H_2 和 HCl 进入 $SiHCl_3$ 合成以及 $SiCl_4$ 冷氢化工段参与反应，SiH_2Cl_2 和 $SiHCl_3$ 进入硅烷生产工段进行歧化反应，产生的 $SiCl_4$ 返回冷氢化工段，粗 SiH_4 进入硅烷提纯工段，结束后进行硅烷热裂解还原生成多晶硅。

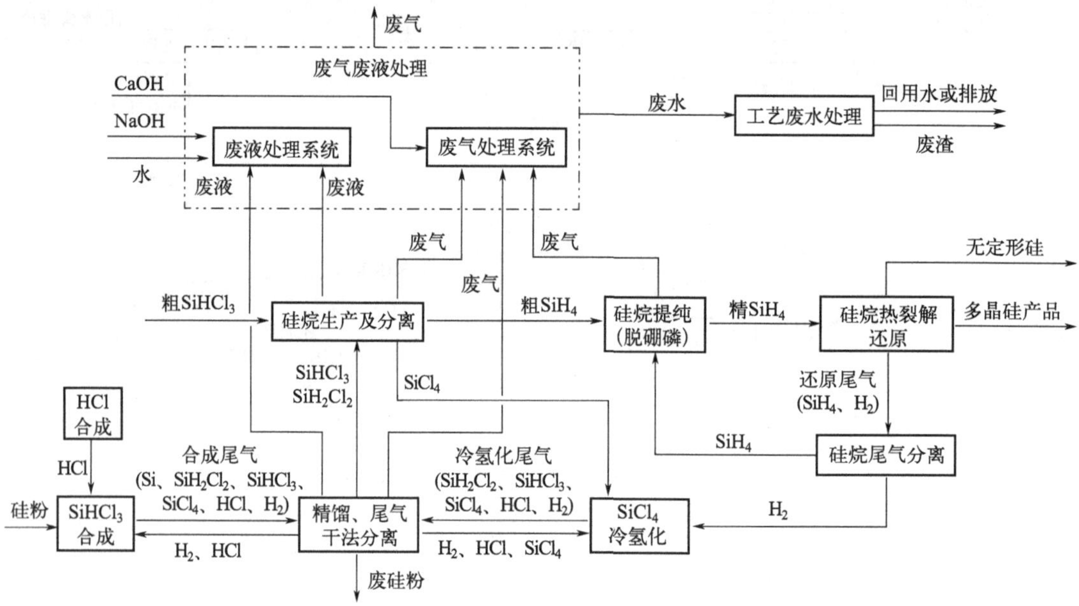

图 4.3　硅烷流化床法多晶硅生产流程示意图

改良西门子法和硅烷流化床法是目前工业生产中制备多晶硅最主要的方法，它们都存在各自的优点和缺点，具体对比结果如表 4.1 所示。

表 4.1　改良西门子法和硅烷流化床法生产工艺对比

项目	改良西门子法	硅烷流化床法
多晶硅形状	棒状硅	颗粒硅
市场占有率	92.5%	7.5%
产品纯度	9～12N(太阳能级、电子级)	6～9N(太阳能级)
反应温度	1150～1200℃	550～700℃
综合能耗	高(耗电量 50～60kW·h/kg)	低(耗电量 15～20kW·h/kg)
物耗	将尾气中的所有组分全部进行回收利用，从而大幅度降低原料的消耗	参与反应的硅料得到充分利用，排出的废料极少

续表

项目	改良西门子法	硅烷流化床法
单程转化率	10%～15%	95%～99%
副产物	产生大量副产物氯硅烷，需通过氢化处理	副产物少，污染性排放少
安全性	工艺成熟，操作安全	SiH_4 易爆炸，安全性差
工艺成熟度	成熟，是投产速度最快的工艺	不够成熟，仅少数厂家使用
生产连续性	批次生产，需进行装、拆炉	连续性不间断生产
竞争优势	① 工艺成熟稳定，生产易复制扩大； ② 多晶硅纯度高	① 生产成本低 25%～30%； ② 无须破碎，生产过程自动化； ③ 下游客户的单晶生产成本降低
现存缺点	① 批次生产，能耗高； ② 产物需人工破碎	① 比表面积大易吸附杂质； ② 硅粉较多； ③ 加料时易产生“跳料”问题
代表企业	多数多晶硅生产企业	美国 MEMC、挪威 REC、协鑫科技控股有限公司、陕西有色天宏瑞科硅材料有限责任公司

相比于改良西门子法，硅烷流化床法的能耗更低，生产过程更为清洁，生产成本更低。但是硅烷流化床法工艺导致的杂质问题，使得规模生产后产品的品质差异极大，故而目前无法直接作为原材料生产硅片。在拉晶过程中颗粒硅只能作为掺杂料使用，目前的掺杂比例在 15%～25%。

4.3　三氯氢硅的合成

$SiHCl_3$ 的合成是生产多晶硅的重要环节之一，包括液氯汽化、HCl 合成、$SiHCl_3$ 合成等工序。其核心设备 $SiHCl_3$ 合成炉的功效会直接影响整个合成车间的经济指标。

4.3.1　液氯汽化

工业制取液氯的方法主要是电解食盐水，反应方程式为：

$$2NaCl+2H_2O \longrightarrow 2NaOH+H_2\uparrow+Cl_2\uparrow \tag{4.10}$$

电解产生的混合气体通过冷凝、干燥制取液氯，纯度可达 99%以上，杂质是微量的 H_2 和水。液氯汽化器采用热水循环加热，循环水依靠外接蒸汽管道加热，并且水温控制在 40～45℃范围内。汽化器通过离心泵送来的循环热水加热使液氯转化为气体，并通过汽化器上的压力传感器调节进水流量，调节蒸发量使汽化器压力稳定在 0.6MPa 左右，得到规定压力的氯气。

4.3.2　氯化氢的合成

氯化氢合成采用氯气在氢气中燃烧的方法，反应方程式为：

$$H_2+Cl_2 \longrightarrow 2HCl \tag{4.11}$$

氯化氢的合成是氯气在氢气流中不爆炸燃烧的条件下进行的，氢气火焰温度在1000℃以上。点火时需先点燃氢气，然后通入氯气，使两者稳定燃烧生成HCl，产物中的少量水分采用冷冻脱水干燥的方法除去。氯化氢合成炉（图4.4）是合成氯化氢的主要设备，其形状有直筒和锥形两种。锥形合成炉由炉顶、炉体和灯盘组成。由于炉顶受气流和火焰的直接冲击和腐蚀，寿命较短，一般采用普通钢和特殊钢等材料制成。炉顶一般以法兰盘与炉体相接，当炉顶损坏时，可将备件及时装上，不致造成长期停产。炉顶一侧与炉体中心线上设有一定直径的防爆孔，防爆膜采用中压石棉橡胶板，如炉内超过规定压力，可自动破裂；另一侧为气流出口管道。炉体下部设有窥视孔，以便掌握炉内火焰和反应情况。灯头（图4.5）是合成炉内的氯化氢燃烧器，由不锈钢和石英两种材料制成。为了让氯气和氢气能够混合均匀，燃烧安全，减少游离氯，灯头采用双层或者多层套管制成。

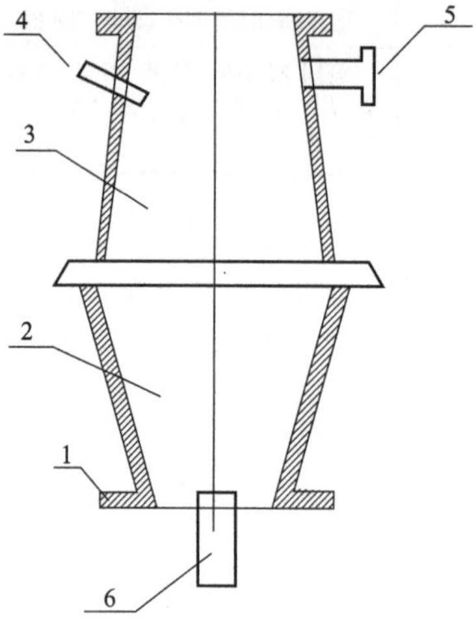

图4.4 氯化氢合成炉

1—法兰盘；2—炉体下部；3—炉体中部；4—防爆孔；5—HCl出口；6—灯头

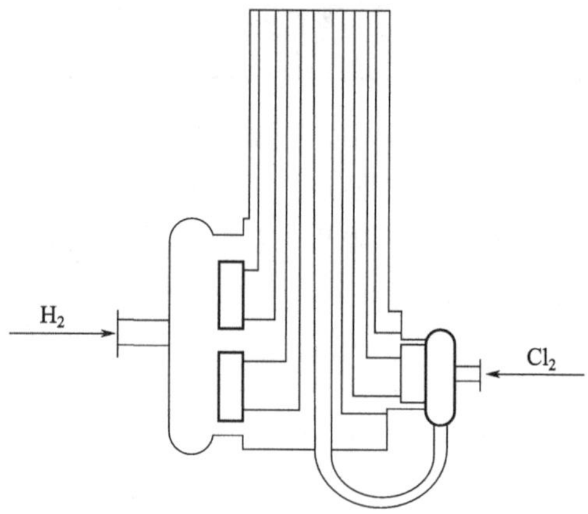

图4.5 灯头示意图

4.3.3 三氯氢硅的合成

(1) $SiHCl_3$ 合成原理

$SiHCl_3$ 在常温常压下为易流动挥发且具有刺激性恶臭味的无色透明液体。常压下熔点－134℃，沸点31.8℃，气体相对密度为4.7（空气为1）。其蒸气和液体都能对人的鼻、嘴、眼角膜和呼吸道产生刺激，引起喘息甚至肺水肿，高浓度情况下会产生痉挛甚至人死亡，滴到皮肤上会引起不可痊愈的溃疡。

工业上采用氯化氢和硅粉反应的方式生产 $SiHCl_3$ ［式（4.1）］。此反应为放热反应。为保持炉内温度在280～320℃之间，以提高 $SiHCl_3$ 的收率，工业上采用在合成炉外面安装水冷夹套的方式带走反应产生的热量，产生的蒸汽还可以二次利用。如果氯化氢和硅粉反应的温度升高，就会造成 $SiHCl_3$ 的生成量不断减小，$SiCl_4$ 的生成量不断增大，当反应温度超过350℃时将会生成大量的 $SiCl_4$；如果反应温度过低，将会生成 SiH_2Cl_2。反应方程式分别为：

$$Si + 4HCl \longrightarrow SiCl_4 + 2H_2 \quad (\geqslant 350℃) \tag{4.12}$$

$$Si + 2HCl \longrightarrow SiH_2Cl_2 \quad (\leqslant 280℃) \tag{4.13}$$

目前工业应用中采用流化床反应器作为 $SiHCl_3$ 的合成炉，炉底温度通常高于 350℃，炉顶温度低，因此产物中存在大量的副产物 $SiCl_4$ 以及少量的 SiH_2Cl_2。

（2） $SiHCl_3$ 合成工艺流程

$SiHCl_3$ 合成工艺流程如图 4.6 所示。硅粉进入合成炉内待温度升至反应温度时，加入 HCl，同时切断加热电源，转入自动控制。生成的产物进行干法除尘回收少量硅粉返回合成炉，其余产物再进行湿法除尘，待冷凝后将 HCl 回收进入 HCl 储罐。混合气体经过精馏系统分离得到产品 $SiHCl_3$，其余混合物（主要成分为 $SiCl_4$ 和 SiH_2Cl_2）进入氯硅烷储罐以待后续利用。

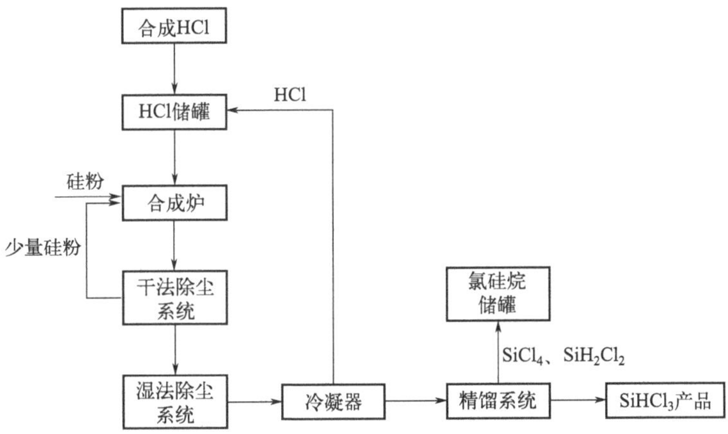

图 4.6　三氯氢硅合成工艺流程示意图

（3） $SiHCl_3$ 合成炉

合成 $SiHCl_3$ 最早使用的是固定床，但是由于此反应为放热反应，且硅粉导热性差，流体流速受压降限制不能太大，这就造成固定床内传热和温度控制困难。固定床炉内存在严重的温度梯度（轴向存在一个最高温度点），这对反应的选择以及设备的强度等均极为不利。因此，固定床反应器内合成的 $SiHCl_3$ 含量一般只有 70%。

现今工业生产中，流化床反应器已经取代固定床反应器，成为普遍采用的设备。流化床层内流体和固体剧烈搅动，使床层温度分布均匀，避免了局部过热，合成的 $SiHCl_3$ 含量可达 90%左右。

目前中国大多数工厂采用的合成炉结构如图 4.7 所示，由炉筒、扩大部分、水套、花板和风帽以及锥底组成。炉体是由钢板焊接的圆筒体，炉壳外有保温

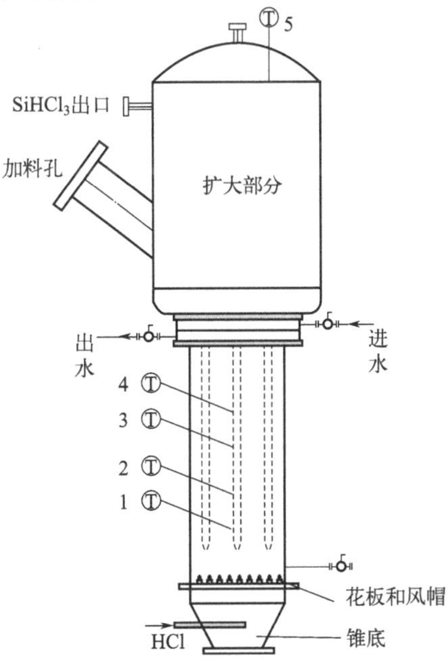

图 4.7　三氯氢硅合成炉
1～5—温度传感器

层，炉体内是流化反应空间。扩大部分的作用一是让炉筒喷出来的气流以及被带出的物料颗粒趋向平稳和“澄清”，使可能被气体带出的细硅粉部分在此沉降下来；二是保证悬浮在气流中的细小硅粉在炉内有足够的停留时间，使硅粉和 HCl 充分接触，有足够的时间进行化学反应；三是在生产过程中有足够的热惯量，以保证加料时温度波动较小，不需要重新加热；四是保证具有足够的热交换表面积。因为氯化氢和硅粉的反应为放热反应，为了保证流化床的反应温度在指定的范围内以提高 $SiHCl_3$ 的收率，必须及时均匀地移走合成反应产生的大量热量，因此在炉体上部扩大部分外部接有水套。水套内的冷却剂温度和流化床内部之间的平均温差不能太大，以免造成流化床内部过冷（低于合成反应温度），影响反应速率，降低产物中 $SiHCl_3$ 的含量。一般采用 80～100℃的温水（或者低压蒸汽）作为冷却剂，其温度与流化床反应温度差值小，热稳定性良好。气体分布板的作用是使气体进入床层以前得到均匀分布，保证流态化过程均匀且稳定地进行。

硅粉与 HCl 气体的反应为气固相反应，在固体表面进行，硅粉越细，比表面积越大，越有利于反应。但是颗粒在“沸腾”过程中互相碰撞，易摩擦起电，如果颗粒过小，那么它们容易在电场作用下聚集成团，使流化床出现“水流”现象，影响反应的正常进行，且易被气流夹带出合成炉，堵塞管道和设备，造成资源的浪费。如果硅粉过粗，与 HCl 气体的接触面积变小，反应效率降低，且易沉积在流化床底部，造成系统压力变大，不易流化。经过反复实践证明，采用 80～120 目（125～178μm）的硅粉粒度可提高转化率且能够维持正常操作。但是在多晶硅生产过程中会产生大量的低质细硅粉，如果直接出售，其价值就会大大降低，目前工业上将其作为硅源进行回收利用。因为细硅粉平均粒径只有 40μm，普通合成炉操作时会频繁因温度失控而导致停炉，因此开发了细硅粉三氯氢硅合成炉，结构如图 4.8 所示。与常规合成炉不同的是，此合成炉没有扩大部分，在上、下封头之间由多段反应段组成，每一反应段均设置有分布器且侧壁均设置有冷却夹套。分布器的作用是使硅粉从下至上流动时有效地使炉内硅粉均匀分布，从而使炉内流化态更好，氯化氢与硅粉接触时间增加，反应效率增加，以提高合成炉转化率。通过增加分布器，改善硅粉二次分布，提高炉内反应效率，从而保证了合成炉转化率的平稳。合成炉上多处安装压力和温度检测器，人们可根据压力和温度信息，对合成装置内的温度和压力进行控制，避免因为反应剧烈而造成高温高压停炉。

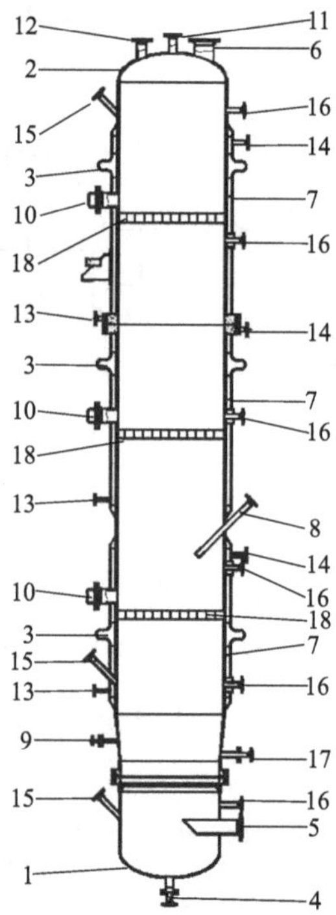

图 4.8　细硅粉三氯氢硅合成炉

1—下封头；2—上封头；3—反应段；4—硅粉排放口；5—进气口；6—出气口；7—冷却夹套；8—细硅粉进口；9—吹扫口；10—手孔；11—旋风分离器料腿口；12—备用口；13—进水口；14—出水口；15—压力计口；16—温度计口；17—排净口；18—分布器

4.4　三氯氢硅还原制备高纯硅

4.4.1　三氯氢硅还原的影响因素

改良西门子法是以高纯三氯氢硅为原料与超纯氢气发生还原反应制备多晶硅［式(4.2)］，反应温度为 1080～1100℃。同时，还会发生式（4.3）所示的 $SiHCl_3$ 热分解，以及 $SiCl_4$ 的还原反应：

$$SiCl_4 + 2H_2 \longrightarrow Si + 4HCl \tag{4.14}$$

以及杂质的还原反应：

$$2BCl_3 + 3H_2 \longrightarrow 2B + 6HCl \tag{4.15}$$

$$2PCl_3 + 3H_2 \longrightarrow 2P + 6HCl \tag{4.16}$$

反应过程复杂，应尽可能地使还原炉内的反应按照式（4.2）的反应进行。影响三氯氢硅还原制备多晶硅的因素有很多，具体如下。

（1）原料纯度

对于还原过程，$SiHCl_3$ 和 H_2 的纯度会直接影响到产品纯度，因此要严格控制其杂质含量。

（2）还原反应沉积温度

三氯氢硅和四氯化硅还原都是吸热反应，因此升高温度会使平衡向吸热一方移动，有利于硅的沉积。但实际上反应温度不能太高，原因如下：

① 气相硅在载体上的沉积存在最高温度，一旦超过此温度，沉积速率就会随着温度的升高而下降。同时，气相硅沉积还有一个平衡温度值，高于此温度时才有硅沉积出来。因此沉积温度需要在平衡温度和最高温度之间，沉积速率会随着温度的升高而增大。

② 温度太高，沉积硅的化学活性增强，受到设备材质污染的可能性增大，造成多晶硅质量下降。

③ 直接影响多晶硅品质的磷、硼杂质，其化合物随着温度的升高还原量也增大，使多晶硅的品质下降。

④ 在大于 1200℃时会发生硅的逆腐蚀反应，分别由硅与 HCl 以及硅与 $SiCl_4$ 反应生成 SiH_2Cl_2 和 $SiCl_2$，从而导致“横梁腐蚀凹角”、硅棒根部“亮点”等现象，产生更多的副产物。

实践证明，900～1080℃范围内，主要发生 $SiHCl_3$ 的热分解反应，在 1080～1200℃范围内，主要发生 $SiHCl_3$ 的还原反应，生产中采用的温度为 1080～1100℃。

（3）反应物配比

反应物配比指的是 $SiHCl_3$ 和 H_2 的摩尔比。用反应式计算所需的理论氢气量来还原 $SiHCl_3$，因为 H_2 的不足，会发生其他副反应，得到的产物为非晶态的褐色粉末，而且收率极低。增加 H_2 的配比，可以显著提高 $SiHCl_3$ 的转化率和多晶硅的收率，产品结晶质量也比较好。$SiHCl_3$ 的转化率随着 H_2 与 $SiHCl_3$ 摩尔比的增大而提高，如 H_2 与 $SiHCl_3$ 的摩尔比为 15 时，转化率为 28%；摩尔比为 30 时，转化率可达到近 40%；继续升高摩尔比，Si-

HCl_3 的转化率会继续提高。但是 H_2 与 $SiHCl_3$ 摩尔比太大会造成 H_2 得不到充分利用，浪费资源，氢气量太大也会稀释 $SiHCl_3$ 的浓度，减少 $SiHCl_3$ 与硅棒表面碰撞的概率，降低硅的沉积速度。除此以外，过高的 H_2 浓度不利于抑制 B、P 的析出，影响产品质量。因此，现在普遍采用 $SiHCl_3$ 和 H_2 的摩尔比为 1∶3.5～1∶10 的配比，以提高多晶硅的沉积速率。

（4）反应气体流量

反应物配比和反应温度确定后，通入还原炉的气体流量越大，相同时间内同硅棒表面碰撞的 $SiHCl_3$ 分子数量就越多，沉积速度越快，多晶硅产量也越高。同时，气体流量大能更好地造成还原炉内气流的湍动，消减发热体表面的气体边界层和炉内气体分布不均匀的现象，有利于还原反应的进行。但是气体流量太大也会造成反应气体在炉内停留时间太短，使 $SiHCl_3$ 的转化率降低。此时，可以采用尾气回收技术回收未反应的 $SiHCl_3$ 再重新投入反应，提高多晶硅的沉积速率和产量。

（5）还原反应压力

为了促进反应向正方向进行，抑制副反应的发生，需要降低反应压力。但是压力的增加会提高反应粒子的活化分子数和分子与硅芯碰撞沉积的概率，提高沉积速率，增加产能。因此目前改良西门子法生产多晶硅均采用加压的方式。

（6）还原反应时间

随着反应时间的延长，沉积的硅棒越来越粗，载体表面积越来越大，反应气体对沉积载体的碰撞概率也增大，因而产量提高。延长反应时间还可以使单位体积内载体向硅中扩散的杂质量相对减少，有利于提高多晶硅的质量。

（7）沉积硅的载体

要求材料的熔点高，纯度高，在硅中的扩散系数小，以避免在高温下对多晶硅产生污染，同时须具备与沉积硅易分离的特性，因此采用多晶硅制成的硅芯作为载体比较合适。

4.4.2 三氯氢硅还原工艺流程

$SiHCl_3$ 还原工艺流程简图如图 4.9 所示。经提纯的 $SiHCl_3$ 进入汽化器汽化，经尾气回收系统回收的 H_2 进入预热器预热，这两种气体在混合器中进行混合形成一定配比的混合气体。混合气体经进气管喷头进入还原炉内，在 1080～1100℃的反应温度下，$SiHCl_3$ 中的硅被还原出来，沉积在硅载体上。同时生成 $SiCl_4$ 和 HCl 气体等，与未反应的 $SiHCl_3$ 和 H_2 一起被排出还原炉进入尾气回收系统进行冷凝、分离。回收的氯硅烷气体被送到精馏系统进行分离、提纯，然后再返回多晶硅生产中。

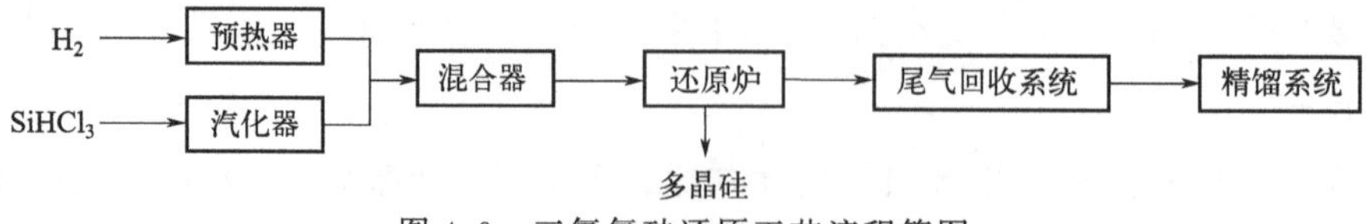

图 4.9 三氯氢硅还原工艺流程简图

4.4.3 三氯氢硅汽化器

还原工序 $SiHCl_3$ 的汽化，是采用汽化器使 $SiHCl_3$ 由液态转变成气态的一个物理过程，其结构如图 4.10 所示。汽化器由壳体和换热管组成，采用间接加热的方式，即壳体内通入 $SiHCl_3$ 液体，换热管内通入饱和蒸汽，由于饱和蒸汽的加热，使得壳体内 $SiHCl_3$ 液体不断汽化，最后得到一定温度、压力下的 $SiHCl_3$ 气体。在实际生产中，随着使用时间的延长，$SiHCl_3$ 汽化器壳程内会不断富集高沸点杂质（氯硅烷高沸物），因此在壳体底部设置有高沸物排出口，解决了高沸物在 $SiHCl_3$ 汽化器内富集的问题，并且增加了 $SiHCl_3$ 汽化器运行过程的稳定性和安全性，达到了提升多晶硅质量和系统稳定生产的目的。

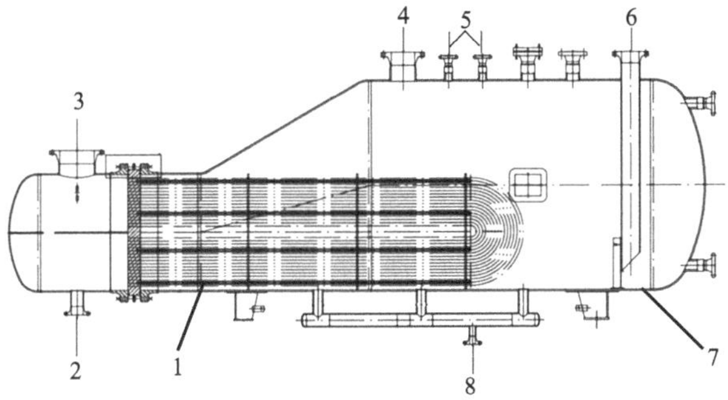

图 4.10　三氯氢硅汽化器

1—换热管；2—凝液出口；3—饱和蒸汽入口；4—三氯氢硅气体出口；
5—远传压力表；6—三氯氢硅液体入口；7—壳体；8—高沸物排放口

4.4.4　三氯氢硅还原炉

还原炉是多晶硅生产的核心设备，目前工业上只采用钟罩式还原炉，江苏中圣开发的三氯氢硅还原炉得到市场的高度认可，其结构如图 4.11 所示。还原炉的钟罩内壁和底盘上表面材质采用复合板（低合金钢 Q345R＋不锈钢 S31603），其他零部件与工艺物料接触部分采用 S31603，与水接触部分采用 Q345R。这样的材质布局可以降低生产成本，同时还可以减少反应气体对设备的腐蚀以及设备对硅棒的污染。还原炉内壁平滑光亮，炉筒和底盘具有夹层，可以通过导热油或者水带走硅棒辐射到炉壁上的热量，保护炉体和密封垫圈。底盘与钟罩构成密封的反应空间，底盘是夹套式的，也需要对底盘进行冷却。底盘上分布有一定数量的电极以及电极密封圈，炉内硅芯通过石墨底座、卡瓣等附件固定在底盘上，还原炉通过电极向硅芯供电，供硅芯发热，提供炉内反应所需的温度。底盘上有分布均匀的孔，用来安装电极、进气导管、尾气管道以及加热碳棒等。底盘外圈有凹槽，其上装有聚四氟乙烯垫圈用来密封炉筒和底盘。

底座的主要作用是支撑整个炉体，并提供相应的空间安装电极、导线铜板、电极冷却水等。进、出气管喷口的高度一般与电极高度差不多，但低于电极与载体连接处的高度。这样可以保证混合气体能高速喷入还原炉内，同时喷口直径不宜过大或过小，选择合适的喷口直径可使气体在炉内呈湍流状态，以利于破坏硅棒表面的气体界层，有利于还原反应过程的进行。图 4.11 采用进、出气管道分开散布在底盘上的方式，分布式的进气可以使炉内原料气体分布均匀，增加反应速率，利于硅棒的均匀生长，减少“玉米粒”（硅棒生长过程中形成的直径在 2mm 及以上的类似玉米粒状的多晶硅）的生成等。

根据生产需求的不同，还原炉在炉型尺寸选择上有着一定的原则可供遵循。一般小炉

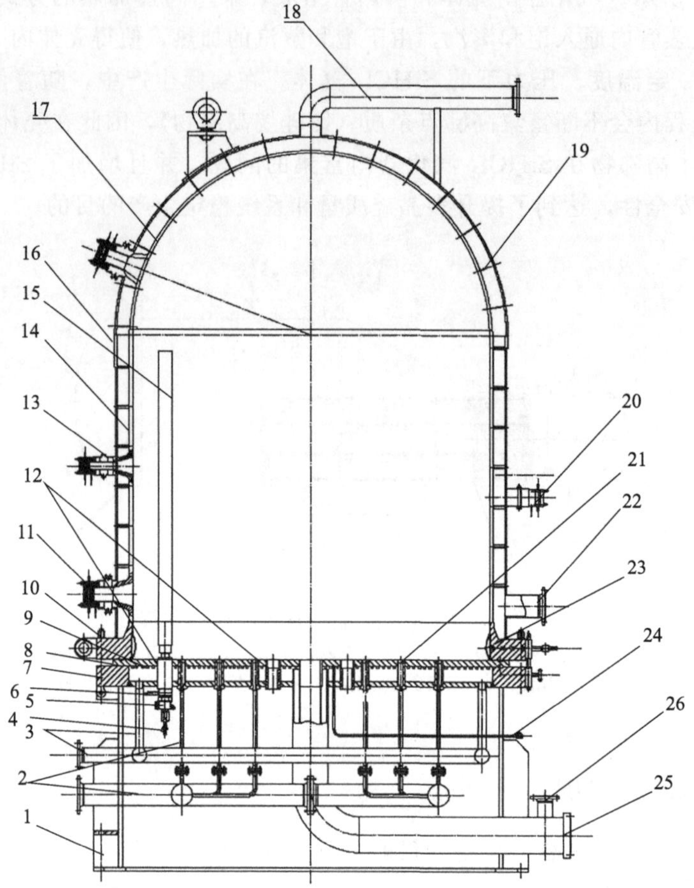

图 4.11　三氯氢硅还原炉

1—底座；2—进气环管及分配管；3—进水及分配管；4—电极冷却水进口；5—电极；6—冷却水出口；7—带水夹套双管板；8—密封垫；9—管板强化传热元件；10—坚固连接件；11—视镜；12—电极套；13—膨胀节；14—炉筒内壁；15—硅棒；16—炉筒外壁；17—涂层；18—水汽出口；19—螺旋支撑板；20—测温孔；21—原料气喷嘴；22—冷却水进口；23—冷却水夹套；24—水汽排气口；25—冷却水出口管；26—尾气排气管

型，棒数少，炉内温度场、流场稳定，相互影响有限，所以可以生产出高品质多晶硅；而多对棒炉型硅棒对数多，相互之间影响大，供料量大，炉内温度场和流场控制难度较大，需要通过优化喷嘴的结构形式和位置来调整优化炉内温度场和流场分布，但是该炉型产能比较大，能耗相对会低一些，适用于大规模生产配置。近年来，随着太阳能光伏多晶硅需求量的激增，国内各多晶硅生产企业和还原炉制造商通过对国内外已有技术的消化吸收，让还原炉从最开始的 3 对棒、9 对棒炉型进入现在的 24 对棒、36 对棒、40 对棒、48 对棒、60 对棒时代，甚至还有企业开发出了 72 对棒的还原炉，但是因为生产成本再难以大幅下降，而且出现异常情况时备品备件消耗极大，所以目前基本以 48 对棒左右的还原炉为主要炉型。通过优化工艺，多晶硅生产电耗基本稳定在 50～60kW·h/kg，这相对于十几年前的 300kW·h/kg 左右的多晶硅电耗而言下降幅度高达 82%左右，这也为光伏发电平价上网奠定了坚实的基础。

多晶硅还原炉底盘上电极孔的布置对还原效果也有很重要的影响。常规的小尺寸还原炉一般采用同心圆的电极孔布置结构，随着还原炉的大型化，电极孔的布置也呈现多样化，除了有同心圆布置结构，还有正六边形、正五边形等蜂窝状结构。基于对还原炉内的流场和温度场的分布情况，可在底盘上采用不同的分布方式，并通过计算机模拟选择出最佳的进出气口位置。底盘的典型布置方式如图 4.12 所示。通过近年来的实践生产经验，还原炉的底盘布置采用同心圆结构在相同对棒数的前提下，底盘直径略小；如果采用蜂窝状的布置结构，进出气口位置分布更好设置，可以生产出更大直径的多晶硅棒，也就是单炉产能可以做到更大一些，还原直接电耗基本相当。

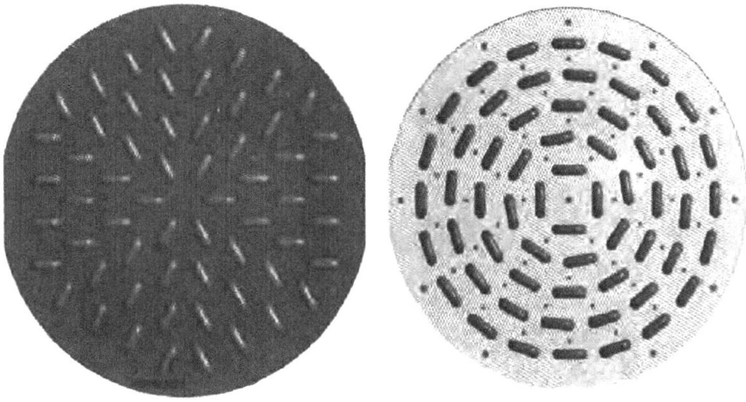

图 4.12　典型的还原炉底盘布置方式

4.5　三氯氢硅歧化制备硅烷

4.5.1　三氯氢硅歧化原理

改良西门子法中，$SiHCl_3$ 与氢气发生还原反应生成多晶硅，而在硅烷流化床法中，$SiHCl_3$ 作为反应物发生歧化反应生成 SiH_4，然后 SiH_4 发生裂解反应生成多晶硅。在一定的温度、压力和催化剂的作用下，$SiHCl_3$ 歧化反应生成 SiH_4，主要包括式（4.6）～式（4.8）所示的三步反应，总的反应方程式为：

$$4SiHCl_3 \longrightarrow 3SiCl_4 + SiH_4 \tag{4.17}$$

在歧化反应过程中，在催化剂的作用下，式（4.7）反应较为迅速，同时由于 SiH_3Cl 极不稳定，一旦生成就会立刻分解产生 SiH_4，因此式（4.7）和（4.8）达到平衡所需时间远小于式（4.6）。因此式（4.6）所示的反应过程是该歧化反应的速度控制步骤。

4.5.2　三氯氢硅歧化工艺流程

传统歧化反应生产 SiH_4 工艺采用两个独立反应器和三个精馏塔工艺，由于反应转化率较低，反应釜中未反应的氯硅烷需要不断地通过精馏塔进行分离，流程见图 4.13。$SiHCl_3$ 经过塔 1 除去 $SiCl_4$ 后进入塔 2，塔 2 塔底 $SiHCl_3$ 通过反应器 1 歧化反应生成 SiH_2Cl_2 和

$SiCl_4$ 后进入塔 1 进行分离。塔底为 $SiCl_4$，塔顶为 $SiHCl_3$ 和 SiH_2Cl_2，经冷却后进入塔 2，塔 2 顶部分离出的 SiH_2Cl_2 进入反应器 2 歧化反应生成 SiH_3Cl 和 $SiHCl_3$，SiH_3Cl 稳定性较差会直接歧化生成 SiH_2Cl_2 和 SiH_4。反应器 2 的混合物进入塔 3 进行分离提纯，塔底 $SiHCl_3$ 和未反应的 SiH_2Cl_2 进入塔 2 循环，塔顶产物 SiH_4 经冷却后进入后续流程。

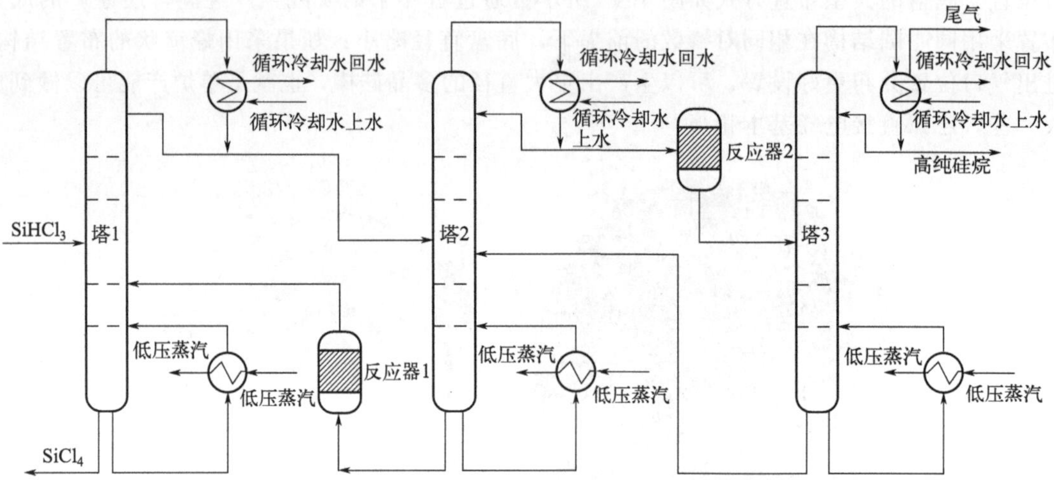

图 4.13　传统歧化 SiH_4 生产工艺流程

以年产一万吨硅烷气装置为例，装置年运行时间 8000h，$SiHCl_3$ 进料量为 21.1t/h，硅烷气产量为 1250kg/h。此传统工艺存在以下问题：a. 第一反应器（转化率 21%）和第二反应器转化率（45%）均不高，这种反应和分离过程需要非常大的循环比，投资成本较高；b. 整个物料循环需要多次加热和冷凝，蒸汽和循环水消耗大；c. 反应产物没有及时分离，导致下一步分离要求增加；d. 各物料之间能量没能有效利用，损失较大；e. 为了保证生产连续运行，每一个反应器均是一开一备，装置投资较大。

为解决上述问题，结合热集成原理，现开发出 $SiHCl_3$ 反应精馏生产 SiH_4 工艺，将反应和精馏集中在一个塔中进行，该技术解决了受化学平衡限制的反应，通过及时移除反应产物的方式来消除转化和相平衡的限制，具体流程如图 4.14 所示。$SiHCl_3$ 直接加入反应精馏塔塔 1 填料层下部，随塔底蒸汽加热进入反应段，进行分段反应。塔顶气体 SiH_4、SiH_3Cl、SiH_2Cl_2 和 $SiHCl_3$ 经过冷凝回流后进入 SiH_4 精馏塔塔 2，塔 2 的顶部得到高纯度 SiH_4，底部 SiH_3Cl、SiH_2Cl_2 等未反应物料返回塔 1 再次进行反应。

此反应精馏的工艺技术存在以下特点：a. 在精馏塔内进行歧化反应，采用带有填料的固定床催化剂，适合工业化生产；b. 将反应器和精馏塔进行耦合，优化反应和分离系统，通过不断地把反应产物 SiH_4 和 $SiCl_4$ 从反应段移走，补充原料 $SiHCl_3$，持续地破坏化学反应平衡，使化学平衡不断朝着正方向进行，可以最大限度地提高转化率；c. 整个系统闭路循环，减少了反应物的精馏和冷凝步骤，降低了蒸汽和循环水的消耗，降低了生产成本；d. 每个反应中间产物的沸点相差很大，有利于中间产物与 SiH_4 和 $SiCl_4$ 的分离，可获得高纯 SiH_4；e. 固体催化剂可以得到有效的利用，在塔内不仅可以作为催化剂，也可以充当填料的角色，采用合适的催化剂载体，增大比表面积，可以提高塔内通量和持液量；f. 采用侧线采出方案和调节塔操作，可以根据需求生产 SiH_4、SiH_3Cl、SiH_2Cl_2 等多种硅源气体。此方法 SiH_4 纯度高，热解可得到纯度高达电子级的多晶硅。

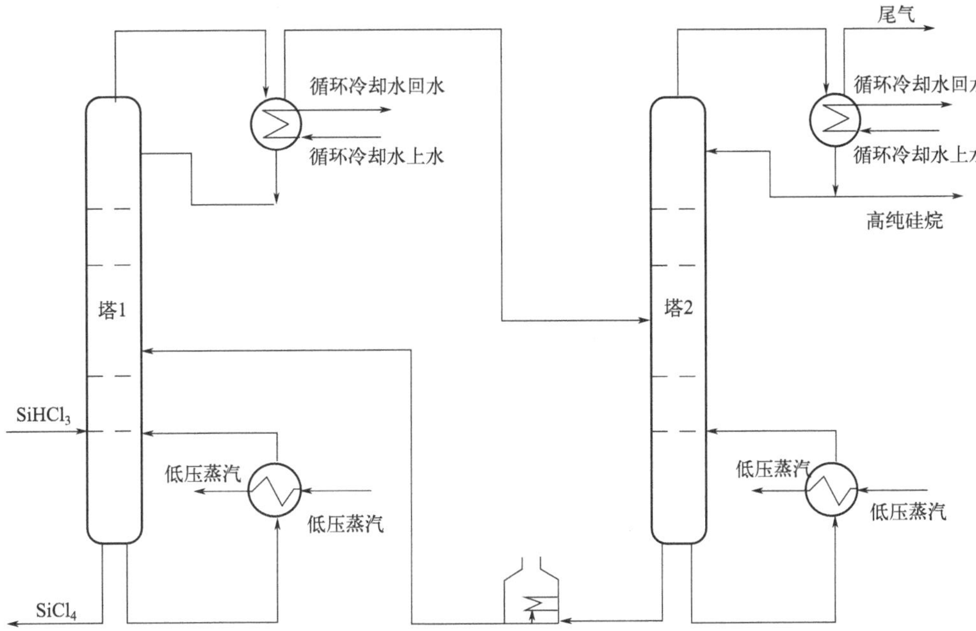

图 4.14 反应精馏 SiH_4 生产工艺流程

4.5.3 三氯氢硅制硅烷反应精馏塔

硅烷反应精馏塔由精馏段、反应段和提馏段组成，见图 4.15。在精馏段上设有塔顶深冷器，塔釜设有再沸器，精馏段和提馏段中装填规整填料。催化剂填于耐腐蚀的工业布袋中，与波纹填料间隔成卷制得，装填于精馏塔的反应段中。塔顶冷凝器和精馏段设有真空夹套和保温层，反应段和提馏段外部也设有保温层。塔顶为硅烷和氯硅烷混合气体出口，塔顶深冷器设有塔顶冷凝液入口和塔顶冷凝液出口，$SiHCl_3$ 从反应段进料。采用三步歧化反应，并利用反应精馏塔的精馏分离作用，氯硅烷在塔内循环，最终实现 $SiHCl_3$ 的高转化率，塔顶得到 SiH_4、SiH_3Cl、SiH_2Cl_2 和 $SiHCl_3$，塔釜得到反应生成的 $SiCl_4$。

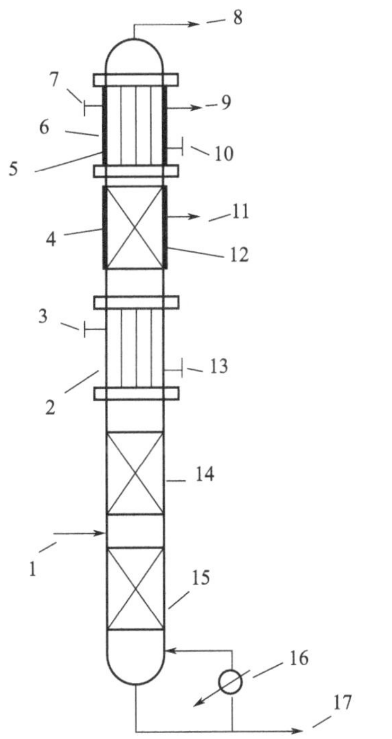

图 4.15 三氯氢硅制硅烷反应精馏塔

1—三氯氢硅入口；2—中段部分冷凝；3—中段冷凝液入口；4—精馏段；5,12—真空夹套；6—塔顶深冷器；7—塔顶冷凝液入口；8—粗硅烷气体出口；9,11—抽真空口；10—塔顶冷凝液出口；13—中段冷凝液出口；14—反应段；15—提馏段；16—再沸器；17—四氯化硅出口

4.5.4 硅烷精馏塔

硅烷精馏塔包括精馏段、粗硅烷气体段和提馏段，见图 4.16。其中，精馏段塔顶设有排气口，粗硅烷气体段设有粗硅烷气体进料口，提馏段设有第一液态硅烷出口。粗硅烷气体段设置于精馏段和提馏段之间，沿粗硅烷气体的流动方向，精馏段内部依次设有相连通的第

一冷凝器和第二冷凝器，有利于将粗硅烷中的杂质气体去除，同时充分冷凝硅烷气体，提高硅烷的回收率。

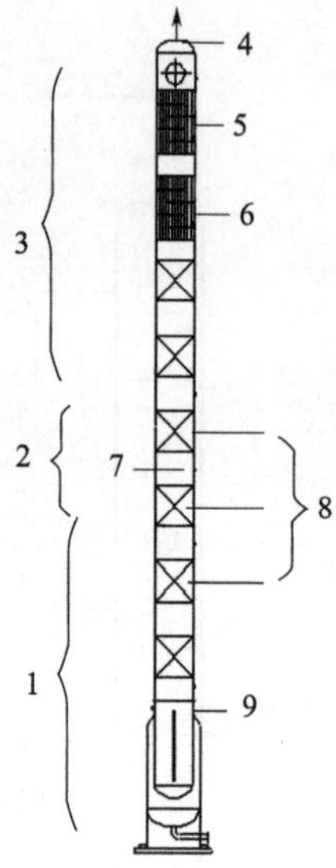

图 4.16 硅烷精馏塔

1—提馏段；2—粗硅烷气体段；3—精馏段；4—塔顶排气口；5—第二冷凝器；6—第一冷凝器；7—粗硅烷气体进料口；8—填料层；9—第一液态硅烷出口

4.6 硅烷流化床热分解法制备高纯硅

硅烷流化床作为流化床技术的一种，以硅烷气为反应气生产颗粒状多晶硅，与改良西门子法相比，该工艺能耗低，可实现连续化生产，该工艺副产物为 H_2，绿色环保。一旦颗粒硅解决生产稳定性、一致性、规模化以及产品质量的问题，颗粒硅市场份额就会出现快速增长。硅烷流化床热分解法是在改良西门子法工业化生产多晶硅二十多年后开发的新一代生产工艺，其主要目的是降低多晶硅的生产能耗和成本。通过使用流化床，其连续生产过程取代了改良西门子法的批次间歇生产，产品为颗粒状多晶硅，省去了破碎工序。硅烷流化床使用 H_2 为载气，且富余产品 H_2 可以循环使用，实现完全的闭环循环，达到清洁能源利用的目的。

4.6.1 硅烷流化床热分解法制备高纯硅原理

硅烷流化床主要是 SiH_4 和 H_2 通过反应器底部进入流化床，在反应器顶部加入平均粒径为 0.2～0.6mm 的细小硅颗粒作为晶种，在反应器外壁加热器的作用下，同时伴随载气流速的不断增加，颗粒床层由固定床转变为流化床，SiH_4 受热立即分解为 Si 和 H_2 [式(4.9)]。SiH_4 分解后产生的硅沉积在晶种表面，晶种颗粒长到一定尺寸由于重力作用掉落到反应器底部，从反应器底的颗粒收集系统采出。SiH_4 的分解有两种不同的机理：异相反应和均相反应。在异相机理中，SiH_4 在多晶硅颗粒表面分解，固体硅沉积到颗粒表面而放出 H_2。在均相机理中，SiH_4 气相分解，放出 H_2 和气溶胶硅颗粒，一部分气溶胶硅颗粒被多晶硅颗粒吸附，而另一部分气溶胶硅颗粒彼此相互连接形成颗粒硅或变成硅粉。

4.6.2 硅烷流化床热分解法制备高纯硅工艺流程

硅烷流化床热分解法制备高纯硅工艺流程见图 4.17，SiH_4 和 H_2 通过反应器底部进入流化床，硅晶种从流化床反应器顶部加入，多晶硅颗粒产品从流化床反应器底部取出。流化

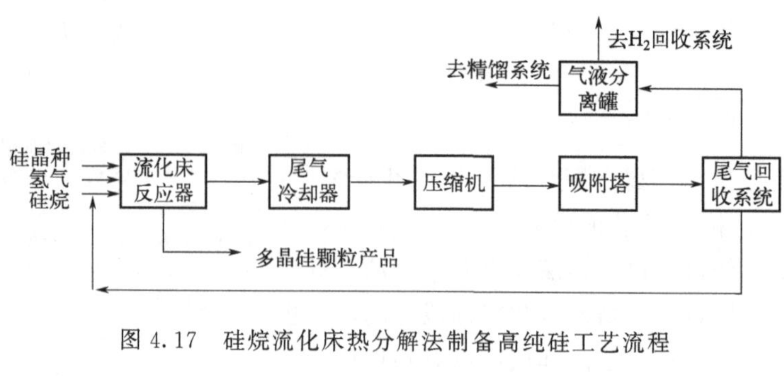

图 4.17 硅烷流化床热分解法制备高纯硅工艺流程

床反应器出来的尾气依次进入尾气冷却器、压缩机、吸附塔和尾气回收系统。在尾气回收系统分离出来的硅烷混合气体返回进入硅烷流化床反应器，硅烷液体和 H_2 进入气液分离罐进行分离，完成后 H_2 进入 H_2 回收系统，液态硅烷进入精馏系统进行提纯。

4.6.3　硅烷流化床反应器

图 4.18 是一种进气均匀的硅烷流化床反应器，包括反应炉和安装于反应炉底部的气体分布器。氢气和硅烷从底部进料，尾气从顶部排出，产品从底部取出。

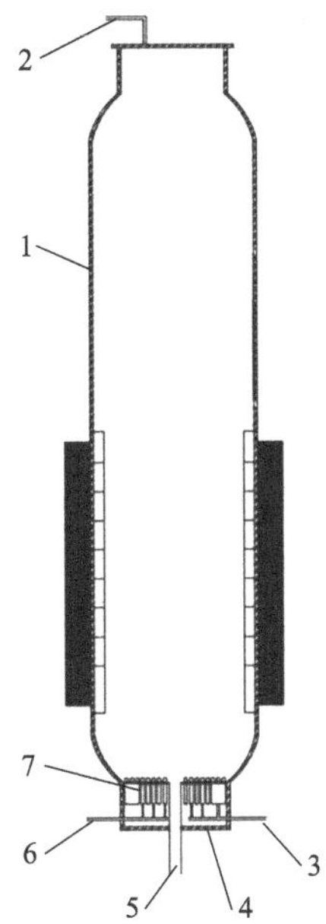

图 4.18　硅烷流化床反应器

1—反应炉；2—尾气出口；3—氢气进气管；4—端盖；5—产品出管；6—硅烷进气管；7—气体分布器

4.6.4　硅烷流化床反应器的关键技术

虽然硅烷流化床法与改良西门子法相比体现出了各方面的优势，但其自身目前在技术上也同样存在无法避免的缺陷。

（1）流化床稳定性控制

由于硅烷流化床不属于传统的流化床，底部使用喷嘴的形式将硅烷气和氢气喷入流化床中，随着在反应器内气泡的生长，部分反应气体会与气泡合并，产生较大的气泡，当气泡的大小接近反应器的直径时，气泡会推动大量床层整体上升，最后在床层顶部释放，这种现象称为腾涌。腾涌产生的较大气体压力会将反应器顶部内插件上的沉积物料冲击后掉落，影响产品质量，同时尾气会将部分粒状硅夹带至下游，大幅降低产品收率。

反应器底部喷嘴位置分布的不合理会使反应器内气体分布不易控制，导致在反应器运行过程中会出现粒径分布的较大偏差，即粒径偏析。粒径偏析会使反应器内部大小颗粒相互混合，床层的孔隙率短时间内迅速增大，引起较严重的腾涌。之后部分较大的颗粒在喷嘴附近不断循环流化、不断生长且不能及时采出，粒径超过一定范围后会堵塞采出管道，最终导致反应器无法正常运行。

腾涌和粒径偏析是硅烷流化床反应器中普遍存在的现象，需要通过调整反应器底部的喷嘴位置分布和结构来降低粒径偏析的发生概率，同时需要调节不同喷嘴的气体分布，使乳化相中的气体不会聚集在大气泡中产生腾涌。

（2）晶种加入和产品采出方式的控制

反应器顶部晶种的加入和底部产品稳定的采出对床层的稳定性均有很大的影响。流化床生产颗粒硅的过程中对晶种的需求是动态的，晶种加入的平稳性会影响反应器流化态的稳定性，无法根据实际需求量决定晶种加入量，就无法实现流化态的稳定控制。同样地，当颗粒硅的采出速率处于不稳定状态时，会直接影响流化床层的高度，进而影响流化床的稳定性。为了确保流化床的稳定性，工艺上采用串级控制晶种加入的方法解决流化床无法稳定控制流化态的问题。通过床层顶部和底部的温差来表征流化床的流化状态并且以温差作为串级控制条件控制晶种下料，稳定控制流化床的流化态。同时，采用两个采出罐并行采出的串级控制系统，将采出速率与流化床反应器床层高度进行串级控制，实现物料的连续性平稳采出，保证采出速率不会影响反应器内部的关键工艺参数，从而确保反应器长期平稳运行。

（3）减少产品污染

颗粒硅产品中杂质元素的引入主要包括原料质量、工艺环境、后处理环境、产品包装等几个环节。反应原料主要是硅烷气，使用氯硅烷经氢化和二次歧化反应制备的硅烷气，如果提纯效果不佳可能会存在三氯氢硅和二氯氢硅，从而引入氯元素的污染。之前的反应器内壁主要是金属材质，所生产的颗粒状多晶硅无法达到直拉单晶的要求，随着在内衬材质方面的技术改造，目前使用的是非金属陶瓷材料内衬，解决了产品与金属内壁直接接触的可能性，大幅度提升了产品质量。由于底部的喷嘴以及顶部的内插件采用特殊合金仍然会产生少量的杂质污染，可以通过使用一些非金属特殊材料来替代，降低杂质的引入。硅烷分解产生氢气以及在氢气作为载气的情况下，在反应器中形成多种形式的 Si—H 键，同时氢也在颗粒硅表面以分子键的形式存在。含氢的颗粒硅在下游生产过程中存在氢跳，会导致直拉单晶过程中出现断线现象。目前的主要处理方法是在惰性气体环境中将颗粒硅加热至高温后淬火除氢，从而使颗粒硅中残留的氢气逸出。

（4）硅粉的去除

颗粒硅生产过程中会产生硅粉，部分硅粉会从流化床反应器的顶部随尾气一起排出，并可收集作为副产品。少量的硅粉会附着于颗粒硅表面，在制备单晶的下游工况中会出现浮灰，导致拉晶过程中出现断线现象，降低生产效率。对于硅粉的去除主要从两个方面解决。一方面通过对反应器中关键参数的优化降低硅粉的产生，包括：增加顶部带出气体的流量，减少硅粉的回落；升高反应温度以期硅单质快速成晶。另一方面是对生产出来的颗粒硅进行抛光处理，设计一种颗粒硅的抛光装置，在氮气保护气氛下，提供一定的温度、湿度和氮气气速，抛光后颗粒硅表面的硅粉去除率达到 98%以上。

4.7 四氯化硅冷氢化制备三氯氢硅

太阳能光伏电池板的硅片原料来自高纯度多晶硅，不管是改良西门子法还是硅烷流化床法，生产多晶硅过程中都会产生大量剧毒物 $SiCl_4$，不仅危害环境而且浪费了很多原料，增加了多晶硅的生产成本。$SiCl_4$ 的处理技术主要包括两个方向：一是将 $SiCl_4$ 制备成其他化学品，如气相法白炭黑、有机硅产品和光纤；二是生产 $SiHCl_3$。但是前者市场需求量有限，$SiCl_4$ 不能进行大量的处理，而 $SiHCl_3$ 作为生产多晶硅的原料不受处理量限制，因此 $SiCl_4$ 氢化生产 $SiHCl_3$ 成为主流。冷氢化工艺因反应温度低、转化率高、运行成本低成为工业上普遍采用的方法。在催化剂的作用下，硅粉、H_2 与 $SiCl_4$ 经过冷氢化反应器生成 $SiHCl_3$，不仅实现了 $SiCl_4$ 的循环利用，还大幅度降低了企业的生产成本。

4.7.1 四氯化硅冷氢化机理

在 $SiCl_4$ 经过催化作用生成 $SiHCl_3$ 的过程中，采用铜基或者镍基金属化合物作为催化剂。目前国内的冷氢化技术分为两种类型，一种是高压低温冷氢化技术，另外一种是氯氢化技术。首先，高温低压冷氢化技术就是在 450～650℃，反应压力在 1.5～3.5MPa 范围内，

对 $SiCl_4$ 和 H_2 的混合物进行升温后，将其通入流化床，而 $SiCl_4$ 和 H_2 在流化状态下就会与硅粉反应生成 $SiHCl_3$［式（4.5）］。$SiCl_4$ 在此条件下的单程摩尔转化率基本在 18%～35%之间。氯氢化技术也是冷氢化的一种，它是将原本的高压低温冷氢化与三氯氢硅合成的特点进行结合，并对 HCl 进行了回收利用，是冷氢化技术的进一步完善。$SiCl_4$ 和 H_2 反应［式（4.4）］是吸热反应、慢反应，是决定反应速度的步骤；HCl 和硅粉反应［式（4.1）］是放热反应、快反应。氯化氢作为反应物参与的冷氢化是让放热反应和吸热反应同时在一个反应器中进行，有效利用了反应热，减少了外部对反应提供的热量，降低了四氯化硅冷氢化的成本。

4.7.2　四氯化硅冷氢化工艺流程

四氯化硅冷氢化工艺流程如图 4.19 所示。H_2 和 HCl 进入气体预热器与来自气气换热器的冷氢化尾气进行换热，预热结束后与补充的 $SiCl_4$ 以及分离系统回收的 $SiCl_4$ 进行混合，在汽化器中进行汽化。混合气体进入气气换热器中与来自硅粉过滤器的冷氢化尾气换热，换热结束后进入冷氢化反应器与硅粉进行冷氢化反应。尾气经过硅粉过滤器、气气换热器、气体预热器，在冷凝系统中分离出气体 H_2 和 HCl 进行循环利用，液体进入冷凝液储罐后进入分离系统，提纯出产物 $SiHCl_3$。

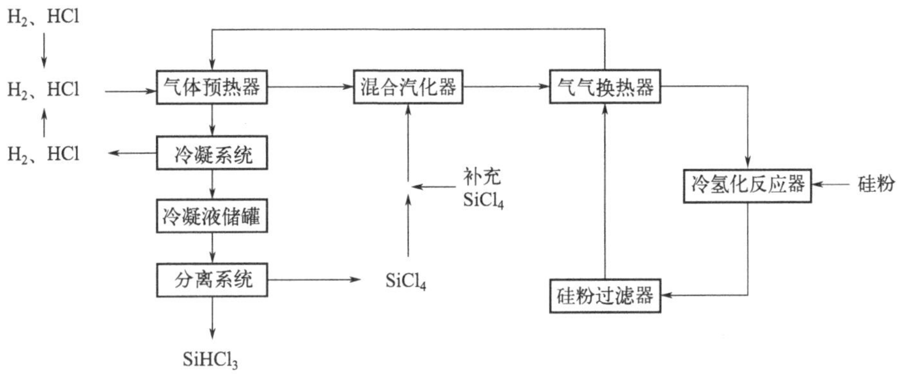

图 4.19　四氯化硅冷氢化工艺流程

4.7.3　冷氢化流化床反应器

江苏中圣于 2008 年在行业内率先完成了冷氢化反应器的研制，帮助多晶硅生产企业实现 $SiCl_4$ 的资源化循环利用，解决了制约我国多晶硅及光伏产业发展的“卡脖子”问题。

冷氢化流化床反应器是冷氢化工艺中的核心设备，但是由于气固两相会产生气泡，造成颗粒在反应器的停留时间分布不均，床层频繁波动，从而大幅降低三氯氢硅的产量。为改善工艺，一般采用在反应器内部添加破泡内件的方法。目前的冷氢化流化床反应器破泡内件，主要有水平构件、垂直构件和复合构件三种类型。气体经过水平构件后将大气泡分割成条形气泡，但是在破泡后的一段距离内又会形成聚并；垂直构件虽然结构简单，但其只具有限制气泡长大的作用，而对破碎气泡的作用非常有限；复合构件用于催化裂化汽提器和再生器中较多，但由于其结构过于复杂，未广泛在冷氢化流化床反应器中应用。

图 4.20 是冷氢化流化床反应器示意图，由下封头、筒体、上封头组成。反应器下封头底部布置有物料进口，物料进口上方布置有气体分布器。四氯化硅和氢气的混合物从物料进

口进入，经气体分布器分布均匀，在气体分布器上面布置有硅粉入口、硅粉出口和多层破泡器。通过对称布置导流叶片，使气流在单个格栅块（图 4.21）中形成“八”字对称方向流动，在多个格栅块间形成旋转流动，上下两层破泡器导流叶片的反向布置使气泡在通过格栅块时形成旋转切割，可有效减小气泡的直径，并且防止破泡后气体沿着垂直方向再聚并成泡。同时可以增加物料停留时间，增加物料在反应器内的湍流程度，从而可以改善冷氢化流化床反应器内的流场情况，提高四氯化硅的转化效率。

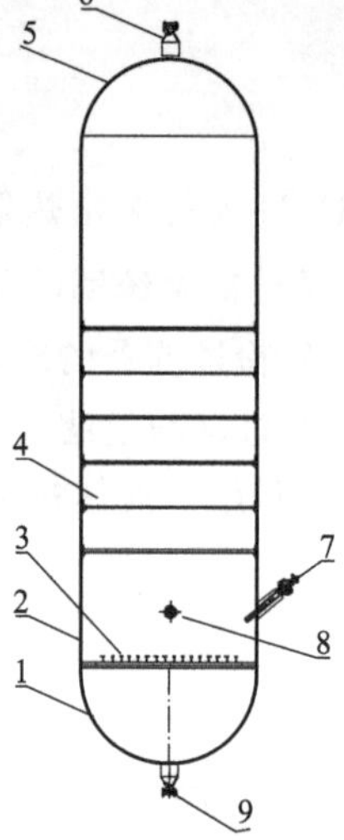

图 4.20 冷氢化流化床反应器

1—下封头；2—筒体；3—气体分布器；4—破泡器；5—上封头；6—物料出口；7—硅粉入口；8—硅粉出口；9—物料进口

图 4.21 破泡器格栅块

4.7.4 冷氢化技术

近几年光伏市场的扩大带动了多晶硅产业的迅速发展，光伏发电平价上网的目标则对多晶硅产品的品质、成本提出了更高的要求。对产品的要求提升即是对技术水平要求的提升，尤其是最近几年国内多晶硅市场稳步扩大，各企业为了解决原料 $SiHCl_3$ 短缺的问题，非常重视对冷氢化工艺的研究和优化。因此，国内冷氢化水平整体提升很快，有些企业的冷氢化水平已经超越了国外的先进水平，江苏中圣在冷氢化反应器这一细分行业里占有 90%以上的市场份额，制造的 $SiCl_4$ 有效处理量 400 万吨每年的冷氢化装置，是目前世界上单台 $SiCl_4$ 处理量最大的冷氢化装置，其电耗、成本、转化率也基本代表了目前最先进水平。

冷氢化工艺作为多晶硅生产过程中的原料环节，其重要性不言而喻，在未来几年，各多晶硅企业要实现大规模、高效率、高品质、低成本的多晶硅生产，势必要继续对冷氢化进行完善，力争在投资成本、工艺设计、物料转化率、装置运行效率、副产物回收利用等方面寻求新的突破。衡量冷氢化装置技术水平需要考虑的主要技术经济指标包括：

① 原料、辅料消耗，如硅粉、催化剂、补充氢气、四氯化硅、氯化氢等；

② 产品三氯氢硅质量（可反映到最终产品多晶硅中）及稳定性；

③ 四氯化硅转化率；

④ 生产过程渣浆和高沸物生成的控制和处理；

⑤ 公用工程消耗，如氮气、冷量、蒸汽、导热油、电耗、能耗等。

以上指标中最直接反应冷氢化装置水平的是能耗和四氯化硅转化率。影响冷氢化能耗的主要因素是四氯化硅气化方式、生产运行周期、四氯化硅处理量和四氯化硅转化率。即在同等条件下，氢化生产系统运行越平稳，生产运行周期越长，四氯化硅处理量越大，四氯化硅转化率越高，则生成的三氯氢硅量就越大，相应的氢化三氯氢硅的生产电耗或者蒸汽消耗就越低。为了提升氢化系统运行的稳定性，必须解决影响系统运行稳定性的问题，同时从工艺控制的角度给予把关，这也是国内大多数多晶硅厂商实施技术改造和提升的方向。

4. 7. 5　冷氢化技术未来趋势

随着国际去碳化呼声越来越高，新能源（光伏）市场的发展前景越来越被看好，全球多晶硅产能在近几年还将保持一定的增速，多晶硅产量已不再是太阳能行业发展的瓶颈，因此对于多晶硅企业来说，如何通过技术提升确保各装置的最佳运行水平将是市场竞争的关键，绝大多数多晶硅厂商都将在冷氢化技术上持续投入研发力量，寻求新的突破。未来冷氢化技术提升将围绕提高三氯氢硅产品质量和生产的稳定性、提高装置运行效率、降低成本的主题，从以下几个方面进行完善：

① 深入研究氢化机理。四氯化硅氢化反应机理是一个涉及热力学理论等多方面的复杂课题，不管采用何种工艺都离不开热力学的过程，通过深入研究机理可以探索新的可行方案，开发选择性强的催化剂，提高催化效率，延长催化剂寿命，回收或活化失效催化剂，将三氯氢硅的收率做到极致。

② 优化工艺路线，完善设计，降低单位投资成本，同时增加节能设计，最大程度地实现热能回收，降低整体能耗。

③ 开发设计新型高效反应系统装置，放大单台反应器产能。装置设计的合理性直接影响着四氯化硅的氢化转化效率。比如，改进冷氢化的进料装置；完善反应器设计；完善急冷、换热、密封、自控设计；改进硅粉回收及反应器旋风设计，避免硅粉进入下游引起堵塞问题等等。解决制约冷氢化系统长周期运行的因素，提高设备运行效率，优化工艺参数，提高装置运行效率。

④ 优化运行参数，找到操作条件的最佳平衡点，在提高四氯化硅转化效率的同时，使装置保持良好的运行状态。

⑤ 借鉴改良西门子法中的三氯氢硅还原工艺，与硅烷法生产多晶硅工艺相结合，缩短工艺流程，系统整体优化。

4. 8　三氯氢硅精馏提纯

精馏提纯装置主要包括精馏塔、再沸器和冷凝器等设备。精馏塔是核心设备，其基本功能是为气液两相提供充分接触的机会，使传热和传质过程迅速而有效地进行，并且接触后的气液两相及时分开，互不夹带。对于塔设备的选择或者评价，主要考虑以下几个基本性能：

① 生产能力大，即单位时间单位塔截面面积上的处理量要大；

② 分离效率高，即塔的分离程度大；

③ 操作弹性大，即最大气速负荷与最小气速负荷之比大；

④ 塔压力降小，即气体通过塔的阻力小，易于控制；

⑤ 塔结构简单，易于加工制造，方便维修，材料来源广泛，制造成本低；

⑥ 具有耐腐蚀性，不易堵塞。

4.8.1 精馏塔的分类

在硅材料生产中，常用许多不同结构的精馏塔，根据不同塔型结构的特点选用自己所需的塔型，塔的设备一般分为两大类。

（1）板式塔

板式塔是由一个圆筒形壳体及其中按一定间距设置的若干层塔板构成的。相邻塔板间有一定距离，称为塔间距。塔内液体依靠重力作用自上而下流经各层塔板后自塔底排出，并在各层塔板上保持一定高度的流动液层。气相则在压力差的推动下，自塔底穿过各层塔板上的开孔由下而上穿过塔板上的液层最后由塔顶排出。呈错流流动的气相和液相在塔板上进行传质过程。显然，塔板的功能就是使气液两相保持充分的接触，为传质传热过程提供足够大且不断更新的相际接触面，减小传质阻力。

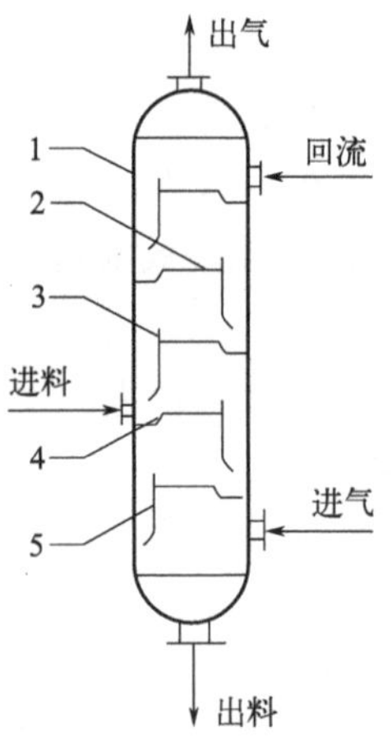

图 4.22　板式塔基本结构

1—塔壳体；2—塔板；3—溢流堰；4—受液盘；5—降液管

根据塔板结构特点，可以分为泡罩塔、浮阀塔、筛板塔、穿流多孔筛板塔，目前国内外主要使用的塔型是泡罩塔、浮板塔和筛板塔三种。

根据塔板开孔的类型，可以分为舌形塔、浮动舌形塔和浮动喷射塔等。板式塔基本结构如图 4.22 所示。

（2）填料塔

在塔内装有一定高度的填料层，液体从塔顶填料表面呈薄膜状向下流动，气体则连续地由下向上与液膜接触，发生传质过程，气体和液体的组成沿塔高连续变化。

填料塔根据填料的结构，主要分为散装填料和规整填料。其中，散装填料有环形填料（拉西环、鲍尔环、阶梯环等）、鞍形填料（弧鞍、矩鞍、金属环矩鞍等）、球形填料（空心球体或多孔球体）等，规整填料有波纹填料（金属丝网波纹、孔板波纹、塑料波纹等）、格栅填料（格里奇格栅、蜂窝格栅等）、脉冲填料等。其他特殊类型还有网式填料和管束填料。

4.8.2 精馏提纯设备

$SiHCl_3$ 精馏提纯的主要设备是筛板塔，由塔柱、冷凝器、再沸器组成。

（1）塔柱

塔柱是实现 $SiHCl_3$ 或者 $SiCl_4$ 气液相间传质和传热的关键设备，它由筛板和筒体组成。

① 筛板。目前广泛采用不锈钢筛板和氟塑料筛板，其筛板厚度不一，不锈钢筛板的厚度为 2～3mm，氟塑料筛板的厚度为 6～8mm。为了使筛板在工作状况下保持水平不变形，一般塔柱在 150～250mm，筛板厚度在 8mm 左右。

筛板的水平要求高，表面不平度只允许误差 1/1000，因为筛板表面不平，会引起塔板效率降低，降低塔的分离能力。

筛板筛孔直径一般为 2～3mm，为了使蒸汽鼓泡和气液质量传递在每个塔板面上能均匀地进行，所以要求筛孔在塔板上分布均匀且筛孔大小均匀。筛孔在筛板上的分布，一般采用正三角形排列或者同心排列。

筛板的开孔率也是影响塔生产能力的重要因素，开孔率过大，会使塔的稳定性和塔板效率降低，太小又会降低塔的生产能力。

开孔率由孔径和孔数决定。决定孔径的大小需考虑孔速度 μ、气体通过塔板的压力损失、塔板的可开孔面积等。理论上在保证开孔率的前提下，有更多的筛孔会更有利于气液接触。在生产中，筛板的孔径一般为 3～8mm，特殊情况也有 25～35mm，这要视不同的物料性质、工作压力、温度等因素来决定。穿流多孔式筛板塔的开孔率一般为 15%～25%。筛板塔基本构造如图 4.23 所示。

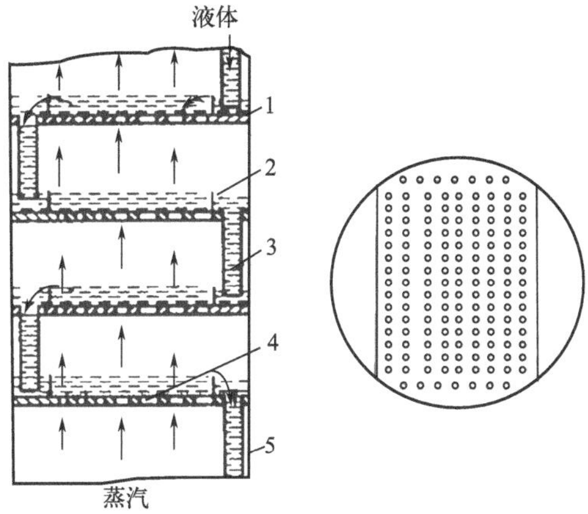

图 4.23　筛板塔基本构造
1—筛板；2—挡板；3—溢流管；4—筛孔；5—塔体

筛板的作用是使气液两相保持充分而密切的接触，为传质提供足够大且不断更新的相际接触表面。为了实现这样的功能，它设计有：筛孔（气相通道）、溢流堰、降液管。即上一块板上已经完成传质和传热的液体流过溢流堰从降液管流到下一块板，而从下一块板上升的蒸汽通过筛孔进入上一块板与表面流过的液体进行传质和传热。

塔板的流体力学状况：传质、传热的效果不只受塔板结果的影响，操作状态的影响也尤为重要。气相经过筛孔时的速度（简称孔速）不同，可使气液两相在塔板上的接触状态不同。我们一般把塔板上的气液接触状态分为鼓泡、泡沫和喷射三种，后两种状态下的气相为分散相，气液可进行更好的接触，传质效果比较理想，是普遍采用的控制状态。但喷射状态操作时，必须注意防止大量液沫夹带和液泛现象的发生。

漏液：气相通过筛孔的气速较小时，板上部分液体就会从孔口直接落下，这种现象称为漏液。上层板上的液体未与气相进行传质就落到浓度较低的下层板上，降低了传质效果。严重的漏液将会使塔板上不能积液而无法操作。故正常操作时漏液量一般不允许超过某一规定值。

液沫夹带：气相经过板上液层时，无论是喷射还是泡沫型操作，都会产生数量甚多、大小不一的液滴，这些液滴的一部分被上升气流夹带至上层塔板，这种现象称为液沫夹带。它会使塔板的提浓作用变差，对传质不利。

液泛：气液流量增加都会使降液管内的液面升高，严重时可将泡沫层升举到降液管的顶部，使板上液体无法顺利流下，导致液流阻塞，造成液泛。它是气液两相做逆向流动时的操作极限，因此，在操作中应避免液泛的发生。

返混：液体在塔板的主流方向是自入口端横向流至出口端，因气相搅动，液体在塔板上会发生反向流动，这种与主流方向相反的流动称为返混，返混也会降低塔板效率。

② 板间距。板间距是指上下板间的距离，在实际生产中，板间距基本都是经验值，一般选取整数，如 200mm、250mm、300mm、350mm、400mm、500mm 等。在多晶硅生产中，筛板塔的板间距一般为 150～220mm。

③ 窥视镜。窥视镜是塔柱的附件，用于观察塔内气液接触状态，并及时调整操作条件，使生产在最佳条件下运行，或修正设计时的误差。

（2）冷凝器

冷凝器按作用划分有全凝器和分凝器，按结构划分有浮头式和列管式。对于分凝器，气相状态的物料在冷凝器中冷却、液化，而一些不需要的低沸点物质则仍为气相，并随塔顶的压力调节连续（或间歇）排出精馏塔。全凝器则用于塔顶馏出液都为低沸物产品的情况。

液化后的物料必须保持在一定温度，从而确保塔顶温度恒定在规定值（泡点），这就要求冷媒的温度和流量需控制在一定范围内。液相物料收集在塔顶集液器中，通过控制物料的采出量来调节回流量，即按一定的回流比操作。

另外，冷凝器还包括壳体温度控制、冷媒温度控制、冷凝器壳体内压力调节、回流液温度控制、回流比控制等附属设备。

（3）再沸器

再沸器是供给精馏塔热能的设备，一般采用管壳式换热器，大多为立式布置。其管内走塔釜液，便于流体循环，也便于污垢的清理；管间走热介质。

精馏提纯工序使用了两种再沸器。

① 立式热虹吸再沸器。立式热虹吸再沸器利用塔底单相釜液与换热器换热管内气、液混合物的密度差形成循环推动力，构成工艺物料在精馏塔底与再沸器间的流动循环。立式热虹吸再沸器具有传热系数高、结构紧凑、安装方便、釜液在加热段的停留时间短、不易结垢、调节方便、占地面积小、设备及运行费用低等特点。但由于结构上的原因，壳程不能采用机械清洗，因此不适用于高黏度或较脏的加热介质，同时由于是立式安装，因而增加了塔的裙座高度。另外，其本身没有气、液分离空间和缓冲区，这些均由塔釜提供。

② 釜式再沸器。釜式再沸器由一个带有气、液分离空间的容器与一个可抽出的管束组成，管束末端有溢流堰，以保证管束能有效地浸没在液体中，溢流堰外侧空间作为出料液体的缓冲区。再沸器内液体的装填系数，对于不易起泡的物系为 80%，对于易起泡的物系则不超过 65%。釜式再沸器的优点是对流体力学参数不敏感，可靠性高，可在高真空下操作，维护和清理方便。缺点是传热系数小，壳体容积大，占地面积大，造价高，釜液在加热段的停留时间长，易结垢。

再沸器有两个主要作用：一是为精馏塔提供足量的上升蒸汽，保证精馏塔的正常运转；二是确保釜温，保证排出的高沸物纯度。保证蒸发量是该设备的主要作用，通过控制热媒（蒸汽）的流量和釜温来完成。供热稳定，再沸器内的介质成分也相对稳定，才能使蒸发量保持不变。

4.8.3 精馏提纯工艺

（1）传统精馏工艺

图 4.24 为 $SiHCl_3$ 连续精馏提纯工艺流程图。在三氯氢硅合成工序中生成的合成气，经

合成气干法分离工序分离出氯硅烷液体后，送入氯硅烷贮存工序的原料氯硅烷贮槽中；在三氯氢硅还原工序中生成的还原尾气，经还原尾气干法分离工序分离出氯硅烷液体后，送入氯

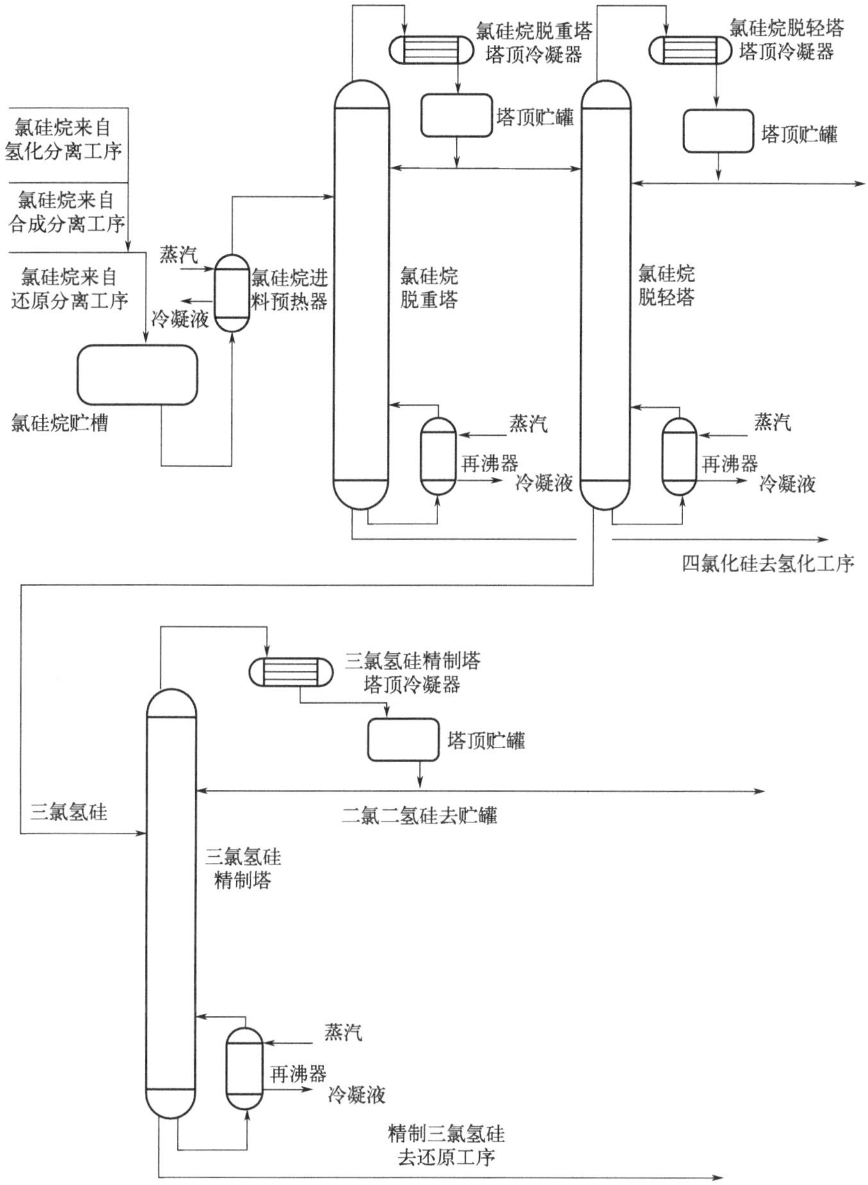

图 4.24　三氯氢硅连续精馏提纯工艺流程图

硅烷贮存工序的还原氯硅烷贮槽中；在四氯化硅氢化工序中生成的氢化气，经氢化气干法分离工序分离出氯硅烷液体后，送入氯硅烷贮存工序的氢化氯硅烷贮槽中。原料氯硅烷液体、还原氯硅烷液体和氢化氯硅烷液体分别用泵抽出，送入氯硅烷精馏提纯工序的精馏塔中。

在氯硅烷精馏提纯工序中，氯硅烷经过进料预热器，进入脱四氯化硅塔，进行脱重处理。在脱四氯化硅塔的精馏作用下，塔釜物料为重组分四氯化硅，塔顶的三氯氢硅、二氯二氢硅等轻组分经过冷凝后，有一部分回流进入脱四氯化硅塔，一部分进入三氯氢硅精制塔进行脱轻处理。在三氯氢硅精制塔中，塔釜出料为重组分三氯氢硅，塔顶出料为二氯二氢硅等

轻组分。这样就达到分离提纯三氯氢硅的目的。

(2) 间壁塔-热泵精馏工艺

传统的精馏分离设备及工艺流程存在着能耗大、设备投资大等缺陷。传统的精馏装置中，塔釜需要外界热源提供能量，塔顶蒸汽的潜热需要用冷却剂进行转移，特别是在产品纯度要求高，回流比很大的情况下，能耗问题尤为突出。热泵精馏技术通过将塔顶蒸汽流股与塔釜液体流股进行换热，充分利用了蒸汽的液化潜热。目前该技术已经被证明是一种有效的节能方法，并在工业上得到广泛应用。间壁塔是一种用于分离多组分物系的装置，通过在精馏塔内部设置若干隔板，将整个塔分为不同的区域，完成不同组分的清晰分割，在塔的不同位置可以得到不同的产品。

图 4.25 集合了热泵精馏技术和间壁塔的特点，结合优化过的操作参数，在一个间壁精馏塔内完成轻重杂质的脱除，得到高纯度三氯氢硅，可以降低能耗及设备投资。含有轻重杂质的三氯氢硅原料进入间壁精馏塔中的预分离塔，在预分离塔中初步完成轻重组分的分离；含有轻组分杂质和三氯氢硅的流股进入塔顶分离段和脱轻塔提馏段，脱除轻组分后，最终在脱轻塔的塔底得到高纯度三氯氢硅产品；含有重组分和三氯氢硅的流股进入塔底分离段和脱重塔精馏段，脱除重组分后，最终在脱重塔的塔顶得到高纯度三氯氢硅产品。此工艺通过塔内气液流股间的能量耦合，充分利用塔顶气体的潜热，减少所需外部热源提供的能量。同时通过在间壁精馏塔内设置两块隔板，将普通精馏塔分割成不同的区域，最终完全脱除轻重组分，在脱轻塔底部和脱重塔顶部同时得到高纯度的三氯氢硅，减少了精馏塔的数量，降低了设备投资费用。

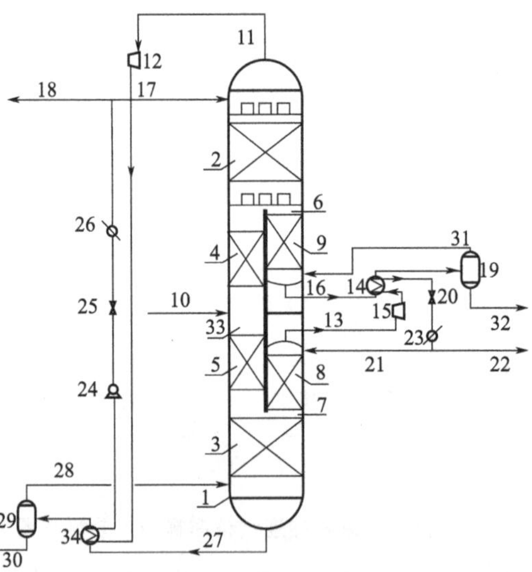

图 4.25　三氯氢硅间壁塔-热泵精馏提纯工艺流程图

1—间壁精馏塔；2—塔顶分离段；3—塔底分离段；4—进料段精馏段；5—进料段提馏段；6—脱轻塔；7—脱重塔；8—脱重塔精馏段；9—脱轻塔提馏段；10—进料流股；11—脱轻塔塔顶气相流股；12—脱轻塔塔顶流股压缩机；13—脱重塔塔顶气相流股；14—脱重塔冷凝再沸换热器；15—脱重塔塔顶流股压缩机；16—脱轻塔塔釜液相流股；17—脱轻塔塔顶回流流股；18—脱轻塔塔顶采出流股；19—脱轻塔塔釜流股分离罐；20—脱重塔塔顶流股降压阀；21—脱重塔塔顶回流流股；22—脱重塔产品流股；23—脱重塔塔顶流股换热器；24—泵；25—脱轻塔塔顶流股降压阀；26—脱轻塔塔顶流股换热器；27—脱重塔塔釜液相流股；28—脱重塔塔釜再沸流股；29—脱重塔塔釜流股分离罐；30—脱重塔塔釜采出流股；31—脱轻塔塔釜再沸流股；32—脱轻塔产品流股；33—预分离塔；34—脱轻塔冷凝再沸换热器

4.9 气气高效换热器技术

前文提到的冷氢化工艺中，离开冷氢化反应器的尾气温度高达四五百摄氏度，而后工段的精馏分离流程需要低温，为了实现热能的充分利用，一般均采用气气换热器，用反应后的尾气加热待反应混合气，使得反应热量得到部分回收，从而降低后工段冷却负荷，减少热能损失。该气气换热器工作环境苛刻，温度高，压力较大，介质具有腐蚀性、磨损性，其热效率及稳定运行情况直接与冷氢化系统热效率及稳定性挂钩，是冷氢化系统中的一个关键设备。

4.9.1 气气换热器运行问题

气气换热器在运行过程中，易出现以下问题：

（1）管程易堵塞

因反应气中含有粉尘、高沸物等介质，在运行过程中高沸物易冷凝析出，黏附在换热管内壁上，而气流中的粉尘又会黏附在冷凝的高沸物上，污垢越积越厚，从而造成换热管结垢堵塞。

（2）换热管易断裂失效

气气换热器工作温度高达四五百摄氏度，工作压力约为 2～4MPa，工作介质含有氯化物，综合工作环境恶劣，换热管极易断裂失效（图 4.26），短则 2 个月，长则 10 个月，就需要停车维修。

图 4.26　失效的换热管

4.9.2 管程流场优化

对于管程易堵塞分析原因，一方面与物料本身的物性有关，另一方面与管程流动不均有关。在进行换热器传热设计时，默认进入管程的流体是均匀进入各换热管的，但实际上，当介质（特别是气体介质）进入管箱的速度较高时，容易因射流作用而产生漩涡回流。通过数值模拟发现，传统的椭圆封头管箱结构，在管箱四周存在明显的漩涡滞留区，见图 4.27 (a)，各换热管内介质流速分布云图见图 4.27 (b)。从图中可以看出，这些漩涡回流区的存在，导致了正对入口接管附近的换热管流量较大，流速较快，远离入口接管的换热管流量较小，流速较慢。因此，产生的后果是中心管束的流体没有得到充分冷却，四周管束的流体又容易过冷。过冷的流体容易冷凝黏附，造成换热管堵塞。

针对上述问题，可以考虑对管箱结构进行优化，江苏中圣采用改椭圆封头为锥形封头、增加导流筒等措施来增强管程流体分配的均匀性。如图 4.28 所示，将管箱的椭圆封头改为锥形封头，管箱内漩涡滞留区减小，四周气流速度与中心气流速度差明显降低，进入各换热管的流体均匀性得到提高。采用锥形封头管箱后，在管箱内增加锥形导流筒，其结构示意图见图 4.29 (a)。图 4.29 (b) 为增加锥形导流筒后各换热管内介质流速分布云图，从图中可以看出，增加导流筒后流速分布均匀性进一步得到提高。

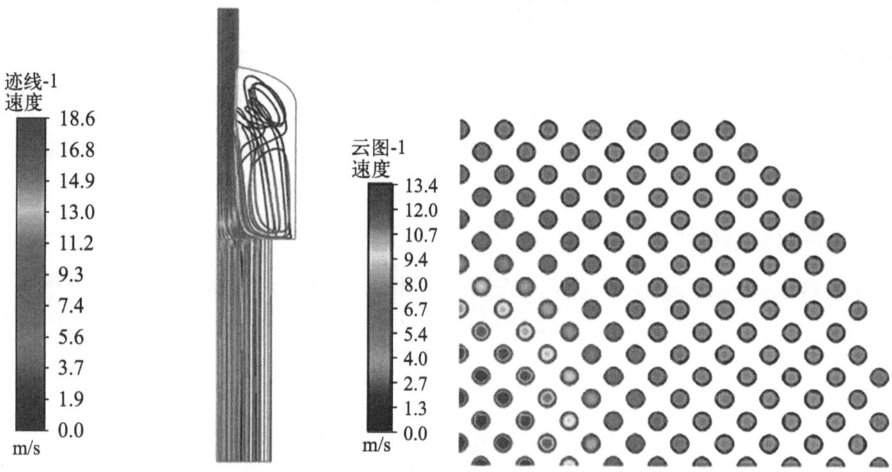

(a) (b)

图 4.27 椭圆封头管箱内流场（1/4 模型）

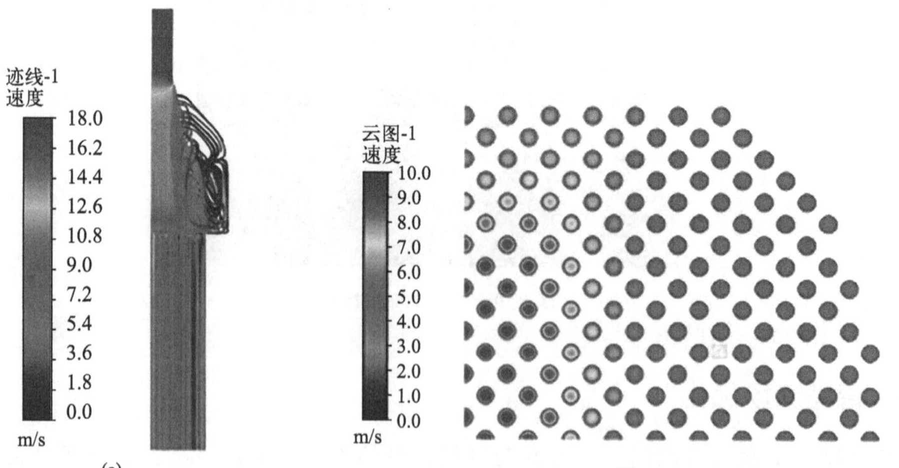

(a) (b)

图 4.28 锥形封头管箱内流场（1/4 模型）

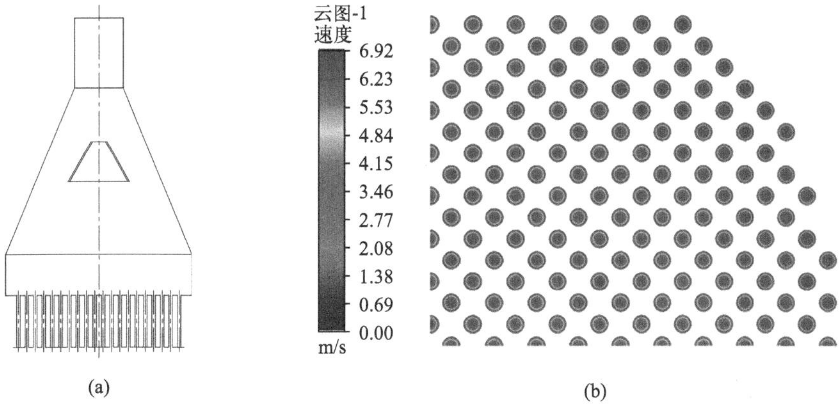

图 4.29 增加锥形导流筒后管箱内流场（1/4 模型）

4.9.3 壳程结构优化

传统的气气换热器壳程结构为单弓形折流板结构，换热管采用的是光管。单弓形折流板结构的优点是流体横向掠过管束，传热系数高；缺点是流阻大，在折流板后方易产生流动死区，同时流体横掠管束时，容易诱发换热管振动，从而造成换热管磨损破坏。实际运行结果在前文已提及，该换热器失效频繁，分析原因如下：

① 温差应力。该换热器运行过程中，换热管壳程温差较大，在壳程流体的作用下，外圈换热管和内圈换热管金属温度不同，从而造成一个受拉，一个受压，再加上频繁的开停车、氮气吹扫等工况的冲击，极易损坏换热管。

② 腐蚀。气气换热器管程出口段反应气温度低，氯化物、高沸物容易冷凝析出，黏附在换热管内壁上造成腐蚀。

针对以上问题，江苏中圣压力容器装备制造有限公司对该换热器进行改进，将单弓形折流板变更为圆盘-圆环形折流板（图 4.30），将流体的单向横掠管束改为径向流动，降低流速，削弱了冲刷程度。在壳程入口处增加导流筒（图 4.31），改善壳程入口附近管束的工作环境。在没有增加导流筒之前，壳程入口冷气体经过管嘴高速冲刷正对管嘴的那部分管束，导致这些管束受冲刷程度最大，温度最低，温差应力大，容易被破坏。增加导流筒，在导流筒的作用下，流体沿导流筒环向均匀进入管束，从而弱化了冷气体的冲刷作用。通过以上改进措施，大大提高了设备的运行周期。

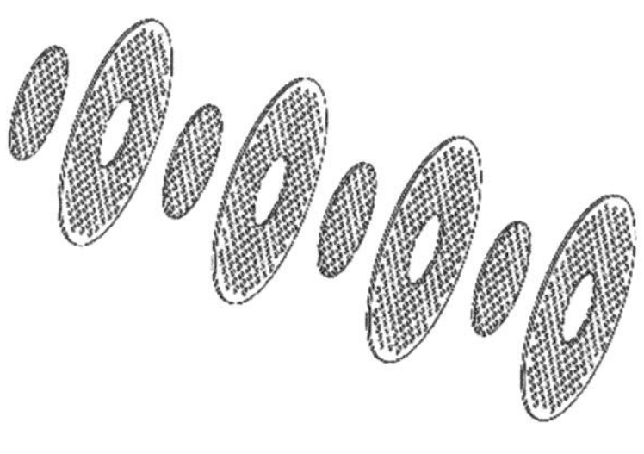

图 4.30 圆盘-圆环形折流板示意图

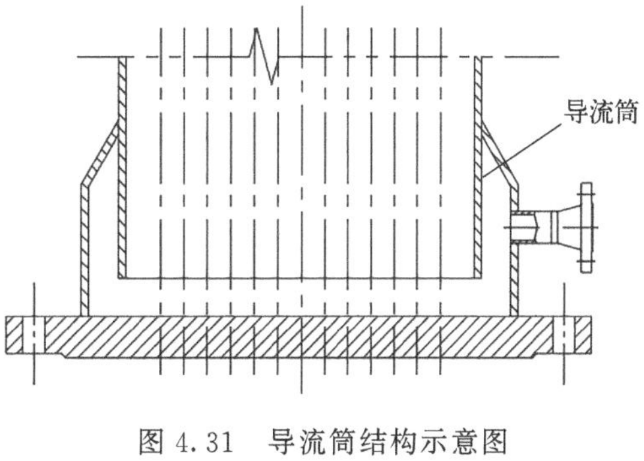

图 4.31 导流筒结构示意图

4.9.4 高效换热管的应用

现气气换热器换热管采用的是普通光管，再加上管壳程换热介质均为气体，总传热系数不高。可以考虑采用高效换热管（如波纹管）代替传统光管，高效换热管可以增加流体在管内、外的湍流程度，从而强化传热，同等换热量下可以降低设备重量从而降低造价，或者同等换热面积下可提高单台换热器的处理量。高效换热管可在管表面形成旋流，见图 4.32，这些旋流可以阻止污垢的沉积，即换热管具有一定的自清洁功能，从而延缓换热管堵塞，进而延长设备的运行周期。同时波纹管自身具有一定的柔性，与光管相比，更耐温差疲劳应力，使用寿命更长。

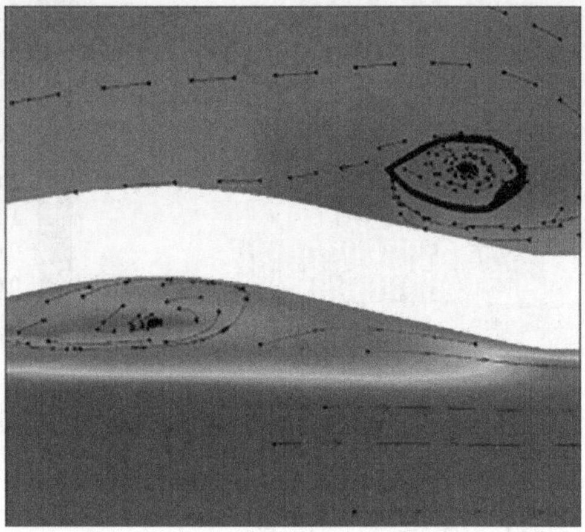

图 4.32 波纹管表面流场

4.10 新技术应用及发展趋势

当前，随着晶硅太阳能电池技术日趋成熟，其光电转换效率的瓶颈问题日益突出。基于此，业内不少企业已经将目光投向了更具潜力的太阳能电池技术。作为极具市场前景的下一代太阳能电池技术，钙钛矿电池已经迎来新的商业化发展，未来几年或将掀起光伏行业新一轮的技术变革。

钙钛矿电池是指钙钛矿型太阳能电池，是利用钙钛矿结构材料作为吸光材料的太阳能电池，属于第三代薄膜电池的代表，包括纯钙钛矿电池和钙钛矿叠层电池两种类型。钙钛矿电池因其材料特性，被业界公认为是极具发展前景的新一代光伏电池产品，相比于晶硅电池来说，在制备难度和能源消耗方面有较大优势，钙钛矿电池技术也飞速发展，电池器件的能量转换效率一次次刷新纪录。在理论极限上，单结钙钛矿电池理论最高转换效率要比晶硅太阳能电池高 31%，且价格为晶体硅的一半，多结电池理论效率达 45%。

钙钛矿电池的产业化进程广受市场关注。组件稳定性是钙钛矿电池技术产业化发展的基石，钙钛矿组件中，钙钛矿层厚度大概是 0.4μm，而晶硅组件中的硅片厚度通常为 180μm，差了 450 倍。成本占比最多的是电极材料，达 37%，其次是能源动力，达到 14%，而钙钛矿自身材料的成本占比仅 5%，晶硅电池是利用光照使不均匀半导体组合面之间产生电位差从而进行光电转化的一种太阳能电池，是光伏行业的主导产品。而钙钛矿电池理论成本或仅为晶硅电池的一半，理论的设备成本低。相比于晶硅电池来说制备难度和能源消耗方面都有较大优势，未来钙钛矿组件降本空间较大。

根据钙钛矿龙头企业昆山协鑫光电材料有限公司（简称协鑫光电）的数据显示，其 100MW 中试线钙钛矿组件成本约为 1 元/W，较之目前市场上主流的晶硅组件 1.5～2 元/W 的成本存在明显的优势。并且，随着未来产能的大幅提升，钙钛矿组件的成本有望进一步降低至 0.5 元/W，甚至更低。由此可见，钙钛矿电池技术不仅光电转换效率的上限远高于晶硅太阳能电池，还能够大幅降低用电成本，被称为唯一具有商业化应用前景的新兴光伏技术。

据不完全统计，在过去几年里，钙钛矿太阳能电池领域投资额已经接近 100 亿元。2023 年 3 月，工业和信息化部等六部门发布了《推动能源电子产业发展的指导意见》，其中提出：加快智能光伏创新突破，发展高纯硅料、大尺寸硅片技术，支持高效低成本晶硅电池生产，推动 N 型高效电池、柔性薄膜电池、钙钛矿及叠层电池等先进技术的研发应用，提升规模化量产能力。可以预见，在技术革新和政策扶持之下，钙钛矿太阳能电池产业的发展迎来了春天。

近些年来，钙钛矿太阳能电池技术的发展已经取得了长足的进步。在产业资本的驱动下，目前全球数千家企业正积极研发钙钛矿电池技术，为其产业化提供了强大的动力，钙钛矿电池的优势正逐步显现，量产化进程明显加快。自 2022 年以来，国内钙钛矿电池产业化进程提速，多家钙钛矿电池企业已经开始试生产。

作为全球钙钛矿太阳能组件产业化领跑者，协鑫光电在钙钛矿产业化效率和 100MW 中试线的爬坡进度方面已处于行业领先地位。2022 年 12 月，协鑫光电刚完成 5 亿元 B+轮融资，用于完善 100MW 大尺寸钙钛矿组件产线的工艺和设备开发。据悉，其量产效率目标是 18%，期望效率能在 1～2 年内逐步达到 20%～22%。此外，协鑫光电 100MW 产能达标后，将开建 1GW 级别的产线，其后逐步放大到 5～10GW。

2022 年 8 月，仁烁光能（苏州）有限公司宣布完成数亿元 Pre-A 轮融资，用于 150MW 钙钛矿组件的量产线落地。同年底，该公司团队研发的全钙钛矿叠层电池稳态光电转换效率达到 29.0%，再次打破世界纪录。该公司 150MW 中试线在 2024 年 1 月竣工投产，2024 年实现量产。此外，还将根据 150MW 产线的调试结果规划 GW 线建设。

2022 年 12 月，极电光能有限公司宣布 150MW 钙钛矿光伏生产线正式投产运行，开启全面产业化进程。极电光能在 2023 年上半年开工建设首条 1GW 线，2024 年投产。随着后续产线建设提速，预计 2026 年底，该公司的钙钛矿产线的产能将达到 10GW。

除上述三家公司外，还有包括杭州纤纳光电科技股份有限公司、浙江合特光电有限公司等在内的多家钙钛矿企业争相布局。值得一提的是，目前钙钛矿太阳能电池产线每 GW 投资额约 13 亿元。不过，随着技术进步与规模效应，其投资成本也将进一步降低，到 2026 年有望降至 6 亿～7 亿元。不少行业专家认为，在产业链各方及资本的共同推动下，钙钛矿电池的生产成本有望大幅下降，其产业化发展前景或超预期。

根据市场预计，到 2026 年，国内钙钛矿的总产能超过 25GW，钙钛矿制造行业与设备行业的年产值有望分别达到 400 亿元和 100 亿元。随着钙钛矿电池技术的不断提升，未来钙钛矿电池渗透率也将随之增长，2022 年钙钛矿电池渗透率不足 0.1%，预计 2030 年钙钛矿电池渗透率有望增长至 30%。

参考文献

[1] 刘汉元，刘建生．未来四十年太阳能革命愿景 [M]. 北京：经济日报出版社，2022.

[2] 通威传媒，考拉看看．未来碳中和与人类能源第一主角 [M]. 北京：中国人民大学出版社，2022.

[3] 邓丰，唐正林．多晶硅生产技术 [M]. 北京：化学工业出版社，2009.

[4] 刘秀琼．多晶硅生产技术——项目化教程 [M]. 北京：化学工业出版社，2013.

[5] 张晓辉，周齐领．太阳能级多晶硅装置工艺路线比较［J］．化工设计，2021，31（4）：3-6.
[6] 齐林喜，刘犀灵，王晓亮．三氯氢硅合成工艺和设备：CN102390836A［P］．2012-03-28.
[7] 范超，罗轩，程茂林，等．一种细硅粉用三氯氢硅合成装置：CN217663230U［P］．2022-10-28.
[8] 张金宝，方仕林，鲁瑞尧，等．多晶硅还原系统：CN208413865U［P］．2019-01-22.
[9] 何隆，孙运德，宋高杰，等．一种三氯氢硅汽化器：CN218095875U［P］．2022-12-20.
[10] 郭宏新，刘丰，刘世平，等．节能型多晶硅还原炉：CN202246093U［P］．2012-05-30.
[11] 曹军．反应精馏技术用于硅烷生产工艺的研究［J］．云南化工，2020，47（3）：65-67.
[12] 黄国强，黄友光．三氯氢硅歧化反应精馏生产硅烷的装置及方法：CN104986770B［P］．2017-12-12.
[13] 郭树虎，赵雄，万烨，等．硅烷精馏塔：CN204824188U［P］．2015-12-02.
[14] 吴锋．用于制备高纯硅烷的反应精馏工艺开发［J］．山东化工，2021，50（18）：201-203.
[15] 杨伟强，王宁，李良．流化床法制备颗粒多晶硅的研究现状［J］．中国氯碱，2023（3）：32-37.
[16] 兰天石，常露露，蒋立民，等．一种进气均匀的硅烷流化床：CN217490804U［P］．2022-09-27.
[17] 马文军．硅烷流化床法生产粒状多晶硅［J］．化工管理，2021，10（30）：167-168.
[18] 周舟，吴锋，吕磊．硅烷流化床法高纯多晶硅材料制备技术分析［J］．化工管理，2016，9（27）：66-67.
[19] 田博，黄国强．硅烷流化床制备粒状多晶硅的研究进展［J］．化工进展，2016，35（11）：3392-3399.
[20] 王金宝．国内多晶硅冷氢化技术应用研究［J］．化工管理，2018，8（23）：120-121.
[21] 刘继三，姚又省．冷氢化工艺的节能优化及流程模拟［J］．化学工程，2016，44（1）：11-13，32.
[22] 郭宏新，江郡，钟宇航．一种高效冷氢化流化床反应器：CN115805047A［P］．2023-03-17.
[23] 刘春江，郭凯，袁希钢，等．一种三氯氢硅提纯的双热泵精馏装置及操作方法：CN102583393A［P］．2012-07-18.
[24] 韩金豆，梁世民．三氯氢硅节能精馏工艺模拟研究［J］．现代化工，2019，39（7）：207-210.
[25] 喻九阳，徐建民，郑小涛．列管式换热器强化传热技术［M］．北京：化学工业出版社，2013.
[26] Bergles A E，Nirmalan V，Junkhan G H，et al. Bibliography on augmentation of convective heat and mass transfer［J］. Heat Transfer，1983，85.
[27] 许国治，王韻茵，安元良，等．流体在板式换热器人字形波纹通道内的动力特性［J］．石油化工设备，1985（4）：1-10.
[28] 吴金星，韩东方，曹海亮．高效换热器及其节能应用［M］．北京：化学工业出版社，2009.
[29] 刘超．螺旋槽纹管在强化传热技术中的应用与发展状况［J］．山东工业技术，2015（11）：253.
[30] 赵欣，王瑞君，姚仲鹏．螺旋型表面强化管现状与进展［J］．石油化工设备，2001（3）：38-41.
[31] 钱颂文，朱冬生，李庆领，等．管式换热器强化传热技术［M］．北京：化学工业出版社，2004.
[32] 林宗虎，汪军，李瑞阳，等．强化传热技术［M］．北京：化学工业出版社，2007.
[33] 龚波．波纹管传热与流动阻力的数值模拟研究［D］．哈尔滨：哈尔滨工业大学，2006.
[34] 王怀振．钛内波外螺纹管管内冷凝传热性能研究［D］．上海：华东理工大学，2013.
[35] 魏超，肖革江．"T"形翅片管重沸器的研制与应用［J］．石油化工设备技术，2007（01）：8-10，67.
[36] GB/T 24590—2021. 高效换热器用特型管［S］.
[37] 刘丰，郭宏新，刘世平．内凹槽管高效换热器的研究与应用［J］．化工进展，2009，28（S1）：324-327.
[38] 童正明，徐昂千．流动蒸汽在正弦型纵槽管内凝结换热的实验研究［J］．上海机械学院学报，1990，12（1）：39-44.
[39] 朱登亮，徐宏，齐宝金．垂直纵槽管强化膜状冷凝换热研究［J］．低温与超导，2010，38（3）：49-54.
[40] 林理和，胡连方，姚堤，等．饱和氮气在V型纵槽管内冷凝传热的研究［J］．浙江大学学报，1985（04）：58-66.
[41] 葛强强，王学生，付亚波，等．不锈钢纵槽管降膜蒸发传热性能［J］．科学技术与工程，2017，17（20）：160-165.
[42] 刘庆亮，朱冬生，杨蕾．螺旋扭曲扁管换热器的研究进展与工业应用［J］．流体机械，2010，38（3）：37-42.
[43] 杨旭．扭曲管换热器的传热强化及其机械性能研究［D］．北京：北京化工大学，2014.
[44] Dzyubenko B V. Unsteady Heat and Mass Transfer in Helical Tube Bundles［M］. Hemisphere Publishing Corporation，1990.
[45] W. M. 凯斯，A. L. 伦敦．紧凑式热交换器［M］．宣益民，张后雷，译．北京：科学出版社，1997.
[46] 杨崇麟．板式换热器工程设计手册［M］．北京：机械工业出版社，1994.
[47] 邵拥军，张文林．板式换热器的研究现状与应用进展［J］．医药工程设计，2012，33（3）：58-61.

[48] 兰州石油机械研究所．换热器［M］．2 版，北京：中国石化出版社，2013.
[49] Schmidt E，Schurig W，Sellschopp W．Versuche über die Kondensation von Wasserdampf in Film-und Tropfenform［J］．Technische Mechanik und Thermodynamik，1930（1）：53-63.
[50] 唐媛，宋佳，白杨，等．滴状冷凝的实现方法研究进展［J］．浙江大学学报（工学版），2018，52（02）：273-287，332.
[51] 蒋连胜．浅析换热器制造与成本［J］．广州化工，2015，43（12）：162-163.

第5章

废气无害化处理及资源化利用技术

5.1　概述

5.1.1　石化有机废气排放来源

工业废气按所含污染物成分主要可分为含粉尘废气、含硫化物废气（SO_2、SO_3、H_2S 等）、含氮氧化物废气（NO_2、NO 等）、含卤素化合物废气（HCl、HF 等）、含碳化合物废气（CO、CO_2 等）和有机废气。大气中的有机废气是形成危害人类健康的光化学烟雾的主要成分，在与氮氧化物共存时，受太阳辐射作用，产生臭氧（O_3），近年研究发现有机废气还是 $PM_{2.5}$ 的重要前驱体。

有机废气对人类健康存在全方位负面影响，包含很多刺激眼睛和呼吸道，使皮肤过敏的物质，还包含致癌、致畸和致突变物质。相对于颗粒物、二氧化硫、氮氧化物污染控制，挥发性有机物（VOCs）管理基础薄弱，近年来已成为大气环境管理短板。有机废气种类繁多，无组织排放难以管理，治理技术和运行经验不成熟。京津冀及周边地区源解析结果表明，当前阶段有机物（OM）是 $PM_{2.5}$ 的最主要组分，占比达 20%～40%，其中，二次有机物占 OM 的比例为 30%～50%，主要由有机废气污染物转化生成。同时，我国 O_3 污染问题日益显现，京津冀及周边地区、长三角地区、汾渭平原等重点区域 O_3 浓度呈上升趋势，尤其是在夏秋季节已成为部分城市的首要污染物。研究表明，VOCs 是现阶段重点区域 O_3 生成的主控因子。

我国有机废气包括各种烃类、卤代烃类、醇类、醛类、酮类、酸类、醚类和胺类等，主要来自油气开采、石油炼制、石油化工、制药、包装印刷、造纸、涂料装饰等多个工业行业，这些行业虽然是国民生产的支柱产业，对国民经济的发展起着决定性作用，与国民的日常生活息息相关，但同时也是有机废气污染的主要来源，已经成为大气污染的主要污染源之一。

2021 年我国发布的《中华人民共和国国民经济和社会发展第十四个五年规划和 2035 年远景目标纲要》明确要求，加快挥发性有机物排放综合整治，氮氧化物和挥发性有机物排放总量要分别下降 10%以上。工业和信息化部、国家发展和改革委员会、科学技术部、生态环境部、应急管理部、国家能源局六部委 2022 年联合发布的《关于“十四五”推动石化化工行业高质量发展的指导意见》，要求推进全过程挥发性有机物污染治理，同样要求挥发性有机物排放总量较“十三五”期间降低 10%以上。《石化行业 VOCs 污染源排查工作指南》将有机废气按排放形式和排放工况分为 12 类，基本涵盖了有机废气排放过程：

① 工艺有组织排放：主要指生产过程中装置有组织排放的工艺废气，其 VOCs 的排放受生产工艺过程的操作形式（间歇、连续）、工艺条件、物料性质限制。

② 燃烧烟气排放：主要是指锅炉、加热炉、内燃机和燃气轮机等设施燃料燃烧过程排放的烟气。

③ 火炬排放：用于热氧化处理、处置区域内生产设备所排放的各类具有一定热值气体的焚烧净化装置，火炬气通过焚烧可去除大部分的烃类，但其排放废气中仍包括未燃烧的 VOCs。

④ 工艺无组织排放：是指非密闭式工艺过程中的无组织、间歇式的排放，在生产材料准备、工艺反应、产品精馏、萃取、结晶、干燥、卸料等工艺过程中，污染物通过生产加注、反应、分离、净化等单元操作过程，通过蒸发、闪蒸、吹扫、置换、喷溅、涂布等方式逸散到大气中，属于正常工况下的无组织排放。

⑤ 设备动静密封点泄漏：石化装置或设施的动、静密封点排放的VOCs。

⑥ 有机液体储存与调和挥发损失：VOCs排放来自挥发性有机液体固定顶罐（立式和卧式）、浮顶罐（内浮顶和外浮顶）的静止呼吸损耗和工作损耗。

⑦ 有机液体装卸挥发损失：挥发性有机液体在装卸、分装过程中逸散进入大气的VOCs。

⑧ 废水集输、储存、处理处置过程逸散：废水在收集、储存及处理过程中从水中挥发的VOCs。

⑨ 采样过程排放：采样管线内物料置换和置换出物料的收集储存过程中，逸散的部分VOCs。

⑩ 冷却塔、循环水冷却系统释放：设备泄漏，导致有机物料和冷却水直接接触，冷却水将物料带出，冷却过程由于凉水塔的汽提作用和风吹逸散，从冷却水中排入大气的VOCs。

⑪ 非正常工况（含开停工及维修）排放：开停工及检维修过程中由于泄压和吹扫等工序而排放的废气。

⑫ 事故排放：泄漏、火灾、爆炸等事故情况导致的VOCs污染事故。

5.1.2 工业有机废气治理现状

2013年《大气污染防治行动计划》实施以来，我国不断加强有机废气污染防治工作，印发VOCs污染防治工作方案，出台炼油、石化等行业排放标准，一些地区制定地方排放标准，加强VOCs监测、监控、报告、统计等基础能力建设，取得一些进展。但VOCs治理工作依然薄弱，主要表现为：

① 源头控制力度不足。有机溶剂等含VOCs原辅材料的使用是VOCs重要排放来源，据统计，我国工业涂料中水性材料、粉末等低VOCs含量涂料的使用比例不足20%，低于欧美等发达国家40%～60%的水平。

② 无组织排放问题突出。VOCs挥发性强，涉及行业广，产排污环节多，无组织排放特征明显。虽然《大气污染防治法》等对VOCs无组织排放提出密闭封闭等要求，但目前量大面广的企业未采取有效管控措施。

③ 治污设施简易低效。VOCs废气组分复杂，治理技术多样，适用性差异大，技术选择和系统匹配性要求高。我国VOCs治理市场起步较晚，准入门槛低，加之监管能力不足等，治污设施建设质量良莠不齐，应付治理、无效治理等现象突出。在一些地区，低温等离子体、光催化、光氧化等低效技术应用甚至达80%以上，治污效果差。

④ 运行管理不规范。VOCs治理需要全面加强过程管控，实施精细化管理，但目前企业普遍存在管理制度不健全、操作规程未建立、人员技术能力不足等问题。

⑤ 监测监控不到位。我国VOCs监测工作尚处于起步阶段，企业自行监测质量普遍不高，点位设置不合理、采样方式不规范、监测时段代表性不强等问题突出。

在石化行业，美国针对 VOCs 不同种类污染物制定不同排放标准，而国内由于起步较晚、技术不够成熟，目前仅将非甲烷总烃作为总统计口径予以监测和控制，其排放不超过 120mg/m^3。国内石化行业 VOCs 排放标准正趋于严格，在《石油化学工业污染物排放标准》中规定，自 2015 年 7 月 1 日起新建企业非甲烷总烃去除效率不低于 95%；在国土开发密度已经较高、环境承载能力开始减弱，或大气环境容量较小、生态环境脆弱，容易发生严重大气环境污染问题而需要采取特别保护措施的地区，现有和新建企业非甲烷总烃去除效率不低于 97%。储运领域 VOCs 治理主要针对码头、油库、油站的油气回收。目前国内码头、油库和油站的油气排放参照《储油库大气污染物排放标准》（GB 20950—2020）和《加油站大气污染物排放标准》（GB 20952—2020）油气排放浓度限值均为 25g/m^3。未来国内针对码头、油库、油站储运等不同环节将制定不同排放标准，且标准将趋于严格化。

5.1.3 有机废气治理技术综述

5.1.3.1 减量化——高浓度高价值废气回收技术

（1）吸附法

吸附法主要是利用有吸附功能的物质对工业有机废气进行吸附，以此来减少工业有机废气中危害物质的比重。而常见的吸附物质主要有无机吸附材料和活性炭两类。其中活性炭是一种内部具有多孔结构的材料，常见的有破碎状碳素纤维蜂窝、普通活性炭等。活性炭可以实现对比自身孔隙小的物质进行有效的吸附，并为了促进吸附的效果，提升自身温度和降低内部压力。研究发现，活性炭吸附工业有机废气可以实现对有机废气的回收，从而实现对有机废气的再次利用，且整个吸附过程不需要提供其他能源。但是采用活性炭吸附工业有机废气的方法无法完全吸附有机废气，会遗留一定量的有机废气，且活性炭吸附能力会随着吸附有机废气量的增多而逐渐降低，即活性炭的再生成本相对较高。一般活性炭吸附工业有机废气主要应用在化学成套设备的清洗或者大型空调设备上。

（2）吸收法

吸收法相比于吸附法，不是借助材料的细孔实现对工业有机废气的处理，而是利用有机物间的相似相溶原理来实现对工业有机废气中的有机物进行溶解吸收。吸收法主要应用挥发能力相对较低的溶剂对工业有机废气进行溶解吸收，再根据工业有机废气中有机物与溶剂物质间物理性质的不同实现对两者的分离。在工业有机废气的吸收法中多采用柴油、煤油作为吸收剂。该方法的特点是可以对工业有机废气进行回收，并可以在分离后进行二次应用。但是可用于吸收法的溶剂数量相对较少，且吸收成本较高，并可能会产生二次污染。

（3）冷凝法

根据物理学原理，有机物在温度变化时溶解度将发生变化，冷凝法就是利用物质这一特性，通过加压和降压的方式影响环境温度，从而使蒸汽环境中的有机废气以冷凝状态提取出来。冷凝法的优点是可通过对加压和降压的程度控制来实现有机废气的不同程度净化，缺点是实际应用技术难度较大，加压、降压成本大。该方法适用于低温、高浓度有机废气净化处理。

5.1.3.2 资源化——有机废气燃烧与余热回收技术

燃烧技术顾名思义就是将有机废气中的有机物通过燃烧的方式去除，有机物燃烧后转化为无毒无害的二氧化碳和水，从而达到治理有机废气的目的。燃烧法又分为直接燃烧法、催化燃烧法、蓄热燃烧法等。

直接燃烧法（TO）适用于大多数有机废气。其优点是原理简单，燃烧装置造价低，适用范围广，缺点是低浓度有机废气燃烧时不能自主进行，需添加一定浓度的助燃剂，而助燃剂燃烧可能会产生其他有害环境的物质。

催化燃烧法（CO）是印刷和化工行业中常见的有机废气处理方式，主要原理是通过加入催化剂加速有机废气分解。催化燃烧法被认为是处理 VOCs 的高效技术。在催化剂的作用下，VOCs 可以在较低的温度（通常为 200～400℃）下被氧化，以产生无污染的 CO_2 和 H_2O。催化燃烧法无二次污染，工艺操作简单，安全性高，着火温度低。催化燃烧法可用于净化中小风量的有机废气。缺点是含粉尘、硫化物、重金属等毒性组分，会导致催化剂中毒，催化剂需要定期更换，操作费用高。

当有机废气的浓度不高时，常规的直接燃烧和催化燃烧不足以维持自燃，并且需要补充大量的额外热能，此时蓄热燃烧是合适的。当前使用的蓄热燃烧器有两种类型：蓄热式热力燃烧反应器（RTO）和蓄热式催化燃烧反应器（RCO）。对于 RTO 设备，它们通常由一个蓄热式换热器，一个热燃烧室和一个切换阀门组成。常见的基本形式是二室、三室和多室 RTO。在二室 RTO 的阀切换过程中，会存在管道中残留的有机废气与净化后的废气一起排出的问题。结果导致在超过一半时间的净化周期内达不到排放标准，净化效率低于 80%。三室 RTO 在二室 RTO 的基础上，增加了冲洗室，以解决未处理废气的问题。但是，阀门太多很难实现同步切换。未处理的废气与纯净气体混合，无法实现达标排放。多室 RTO 也是一样的。RCO 装置通常由蓄热催化炉和旋转换向阀组成。蓄热催化炉分为多个蓄热催化室。有机废气通过旋转换向阀的进气口进入蓄热催化室并被加热。温度达到 200～500℃后，通过另一个蓄热催化室，在催化剂的作用下进行净化和释放热量。净化后的高温气体被蓄热体吸收以降低温度，最后通过旋转换向阀的排气口排除。蓄热燃烧技术的优点是净化效率高，无二次污染，可实现能量回收，节省燃料。

5.1.3.3 无害化——火炬燃烧

化工厂在开停车、装置异常、火灾停水停电等事故工况下，会产生很多易燃易爆的有机气体，其中有很多对人体有害。它们多数比空气重，如果放入大气，经蔓延，会沉积在地面上，并达到很高的浓度，这会造成严重的环境污染，危害人体健康，如若碰到火种，将造成火灾，甚至爆炸。为了防止这些危险发生，需要把它们集中起来烧掉，以防后患。火炬可将这些易燃、易爆、有毒、有腐蚀性的气体通过燃烧变成无害的二氧化碳、水，或无毒、毒性较小的其他物质。所以，火炬装置可以说是化工厂的最后一道安全屏障。将这些燃料直接这样烧掉，的确有些浪费，但是火炬还是不能废除的，因为在发生意外事故时，仍然必须通过它将大量的可燃气体烧掉，以确保安全。火炬按照不同的分类方式有不同的类型，按燃烧器是否远离地面可分为地面火炬和高架火炬，按火炬燃烧器的形式可分为单点燃烧火炬和多燃烧器火炬。

有机废气治理技术分类和特点见表 5.1。

表 5.1 有机废气治理技术分类和特点

技术名称	处理浓度/(g/m^3)	废气流量/(m^3/h)	净化气浓度	受限
冷凝法	>50	<10000	50%~85%	仅适用于成分单纯、浓度高且有回收价值的废气，对低沸点的废气效果不佳
吸收法	10~50		90%~98%	吸收剂难以选择，吸收效率下降快，可处理大流量气体，对低浓度 VOCs 吸收率不高，存在吸收剂再生回用问题
膜分离技术	>20		90%~96%	对水分敏感度高，无法处理浓度变化大的 VOCs
吸附法	0~5	—	<120mg/m^3	吸附量有限，吸附剂需要更换，造成二次污染
生化法、等离子体法	0.2~3	—	<120mg/m^3	用于处理低浓度恶臭工业废气
直接燃烧法	>10	<20000	95%~99.99%	污染物排放各环保指标压力
催化燃烧法	1~10	<150000	95%~99%	催化剂选择性、抗毒性
蓄热燃烧法	1~10	<200000	95%~99%	蓄热体耐热、耐振、耐堵，换向阀泄漏

5.2 工业有机废气回收利用减碳

5.2.1 废气回收作替代燃料

5.2.1.1 项目概况

以本技术在浙江某项目中应用为例。该项目涉及多套炼油工艺装置，这些装置在正常运行，以及开停工及停水、停电、火灾、超压、阀门故障等事故状态下都将产生大量可燃气体。各装置排放的可燃气体有的为间歇排放，有的为连续排放，成分以 C_1~C_5 烃类为主，部分气体含有氮气、水或硫化氢。这部分气体成分复杂、排放随机性大，在以往的工厂设计中多数当作废气通过各种类型的火炬燃烧排放。随着石油化工厂装置规模的不断扩大，原料品种不断增加，导致装置排放的火炬气总量增加，造成了较大的能源浪费，同时因燃烧产生的光污染、热辐射、有毒气体以及氮氧化物、硫氧化物等腐蚀气体对环境造成了较大污染，主要产物二氧化碳会造成温室效应。将原本燃烧排放的火炬气回收起来加以利用，不仅可以解决上述环保问题也可以为企业带来经济效益。

本项目主要回收来自乙烯和化工火炬的火炬气，设置 1 台 3600m^3/h 和 2 台 1800m^3/h 的变频螺杆压缩机，将火炬气加压至 0.85MPa (G)，然后进入全厂燃料气管网回收利用。

项目工艺流程图见图 5.1，乙烯和化工火炬回收火炬气参数见表 5.2。

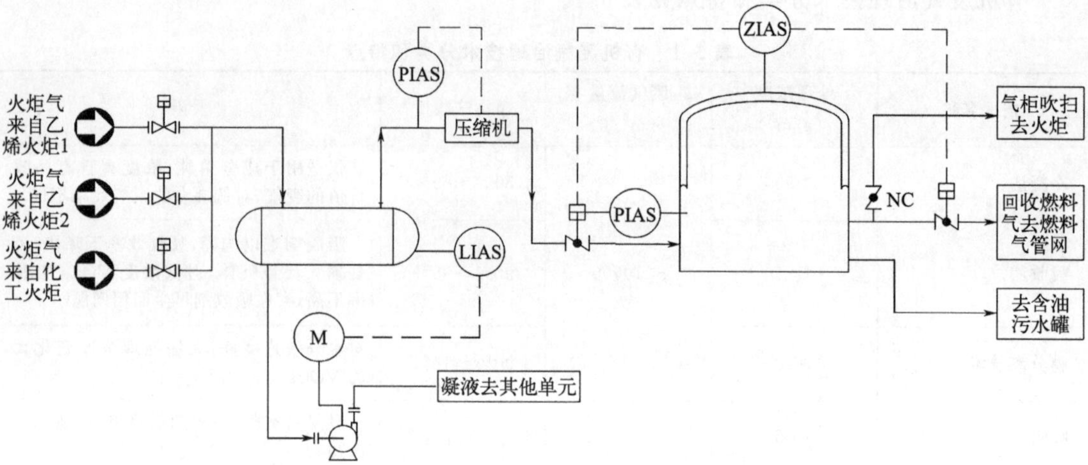

图 5.1　项目工艺流程简图

PIAS—压力指示报警连锁；LIAS—液位指示报警连锁；ZIAS—阀位指示报警连锁

表 5.2　乙烯和化工火炬回收火炬气参数

项目		化工下游及乙烯设计工况		
		最小	正常	最大
火炬气回收量(工况体积流量)/(m^3/h)		450	1800	7200
火炬气回收量(质量流量)/(kg/h)		594	2376	9504
火炬气回收量(标况体积流量)/(m^3/h)		418	1674	6695
相态		气态		
排放温度/℃		≤40℃		
界区点压力/MPa(G)		0.002～0.006		
密度/(kg/m^3)		1.32		
平均分子量		31.80		
各组分占比/%	氢气	12.90		
	甲烷	11.30		
	乙烷	1.80		
	丙烷	18.20		
	丁烷	0.80		
	戊烷	8.40		
	乙烯	16.80		
	丙烯	6.20		
	丁烯	2.10		
	硫化氢	0.002		
	氮气	20.80		
	二氧化碳	0.30		
	其他	0.40		

该工程项目采用气柜回收及脱硫技术，并结合安全运行的成功经验开发出集回收、存储、脱硫、并网为一体的系统流程，在确保上游装置安全运行的前提下，最大程度地回收火炬气并有效脱硫净化，使其成为合格燃料气，变废为宝。实现了石化行业原料能源的回收再

利用，有效降低了火炬排放负荷，减少了有害气体及温室气体排放，产生了一定的经济效益及社会效益。

5.2.1.2 项目技术要点

(1) 火炬气脱硫技术

采用醇胺法对火炬气进行脱硫。该工程项目炼油火炬气相对于普通炼厂酸性气具有硫化氢、二氧化碳含量低，二氧化碳相对硫化氢比例高等特点。由于本次设施为整个系统设计的补充部分，不可能单独设置溶剂系统，设计计算采用业主提供的 30% 甲基二乙醇胺(MDEA) 作为吸收剂，溶剂再生依托全厂性溶剂再生装置。本次净化火炬气按要求并入全厂燃料气管网，火炬气管网压力靠近气体脱硫净化度突变的压力值 (0.8MPa，G)。如何选择脱硫操作压力避免这一现象的产生是流程设计选型的一个难点；兼顾脱硫效果、溶剂再生成本和设计可行性，设定贫溶剂浓度和溶剂循环量的要求是另一设计难点。

在最终设计中，采用直径 ϕ2200mm 两段式规整填料塔，配合分液罐达到火炬气脱硫和分液要求，由两组贫、富溶剂泵提供溶剂系统的输送动力。含硫火炬气由螺杆压缩机输送并入燃料气管网，采用塔顶限流的方式稳定脱硫塔操作压力，保证脱硫净化效果，这样的设计可用来应对火炬气流量不稳定的情况，将间歇条件转变为稳态变化，节能的同时达到维持装置平稳运行的目的。

(2) 火炬气温度、压力、组成、热值分析技术

在距离回收装置较远的回收火炬气总管上设置温度、压力传感器。其目的是在火炬气进入回收装置前尽可能早地判断火炬气是否满足回收条件，将不满足回收条件的火炬气尽可能早地切断至火炬燃烧排放。具体控制方法是：当检测气体压力超过设定值时，联锁气柜进口开关阀关闭，以避免高压事故排放的火炬气大量进入气柜，导致气柜活塞上升速度过快，对气柜产生冲击或破坏；当检测气体温度超过设定值时，联锁气柜进口开关阀关闭，避免高温火炬气对气柜橡胶膜造成破坏，目前国内生产的橡胶膜正常操作温度不宜高于 80℃；同时，在火炬气回收总管上设置氧分析仪，当检测值超过设定值时，联锁气柜进口的开关阀关闭，停止回收不合格的火炬气，确保回收火炬气远离爆炸极限范围，达到系统本质安全。如果经化验分析发现气柜内储存的气体氧含量超标，可通过吹入氮气的方式和柜顶高空放散的方式降低氧含量。

采用火炬气组成分析的方式进行热值计算，使没有回收价值的火炬气不被回收，避免燃料气总管网热值波动。通常，惰性气体体积分数超过 40% 的火炬气应避免并入燃料气管网。不合格的火炬气可通过气柜顶部放散管排放。气柜顶部放散管的高度设置应满足《石油化工企业设计防火标准（2018 年版）》(GB 50160—2008) 中的相关要求。

(3) 气柜技术

对炼化企业各装置充分调研、准确预判，利用气柜存储技术，将流量、组成不稳定的火炬气进行收集。干式橡胶膜气柜具有如下几个优点，有利于排气压力低的气体的回收。

① 无油润滑系统，不存在火炬气氧化润滑油而导致需经常更换润滑油的问题；

② 无外部电梯，因此无动力消耗，无须操作人员长期驻守；

③ 活塞升速高，其允许的最大上升速度可达 5m/min，吞气能力强；

④ 储存气体压力较低。

上述优点与火炬气成分复杂、气量不稳定、排气压力低等特点相适应，因此本装置应选用橡胶膜密封干式气柜。气柜容积根据火炬气排放量及压缩机处理能力确定，最终选用 30000m^3。

30000m^3 橡胶膜密封干式气柜由底板、活塞板、活塞挡板、侧板、立柱、T 挡板、内/外橡胶膜、顶板、中央通风帽、侧板通风孔、调平装置、气体进出口、回廊以及外部楼梯等部件组成。由底板、下部壁板、橡胶膜、活塞板组成的密闭空间用于储存气体。由于此空间较大，火炬气在气柜中可以获得足够的停留时间，气体中携带的液滴依靠重力作用进行沉降分离，气柜底板为圆拱形设计，具有自然坡度，沉降分离下来的液体聚集在底板四周，根据火炬气的含凝量在柜外壁靠近底板处均匀设置至少两处低点排液设施。考虑到本工程项目回收火炬气可冷凝下来的液体既有水又有碳五以上的凝液，而碳五以上凝液可作为燃料进一步回收利用，因而本设计将气柜排出的凝液经埋地管道自流至下游低位含油污水罐中，凝液在污水罐中静置分离为水相和油相，通过界面计联锁开关阀控制，将下层污水外送至污水处理装置，上层凝缩油送至原料系统，最大程度地减少资源浪费。

本项目根据炼油装置的规模数量首次采用三台 30000m^3 橡胶膜密封干式气柜并联控制流程，具备强大的缓冲回收能力。图 5.2 为气柜外观图。

图 5.2 气柜外观图

为了达到三台气柜相互备用及可在线切换任意一台气柜检修的目的，要求现场在气柜施工时同时下料，同时制作，同时调整配重，确保三台气柜调试合格后具有相同的操作压力。系统投用后，三台气柜的操作压力分别为 3.42kPa、3.43kPa、3.42kPa，完全符合设计要求，实现了设计目标。

橡胶膜密封干式气柜从外观上看为圆柱形带拱形柜顶的结构，外径约 34m，总高约 47m。具有优秀的抗风、抗雨及抗盐腐蚀性能，与该项目建设地位于台风带海岛的自然条件非常适应。

根据操作介质条件及环境条件，气柜的重要密封部件橡胶膜选用双面膜，其中与介质的接触面采用氢化丁腈橡胶（HNBR＋PVC）材质，与介质的非接触面采用丁腈橡胶

（NBR＋PVC）材质，膜内外材质不同，这种设计与以往项目相比，更加经济合理。

设计以安全为第一要素，在气柜安全运行的控制上有如下创新点：

① 采用三台雷达柜位计检测气柜柜位（储气量），其目的是控制气柜在安全储气量范围内（10%～85%）操作运行。三台雷达每隔 120°均布于柜顶上方，雷达反射板位于活塞上。当检测柜位超过设计值时报警并触发进出口开关阀关闭。

② 借助雷达柜位计和压力传感器识别气柜活塞上下运行阻塞工况。通过这种控制手段帮助操作人员第一时间掌握活塞运行状况，确保气柜安全运行。

③ 采用通过雷达柜位计计算活塞升降速度的控制方法。通常橡胶膜气柜活塞的安全运行速度为 0.5～1.5m/min。同样，这也是一种帮助操作人员掌握活塞运行状况的手段，其目的仍然是确保气柜安全运行。与以往项目相比，本项目没有单独设置昂贵的速度测量仪，节约了设备一次性投资。

④ 采用压力传感器识别气柜负压及超压工况。当检测到气柜压力超过设定值时报警并触发气柜进口开关阀关闭，停止回收气体。当检测到气柜压力低于设定值时报警并触发气柜出口开关阀关闭及下游压缩机停机，气柜停止排气。气柜负压或超压将会对气柜本体结构造成很大的破坏，因此识别这一工况非常重要。气柜控制原理图见图 5.3。

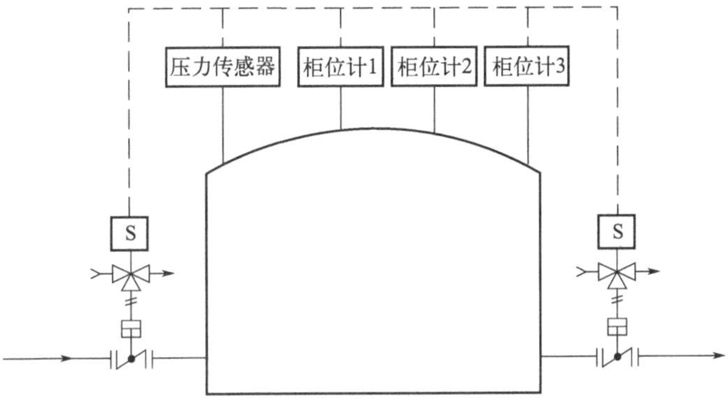

图 5.3　气柜控制原理图

S—电磁阀

综上，本装置气柜安全运行的控制系统经济且完善，正式运行的气柜装置见图 5.4，气柜火炬气回收量及相关物性见表 5.3。

图 5.4　正式运行的气柜装置

表 5.3 气柜火炬气回收量及相关物性

项目	炼油装置火炬气	化工及乙烯装置火炬气
流量(最大负荷)/(kg/h)	9293(32234)	2376(9504)
低热值(净化前)/(kJ/kg)	45523	37962
低热值(净化后)/(kJ/kg)	46286	—
温度/℃	40	40
火炬气压力/MPa(G)	0.006	0.006
装置出口压力/MPa(G)	0.85	0.85
硫化氢浓度(净化前)/(cm^3/m^3)	6000	—
硫化氢浓度(净化后)/(cm^3/m^3)	≤20	—

按照设计工况计算：

① 在达到净化效果的同时为下游硫回收装置增产 235kg/h 硫磺；

② 装置内部动力消耗为火炬气压缩机和贫溶剂泵，总计 984kW；

③ 回收燃料气量分别为 9293kg/h（炼油部分）、2376kg/h（化工部分）。

由于火炬气净化过程中去除了一部分二氧化碳，所以净化后的气体热值略有提升。装置已正式投产三年多，装置运行稳定，各项指标达到设计要求。

5.2.1.3 经济效益与节能减碳效益

本装置设计工况下消耗主要来源为压缩机、机泵等动设备，电力消耗 984kW，动设备密封冷却用循环水 5t/h，仪表风消耗 30m^3/h（标准状况）等，可回收热值为 10505kcal/kg (1kcal=4.1868kJ)，燃料 11.67t/h，回收 1t 燃料气的总消耗为 279kW·h。按照石化装置能耗计算标准：每年节约能源 4213×10^6MJ，折合标准燃料 10.06 万 t，折合标准煤 14.37 万 t。以当前该企业一期 1500 万 t/a 炼油项目投产规模计算，可回收 0.67%左右的能源；按每吨标准煤 650 元计，预计每年可节约 9340.5 万元。

目前本装置实际运行工况为满负荷操作，备用压缩机全部处于运行状态，满负荷条件下装置运行平稳。实际回收燃料气量达到 41t/h，热值 10461kcal/kg，按照石化装置能耗计算标准：每年节约能源 14749×10^6MJ，折合标准燃料 35.23 万 t，折合标准煤 50.33 万 t，实际回收能源达到 2.35%；按每吨标准煤 650 元计，该企业实际每年可节约 32714.5 万元，取得了很好的经济效益。

按照焚烧条件，以目前运行情况计算：每年可减排二氧化碳约 120 万 t、二氧化硫约 3500t、氮氧化物约 2100t，为企业环保排放达标提供了有力保证。同时，由于减少火炬燃烧从而消除了火炬对周边环境的光污染、热辐射污染、噪声污染、黑烟污染，为企业提供了良好的生产、生活环境，取得了很好的社会效益。

从全厂性系统设计上来说，火炬气回收装置给全厂能量平衡、硫平衡、氢平衡提供了有益的帮助，给单元设计、装置流程设计提供了更准确的资料。

项目公用工程消耗较少，以对全厂性公用工程设施影响较大的胺液计算，火炬气净化系统消耗的溶剂在全厂溶剂消耗总量的 5%以内，溶剂再生单元的设计操作弹性为 120%，无须对现有装置进行改造，具备可推广价值。

火炬气回收装置的投产较大程度地减轻了火炬气无序排放（即小流量泄放气）的状况，该装置在过去三年多的时间里，绝大部分时间实现了火炬零排放，约减少了火炬气无烟燃烧需要消耗的蒸汽量18万t/a，较好地控制了火炬对周边环境的光、辐射、噪声、黑烟等环境污染。在回收能源、增加硫磺产量的同时，降低二氧化硫、二氧化碳排放量，减轻炼化企业环保压力，经济效益和社会效益显著。

5.2.2　废气焚烧及废热回收

5.2.2.1　项目概况

本技术应用在安徽某公司VAE（醋酸乙烯酯-乙烯共聚乳液）项目，包含一座1500m^3的湿式气柜，一座产气6t/h的废气焚烧炉及余热回收装置，一座处理量45t/h的封闭式地面火炬，及三套设施之间的连接管道。本项目采用气柜回收技术，在确保上游装置安全运行的前提下，最大程度回收火炬气，将回收的火炬气送至下游焚烧炉燃烧，实现了能源回收再利用，有效降低了火炬排放负荷，仅在事故排放时或火炬气回收气量明显超过设计值时排入地面火炬系统，显著减少有害气体及温室气体排放。项目工艺流程简图见图5.5。

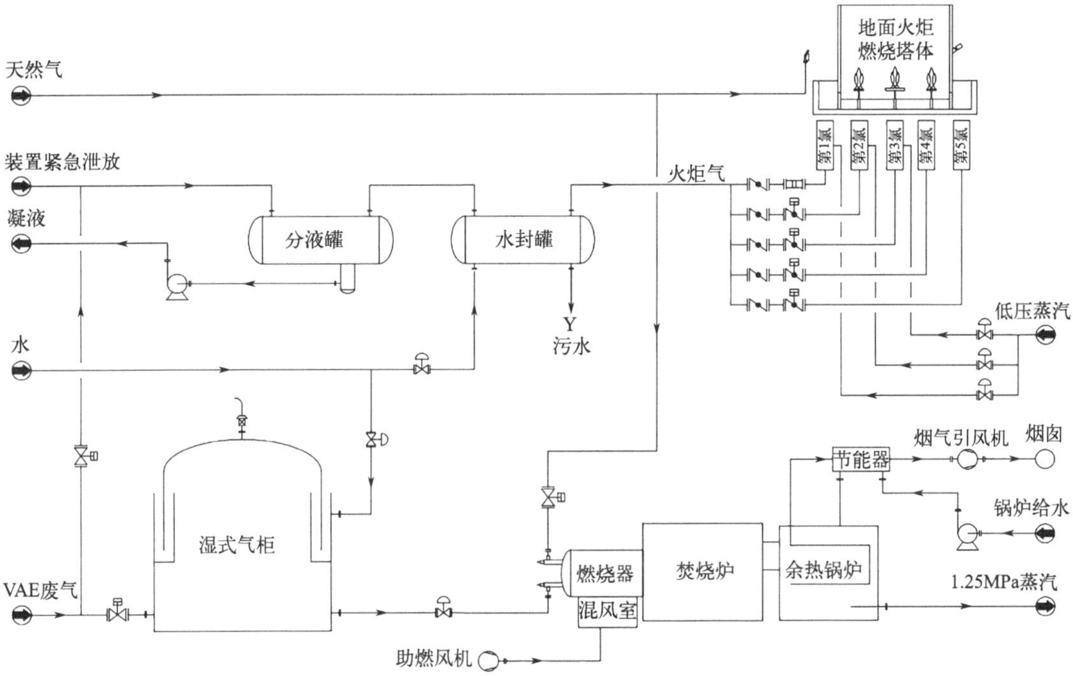

图5.5　项目工艺流程简图

湿式气柜主要缓存以下两股火炬气：

① 脱泡槽及各含有机溶剂设备产生的放空尾气　排放量：2300m^3/d（标准状况，2.6t/d）。成分：C_2H_4为70%～90%；N_2为10%～30%；少量醋酸乙烯酯、水蒸气。压力：入口压力50kPa（G）。温度：50℃。

② 5kt PVA（聚乙烯醇）项目废气进气　排放量：300m^3/h（标准状况）。压力：入口压力50kPa（G）。成分：C_2H_4为70%～90%；N_2为10%～30%；少量醋酸乙烯酯、水蒸气。温度：常温。

以上两股火炬气分别经DN250总管和DN150总管进入气柜缓存，再经气柜出口的加压机升压后送至下游焚烧炉焚烧处理。气柜的操作压力为3kPa，加压机（一用一备）出口压力按50kPa（G），处理量按400m^3/h考虑。

回收区主要设备包括：一台容积为1500m^3的湿式气柜，两台安全水封罐，两台加压机（一用一备）。湿式气柜选用有外导架的直升式气柜，最大工作压力为3000Pa，气柜公称容积为1500m^3。气柜包含底部钢水槽、活动塔节（钟罩）、外导架、导轨、配重块以及梯子平台等必要设施。湿式气柜外形图见图5.6。

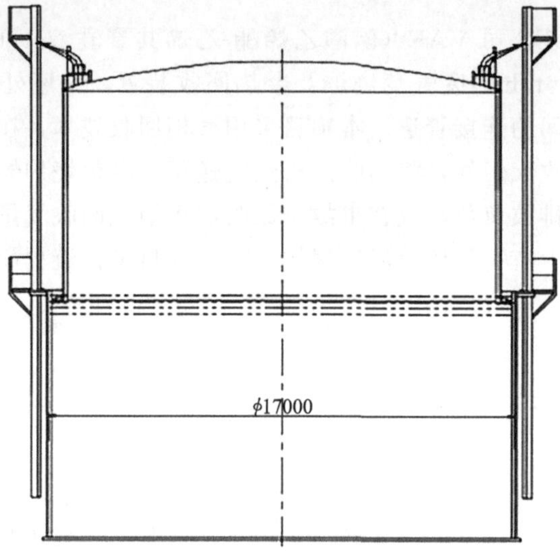

图5.6　湿式气柜外形图

5.2.2.2　系统控制方案

湿式气柜控制系统采用本质安全的设计。气柜本体设有雷达柜位计用于检测柜位；设有压力变送器用于检测压力；设有温度变送器用于检测水温；设有液位变送器用于检测水槽液位。气柜火炬气进口总管设有压力变送器、温度变送器、在线氧分析仪、去气柜的开关阀以及切换去封闭式地面火炬的开关阀。除此之外，气柜钟罩顶部设有自动放空口及安全罩帽用以保证气柜安全稳定运行。

（1）气柜火炬气进口总管压力、温度及氧含量控制

气柜火炬气进口管道上设置开关阀、温度变送器、压力变送器以及在线氧分析仪，用于检测进气状态。当检测火炬气氧含量超过设定值时，联锁该总管上气柜进口开关阀关闭，火炬气切换至地面火炬燃烧处理。

（2）回收火炬气切换至火炬控制

两股回收火炬气总管均设置去火炬的支线并设置开关阀，当不能满足气柜回收条件时，切换至地面火炬燃烧处理。

（3）气柜柜位控制

气柜外框架顶部均匀布设两台雷达柜位计，雷达反射板设置在钟罩顶部，通过检测钟罩升降高度间接检测气柜柜位。当检测柜位高于设定值时，报警并联锁气柜进口管上的开关阀关闭，停止回收火炬气；当检测柜位低于设定值时，报警并联锁气柜出口加压机停止工作，

气柜停止送气。

（4）气柜压力控制

钟罩顶部设置两台压力变送器，用于检测气柜压力。正常操作时气柜的压力处于一定的范围内，当检测压力超过设定值时，报警并联锁气柜进口管上的开关阀关闭，停止回收火炬气，防止气柜冲顶；当检测压力低于设定值时，报警并联锁气柜出口加压机停止工作，防止气柜抽憋。

（5）水槽温度控制

水槽设有温度变送器用于检测水温，当水槽内水温 $t \leqslant 5℃$ 时报警，手动打开蒸汽总阀给水槽通入蒸汽防冻（冬季常开蒸汽阀，报警值可调）。

（6）水槽液位控制

水槽设有液位变送器用于检测水位，当水槽水位小于设定值时，联锁打开补水管线上的开关阀对水槽补水，补水达到设定值时，联锁关闭此开关阀。正常情况下，可选择水槽小流量连续补水，持续溢流。

5.2.2.3 废气处理装置

废气处理装置包括废气焚烧炉和余热回收装置，布置在 20m×5m 的长方形区域内。废气在焚烧炉装置内燃烧，工艺过程中产生的高温烟气进入水冷系统主体，冲刷对流管束，然后进入节能器，最后经引风机、烟囱排向大气。

燃烧器设计技术参数：

① 燃烧器额定功率：360 万 kcal/h。

② 燃烧机数量：每台余热回收装置配置一台燃烧机（燃烧机内置点火烧嘴）。

③ 燃烧系统功率调节范围：30%～110%。

④ 燃烧调节方式：以给定乙烯废气为主要燃料，其余用天然气补燃，天然气连续比例调节。

⑤ 点火燃料：天然气。

⑥ 助燃风温度：常温。

⑦ 燃气压力：乙烯废气 3kPa(G)，天然气 10kPa(G)。

废气焚烧炉装置集燃烧、焚烧、高效助燃为一体，焚烧炉炉膛直径 2000mm，由内向外依次是耐火浇筑料、硅酸铝板、保温砖，外壳是直径为 2964mm，厚度为 12mm 的钢板。在焚烧炉的不同部位设置了看火孔、热电偶接口、火焰检测器接口、二次风进口等，以满足焚烧炉在运行时的工艺需要、监测控制等要求。

焚烧炉采取烟气再循环工艺，将炉膛烟气温度降到 900℃左右，减少氮氧化物的生成。在炉膛适当位置沿圆周方向设置 4 个二次风进口，从节能器出口抽取乏气作为二次风，根据炉膛温度控制要求（炉膛温度≤900℃），送入焚烧炉。

水冷系统为双锅筒纵向布置水管。余热回收装置本体由上下锅筒、对流管束、前后膜式壁及两侧膜式壁等组成。锅筒内设有排污、给水装置及汽水分离装置等。上下锅筒距离为 2300mm，上下锅筒为 ϕ900mm，壁厚为 16mm；对流管为 ϕ51mm，壁厚为 3mm；膜式壁为 ϕ51mm，壁厚为 5mm；炉管材料用 GB/T 3087 中牌号为 20 号的钢；节能器管为

ϕ32mm，壁厚为 3mm 的螺旋翅片管，材料用 GB/T 3087 中牌号为 20 号的钢。

余热回收装置控制系统采用远程控制系统和就地控制方案，与本系统其他项目集成。将对余热回收装置及燃烧系统所有被控对象进行监控，包括闭环控制、设备启停控制、设备启停状态和主要工艺参数的监视，并完成设备的联锁保护。机组正常运行时，运行人员主要在控制室中通过显示器、键盘、鼠标来完成余热回收装置系统控制功能，只有在非正常状态下，运行人员通过低压动力柜“远方/就地”切换旋钮进行现场就地控制。

5.2.2.4 火炬气系统工艺简介

为适应不同工况和火炬气流量变化的要求，封闭式地面火炬采用分级燃烧。第一级燃烧系统为常开设置，其余各级燃烧系统上设气动切断阀和爆破片旁路。在正常状态下第一级燃烧系统处于打开状态，当火炬气排放量增大时，后续各级燃烧系统依次打开。

上工段紧急泄放的火炬气经水封罐或者分液罐在集气总管汇合后进入地面火炬分级燃烧，地面火炬工艺数据见表 5.4，地面火炬分级数据见表 5.5，燃烧器数据见表 5.6。

表 5.4 地面火炬工艺数据表

<table>
<tr><th>序号</th><th colspan="2">设计说明</th><th>参数</th><th>备注</th></tr>
<tr><td>1</td><td colspan="4">设计输入数据</td></tr>
<tr><td>1.1</td><td colspan="2">火炬气设计排放/(t/h)</td><td>45</td><td></td></tr>
<tr><td>1.2</td><td colspan="2">火炬气排放温度/℃</td><td>−15～80</td><td></td></tr>
<tr><td>1.3</td><td colspan="2">最大允许背压/kPa(G)</td><td>约 50</td><td></td></tr>
<tr><td>2</td><td colspan="4">地面火炬参数</td></tr>
<tr><td>2.1</td><td colspan="2">分级数量</td><td>3 级</td><td></td></tr>
<tr><td rowspan="2">2.2</td><td rowspan="2">燃烧器</td><td>数量</td><td>32 台</td><td rowspan="2">关键部位整体铸造</td></tr>
<tr><td>材质</td><td>310SS/304SS</td></tr>
<tr><td>2.3</td><td colspan="2">长明灯数量</td><td>6 个</td><td>耗气量不大于 $2m^3/h$(标准状况，天然气)</td></tr>
<tr><td rowspan="2">2.4</td><td rowspan="2">燃烧塔</td><td>规格</td><td>DN9000×H27000mm</td><td rowspan="2"></td></tr>
<tr><td>材质</td><td>Q345R</td></tr>
<tr><td>2.5</td><td colspan="2">防风墙规格</td><td>DN13000(内径)×H6000mm</td><td>混凝土，厚度 300mm</td></tr>
<tr><td>3</td><td colspan="4">点火系统</td></tr>
<tr><td>3.1</td><td colspan="2">点火类型</td><td>高能点火</td><td></td></tr>
<tr><td>3.2</td><td colspan="2">长明灯检测</td><td>长明灯专用热电偶</td><td></td></tr>
<tr><td>3.3</td><td colspan="2">点火方式</td><td>自动/控制室手动/现场手动</td><td></td></tr>
<tr><td>3.4</td><td colspan="2">高能点火器数量</td><td>6 台</td><td></td></tr>
<tr><td>4</td><td colspan="4">环境</td></tr>
<tr><td>4.1</td><td colspan="2">热辐射</td><td>$<1.58kW/m^2$</td><td></td></tr>
<tr><td>4.2</td><td colspan="2">噪声</td><td><75dB(A)</td><td></td></tr>
<tr><td>4.3</td><td colspan="2">无烟燃烧</td><td>林格曼黑度<1</td><td></td></tr>
</table>

表5.5　地面火炬分级数据表

序号	级数	分级管道管径/in	燃烧器数量/台	长明灯数量/支
1	第1级	8	4	4
2	第2级	10	8	1
3	第3级	12	20	1

注：1in=0.0254m。

表5.6　燃烧器数据表

项目	燃烧器参数
规格	MJ-4
数量/台	32
材料	310SS/304SS
设计使用寿命	≥20年

燃烧器是火炬系统的核心设备，典型火炬燃烧器设备具备以下特征：

① 燃烧器布置于燃烧塔内，设有特殊结构，满足低噪声、无烟燃烧。

② 燃烧器结构采用多孔直立自引风式燃烧器，能够保证燃烧空气与放空气的充分混合，避免熄火。

③ 燃烧器采用独特的“八爪形”结构设计，具有多孔结构，可将大股的火炬排放气分成许多小股。空气与排放气的混合主要是依靠排放气自身的压力和特殊设计的燃烧器来完成。梅花形多孔燃烧器在火炬内呈几何线状均匀布置，以充分利用空气的混合效果，增加与空气的接触面积，实现无烟燃烧。

④ 燃烧器的设计与选型完全适用于本项目火炬气的特性。

⑤ 火炬在设计处理量下均能实现100%无烟燃烧，林格曼黑度小于1。

⑥ 燃烧器主体部分为整体铸造件。燃烧器（包括立管）整体材质采用310SS，设计温度为1200℃，保证了其使用寿命不低于20年。

⑦ 每排燃烧器的排布也是影响地面火炬系统运行性能的关键因素。燃烧器之间既要留有足够的距离以保证无烟燃烧所需要的空气有足够的进入空间，又要保证燃烧器之间能够顺利传焰点火，燃烧器的设计和布置具有横向交叉点火功能。

⑧ 为了保证燃烧器所需要的空气量，在设计燃烧器尺寸时应保证有足够的空气进气量。由于燃烧时有足够富余的空气进入燃烧器，加上燃烧塔内中心负压最高，因此布置在中心的燃烧器不会缺少空气，不会出现由于燃烧器位置的不同而造成燃烧空气不足。

5.2.2.5　DCS控制系统

湿式气柜、废气处理装置（废气焚烧炉和余热回收装置）、封闭式地面火炬共用一套DCS系统控制，DCS信号通信至中央（区域）控制室DCS监控。主要控制说明如下：

（1）地面火炬分级控制系统

在地面火炬的集气总管上设压力变送器，压力升高时，分级阀逐级打开，当排放量降低时，各级分级管上的气动开关阀将反向操作，即最后一级气动开关阀先关闭。

(2) 长明灯运行状态显示及报警、联锁

地面火炬设6支长明灯，每支长明灯设铠装热电偶，通过温度变送器将信号送控制室DCS显示、报警。当长明灯温度低于设定值，联锁高能点火器（HEI）自动点火。HEI均可就地或者控制室自动、手动操作，从而保证火炬系统在任何工况下均处于本质安全状态。

(3) 消烟蒸汽控制系统

为保证地面火炬100%的无烟燃烧，设如下完善的消烟系统：

① 火炬气突破水封后第一级消烟蒸汽开启，阀门开度25%；

② 第二、三级分级阀开启后，第二、三级消烟蒸汽开启，阀门开度25%。

(4) 氮气的自动吹扫、置换

第一级火炬系统采用连续氮气吹扫置换，其余级采用两路吹扫火炬气管路，一路是带有气动切断阀的自动回路，一路是带有限流孔板的常开手动旁路，保证火炬气管路的微正压，避免火炬出现回火和闪爆。排放气一次排放结束后，氮气自动吹扫置换。

(5) 燃料气压极低报警

点火系统是火炬装置安全运行的保证，因此应设置燃料气压极低报警。

(6) 水封罐自动补水

水封罐设液位检测、液位调节，即通过水封罐液位控制给水调节阀的开度，以维持罐内液位。

5.3 废气燃烧无害化排放工程降碳

5.3.1 工业火炬排放概述

火炬废气净化处理系统是石油、化工、塑料、冶金等行业厂区中最后一道安全环保装置，在厂区装置异常、检维修、开停车，或发生停电、停水、火灾等重大事故工况时，该系统能够确保工业废气及时净化处理排放，保证厂区设备和人员生命安全，是全厂安全不折不扣的最后一道生命防线。因此工业火炬废气净化处理装置仍是未来各种规模工业行业不可或缺的关键设施。由于工业废气流量大、成分复杂，火炬设备运行能耗极大，恶劣天气条件下净化处理效率较低。在火炬废气排放不可避免的情况下，如何实现火炬安全装置的高效环保节能设计对我国节能降碳事业显得尤其重要。

石油、化工和塑料等行业产生的废气主要是有机烃类废气、酸性气和烟气。部分有价值的工业废气可以送气柜回收系统进行回收处理。为了保证生产安全、下级设备正常运行并保护生态环境，大部分工业火炬废气需送至火炬系统净化处理后再排入大气中。

由于火炬气成分复杂、流量变化范围大，净化处理效率受天气因素影响大，直接排放净化率低，未净化的废气和处理过程中产生的碳烟等污染物排放会严重影响周边大气环境。为保证工业火炬废气能够得到高效环保净化，减少黑烟和有毒有害气体逃逸，火炬废气环保处理会消耗大量蒸汽或压缩空气等宝贵能源。性能优异的火炬系统要求更低的能耗指标，从而大幅降低能源消耗和运行成本。因此，先进可靠的火炬废气处理系统需要兼顾安全生产、环保、节能三个方面。

在国内，火炬系统目前基本仍被定位为安全装置，目前国内项目一般仅对火炬净化处理效率和无烟处理指标做规定，对蒸汽能耗等关键节能低碳指标并没有明确要求。另外，由于工业废气大规模无组织排放的内在特点，火炬系统的运行能耗极大，节能减排性能实际上尤其重要。以原油生产行业为例，美国斯坦福大学在《科学》杂志上发表的研究成果显示：在和化石能源开采相关的碳排放活动中，排放量最高的并非日常的尾气、燃气之类的使用行为，而是在工业火炬废气净化处理的过程。

在国际上，美国石化废气处理行业领军企业把火炬系统的节能性能放在与安全性能同等重要的位置，火炬系统定位为安全＋环保设备，火炬消烟蒸汽、长明灯和吹扫装置能耗快速持续大幅下降，在本行业确定了技术领先地位，实质垄断了火炬废气处理系统的关键核心技术。受制于火炬废气处理系统研发所需的高资本投入和高技术含量，国内火炬废气厂家在本领域的研发投入严重落后。国内企业在国内国际市场竞争中愈发处于劣势地位。美国某企业 n-Viro-XSR 火炬系统节能降本效果见图 5.7。

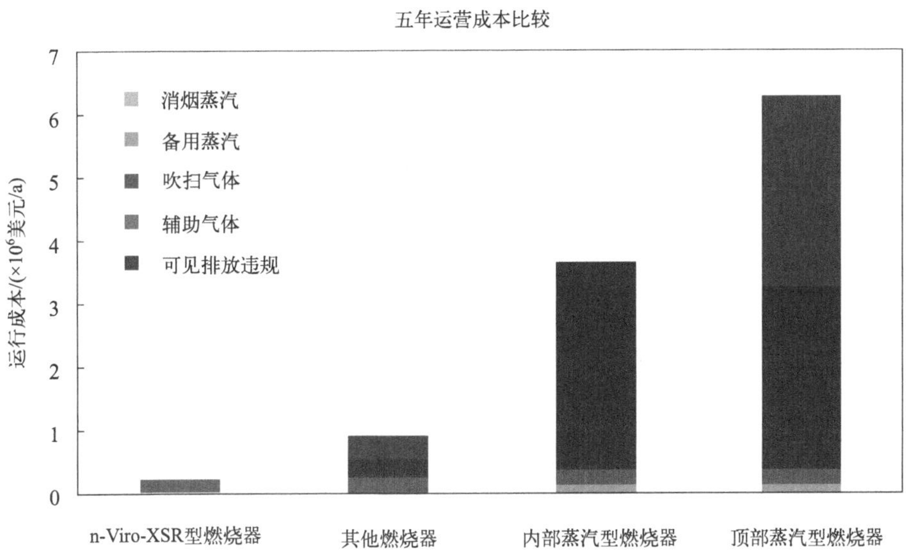

图 5.7　美国某企业 n-Viro-XSR 火炬系统节能降本效果

国内石油化工装置规模日渐扩大，火炬设施的处理量也越来越大，古雷炼化一体化项目、浙江石油化工有限公司等数十个火炬系统排放量均达到 1kt/h 以上，伴有高含硫的酸性火炬气、热值极低且含有多种有害气体的低热值火炬气。同时，很多原有石化企业也面临产能扩建和装置升级的迫切需求，相应的配套火炬设施也需要升级和扩容。根据世界银行 GGFR（减少天然气燃烧全球伙伴关系组织）机构权威统计，2018 年我国通过火炬系统燃放 21 亿立方米工业废气，产生 500 万吨二氧化碳当量排放和 8000 吨氮氧化物排放，是大气污染物和温室气体排放的重要来源。因此，攻克火炬废气处理系统节能低碳关键核心技术在现有环保和低碳政策形势下不仅非常必要，而且非常紧迫。本项目的实施和产业化应用将大幅降低火炬废气处理行业的碳排放和污染物排放，为国家低碳排放和大气污染治理事业提供行业技术支撑。2018—2022 年世界各国火炬废气排放量见图 5.8。

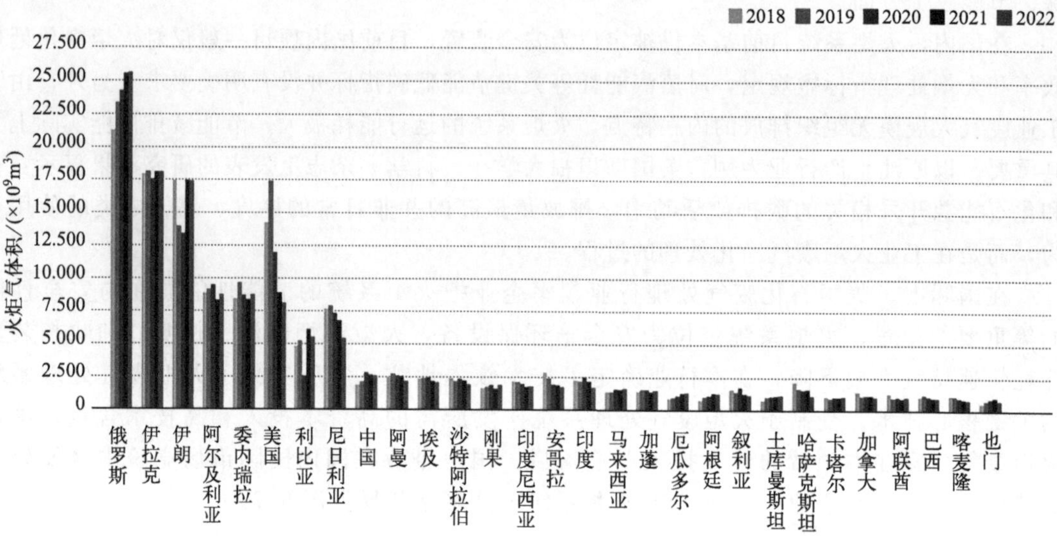

图 5.8　2018—2022 年世界各国火炬废气排放量（世界银行数据）

5.3.2　节能型蒸汽消烟高架火炬

5.3.2.1　高架火炬节能减排关键技术

① 提出保证火炬燃尽率核心指标的定量化工艺设计方法，并精准提升点火系统抗氮稳燃能力，整体提升火炬系统安全可靠性。综合考虑火炬气组分、热值、H_2 含量、可用压头等关键参数，提出火炬头出口流速限值定量设计方法。

② 针对工程项目普遍存在的氮气过量吹扫问题，针对性精准提升点火系统抗氮能力，确保火炬系统火炬燃尽率和火炬运行安全性。

③ 通过理论计算和 1∶1 实测建立流体封性能数据库，明确火炬流体封安全设计方法。定型流体封直径、角度、层数、层间距等核心设计参数，明确氮气吹扫量计算方法，流体封试验平台照片和理论计算模型见图 5.9。

④ 高架火炬核心消烟蒸汽比例数据库，解决了消烟比例定量设计难题。消烟比例为火炬头结构设计最核心参数，通过 1∶1 实测，获得了常见火炬气消烟比例范围，并通过与南京航空航天大学合作开发定量设计模型进行工业级火炬燃烧理论计算，确定了不同火炬尺寸的消烟比例选用方法，进一步首次提出了醇、醛、酸、惰性气体、H_2、CO、H_2O 等行业规范未明确介质的消烟比例，系统解决了消烟比例核心参数无设计依据的核心难题，确保了高架火炬高效低碳运行。

火炬头结构、消烟装置、吹扫装置、系列化点火装置设计方法等系列研发成果，助力实现中圣高架火炬的系统定量化优化和完全标准化设计及节能低碳相关成果。

火炬环保净化能耗降低为美国石油协会 API 521—2020 标准能耗的 50%左右。全国每年累计排放 250 万吨火炬气，环保排放按现行标准需消耗 110 万吨消烟蒸汽，折合标准煤 16 万吨，碳排放 42 万吨。项目完成时运用新技术的项目能效提升至 API 521—2020 的 170%，减少碳排放 20 万吨每年，火炬实现高效低碳运行。

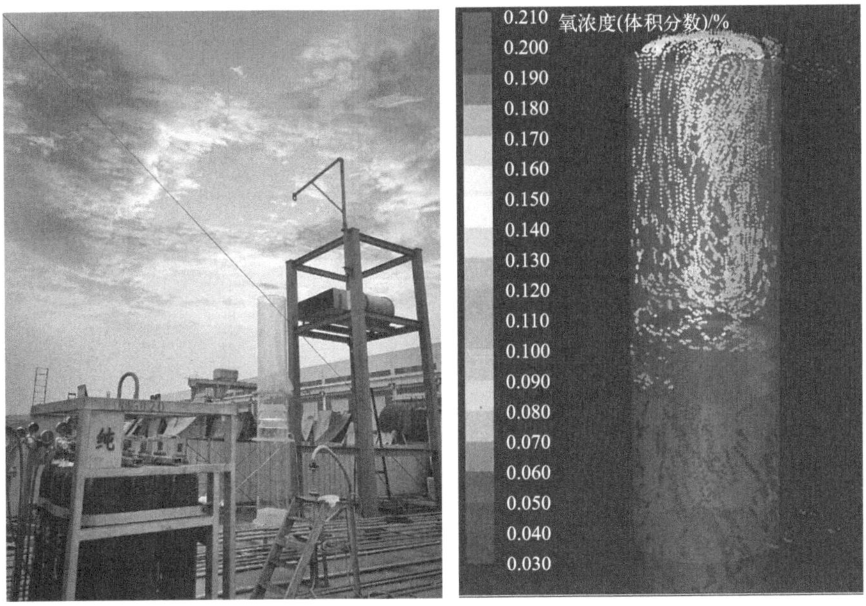

图 5.9　流体封试验平台照片和理论计算模型

5.3.2.2　应用案例

天津某厂火炬系统设置 3 台燃烧系统，包括 1 台重烃火炬燃烧系统、1 台含苯火炬燃烧系统和 1 台小流量火炬燃烧系统。重烃火炬、含苯火炬和小流量火炬燃烧系统按可拆卸式火炬设计，布置在 1 个火炬塔架上。

重烃火炬燃烧系统，重烃火炬的火炬气来自渤化一期项目建设的甲醇制烯烃（MTO）装置、烯烃中间罐区、PP（聚丙烯）装置以及专用罐区 4 个装置区。其中甲醇制烯烃装置由 MTO 单元和烯烃分离单元构成。由甲醇制烯烃装置、烯烃中间罐区、PP 装置、专用罐区等所排放的火炬气，其组成主要是乙烯、丙烯、C_4 等重烃，热值较高［约 20000kcal/m^3（标准状况）］，燃烧时需消耗大量空气，且需要蒸汽消烟。排放工况为停水、停电、火灾状态下的排放。燃烧系统流程简图见图 5.10。

① 含苯火炬燃烧系统。含苯火炬的火炬气来自渤化一期项目建设的 PO/SM 装置。由 PO/SM 装置所排放的火炬气，组成主要是苯、乙苯、多乙苯等，热值较高，燃烧时需消耗大量空气，且需要蒸汽消烟。共有六股火炬气送往含苯火炬系统，分别为火灾、全厂停水、全厂停电、反应器失控、停工艺凝液/锅炉水和全厂停蒸汽工况。

② 小流量火炬燃烧系统。为保证事故火炬的燃尽率，避免小流量火炬气在大火炬头中闷烧，在每个火炬管网系统（高压重烃、低压重烃和含苯火炬）水封罐前分别设置小流量火炬管线，小流量管道均进入同一台小流量水封罐。小流量管道引自系统分液罐后、水封罐前的火炬管道，其进入小流量水封罐，出水封罐后去小流量火炬头燃烧排放。

③ 核心消烟系统。燃烧中烟雾的产生是由火炬气燃烧不完全所导致的。本项目的消烟方案考虑到实施的经济性、可行性，确定采用蒸汽消烟法，每个火炬头上设三路蒸汽消烟设施：一路引射蒸汽消烟设施，一路顶部蒸汽环管消烟设施，一路中心蒸汽消烟设施。底部引射消烟装置包含：蒸汽喷头、引射装置、混合管、消音罩。蒸汽经蒸汽喷头喷出，卷吸周围

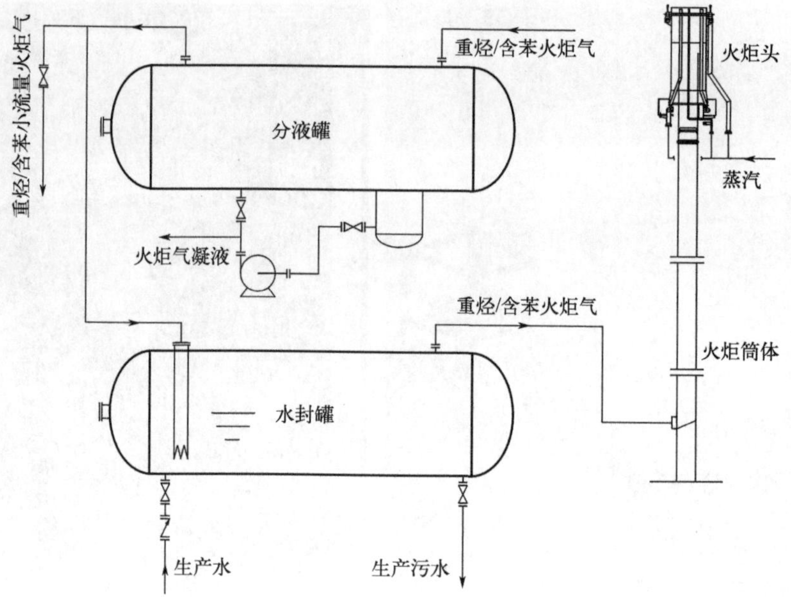

图 5.10 燃烧系统流程简图

空气进入混合管内，随后从混合管喷出进入火焰燃烧区。外围的消音罩则对高速流动的气体产生的噪声起到降噪作用。火炬头顶部设有蒸汽喷射装置，蒸汽通过喷孔高速喷射，同时卷吸大量空气进入火炬头内部核心燃烧区域，加强火炬气与空气的混合，以实现消烟。顶部蒸汽喷孔结构和喷射角度的特殊设计，可降低蒸汽喷射噪声，同时显著缓解侧风影响下火焰舔烧火炬头，延长火炬头使用寿命。针对不同尺寸、不同火炬气组分、喷射角度、在火炬头中的位置等进行定制化设计，确保中心蒸汽对全流量范围的火炬气排放起到火焰托举作用，并且为火炬头结构降温，有效延长火炬头使用寿命。

消烟蒸汽量可在线自动调节，也可在控制室内手动调节。当检测到火炬管网的压力大于设定值时，联锁蒸汽调节阀动作。当火炬气流量达到一定值时，根据火炬气的流量自动联锁调节蒸汽阀开度，以达到最大的消烟能力。由于工况不同，排放火炬气的成分、温度、压力差别较大，个别工况需要控制室手动调节消烟蒸汽阀的开度，以满足火炬气消烟的目的，同时避免蒸汽量过大吹熄火炬。每个蒸汽调节阀均设置旁路，通过较小的蒸汽暖管，避免蒸汽大量通过时产生水击。

新型低能耗高稳定性长明灯，单支长明灯燃料气消耗量不大于 $2m^3/h$（标准状况），能抵御大风、大雨等恶劣天气。长明灯按长明设计，当长明灯熄灭时能自动被重新点燃。长明灯与 FFG（地面爆燃点火传焰）爆燃管、高能点火、长明灯检测元件等一体化设计制造。

该厂火炬最大排放量为 1038t/h，3 个火炬头共配备了 10 支长明灯。按照火炬年平均排放速度为设计最大排放量的 20%进行估算，该项目需要约 70t/h 的消烟蒸汽。相较于传统火炬系统，年可节约蒸汽量约 87600t，每年可节约蒸汽成本近 100 万元。该项目所配备的长明灯采用的是新型低能耗高稳定性长明灯，以天然气计燃气耗量为 $2m^3/h$（标准状况）。相比传统长明灯，燃气年节省近 $2\times10^4m^3$（标准状况）。

该系统减少了火炬气无烟燃烧需要消耗的蒸汽量，较好地控制了火炬对周边环境的光、辐射、噪声、黑烟等环境污染，降低了二氧化碳排放量，减轻了环保压力，经济效益和社会效益显著。

5.3.3 零能耗音速火炬头

传统高架火炬系统，无论是单头还是多头高架火炬，其火炬头的火炬气出口面积均根据设计工况设计为固定不变，而在实际操作使用中，火炬系统在试车、正常运行以及事故工况下火炬气压力流量都是不一样的，且都要维持相当长一段时间，上述情况都属于设计工况范畴之外。在这些情况下，极易导致火炬头燃烧不完全，产生大量黑烟，从而使辐射、污染超标，同时会发生火炬头积炭等现象，特别是处理重组分火炬气的时候，火炬头积炭现象尤为严重。实际操作中为了解决黑烟问题，通常采用辅助蒸汽来消烟，消耗大量的消烟蒸汽，不但增加了生产成本，耗费大量人力物力，还不能从根本上解决燃烧效果差的问题。

高压无烟火炬用于需要无焰燃烧的火炬系统，火炬气以高速从火炬燃烧器排出，其自身的高压力转化为动力，促进空气与火炬气的混合，从而产生无烟燃烧。高压无烟火炬的优点是可以消除来自蒸汽供应或者强制鼓风机通风消烟的能耗。在高压火炬燃烧器设计中使用到空气动力学的康达效应，例如康达火炬、汇聚射流喷嘴等。由于高压火炬气以极高的气体流动速度喷出，因此使用到的高压火炬气体必须富含碳氢化合物燃料或者氢气。当气体中含有足够的碳氢化合物燃料时，高压火炬可以保证 98%以上的碳氢化合物破坏率。

音速火炬就是高压无烟火炬的一种，它由多个自动变径烧嘴组成，每个火炬烧嘴出口面积随着火炬气压力变化而变化，火炬气通过烧嘴时速度可达到或超越当地音速。极高的火炬出口速度，一方面保证了火焰刚性，另一方面对火焰有抬升作用，延长了火炬头使用寿命。每个喷嘴均可卷吸大量的空气，增加了空气与火炬气的接触面积，解决了火炬中缺氧引风量不足的问题，很好地实现了无烟燃烧，达到了降低热辐射的目的。

音速火炬主要适用于陆地油气田、海上平台、天然气站、输气管线、炼厂、煤化工企业等高压火炬系统。国外顶流火炬公司均具有自己标准化的音速火炬头产品，且作为公司的重要特色技术推广。

如某公司的音速火炬头利用多头技术可达到在宽操作范围内低辐射、无烟燃烧的效果。火炬头由中心筒体和多股小直径的分支悬臂组成，每根悬臂上都装有一个渐缩喷嘴，这种火炬头型式将燃料气分为多股喷出，根据空气动力学原理，燃料气通过喷嘴将燃料速度提升为音速喷出，在喷出过程中能够卷吸更多的空气，从而达到完全燃烧（也称为无烟燃烧），同时降低了热辐射，形成的火焰长度短、刚性强、稳定性好，能够抵御更高的风速。某国外高压音速火炬头技术产品照片见图 5.11。

该公司另一款火炬头的设计结合了康达技术及高压火炬头技术，对于高、低燃气压力均适用，实践证明，高的燃气速度能够实现安全高效燃烧并使液体完全雾化，杜绝了火雨现象。这种火炬头既适用于特性类似于多头音速火炬系统的固定孔槽宽度的设计，也适用于全工况范围调节可变孔槽宽度的设计。

国外还有一款火炬头产品采用了可变孔槽宽度技术和多头音速火炬技术，可减轻火焰折叠和抖动，有效提高无烟运行能力。可变孔槽宽度技术可实现无限变负荷运行，并且通过卷吸更多空气提高了燃烧效率，音速技术确保喷口火焰稀薄，形状如铅笔状笔直。

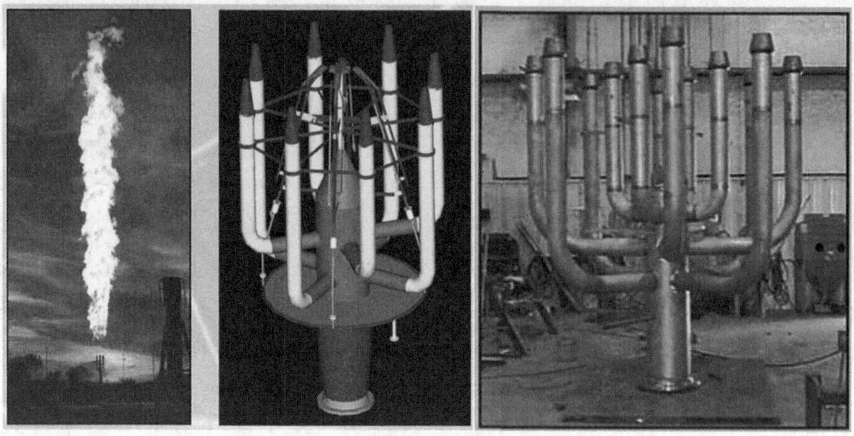

图 5.11　某国外高压音速火炬头技术产品

同时，这种设计可在低流量下阻止火焰舔到邻近的喷嘴，大大降低了预防回火的吹扫气体流量。

江苏中圣高科技产业有限公司自主研发零能耗音速高架火炬燃烧系统，其能够根据火炬气压力及流量的变化自动调节火炬气出口面积，对于高架火炬实现了自动分级燃烧，增强了燃烧效果。火炬头部为应用康达效应的康达体特殊曲面，当流体与它流过的物体表面之间存在表面摩擦时，流体的流速会减慢。只要物体表面的曲率不是太大，依据流体力学中的伯努利原理，流速的减缓会导致流体被吸附在物体表面上流动。康达曲面及出口异形盘的设计使火炬气出口在康达效应的影响下高速喷出，并且卷吸更多的空气，更好更快地与空气进行混合，燃尽率更高，从而实现无烟燃烧，同时降低污染物排放，减小辐射。

零能耗音速高架火炬燃烧系统包括火炬燃烧器、火炬总管、火炬支管、梅花形稳焰器、减振支架，火炬燃烧器安装在火炬支管上，火炬支管及梅花形稳焰器的进气口均与火炬总管相连，各火炬支管通过减振支架连接成一个整体结构。每个火炬燃烧器包括导流罩、外部套管和支撑杆。导流罩可采用由多个曲面合成一个类红酒杯状曲面体的康达体结构，所述的导流罩安装在支撑杆的上端，外部套管套装在支撑杆上，两者之间通过与支撑杆相连的径向定位筋实现径向定位，它能保证支撑杆在套管内部的垂直度。在外部套管的上端与导流罩之间留有供燃气通过的出气通道，为了便于空气混合，提高燃烧效果，可在外部套管的上部连接一个异形盘，异形盘与康达体导流罩的曲面共同形成火炬气的出口，异形盘的出口段可开直槽道或锯齿槽道。所述的支撑杆下端与内部支撑杆相连，内部支撑杆套装在导向管中，导向管与导向管定位筋相连，导向管定位筋固定在外部套管中，同时用导向管定位筋定位外部套管，以保证导向管与外部套管的同轴度及垂直度，对自动调节系统起到垂直导向作用。在内部支撑杆伸出导向管的一端套装自动调节弹簧，自动调节弹簧外加装有弹簧保护套，弹簧保护套的上端与导向管相连，调节弹簧的一端与导向管的端面相抵，另一端与选装在内部支撑杆上且位置可调的下部定位螺母相抵。弹簧的预紧力根据下部定位螺母的旋动来进行调节。当火炬气流量变化时，火炬头中有自动调节系统，依靠弹簧长度的变化，带动康达体上升或下降，从而改变了火炬气出口面积，保证火炬气在恒定的压力下喷出，这样就保证了火焰的稳定性。高压音速火炬头技术产品见图 5.12。

图 5.12　高压音速火炬头技术产品

5.3.4　节能与富氢火炬长明灯

火炬系统是煤化工、石油化工、炼油等行业全厂系统最后一道安全防线，火炬系统异常停工会影响上游装置安全，甚至会导致厂区大规模停产，严重影响厂区生产。长明灯点火系统作为火炬系统的核心装置，起到及时点燃和稳定燃烧火炬气的作用，是火炬安全防线里最后一道战壕。石油化工企业年运行时间一般都在 7200h 以上，因此稳定运行和节能降耗是长明灯点火系统的核心技术要求。

一般情况下长明灯采用天然气或液化石油气作为燃料气，这些常规燃气的优点是热值高、成分稳定，有利于长明灯的稳定运行。中圣公司开发的节能富氢长明灯，可利用富含氢气的副产气作为长明灯燃料气，大幅节省优质燃料气消耗。

5.3.4.1　应用实践

以内蒙古某煤化工火炬装置为例，其老火炬系统建于 2008 年，原设置捆绑式火炬一座，总高 105m，共有四座火炬共塔架敷设。

改造后火炬系统具备自动点火、远程手动点火、现场手动点火等多种点火方式，在极端情况下还可通过地面传焰方式点火，具有较高的安全性、可靠性。

（1）自动点火

每支长明灯设有一套 K 型铠装双支热电偶，热电偶配有耐高温 GH3030 保护管，防爆等级 Ex d Ⅱ C T4，长度 18m（以实际需求为准）。热电偶顶端位于长明灯下颚处，避免火焰直接烧坏；热电偶接线端位于火炬顶部第二层平台处，以第一层平台遮挡火炬火焰的直接热辐射，延长使用寿命。

长明灯热电偶信号电缆穿管引至地面温变箱，温变箱为隔爆型，内部安装卡槽式 HART（高速可寻址远程变送器）温度变送器，温变箱后长明灯热电偶信号以硬接线形式上传火炬 DCS。

长明灯热电偶与点火器及 DCS 共同构成自动点火系统。点火程序根据逻辑控制图编制，自动点火流程如下：

热电偶检测温度低于设定值→二级报警→相应的长明灯高空自动点火→持续设定时间后关闭高空点火→在设定的时间后，如热电偶温度未高于设定值则声光报警提醒操作人员查看，必要时手动点火。

（2）远程手动点火

作为火炬安全的必要手段，DCS必要时可在控制室远程手动点火。

（3）现场手动点火

火炬现场点火操作盘设有手/自动切换开关，每个高空点火器都设有相应的开关或按钮。操作人员可手动点火。该方式不依赖于DCS，多用于长明灯调试及测试阶段，也是一种补充点火手段。

（4）地面传焰点火

火炬地面还设有一套地面传焰点火系统，操作人员可打开相应燃料气和仪表空气配风阀，待燃料气及仪表空气在传焰管中混合后电子打火，火焰顺传焰管上升点燃长明灯。该点火方式基本是手动操作，是一种备用手段，若高空点火失效，还可以重新点燃长明灯。

长明灯顶部烧嘴除配备稳焰装置外，还配备310SS材质的防风罩，防风罩经过流体力学设计和工程验证，配合稳焰器可实现14级风速下各风向的防风。

防风罩同时具备防雨、雪能力，在合理位置增设泄雨孔，还进一步提高其抗雨能力。

根据火炬头和燃料气特点，结合大风环境下火炬头顶部5m实际风压场变化，设置增强型的双抗风装置，使其具备更稳定的配风，烧嘴工作波动小，可从根本上保证火焰的稳定。

以上特性使得该长明灯在煤化工火炬上也有独特的适应性和稳定性，可杜绝风压波动下配风燃烧不稳定，造成的煤化工长明灯易积炭回火烧坏等问题。

（5）点火系统

点火系统包括一体化长明灯（含高空点火器）和地面传焰式点火器。

① 一体化长明灯（含高空点火器）。长明灯火焰由高能电火花间隙放电直接点燃长明灯喷嘴而产生。

由于产生的火花能量很高，表面积累的水分、污垢和油渍都不会妨碍点火，所以高压系统特别适用于火炬系统暴露在污染环境时的长明灯点火。

控制面板上安装有高压脉冲点火单元的控制开关，此单元的设计能够在点火器顶部快速地产生一系列高能量电火花。这种技术的一个关键优势是连接电缆实际上可以是任意长度的，从而使得控制面板可以放置在火炬安全区域内。

② 地面传焰式点火器。地面传焰式点火为传统的点火方式，通过220V（交流电）电源进行点火，采用手动方式点燃火炬头上的长明灯。

地面传焰式点火器的管道部分（包括管道、管件、阀门、法兰、螺栓）主体材料为304SS，混合器材料为304铸钢，支撑框架材料为碳钢，表面热喷锌防腐。本项目设置一套地面传焰式点火器。

每套长明灯设置铠装热电偶对长明灯燃烧情况进行检测，热电偶顶端位于长明灯的下部。当任一路长明灯信号低于设定值时，判定为长明灯熄火，启动点火程序点火。

5.3.4.2 节能和富氢燃料长明灯节能减碳

目前国内外大多数火炬供应商都对其长明灯产品的燃料气组分有具体要求，其中对于氢气一般都要求体积分数不超过 40%，主要原因有以下两点：

① 一般富氢燃料气都是工艺装置的副产气，对于新建项目，在工艺装置调试或试运行阶段无法给长明灯提供燃料气，另外装置运行时发生故障也无法为长明灯提供燃料气，这些情况下一般给长明灯供应备用的常规燃气。但富氢燃料气的燃烧需氧量与常规燃气相差较大，一般的长明灯结构无法兼顾富氢燃料气和常规燃气。

② 氢气活性高，燃气中氢气含量过高会使火焰传播速度加快，极易发生回火闷烧现象，甚至会造成安全事故，氢气对火焰传播速度的影响见图 5.13。

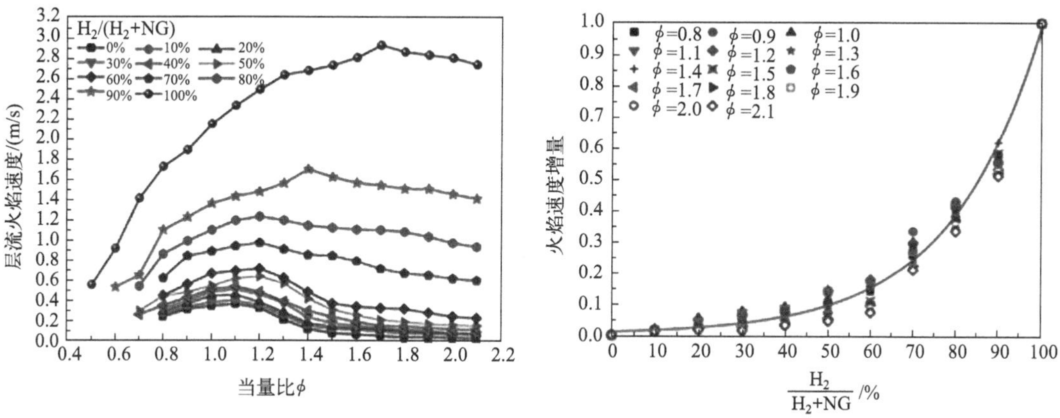

(a) H_2、天然气、空气混合气的层流火焰速度与当量比的关系曲线

(b) 层流火焰速度增量与不同当量比下气体中 H_2 含量的关系曲线

图 5.13　氢气对火焰传播速度的影响

SH 3009—2013 中第 9.4.5 条要求单支长明灯的燃料气消耗量不宜大于 $4m^3/h$（标准状况）。以年运行 7200h 计算，单支长明灯每年要消耗燃料气 $28800m^3$（标准状况），一般规模较大的高架火炬系统可能需要配置十多套长明灯，而地面火炬可能需要更多，这些长明灯每年要消耗企业大量的运行费用，同时其排放的二氧化碳等温室气体对环境也有明显的影响。富氢长明灯外形见图 5.14。

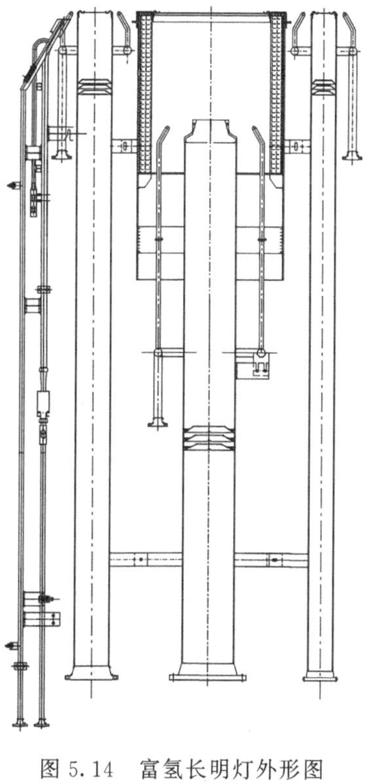

图 5.14　富氢长明灯外形图

该项目的酸性火炬系统配置了 4 台（酸火炬 2 台，附属小流量火炬 2 台）一体化长明灯，项目上的长明灯燃料气组分如表 5.7 所示。

表 5.7　长明灯燃料气组分

序号	组分	体积分数/%
1	CO_2	7.89
2	N_2	33.3
3	CO	7.005
4	H_2	48.13
5	CH_3OH	1.242

注：长明灯燃料气为低热值燃料气[$1503.85kcal/m^3$（标准状况）]。

该项目燃料气中含有较多氢气，燃烧时极易发生回火闷烧等安全问题，因此本项目采用了适用于富氢燃料气的长明灯。

该富氢长明灯采用自引射式预混燃烧，针对不同的燃料气组分精确设计配风和烧嘴，对现有两种不同组分燃料气（全厂燃料气及 LPG）进行特殊设计，针对其热值差距较大的特点，从地面引一路压缩空气管经稳压限流后送至各长明灯，使用全厂燃料气时压缩空气管线关闭，切换至 LPG 时，开启压缩空气阀门，增加长明灯引射空气量，达到在线切换的效果。

该长明灯具备优异的火焰刚性和抗风性，通过了 API 537 标准测试。

项目更换了 4 套一体式富氢长明灯，自 2017 年至今已稳定运行多年。

该型长明灯采用液化石油气时，其单支燃气消耗量为 1.5m^3/h（标准状况），是 SH 3009—2013 规定值的 37.5%，如果全年使用液化石油气，可节省液化石油气 72000m^3/a（标准状况），折合标准煤 225t/a，减少二氧化碳排放 424t/a。

该型长明灯采用项目上的富氢燃料气时，单支燃气消耗量为 2.5m^3/h（标准状况），该燃料气属于工艺装置副产气，使用工艺副产气作为长明灯燃料气可以变废为宝，显著降低企业的生产运行成本和碳排放，每年可节省燃料气 115200m^3（标准状况），折合标准煤 141t/a（以天然气为例），减少二氧化碳排放 190t/a。

5.3.5 节能低碳封闭式地面火炬系统

高架火炬相比于地面火炬运行燃尽率低、能耗高、占地面积和检维修成本大。受严苛的环保政策驱动，广东省、江苏省等多地已开始禁止高架火炬用于生产企业日常废气燃烧排放，封闭式地面火炬作为生产企业日常废气处理设施的需求日益增多。封闭式地面火炬的安全可靠性、一次建设成本和运行能耗是业主最关心的三个指标。

通过首次定量 CFD 模拟和 1∶1 测试，形成了中圣新一代封闭式地面火炬新型铸件燃烧器核心设备，封闭式地面火炬燃烧器产品图和理论研究见图 5.15。三位一体高效专利燃烧技术解决了第一代铸件燃烧器产品存在的点火传焰成功率低、消烟能力不足等问题，确保火炬运行安全性。系列化新型铸件燃烧器获实用新型专利 2 项。封闭式地面火炬新一代燃烧器核心设备开发测试过程见图 5.16。

图 5.15 封闭式地面火炬燃烧器产品图和理论研究

图 5.16 封闭式地面火炬新一代燃烧器核心设备开发测试

国内外首次通过定量理论研究和 CFD 模拟，首次提出多项以往缺失的定量设计依据。

首次通过定量 CFD 模拟和测试，获得封闭式地面火炬大型化设计能力，形成蒸汽消烟型、空气消烟型、压力消烟型、音速自消烟型全套组合工艺设计包。蒸汽消烟型工艺方案设计能耗大幅降低，根据火炬气压力可降低至原有水平的 1/10～1/2，并补足原本缺失的其他三项工艺方案和大型化设计能力，扩大可投标项目范围，增强技术和成本竞争力。封闭式地面火炬大型化设计获得实用新型专利 1 项。

新型封闭式地面火炬铸件燃烧器传焰功率较第一代产品由约 4MW 降低至约 2MW，传焰成功率由不足 50%提升至 100%，点火成功率提升至 100%，全流量范围火炬气实现安全无烟燃烧，避免冒烟事故，确保了海南炼化、华谊氯碱、华谊罐区等多个项目的安全可靠开车。

大幅降低蒸汽消烟型工艺方案设计能耗，根据火炬气压力可降至原有水平的 10%～50%，填补了原本缺失的压力消烟、空气消烟等工艺路线。以一个设计处理量 200t/h 丙烯的高压封闭式地面火炬项目为例，按原有设计需约 100t/h 的中压消烟蒸汽，按新工艺包设计则仅需约 10t/h 的蒸汽。假设该火炬每年累计排放 9000t 火炬气，则可节省 4000t 高品质蒸汽，蒸汽费用相比原设计方案可节省 100 万元/a，降低 CO_2 排放 1800t/a。

在双碳政策驱动下，未来能否适配项目各种公用工程条件并进行针对性节能设计直接决定了项目的技术可行性、竞争力和项目成本，本成果可满足业主大幅降低消烟能耗、无消烟蒸汽条件而有消烟需求等特殊需求。相关成果获批江苏省科技项目“产业前瞻与关键核心技术——碳达峰碳中和科技创新专项资金”资助，并获得“2022 年江苏省科技创新协会科技创新奖”。

典型应用项目：广西某公司化工新材料一体化基地 30 万 t/a 烧碱、40 万 t/a 聚氯乙烯项目设置封闭式地面火炬一座。

本项目的封闭式地面火炬系统用于处理化工新材料一体化基地 30 万 t/a 烧碱、40 万 t/a

聚氯乙烯项目聚氯乙烯装置排放的火炬尾气。该地面火炬系统可保证装置在最大事故状态、一般事故状态及正常排放等各种规定的工况下产生的放空气及时、安全、可靠地放空燃烧，并满足相关的环保要求。项目工艺系统流程简图见图 5.17。

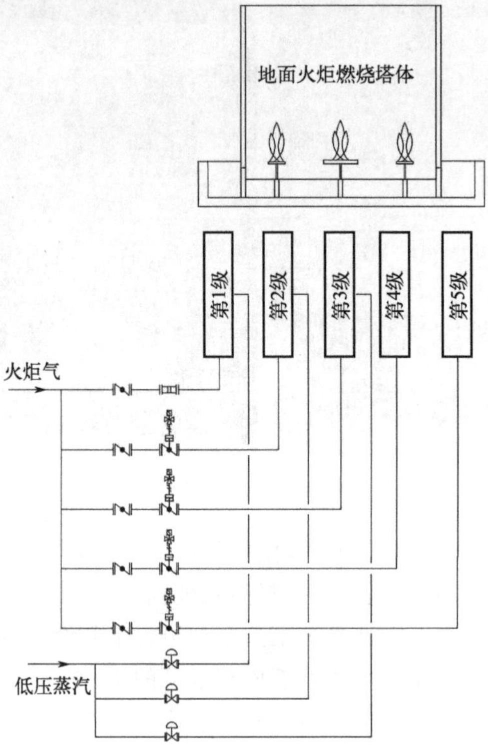

图 5.17　工艺系统流程简图

（1）火炬气排放条件表

本项目火炬气排放条件表见表 5.8。

表 5.8　火炬气排放条件表

工况	排放源	废气名称	排放量/(t/h)	排放物主要组成(体积分数)	到火炬界区压力/MPa(G)	排放状况
1	乙烯汽化冷量回收	甲醇	2.0	甲醇:100%	0.1	火灾
		乙烯	10	乙烯:100%	0.1	
2	乙烯汽化冷量回收	乙烯	31.625	乙烯:100%	0.1	阀门误关闭
3	738-V-0005 丙烯收料罐	丙烯	46.44	丙烯:100%	0.1	火灾
4	EDC 回收	丙烯	15	丙烯:100%	0.1	循环水故障
5	丙烯冷冻机组	丙烯	101	丙烯:100%	0.1	火灾
	乙烯汽化冷量回收	乙烯	31.625	乙烯:100%	0.1	阀门误关闭
6	VCM 精馏	乙烯	96.3	乙烯:100%	0.1	冷冻故障/阀门误关闭
7	液相乙烯管道膨胀	乙烯	1.57	乙烯:100%	0.1	阀门误关闭/火灾

注：EDC 表示二氯乙烷；VCM 表示氯乙烯。

(2) 工艺数据表

本项目工艺数据表见表 5.9。

表 5.9　工艺数据表

名称	说明
设计基础	
设计排放量	130t/h
燃烧塔数量	1 座
技术方案	
火炬类型	封闭式地面火炬
处理方式	分级燃烧
分级数量	5 级
防风墙尺寸	DN20000mm×H6000mm
燃烧塔尺寸	DN14000mm×H30000mm
火炬气进口管尺寸	DN600mm
分级控制信号来源	火炬总管上的压力信号
分级控制阀旁路	分级阀门均设爆破片旁路
燃烧器(六瓣型)	
燃烧器燃烧方式	小孔扩散燃烧
燃烧器处理量	1.3t/h(单套)
燃烧器设计压力	0.35 MPa
燃烧器设计温度	1200 ℃
燃烧器消烟能力	100%
燃烧器数量	102 台(78 台压力消烟型,24 台蒸汽消烟型)
燃烧器材质	310SS/304SS
燃烧器安装方式	立式
燃烧器布置方式	分级交叉、双向点火
燃烧器使用寿命	≥20a
长明灯及点火系统	
长明灯数量	6 支
长明灯类型	高能型
长明灯运行方式	常燃瞬时监控
各级长明灯数量	第一级 2 支/级;其余级 1 支/级
长明灯检测方式	K 型热电偶
长明灯性能	可抵抗当地风、雨、雪极端天气
点火器类型	高能自动电点火(含手动功能)
点火器数量	每支长明灯 1 套

续表

名称	说明
点火系统功能	手动/自动/远程
长明灯使用寿命	≥10a
防风墙	
尺寸	DN20000mm×H6000mm
材质	钢筋混凝土
出入门	1扇
燃烧塔	
尺寸	DN14000mm×H30000mm
材质	Q235B(内衬陶瓷纤维)
使用寿命	≥20a
分液罐	
尺寸	DN1800mm×TL5400mm
材质	16MnDR
使用寿命	≥20a
环境保护	
热辐射强度	防风墙外<1.5kW/m^2(含太阳热辐射)
噪声	防风墙外<75dB(A)
光污染	无
黑烟	无烟(林格曼黑度小于1)
安全措施	
爆破片	分级设置爆破片旁路
防回火措施(氮气吹扫、阻火器)	火炬第一级设阻火器和氮气连续吹扫装置;其余各级均设氮气后吹扫保护
监控措施	电视监控系统监控长明灯火焰温度

(3) 分级数据表

本项目分级数据表见表5.10。

表5.10 分级数据表

级数	长明灯数量/支	单套燃烧器处理量/(kg/h)	燃烧器数量/套	单级处理量/(kg/h)	累计处理量/(kg/h)	分级管径/in
1	2	1275	3	3825	3825	4
2	1	1275	9	11475	15300	6
3	1	1275	12	15300	30600	10
4	1	1275	26	33150	63750	14
5	1	1275	52	66300	130050	20

（4）火炬气排放流程说明

地面火炬系统可及时、安全、可靠地处理生产装置在正常或事故状态下排放的火炬气，并满足相关标准和环保要求。

为适应不同工况和火炬气流量变化的要求，封闭式地面火炬采用分级燃烧。第一级燃烧系统为常开设置，其余各级燃烧系统上设气动切断阀和爆破片旁路。在正常状态下第一级燃烧系统处于打开状态，当火炬气排放量增大时，后序各级燃烧系统依次打开。

分级燃烧的设定条件：当排放气量增大或在事故状态下时，各管线上的气动切断阀将根据集气总管上的压力信号依次相继开启。

火炬气经分液罐出口排出，通过分级管线进入地面火炬处理。保证火炬全量 100%无烟燃烧，无烟燃烧时火焰的林格曼黑度小于 1。第一级设 2 支长明灯，其余每级设 1 支长明灯，每支长明灯设一套点火装置，长明灯保持常燃。同时分级阀门上设旁通管路，旁路设置爆破片。

（5）主要设备选型

① 燃烧塔。放空气的燃烧完全在一个圆柱形本体内完成，火焰完全封闭，没有光污染，热辐射很低，燃烧塔废气达到设计排放量时保证整体无烟，并且火炬炉内气体不透光度低于 20%。

燃烧塔本体外壳用碳钢制成，带有耐热材料隔热，以保证燃烧室有人员接触点的外壁温度在 60℃以下。

燃烧塔体采用耐火耐高温型陶瓷纤维内衬，该材料可长期使用在火炬气充分燃烧时的环境中，不受下雨或湿度急剧变化的影响，同时还具有良好的吸音降噪特性。燃烧塔顶部设置不锈钢挡雨防护圈。

燃烧室底部设观火孔，便于现场观测火焰的燃烧情况，发现问题及时处理。

燃烧塔外设有梯子，检修平台。

② 燃烧器。燃烧塔内设有特殊结构的低噪声无烟燃烧型地面燃烧器。燃烧器采用的垂直式设计，具有多孔结构，可将大股的火炬排放气分成许多小股。空气与排放气的混合主要是依靠排放气自身的压力和特殊设计的燃烧器来完成的。梅花形多孔燃烧器在火炬内呈几何线状均匀布置，以充分利用空气的混合效果，增加与空气的接触面积，达到无烟燃烧的目的。

燃烧器的设计与选型完全适应本火炬不同的排放气参数。燃烧器采用竖烧设计。每个燃烧器在设计处理量下均能实现 100%无烟燃烧。

燃烧器结构采用多孔直立自引风式燃烧器，能够保证燃烧空气与放空气的充分混合，避免熄灭。燃烧器的设计和布置具有横向交叉点火功能。

燃烧器喷嘴采用 310SS 材料，设计温度为 1200℃，保证了其 20 年的使用寿命。

为了保证燃烧器所需要的空气量，在设计燃烧器尺寸时应保证有足够的空气进气量。由于燃烧时有足够富余的空气进入燃烧器，加上燃烧塔内中心负压最高，因此布置在中心的燃烧器不会缺少空气，从而不会出现由于燃烧器位置的不同造成燃烧空气不足。

③ 防风墙。燃烧塔下部为无遮掩引风结构，外围设有防风墙。防风墙为圆形结构，能有效防止燃烧塔底部侧风对燃烧器燃烧过程的影响。利用放空气燃烧的负压效应，空气从防风墙和燃烧塔间的空间引射到燃烧塔内，与排放气充分混合燃烧。防风墙底部铺有小卵石，

以增加地面抗热辐射能力并有效降低噪声。

防风墙为混凝土圆形围墙，可有效地降噪和防止热辐射外漏，同时又可有效阻止操作人员进入燃烧塔的高温区域。

防风墙在设计上确保墙外热辐射不高于 1.5kW/m^2，防风墙外 1m 噪声不高于 75dB（A）。

④ 点火装置。高能点火设施具有自动、就地、远程（中控室）三种点火模式。在点火盘面板上设置有点火手动/自动切换按钮、点火远程/现场切换按钮、各长明灯点火按钮及对应的长明灯的状态指示灯等。

点火系统还包括高压箱，用于给点火控制箱升压。高压信号通过高压电缆送到高能点火电嘴，产生电火花。

输入电源为 220V（交流电）、50Hz，功率小于 2kW。

⑤ 节能型长明灯。长明灯上配有 310SS 的不锈钢防风罩，防止外界风、雨、雪等的干扰。保护电源可使长明灯的火焰即使在 50m/s 的风速情况下也不致熄灭。长明灯按长明设计，当长明灯熄灭时能自动被重新点燃。

长明灯组件下部设文丘里引射器：在长明灯底部设置可调式空气引射器，利用文丘里工作原理，带一定压力及流速的燃料气通过引射器时，引射器周围的大量空气被引入，与燃料气混合后送入长明灯顶部。这样能保证火焰燃烧充分，火焰刚度好，能减少恶劣气象条件（大风、大雨等）对火焰的影响，并实现无烟燃烧。

长明灯头部设有数十个蜂窝螺旋状倾斜燃烧小孔，当长明灯点燃时，火焰自小孔喷出，形成 360°环面螺旋喷射火焰燃烧状态，这种结构可避免喷嘴处结焦和小孔堵塞。此外，长明灯头部还设置了防风帽，以避免火焰根部受到环境风速影响导致熄灭，使长明灯抗风性能显著提升。

每支长明灯的点火设备均配备高能点火及地面爆燃点火，长明灯上设有点火电嘴，经混合后的燃料气遇到点火电嘴产生的电火花，即可点燃。

每支长明灯设有 K 型热电偶，通过检测温度及时将长明灯燃烧情况反馈给点火控制系统。热电偶在长明灯中心位置安装，使检测到的长明灯温度信号更准确，并且长明灯设有保护热电偶头部的装置，避免热电偶因长期受热而影响使用寿命。

另外，广西某公司 75 万 t/a 丙烯及下游深加工项目原料和产品罐区项目额外设置两座封闭式地面火炬，项目工艺系统流程简图见图 5.18。

本项目地面火炬作为罐区事故排放放空配套的安全设施，根据装置火炬气排放的压力和温度，火炬系统分为低温低压、常温高压、低温高压、低温乙烯这四个系统，并设置相应的火炬排放总管。

本装置设有四个排放系统：低温低压火炬气、常温高压火炬气、低温高压火炬气、低温乙烯火炬气。具体说明如下。

（1）低温低压火炬气

低温低压火炬气排放来源为低温罐，有两种，分别为：丙烷低温罐火炬气排放、丁烷低温罐火炬气排放。

① 丙烷低温罐火炬气排放。火炬气排放量 107.6t/h，排放温度为－35～20℃，主要成分为丙烷，最大允许背压（火炬界区）为 6kPa（G）。

② 丁烷低温罐火炬气排放。火炬气排放量 69.7t/h，排放温度为－2～10℃，主要成分

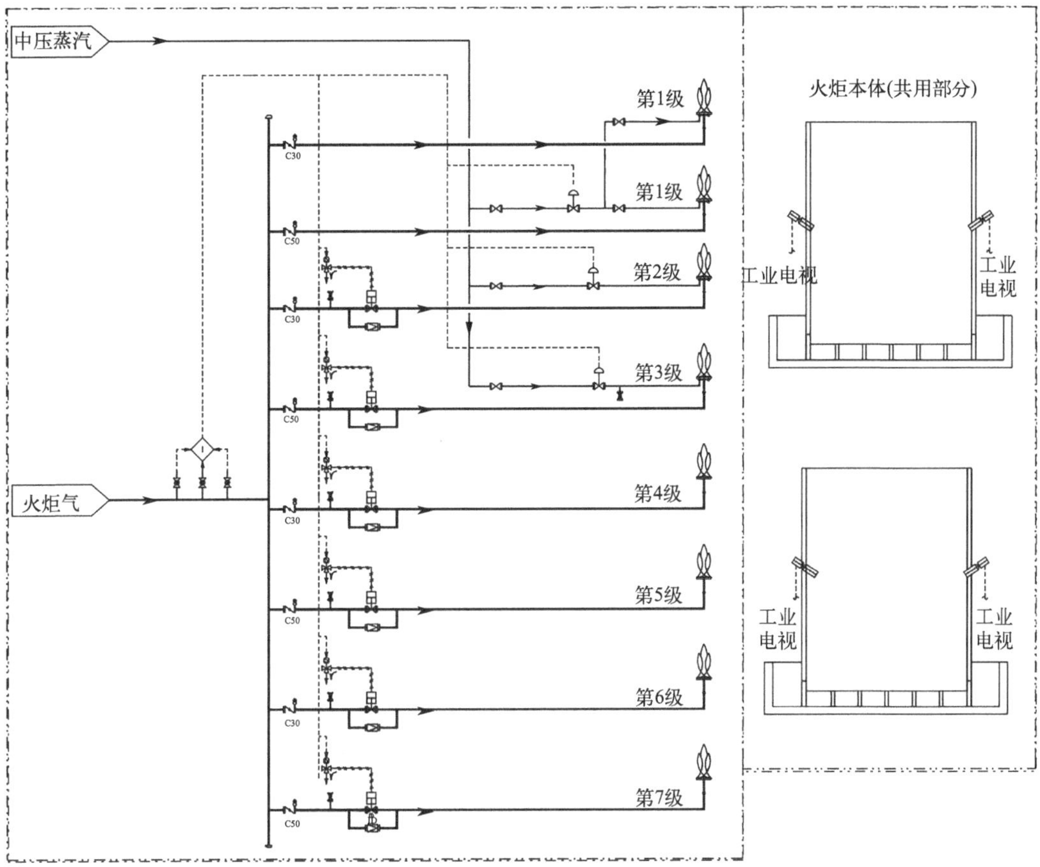

图 5.18　工艺系统流程简图

为丁烷，最大允许背压（火炬界区）为 6kPa（G）。

（2）常温高压火炬气

常温高压火炬气排放来源为火灾工况下 223t/h 的高压火炬气排放，排放温度为 73℃，100%丙烷（或丙烯），或 65t/h 的 C_5 +气体，最大允许背压（火炬界区）为 50～100kPa（G）。

（3）低温高压火炬气

本火炬系统处理乙烯罐及其辅助系统的 3 个泄放源（不考虑同时叠加）：

① 冷凝器安全阀。火炬气排放量 18t/h，排放温度为－42～140℃，组成为 100%丙烯，最大允许背压（火炬界区）为 60kPa（G）。

② 乙烯 BOG 压缩机安全阀。火炬气排放量 6.5t/h，排放温度为－72～150℃，组成为 100%乙烯，最大允许背压（火炬界区）为 60kPa（G）。

③ 丙烯冷冻机安全阀。火炬气排放量 13t/h，排放温度为－42～150℃，组成为 100%丙烯，最大允许背压（火炬界区）为 60kPa（G）。

另外，码头火炬气管道中有少量排放气，为非正常工况泄放气，由丙烷、乙烯、丁烷、丙烯、氮气中的一种或几种组成。

（4）低温乙烯火炬气

主要为乙烯低温罐火炬气排放。火炬气排放量 10.9t/h，排放温度为－101℃，主要成分为乙烯，最大允许背压（火炬界区）为 6kPa（G）。

本项目工艺数据表见表 5.11。

表 5.11　工艺数据表

序号	名称	说明
1	设计基础及总体说明	
1.1	设计处理量	① 低温低压:107.6t/h ② 常温高压:223t/h ③ 低温高压:18t/h ④ 低温乙烯:10.9t/h
1.2	燃烧塔数量	2 座
1.3	火炬类型	封闭式地面火炬
1.4	处理方式	分级燃烧
1.5	分级控制信号来源	火炬总管上的压力信号
1.6	分级控制阀旁路	① 低压系统:爆破针型阀 ② 高压系统:爆破针型阀
2	燃烧器	
2.1	燃烧器类型	小孔扩散型、整体铸造
2.2	燃烧器数量	①低温低压:108 台(蒸汽消烟型) ② 常温高压:144 台(126 台压力消烟型,18 台蒸汽消烟型) ③ 低温高压:12 台(5 台压力消烟型,7 台蒸汽消烟型)
2.3	燃烧器设计压力	0.35 MPa
2.4	燃烧器设计温度	1200 ℃
2.5	燃烧器消烟能力	100%
2.6	燃烧器材质	310SS
2.7	燃烧器安装方式	立式
2.8	燃烧器布置方式	分级交叉、双向点火
3	长明灯及点火系统	
3.1	长明灯数量	28 支
3.2	长明灯类型	高能型
3.3	长明灯运行方式	常燃瞬时监控
3.4	各级长明灯数量	第一级 1 支/台燃烧器;其余级 1 支/级
3.5	长明灯检测方式	K 型热电偶
3.6	长明灯性能	可抵抗当地风、雨、雪极端天气
3.7	点火器类型	高能自动电点火(含手动功能)
3.8	点火器数量	每支长明灯 1 套
3.9	点火系统功能	手动/自动/远程

上述两个封闭式地面火炬项目应用了新型蒸汽消烟型燃烧器、压力消烟型燃烧器以及节能型长明灯等新产品，达到了节能减排的目的。

① 中圣通过定量理论研究和 CFD 模拟进行封闭式地面火炬的定量精细化燃烧工艺设计，可以合理利用燃烧塔空间，在确保传焰安全和高效环保燃烧的同时减少建设成本。

② 中圣新型蒸汽消烟型燃烧器与压力消烟型燃烧器，采用八瓣结构形式，设有 3 种不同角度的火炬气喷孔，从内到外分别为内聚自稳燃小孔、自由喷射主孔和分级外射传焰孔，分别起到稳定燃烧、火炬气燃尽和安全传焰作用。在行业常见的自由喷射技术上，增加两项中圣专利特色技术，可为火炬系统安全稳定运行提供 100%的保障。

自由喷射主孔把一大股火炬气分成上百小股火炬气，每股火炬气单独卷吸周围空气参与燃烧，从而实现更好的无烟燃烧效果。自由喷射主孔尺寸、孔间距和孔数量根据火炬气组分、热值、压力定制化设计，确保各类热值、组分的火炬气能够稳定环保燃烧。

内聚自稳燃小孔将 2%左右的火炬气导流到燃烧器上方中心位置，形成局部低速稳燃区域，确保燃烧器在高速喷射条件下仍能稳定燃烧，同时不会产生可视黑烟污染物，达到燃烧环保效果和安全稳定运行的平衡。

加长传焰壁上设置分级外射传焰孔。设置长明灯的燃烧器，火炬气由长明灯引燃；不设置长明灯的燃烧器，自由喷射主孔先引燃一级传焰小火，一级传焰小火引燃二级传焰孔，二级传焰火形成的工艺火桥在小流量下即可顺利引燃相邻燃烧器，减少点火长明灯数量和相应运行能耗，保证火炬系统安全、稳定、高效运行。

中圣新型蒸汽消烟型燃烧器可使能耗大幅降低，根据火炬气介质和压力条件，最多可将蒸汽耗量降低到 API521 中消烟能耗参考值的 1/10～1/2，大幅降低地面火炬日常运行能耗。同时传焰功率降低，传焰成功率与点火成功率为 100%，全流量范围实现安全无烟燃烧，避免冒烟事故。当火炬气介质可用压力较高时［一般压力＞50kPa(G)］，中圣新型压力消烟燃烧器可以在一定压力下实现 0 蒸汽的压力自消烟，实现火炬系统的节能低碳运行。

以某化工新材料一体化基地 30 万 t/a 烧碱、40 万 t/a 聚氯乙烯项目的封闭式地面火炬为例，这一座火炬的设计处理量为 130t/h 丙烯废气。若全部使用蒸汽消烟型燃烧器，按 API 参考值设计需约 65t/h 的中压消烟蒸汽。按新工艺包设计只有 24 套蒸汽消烟型燃烧器，其余 78 套为压力消烟型燃烧器，则仅需要约 15t/h 的蒸汽。假设该地面火炬每年累计排放 5000t 火炬气，则每年可节省高品质蒸汽约 1900t，仅蒸汽费用就比传统按 API 参考值设计方案节省了约 48 万元/a，相应降低 CO_2 排放约 690t/a。

③ 节能型一体式长明灯利用燃料气压力卷吸空气，实现燃料气和空气预混燃烧，无须独立点火燃料气管路。一体式长明灯设备主要由长明灯头部烧嘴、防风罩、高能点火管、燃料气喷嘴和引射器、混合燃料管和地面爆燃传焰管等组成。每盏节能型一体式长明灯的天然气耗量仅为 $1.5m^3/h$（标准状况）。

以某化工新材料一体化基地 30 万 t/a 烧碱、40 万 t/a 聚氯乙烯项目的封闭式地面火炬为例，一座封闭式地面火炬共有 6 盏长明灯，采用中圣节能型长明灯每年可为业主节省 13 万 m^3 天然气，节省燃料气成本 39 万元，相应减排二氧化碳 250t。

5.3.6　节能型开放式地面火炬系统

相比于传统的高架火炬，开放式地面火炬具有燃烧更完全、噪声污染小、防护距离短、占地面积小、维修方便等优势，非常适合在土地资源稀缺的地区和化工园区中的大型项目上采用，且开放式地面火炬相比封闭式地面火炬排放规模更大，成本相对更低，具有广阔的应用前景。

5.3.6.1 工程案例（山东某新材料与氢能源综合利用项目）

（1）设计规模

地面火炬采用开放式地面火炬，设计总规模为1000t/h。

（2）火炬气成分

火炬气成分见表5.12。

表5.12 火炬气成分

项目	乙烷	丙烯	丙烷
摩尔分数/%	0.02	99.6	0.38
分子量	42.09		

（3）技术方案

该工程的工艺系统流程简图如图5.19所示。

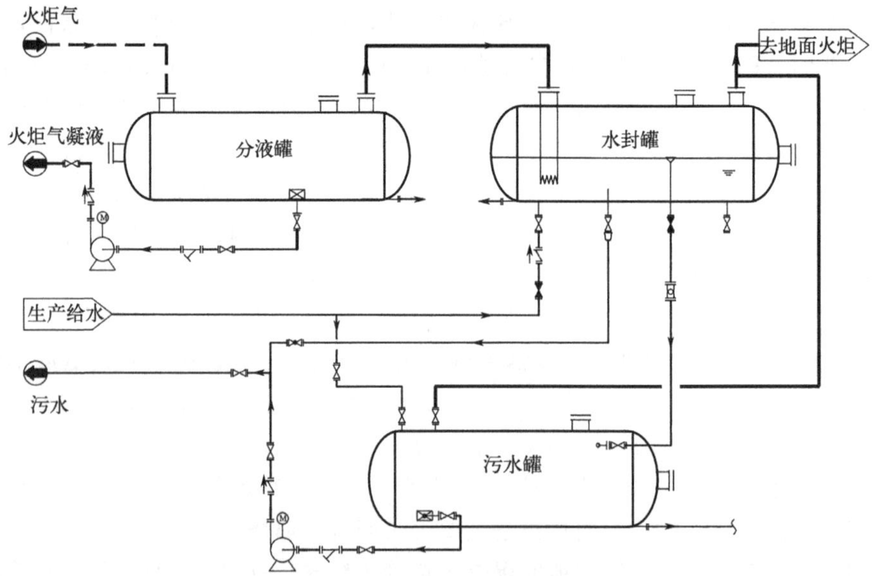

图5.19 工艺系统流程简图

（4）工艺流程

装置排放的火炬气总管送至火炬分液罐、水封罐，送地面火炬进行分级燃烧排放。火炬系统包括火炬气排放总管、分级控制系统、火炬气支管、多级燃烧器、长明灯及点火系统、蒸汽消烟及控制系统、氮气吹扫系统等。

采用开放式地面火炬形式，燃烧器布置在长方形的燃烧区域内，燃烧区域外围设防辐射屏。火炬气根据气量大小部分或全部进入燃烧器燃烧。火炬气的分配靠分级压力控制阀控制。火炬气量小时，只有第一级燃烧器工作，随着火炬气量的增大，逐级开启第二级、第三级等后续燃烧器参与工作。对于多点式地面火炬燃烧，火炬气进入燃烧器需要有一定的流速，其所需入口压力高低影响到阻力分配及火炬系统的稳定和燃烧效率。为了避免分级压力控制阀故障而对排放系统产生影响，每一个分级控制阀都设有爆破片旁路，在分级控制阀故障时，火炬气可通过旁路进入火炬燃烧器燃烧。

火炬各级均设置有长明灯，每一级的烧嘴布置均能实现横向交叉点火，以确保任何时候进入地面火炬的火炬气都能及时被点燃，长明灯配有自动点火设施。长明灯装有热电偶以监视其燃烧情况。当发现长明灯熄灭时，系统能自动或手动重新点燃长明灯。火炬第一、二、三级设蒸汽消烟，其余各级利用火炬气自身的压头卷吸空气扩散燃烧；火炬按 100%无烟燃烧设计，林格曼黑度按小于 1 设计。供应给燃烧器的空气主要来自围墙上面，空气也可以从高架围墙四周的底部进入。燃烧器的分级与间隔足以保证 100%无烟燃烧所需的空气量。

5.3.6.2　开放式地面火炬节能减碳效果

为了解决火炬气小流量排放时燃烧容易冒黑烟的问题，一般火炬系统都会设置蒸汽进行消烟，传统的高架火炬消烟蒸汽量大，以上述工程案例来讲，一般高架火炬消烟比例为 25%，API 537 标准建议丙烯消烟系数为 0.5～0.6，因此如果该项目设计成高架火炬，其消烟蒸汽量至少需要 125t/h，如此大的蒸汽需求量显著增加了项目投资和日常运行成本。

（1）开放式地面火炬的优势

开放式地面火炬相比于传统的高架火炬具有占地面积小、维修方便、噪声低、无光污染等优势，因此近年来得到越来越多的应用。开放式地面火炬采用多点燃烧的方式，当火炬气流量很小，无法依靠自身压力实现完全燃烧时，可通过设置消烟蒸汽来实现无烟燃烧，一般仅需在前三级设置蒸汽消烟系统。压力较大时，依靠自身压力即可实现无烟燃烧。火炬气的分配靠分级控制阀控制，通过火炬气压力信号控制，火炬气量小时，只有第一级燃烧器工作，随着火炬气量的增大，根据设定值逐级开启第二级、第三级等后续燃烧器参与工作。当火炬气流量（压力）降低时，再根据预先设定好的压力关闭分级控制阀，逐级关闭燃烧器，确保合理的燃烧器工况，实现 100%无烟燃烧。

相比于传统的高架火炬，开放式地面火炬一般仅需在前三级设置消烟蒸汽，因此蒸汽需求量较低。

（2）节能蒸汽消烟型燃烧器的工程应用

上述工程案例最终采用了开放式地面火炬的设计方案，共设置了 400 套地面火炬燃烧器，共分为 14 级，其中前三级共设置 19 套蒸汽消烟型地面火炬燃烧器，第四级及之后各级无须设置消烟蒸汽。开放式地面火炬燃烧器产品见图 5.20。

该项目使用的燃烧器采用流线形结构设计，并经过 CFD 模拟仿真计算优化，形成最优的超低压损结构，在相同排放压力下，压损越低，用于燃烧的压力势能越多。

燃烧采用微漩型燃烧技术，燃烧器每个支叉的顶部盖板与水平方向均有一定角度倾斜，使得在燃烧过程中火炬气排放呈微漩状态，可卷吸更多空气，更有助于燃烧；支叉底部呈圆弧形一体冲压流线形设计，从中心向外逐步渐缩提升，使得燃烧器支叉尾端也具有足够的喷

图 5.20　开放式地面火炬燃烧器产品

射动能。

燃烧器喷孔采用燃烧分层技术，根据内外层热负荷的不同，合理分配喷孔位置及数量，内外层均可实现有效供氧，可增强火焰中心内部的供氧。

该项目最终设计蒸汽消耗量为 9.6t/h，仅为高架火炬方案的 7.7%，显著降低了项目投资和运行成本。

5.3.7　火炬长周期运行技术助力低碳

石油化工装置和炼油装置加工大量烃类物质，在正常生产和事故时均不可避免地要排放相当量的易燃易爆物料，为了防止火灾及爆炸事故发生，保证设备和人身安全，必须设置火炬系统处理排放出的易燃易爆物质。长明灯是火炬系统的核心设备之一，它的目的是可靠地点燃火炬燃烧器，并在整个工艺范围内（包括恶劣天气条件）保持稳定燃烧，否则，未经燃烧的烃或有毒气体会被直接释放到大气中，可能会造成蒸汽云爆炸、臭氧问题或其他的不利影响。为确保火炬系统节能低碳长周期运行，开发了一系列火炬技术，已工程化应用的火炬技术包括在线可拆卸火炬热电偶检测技术、在线可拆卸火炬长明灯技术、可拆卸火炬头吊柱技术。

5.3.7.1　在线可拆卸火炬热电偶检测技术

山东某公司采用了可拆卸火炬热电偶检测技术，实现了 100m 高架火炬热电偶在线拆装功能。该项目高架火炬包括 3 套火炬系统，分别是氨火炬系统、低压火炬系统和含氢火炬系统。3 套火炬系统按捆绑式布置在一个火炬塔架上，火炬总高度 100m。该项目配备的可拆卸热电偶检测系统包含配套的火炬长明灯、热电偶、热电偶传送装置、热电偶引导装置。热电偶引导装置是一端连接热电偶传送装置、另一端连接火炬长明灯测温腔室的金属导管。热电偶传送装置包含动力单元、校直单元、驱动单元，驱动单元将外来驱动力传递至动力单元，动力单元为热电偶的安装和拆卸提供驱动力，校直单元可对热电偶前进方向进行校直。

热电偶通过传送装置推动，抵达火炬长明灯的测温腔室，反转传送装置的驱动力可将热电偶退出，实现热电偶的拆卸、更换。可拆卸式热电偶产品见图 5.21。

图 5.21　可拆卸式热电偶产品

5.3.7.2　在线可拆卸火炬长明灯技术

江苏某地面火炬设计处理能力 98t/h，燃烧塔直径 13m，高 35m，防风墙直径 18m，高 6m。地面火炬设 6 支长明灯及点火系统。本项目采用在线可拆卸长明灯，具备火炬系统在线运行时对长明灯进行拆卸和安装的功能。在原有成熟长明灯产品的基础上，对结构做局部改进，核心部件不作变动，在不影响长明灯本身性能的同时，满足长明灯及其配套的点火系统在线可拆卸的需求，可在火炬不停车的情况下更换或维修长明灯，有效降低了维护运行成本，保障了整套火炬系统以至整个上游工艺系统的持续安全运行。可拆卸式长明灯产品照片见图 5.22。

图 5.22　可拆卸式长明灯产品

5.3.7.3　可拆卸火炬头吊柱技术

天津某公司共设置 3 台火炬燃烧系统，包括 1 台重烃火炬燃烧系统、1 台含苯火炬燃烧系统和 1 台小流量火炬燃烧系统。重烃火炬、含苯火炬和小流量火炬燃烧系统均按可拆卸式火炬进行设计，布置在 1 个火炬塔架上。对应火炬系统排放管网，设置 3 套独立的火炬排放管网。火炬头可拆卸吊柱系统由位于最后一节火炬筒体上的升降装置及位于地面的提升及平衡卷扬机系统组成，专用于拆卸火炬头，以缩短火炬的检修周期，降低检修费用。可拆卸式火炬头产品见图 5.23。

可拆卸长明灯和可拆卸长明灯热电偶可以在火炬系统运行状态下对长明灯及其热电偶进

图 5.23 可拆卸式火炬头产品

行在线更换和检修，解决了原火炬运行状态下无法对其进行维修的问题，规避了因长明灯或热电偶损坏致厂区存在安全风险的不利状况。可拆卸式火炬头解决了固定式高架火炬头需大型吊车前往现场施工的困难，以及可拆卸式高架火炬需逐级将筒体拆除后再对火炬头进行维护的问题，实现了在检修期直接将火炬头拆卸至地面进行维修，火炬获得了长周期运行能力。火炬系统长周期运行的可拆卸成套技术可为客户节省高额检修费用，并大幅缩短火炬的检修周期，从而减少因检修停产给用户带来的经济损失，降低了施工过程中的碳排放。

在企业追求节能增效和国家安全生产的双重要求下，火炬系统长周期运行的可拆卸成套技术极大简化了火炬系统维护工作。火炬系统连续运行周期显著延长，火炬头维护更换用时明显缩短，实现了火炬系统维护工作对厂区安全生产的影响最小化。

参考文献

[1] GB 50160—2008. 石油化工企业设计防火标准（2018 年版）[S].

[2] 谷中秀. 橡胶膜型干式煤气柜 [M]. 北京：冶金工业出版社，2010.

[3] SH 3009—2013. 石油化工可燃性气体排放系统设计规范 [S].

[4] ANSI/API STANDARD 521. Pressure-relieving and Depressuring Systems [S].

[5] ANSI/API STANDARD 537. Flare Details for Petroleum，Petrochemical，and Natural Gas Industries [S].

第6章 废水处理及污染物资源化技术

6.1 概述

6.1.1 背景与政策

6.1.1.1 发展历程

含盐废水是指除传统特征污染物（如悬浮物、有机物、氨氮、总磷、总氮、重金属等）之外，还含有大量可溶性无机盐的废水。它们主要来源于生产工艺中直接加酸、加碱调节pH值或参与反应过程中的排污，或直接由土壤岩层风化分解，矿石、煤炭开采加工过程中的排污，具体有化学清洗废水、锅炉排污废水、循环水排污废水、除盐水站排污废水、矿井水排污废水、离子交换再生废水、废气洗涤废水等，常见于煤化工、石油化工、精细化工、印染纺织、冶金采矿、电厂等行业领域。一般认为，当含盐废水盐度超过5000mg/L时，会对生化系统处理有影响。盐度超过35000mg/L即被定义为高含盐废水，盐分过高会使得污泥活性急速降低，影响微生物系统的自我调节平衡能力，无法采用常规生化法进行有效处理。盐分超额排入水环境系统，不利于土地灌溉和水生动植物的正常生长，需要加以限制。

1974年，为应对河水盐度不断上升带来的危害，美国政府部门专门制定了《科罗拉多河流域盐度控制法案》（*The Colorado River Basin Salinity Control Act*）。同期美国火电产业迅猛发展，企业为了消除政府对于火电厂外排废水对河水盐度增加的担忧，同时加快项目审批许可，放弃了废水达标外排的处理方案，选择技术成本更高的废水零液外排处理方案，即“不向地面水域排放任何形式的水，所有离开电厂的水都是以湿气的形式或者固化在灰渣中”，电厂为此配套建设废水末端蒸发浓缩和蒸发塘等装置设施。1980年，科罗拉多河沿线已经建成有Navajo电厂、San Juan电厂、Huntington电厂等十余个实现废水零排放的电厂。20世纪80年代，在政府强制规定倒逼下，Bayswater/Liddell电厂开展实施了全澳大利亚第一个零排放水管理系统。

20世纪90年代，随着国内学者不断发表介绍国外采用废水零排放技术治理电厂废水的文章，国内科研工作者开始加强对废水零排放技术的了解、关注和针对性研究。2002年，中美工业废水零排放技术研讨会在北京顺利召开。两年后，神华煤直接液化项目（图6.1）的落地实施，标志着我国工业废水零排放处理技术研究和示范应用工作正式开启。2007年，广东河源电厂建设实施了我国第一套电力系统的废水零排放项目。随后数十年间，废水零排放技术在我国煤化工、油田、电厂、多晶硅等行业中不断得到工程应用并且实现升级迭代。

最初的废水零排放技术核心聚焦在蒸发浓缩工段，其实现设备主要为蒸发器。大型蒸发器早在18世纪末就在氯碱工厂中得以应用，但在含盐废水蒸发浓缩应用中，存在蒸发器设备极易结垢腐蚀的难题，需要针对性地改造设备结构和优化工艺路线。RCC（现隶属于Suez）、HPD（现隶属于Veolia）、Aqua-Chem等公司在这些方面走在了同行前列。RCC公司研究开发了耦合晶种防垢法的降膜蒸发技术工艺，Aqua-Chem公司开发了高效反渗透膜浓缩技术工艺，HPD公司开发了专有高效蒸发结晶技术工艺，最终共同推进了减少废水排放，并促进了水资源循环再利用。

我国最初的含盐废水零排放工程应用示范项目以引进国外技术为基础，同步实施了消化、吸收和再创造的国产化创新之路。2004年神华煤直接液化项目中实施的废水零排放工

图 6.1　国内首套含盐废水零排放示范工程（神华煤直接液化项目）

程核心蒸发结晶段采用了 GE（美国通用电气公司）的技术工艺，两台核心关键蒸发器设备由中圣科技（江苏）集团股份有限公司进行设计、制造和施工。2007 年广东河源电厂项目中实施的末端脱硫废水零排放工程采用了国内深能资源自主开发的零排放技术工艺。2012 年南通王子造纸废水零排放工程采用了南京工业大学研发的膜集成技术为核心的零排放工艺。随着更多科研院所和环保企业的加入和持续深耕，国内含盐废水零排放产业发展迎来高速期和繁荣期。各类行业、化工园区实现含盐废水零排放工程应用的消息常有报道。同时，国内也培育出一大批技术过硬专业性较强的企业，如倍杰特集团股份有限公司、中圣科技（江苏）集团股份有限公司、江苏久吾高科技股份有限公司、合众高科（北京）环境技术有限公司、博天环境集团股份有限公司、石家庄工大化工设备有限公司、上海晶宇环境工程股份有限公司等。这些企业为我国含盐废水零排放技术国产化和产业发展贡献了巨大的力量。

6.1.1.2　政策导向

我国经过二十多年大规模、系统性的治水行动，水环境质量（市政污水和工业废水）已经得到显著改善。随着环保政策进一步趋严，环保标准不断提高，配套环保治理不断深入，环保投入不断高涨，过程能耗、药耗也持续攀升。例如，城镇污水处理厂的提标改造工程，旨在全面提高污水中的 COD、氨氮、总氮、总磷等排放指标。从重点流域确保达到一级 B 排放标准，到全面提升至一级 A 排放标准，再到某些控制项目达到地表Ⅳ类水标准。

再如针对工业废水尤其是含盐废水，国家或地方监管部门提出了对达标排放废水中盐分指标的全新限制要求。如表 6.1 所示，早在 2006 年河北省就颁布了《氯化物排放标准》(DB 13/831—2006)，对含氯废水中的氯化物浓度进行限制。随后河南、北京、上海也相继出台地方排污标准，新增对各行业排放废水中溶解性总固体、氯化物以及硫酸盐含量的限制。如何实现含盐废水的有效治理，已经成为各排污企业和环保监管部门亟待解决的问题。

表 6.1　我国各地方对外排废水的盐分浓度限值

参考标准	DB 13/831—2006（河北）	DB 41/276—2011（河南）	DB 11/307—2013（北京）	DB 31/199—2018（上海）
污染物控制项目	排放浓度			
氯化物/(mg/L)	600(盐化工Ⅱ类三级)	350	500	800(三级)
硫酸盐/(mg/L)	—	—	400	—
溶解性总固体/(mg/L)	—	—	1600	2000

2005年由国家发展改革委牵头制定的《中国节水技术政策大纲》中明确指出，发展外排废水回用和“零排放”技术，在缺水以及生态环境要求高的地区，鼓励企业应用废水“零排放”技术。2007年由环保总局牵头制定的《国家环境保护“十一五”规划》中也明确指出，在钢铁、电力、化工、煤炭等重点行业推广废水循环利用，努力实现废水少排放或零排放。2021年由国家发展改革委牵头制定的《关于推进污水资源化利用的指导意见》中强调，研发集成低成本、高性能工业废水处理技术和装备，打造污水资源化技术、工程与服务、管理、政策等协同发力的示范样板，到2025年建成若干国家高新区工业废水近零排放科技创新试点工程。近二十年来，为积极响应国家提出的有关含盐废水零排放处置以及后续更进一步地资源化利用的政策号召，科研工作者们和相关企业不断创新研发，推动成果转化和产业化，实现了我国针对含盐废水零排放处理技术从无到有再到规模化应用的发展。

2020年9月，中国在第75届联合国大会上正式提出2030年前实现碳达峰、2060年前实现碳中和的目标。为深入贯彻落实我国关于“双碳”目标的决策以及更好地实现“双碳”总体目标，生态环境部联合其他六部门在2022年6月13日共同印发了《减污降碳协同增效实施方案》。在水环境协同治理方面，明确指出可以从多个方面进行重点部署和推进。例如，提高工业用水效率，推进产业园区用水系统集成优化，实现串联用水、分质用水、一水多用、梯级利用和再生利用。优化污水处理工艺流程，采用高效低能耗设备，推进过程节能降耗。推广建设太阳能发电设施，推广污水处理厂污泥沼气热电联产和水源热泵等热能利用技术。

各省（市、自治区）生态环境厅也结合自身实际情况，制定并发布了具体的废水减污降碳实施方案。如宁夏回族自治区强调，推进宁东能源化工基地水务一体化，加大再生水、煤矿疏干水综合利用，工业废水实现全收集、全处理，污水集中处理设施稳定达标排放。陕西省强调，严格控制高耗水行业发展，多措并举推进污水处理厂节能降耗，提高处理效率。河南省则强调，围绕钢铁、石化化工、造纸、印染等行业，推动创建一批工业废水循环利用示范企业。

水环境治理之所以受到如此多的国家重视和社会关注，成为减污降碳的关键着力点之一，缘于它内在的高耗能、高碳排放属性。有数据显示，污水处理行业的碳排放量约占社会总排放量的1%～2%，位列我国前十大碳排放行业。其碳排放主要来源于污水处理过程中所需设备能耗和药耗，以及处理工艺中直接产生和逸散的二氧化碳（CO_2）、甲烷（CH_4）和氧化二氮（N_2O）等温室气体。为更好地对该行业碳排放行为进行统计和系统评价，中国环境保护产业协会还统一制定了团体标准《污水处理厂低碳运行评价技术规范》（T/CAEPI 49—2022）。2021年11月15日，工业和信息化部印发《“十四五”工业绿色发展规划》，其中指出，聚焦涉重金属、高盐、高有机物等高难度废水，开展深度高效治理应用示范，推进离子交换法脱硫脱硝、无磷水处理剂循环冷却水处理、纳米陶瓷膜污水处理、工业窑炉协同处置、原位热脱附土壤修复、污泥低温真空干化处理、高盐废水催化氧化处理等技术的推广应用。在碳达峰、碳中和这场“硬仗”中，加快实现水环境尤其是含盐废水低碳减排零排的治理目标，将推动我国水生态环境保护工作进入新发展阶段。

6.1.2 含盐废水零排放与“双碳”目标

含盐废水零排放的处理过程，涉及有机物的分解、化学药剂的消耗、各类工艺与设备的电耗，所以本身就伴随各种碳排放的过程。但未经处理直接排放的含盐废水，一方面会继续发生厌氧反应，生成黑臭水体导致更多碳排放；另一方面，废水中的盐和水无法回用，此类资源的浪费也会间接增加碳排放。

从现有角度来评估，含盐废水零排放主要有直接碳排放、间接碳排放、其他间接碳排放等几个碳排放过程。

6.1.2.1　直接碳排放

直接碳排放是指企业直接控制的燃料燃烧活动和物理化学生产过程产生的直接温室气体排放。

在含盐废水零排放的处理过程中，虽然没有燃料燃烧等工艺，但由于废水中本身含有大量有机物，这部分有机物在废水处理过程中会逐渐分解，最终形成二氧化碳、甲烷和氧化二氮等温室气体，从而形成碳排放。其中有：各类难降解有机物在各类高级氧化处理环节发生氧化，产生大量二氧化碳；在部分厌氧生物氧化环节，包括在管网、厌氧池、化粪池、污泥厌氧消化池等中，可生物降解有机物会逐渐被微生物转化为甲烷；在硝化和反硝化阶段，废水中含氮化合物则又被转化为氧化亚氮。因此，含盐废水中有机物的含量也是直接碳排放量的主要影响因素。

6.1.2.2　间接碳排放

间接碳排放是指企业外购能源产生的温室气体排放，包括电力、热力、蒸汽和冷气等。可以认为是在工艺过程中原材料和中间产品被消耗，而这些原材料和中间产品在其生产过程中也会直接和间接地向环境中排放温室气体，因此从全寿命周期的角度审视碳排放情况，需要将这部分原材料和中间产品自身的隐含碳排放纳入进来。

首先，在含盐废水零排放的物理处理阶段需要应用到搅拌、离心、过滤、气浮等技术，这些技术所对应的搅拌器、离心机、曝气器等设备的选用均需要供应大量电力；其次，在废水的生物氧化和高级氧化处理阶段，需要投加各类药剂以维持设定pH值、提高混凝效率、强化氧化反应等，部分高级氧化技术也需要消耗大量电能；最后，在含盐废水零排放的蒸发结晶工艺段也需要供能以实现中水回用和盐的资源化回收。在含盐废水处理的各阶段均需要大量能量和药剂的供应，这部分构成了含盐废水零排放工艺最主要的碳排放指标。故降低设备能耗、提高设备处理效率、减少药剂消耗等方式则成了降低间接碳排放的主要优化方向。

6.1.2.3　其他间接碳排放

其他间接碳排放是指在价值链上下游各项活动的间接排放，是覆盖上下游范围广泛的活动类型。上游范围排放是指在组织使用的材料或服务的生产过程中所产生的排放，下游范围排放是指在组织使用完材料或服务后发生的活动所产生的排放。一般来说，上游范围的排放与一个组织的产品或服务的生产更直接相关，而下游范围的排放与客户对这些产品或服务的使用更相关。

在含盐废水处理工艺段，其他间接碳排放主要有以下几个方面：废水和各类处理药剂在运输过程中产生的排放；在废水处理过程中生成的废物处置所产生的排放；在达标水和副产盐等副产品运输过程中产生的排放；已售出的回用水和副产盐在客户使用前的加工过程中产生的排放；等等。

6.1.2.4 特殊碳排放的豁免

自然界中，碳循环一直存在，由水污染造成的废水处理，其本质都是通过微生物来进行的。通过微生物的一系列生化作用，水体中的碳源被转化成了气态，以二氧化碳、甲烷等温室气体形式排放，从而也造成了一定的碳排放，因此，水资源的过度污染、不合理的水资源利用、废水的过量排放，都会加大废水处理及给水处理带来的负荷，从而增加其碳排放量。按联合国政府间气候变化专门委员会的规定，由废水中生源性COD产生的二氧化碳（直接排放）不应纳入废水处理碳排放清单，而甲烷、氧化亚氮及废水COD中化石成分产生的二氧化碳则应纳入废水处理直接碳排放清单。

综上，在废水处理的各种工艺流程以及上下游工段，均与"双碳"目标有着紧密的联系。只有从整体上协同耦合改进优化技术，节能降耗，才能在碳减排中有质的改变，真正实现节能减排与减碳的统一。

6.1.3 含盐废水零排放"双碳"实施路径

在含盐废水零排放的处理过程中，实现低碳废水处理的途径主要包括：提高废水处理综合能效、提高废水集中收集处理率、探索可持续新工艺新设备等。这些途径也是废水零排放对实现"双碳"目标的重要保证。根据上节对废水处理中各类碳排放来源的分析，含盐废水零排放领域"双碳"目标的达成可通过以下路径实施。

6.1.3.1 直接减少温室气体排放

在含盐废水零排放处理过程中，直接产生的甲烷、氧化二氮等是节能减排中应重点关注的温室气体。针对甲烷的处理，可严防其从污泥厌氧消化池中逃逸，也要保持其他涉及生化单元的含氧量，避免甲烷的产生；针对氧化亚氮的处理，需加强硝化池与反硝化池中各反应参数监测，提高硝化过程的溶解氧含量，适度增加反硝化过程的碳源量等。

6.1.3.2 减少能耗和药耗

含盐废水零排放的处理涉及较多的工艺与设备，大量的电力、热力等能耗与药耗间接带来了较大的碳排放。从工艺角度看，需要尽可能减少采用高能耗高药耗的技术（如电催化氧化技术、臭氧氧化技术、Fenton氧化技术等），多采用节能、低耗技术（如生化处理技术、物理处理技术等），也要选取匹配的低能耗的蒸发结晶工艺。从设备角度看，需要多选取先进高效节能设备，并根据实际废水水质和处理要求选取配套设备，并不断对设备进行迭代升级。另外，通过模型软件对工艺流程进行优化，或基于在线数据实现实时参数调整，进而实现废水处理工艺的节能降耗。

然而，"零能耗"的废水处理工艺是很难实现的，除非采用基于自然的处理系统。因此，仅仅靠节能降耗这种间接碳减排方式，尚不能完全实现"碳中和"的目标。

6.1.3.3 其他重要降碳途径

（1）厌氧沼气发电技术

厌氧沼气发电技术是集环保和节能于一体的能源综合利用新技术。该技术主要原理是：

工业、农业或城镇生活中的大量有机废弃物（例如酒糟液、禽畜粪便、城市垃圾和废水等），经厌氧发酵处理后产生沼气，沼气经综合发电装置发电后，产生电能和热能，实现废弃物资源化利用。厌氧沼气发电技术是有效利用甲烷的一种重要方式。每减少 1t 甲烷排放，相当于减少 25t 二氧化碳排放，该技术的开发可获得节能、安全和环保的综合效益。

（2）清洁能源工艺技术

由于仅靠节能降耗和污泥厌氧消化并热电联产很难实现碳中和目标，可以采用清洁能源工艺技术来对减碳工艺做出支撑。清洁能源工艺技术包括两方面：a. 在碳排放较集中区域通过碳捕集、利用与封存（CCUS）技术来集中性减碳；b. 在废水处理工艺或厂区使用清洁能源以实现碳减排。

CCUS 技术的工业化应用仍在探索中，而对传统意义上的可再生清洁能源（如风能、太阳能和水能）的利用则是良好的碳减排方向。在各个含盐废水处理厂中，可根据当地的地理位置和自然环境（风力条件、日照条件），配套太阳能、风能和废水水力发电等技术，将产生的电能用于处理工艺内部消耗和对外供电，逐步减少对传统能源的依赖。

（3）余温热能回收利用技术

废水中被忽视的另外一种潜能——水热，实际上潜力巨大，可通过水源热泵的方式回收并加以利用。小于 30℃的废水余热排放约占城市总废热排放量的 40%，且其流量稳定，具有冬暖夏凉的特点。热能衡算表明，若提取处理后出水 4℃的温差，实际可产生 1.77kW·h/m^3 电当量（热）和 1.18kW·h/m^3 电当量（冷）。因此，废水余温热能蕴含量巨大，不仅能完全满足废水处理自身碳中和运行需要，而且还有更多余热可外输供热或自身使用，能形成大量可进行碳交易的负碳，是一种极其有效的减碳措施。

6.1.4　含盐废水零排放处理技术

目前，含盐废水零排放处理技术主要从三个方向协力发展，分别是预处理段、膜处理段和蒸发结晶段，最终目标是实现零排放工艺减碳节能降耗、零排放装置长周期稳定运行以及盐分水分的低碳高效回收资源化再利用。围绕这个主旨，传统技术工艺不断迭代优化，新技术不断开发应用，已形成较为完备的技术体系，如图 6.2 所示。

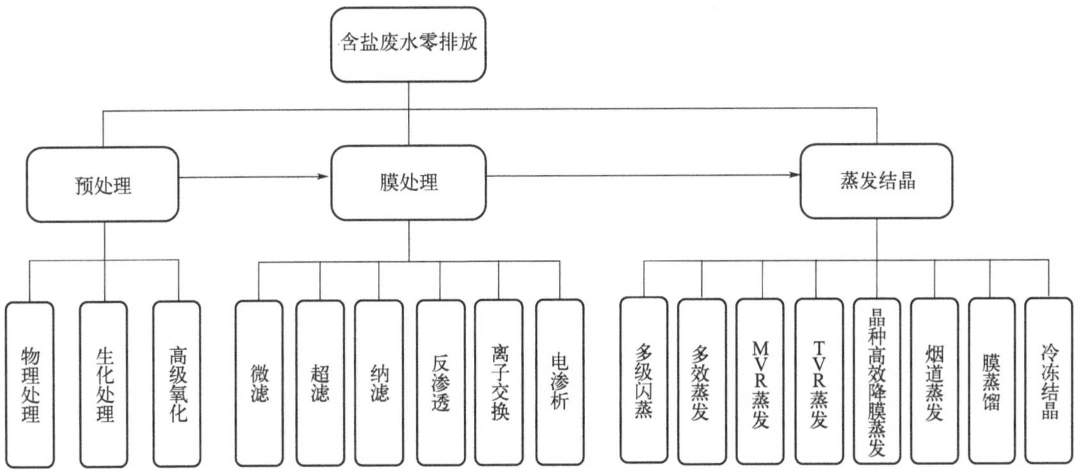

图 6.2　含盐废水零排放处理技术体系

预处理段主要作用是降低原水在零排放处理系统中不断富集浓缩后，对装置产生结垢污堵腐蚀和稳定运行的影响。废水主要指标包括硬度、碱度、重金属、胶体、悬浮物、氨氮、色度、有机物、溶解氧和不凝气等。硬度、碱度、胶体和有机物的存在会加速装置发生结垢污堵现象；有机物、色度的存在会降低回收副产盐品质；氨氮、有机物等成分的存在会降低产品水品质；溶解氧、有机物、结垢物等成分的存在会加速装置发生腐蚀现象；不凝气、结垢物等成分的存在会增加系统运行能耗和碳排放。以上均会对装置系统稳定达标运行产生不良影响，严重时甚至会导致全系统停机，造成巨大的经济和环保损失。预处理工艺从处理技术上分类，可分为物理处理技术、生化处理技术以及高级氧化技术等。从污染物去除技术上分类，含盐废水的除硬操作，常采用药剂软化、纳滤膜、离子交换等技术。除碱度操作，常采用加酸除碳技术。胶体、悬浮物的去除常采用混凝沉淀、气浮、多介质过滤、过滤膜等技术。重金属去除常采用化学沉淀、电解等技术。氨氮、色度、有机物的去除常采用生化法、高级氧化等技术。溶解氧和不凝气的去除常采用化学法除氧、除氧器、脱气塔等技术。

膜处理段主要作用是针对含盐废水的初步提浓，利用较低运行成本的膜技术实现预浓缩和减量化，从而减小蒸发结晶段处理规模，降低投资成本。常规采用的技术工艺有反渗透(RO)、纳滤（NF)、电渗析（ED)、正渗透（FO）等。为尽可能提高含盐废水预浓缩终点，工程上多用海水淡化反渗透膜（SWRO)、碟管式反渗透膜（DTRO）和管网式高压反渗透膜（STRO）等型式，其操作运行压力为4～16MPa，浓缩终点最高可达90～140g/L。为增强膜组件的抗结垢和抗污染性，还会耦合使用在线清洗、振动膜和频繁倒极等技术。另外，利用特殊膜对不同价态离子的截留特性，膜处理段还可以同步实现盐分分质回收。如纳滤膜、一价电渗析膜就可以实现含盐废水中氯化钠和硫酸钠盐分的分质回收。

蒸发结晶段主要作用是将预浓缩后的高含盐废水进一步浓缩至过饱和析出点，从而达到盐分固化、固液分离的目的。当前常用的蒸发结晶技术有多效蒸发、MVR蒸发、TVR蒸发、烟道蒸发、闪蒸结晶、冷冻结晶等。更进一步地，根据不同盐分的溶解度，结合水盐相图理论分析，设计出在适宜温度和浓缩终点析盐方案，从而实现杂盐分步回收纯盐。

为实现不同特征水质的含盐废水零排放处置目标，且满足过程低碳高效，需要对各类技术优缺点进行整体性的评估和深入探究，从而开发出最为合理的零排放耦合处理工艺，获得环保效益、社会效益和经济效益的平衡统一。这也将是未来行业内各家技术供应商的共同奋斗目标和自身核心竞争力所在。

6.2 预处理技术

预处理技术，主要是对高含盐废水进行初步处理，满足后续膜处理以及蒸发结晶工艺的需要，为后续的废水零排放处理工作打下基础。常用的预处理手段包括物理处理法、生化处理法以及高级氧化法等。预处理的目的是除去废水中的悬浮物、油类、有机物及部分离子，降低废水的COD及硬度。如果没有经过预处理就直接投入后续的处理步骤当中，很有可能损坏膜处理装置，严重影响膜的寿命，也会使废水处理效率下降。预处理的技术非常多，一般是以几种技术综合搭配使用。

在预处理阶段，主要对高含盐废水进行初步处理，常用的预处理手段有以下几类：物理处理法、生化处理法以及高级氧化法等。其中，物理处理法包括气浮、沉淀、过滤、软化等；生化处理法包括厌氧生化、好氧生化、反硝化等；高级氧化法包括臭氧氧化、Fenton 氧化、电催化氧化等。在预处理过程中，需实现节能减碳与出水达标的有机统一。在工程项目中，也要根据水质情况和处理要求来选择合适的工艺。

6.2.1　物理处理法

含盐废水的零排放需要多种工艺的有机组合，各类工艺技术相互独立又彼此关联。物理处理技术即指采用物理或者机械分离手段对废水进行处理，常用的方法有：混凝沉淀、气浮工艺、过滤工艺、药剂软化工艺等。作为含盐废水零排放的前端工艺，物理处理技术直接关系到后续单元运行的稳定性，其各类药剂的投加成本和能耗也是预处理单元最主要的运行成本。故选择合适的处理技术、控制能耗和药剂投加量尤为重要，对整个零排放工艺有着重要的减碳意义。

6.2.1.1　药剂软化工艺

水的硬度最初是指钙、镁离子沉淀肥皂的能力。实质上，水的总硬度是由水中的二价和三价金属离子造成的，比如钙离子、镁离子、铁离子和亚铁离子、铜离子、锰离子和铝离子等都可以和肥皂起反应，使肥皂失去去污能力，所以理论上讲，水的总硬度是表示水中二价和三价金属离子含量的指标。对于大多数天然水来说，绝大部分的硬度是由水中的钙离子和镁离子形成的。其他二价和三价离子含量相对于钙离子和镁离子的含量来说，都可以忽略不计。所以，水的总硬度可以近似地认为是由钙离子与镁离子的总量来决定的。硬度又可分为碳酸盐硬度和非碳酸盐硬度，前者煮沸后即可去除，称为暂时硬度；后者煮沸后也不能去除，称为永久硬度。当含盐废水的硬度较高时，膜浓缩处理后的硬度离子会达到过饱和状态，形成沉淀附着在膜的表面，影响膜处理效果和寿命，需要提前采取预处理技术加以去除。

药剂软化工艺是指采用添加药剂的方式来将废水中的钙、镁等可溶盐除去以降低硬度的工艺。最常用的方法有石灰软化法（非碳酸盐硬度较小时采用）、石灰-纯碱软化法、石灰-石膏软化法（原水碱度大于硬度、水中无非碳酸盐硬度但有 $NaHCO_3$ 存在时采用）。

某工业园区经膜初步浓缩后的含盐废水水量为 10000m^3/d，总硬度达 1900～3200mg/L，TDS（总溶解固体）≤9000mg/L，NaCl≤3000mg/L，Na_2SO_4≤6000mg/L。药剂软化处理工艺流程如图 6.3 所示。根据水质，工程选用了 30%液碱、10%碳酸钠和部分絮凝剂，通过在高密池投加液碱调节废水 pH 值至 11.2，投加量约为理论计算量的 1.8 倍，之后投加纯碱，投加量为理论计算量的 1.2 倍，然后投加絮凝剂和助凝剂在斜板沉淀区沉淀后，出水用硫酸调节 pH 值至 8 左右，出水总硬度<100mg/L。

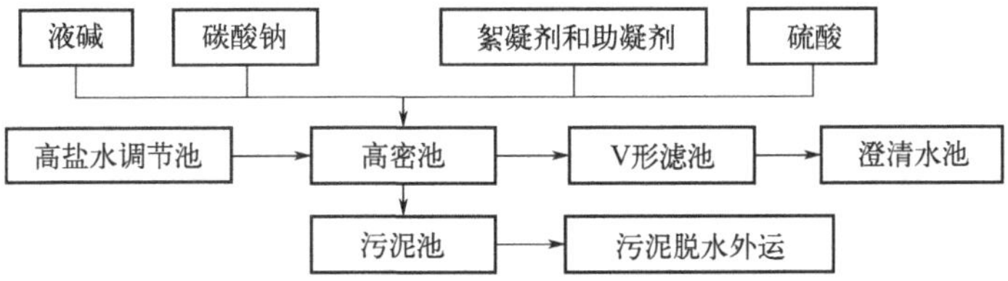

图 6.3　药剂软化处理工艺流程图

虽然现有技术可以将含盐废水中的硬度基本去除，但由于化学沉淀反应本身的限制，一般均需投加过量药剂，故存在化学药剂耗量大、沉泥体积大、难于泥水分离等缺点。已有学者研究发现，引入晶种可提高沉淀效率。在投加废弃粉末活性炭后，在相同反应条件和药剂投加量时，达到75%硬度去除率的时间由20min缩短至10min，且连续运行时，去除率会逐步提高，可由75%增至90%。该技术能够缩短搅拌时间、降低搅拌机电耗、减少碳酸钠的药剂消耗，是一种良好的减碳优化工艺。

6.2.1.2 混凝沉淀工艺

污水处理中沉淀过程用于实现进水颗粒物与水的分离。表6.2列举了主要的沉淀技术及其所需分离负荷，负荷越高表示其技术越先进。随着污水成分的日益复杂，污水排放要求日趋严格，传统的化学沉淀技术分离负荷较低，已无法满足相关要求。现基于传统技术，已开发出新型的硅藻土技术、磁分离技术以及微砂沉淀技术，这些新兴技术可显著提升分离速度和去除率，依靠高效凝聚药剂或物化等方法提高固液密度差从而达到净化的目的。

表6.2 主要沉淀技术及其分离负荷

沉淀技术	废水类型	分离负荷/[$m^3/(m^2 \cdot h)$]
传统(化学)沉淀	初沉池	1.5～3.3
	二沉池	0.5～1.3
硅藻土技术	二沉池	1.3～1.5
磁分离技术	初沉池	60～200
	二级出水	90～270
微砂沉淀技术	工业废水	31.5～100.0
	生活污水	53～147

（1）硅藻土技术

硅藻土是一种由古代硅藻的遗骸堆积并经初步成岩作用而形成的硅质沉积岩，主要利用水解后的静电作用使得废水中胶体脱稳来实现沉淀分离作用。硅藻土还可以吸附病毒、细微颗粒、重金属以及溶解性物质，在特定装置中的硅藻土还能实现部分过滤作用，是一种高效混凝材料。河南永城市第一污水处理厂采用“A/O（厌氧/好氧）＋硅藻土”协同处理工艺，日处理废水量达1万吨。硅藻土技术在处理机理、影响因素及其控制、改性方式优化和硅藻污泥后处理等方面还有很多研究和发展空间。硅藻土技术提供了一条混凝与吸附过程相结合的固液分离思路。

（2）磁分离技术

磁分离技术是借助外加磁场并（或）利用磁性接种技术使水中不同磁凝聚性组分凝聚成较大团块以实现强化沉淀分离的一种新兴技术。主要原理为：微生物受到磁场的抑制或激发作用，生物活性显著提高，污水处理效果增强。所用的磁化污泥经分离处理后可回收再利用，剩余污泥另外单独处理。北京北小河污水处理厂即采用超磁分离水体净化技术强化一级处理，其出水水质稳定，满足三级排放标准，运行成本仅0.22元/m^3，具有较好的成本优势。

（3）微砂沉淀技术

微砂沉淀技术主要由法国的 Veolia 集团的 OTV 公司开发，可去除水中的悬浮物、浊度、色度、藻类、重金属以及颗粒态有机物。其主要原理是：利用微砂和高分子絮凝剂的协同作用，将污染物和微砂聚合成大颗粒絮体，从而加快了絮凝沉淀速度。含微砂污泥沉淀后，可在水力旋流器中实现泥砂分离和微砂回用，完成微砂颗粒的循环使用。微砂沉淀工艺具有水力负荷高、占地面积小、启动快、SS（悬浮物）去除率高、抗冲击负荷能力强和出水水质稳定等特点，可为后续的过滤以及膜处理装置提供预处理，将在未来的废水零排放市场中广泛使用。

6.2.1.3　气浮工艺

气浮工艺是指在水中形成分散的气泡，产生的空气微泡由非极性分子组成，气泡黏附废水中疏水性的微粒，形成表观密度小于水的絮体上浮到水面，形成浮渣层去除，是一种可实现固液分离的技术。根据工作原理的不同，气浮工艺有较多分类标准。按照气泡产生方式可分为溶气气浮法、诱导气浮法、电解气浮法、生物气浮法和化学气浮法等，如表 6.3 所示。

表 6.3　各类气浮法分类及其基本原理

气浮法分类	基本原理
溶气气浮法	利用气泡在不同的水压下溶解度的不同，在压力变化的条件下使气体在水中产生微气泡的气浮工艺。根据气泡在水中析出时所处的压力情况，溶气气浮法又分压力溶气气浮法和溶气真空气浮法两种
诱导气浮法	利用机械剪切力，将混合于水中的空气粉碎成细小气泡，通常采用微孔扩散板或微孔管直接向气浮池通入压缩空气，或采用水泵吸水管吸气，水力喷射器、高速叶轮等向水中充气，可分为扩散板曝气气浮、水泵吸水管吸气气浮、射流气浮、叶轮气浮
电解气浮法	是指在水中设置正负电极并通电，废水被电解出氢气和氧气等微小气泡，这些微小气泡吸附水中微小悬浮物并上浮加以去除，以达到净水的目的
生物气浮法	通过生物的生命活动产生气泡，与水中的悬浮絮体充分接触，使水中悬浮絮体黏附在微气泡上，随气泡一起浮到水面，形成浮渣并刮去浮渣，从而净化水质
化学气浮法	利用某些化合物在废水中产生气体的反应原理来进行，反应生成的气体在释放过程中形成微小气泡，吸附在固体颗粒表面，使固体顺利向液面浮去，从而使固液分离

气浮工艺主要的碳排放方式为各类设备的能耗与工艺参数控制所产生的能耗，属于间接碳排放类型。为减少气浮工艺的能耗，需要根据水量、水质和当地实际情况，选取合适的气浮方法和相应的参数条件。目前，气浮工艺在工程应用中有较多影响因素，包括温度、絮体颗粒大小、微气泡大小、搅拌强度、絮凝时间、空气注入量、气流速率、浮选剂等。只有在各项参数合理配置的情况下，才能提高气浮处理效率，降低整体能耗，减少气浮工艺的碳排放。

（1）温度

在气浮过程中，因为吸附过程放热，当物理吸附占优势时，吸附随温度升高而减少；当化学吸附占优势时，分离效率随温度升高而升高。在沉淀气浮中，温度的升高利于离子的长大，但增加了沉淀的溶解度，降低了泡沫稳定性，故需要根据沉淀种类合理控制反应温度。

（2）絮体颗粒大小

长久以来，人们认为絮体需要数百微米或更大的颗粒，颗粒较大的絮体更易被去除。但经研究发现，在絮体颗粒尺寸与微气泡尺寸接近时二者的黏附效率最大，而在气浮工艺中气泡直径一般在 10～100μm 范围内，故絮体颗粒直径在 10～100μm 范围内即可被气泡黏附去除。

（3）微气泡大小

部分学者认为气泡尺寸越小越好，但事实并非如此。同样颗粒度的絮体，对小气泡数量的需求更多，而气泡越多，与絮体的黏结度反而下降。且所需气泡越小，供气系统压力越大，能耗也就越高，处理浮渣的难度也会升高。因此，需要选择与絮体相似的微气泡尺寸，既可提高效率又可降低能耗。

（4）搅拌强度

研究表明气浮工艺不需要较大尺寸的絮体颗粒，所以可以适当提高反应的搅拌强度，而气浮工艺的最佳搅拌强度依赖于混凝剂的类型：一般铝盐为 70～80s^{-1}，$FeCl_3$ 为 70s^{-1}，PAC（聚合氯化铝）的搅拌强度需大于 30s^{-1}。

（5）絮凝时间

气浮工艺的明显特点就是停留的时间比较短，北欧和英国等在早期对气浮絮凝采用的时间跟沉淀工艺相同，都采用了 45min。然而一些学者研究认为 15～20min 絮凝时间已经足够，并且很多水厂采用的分级絮凝时间约为 20 分钟。部分中试试验采用 5～6 分钟的絮凝时间也可达到较好水质，停留时间缩短可显著降低吨水成本和能耗，是一项具有很大减碳潜力的可优化参数类型。

（6）空气注入量

气浮过程中的空气通过高压溶解在水中，再减压自水中释放。最佳空气注入量应使空气在水中处于过饱和状态。气体进气量过小会导致气泡量不够而对气浮不敏感；气体进气量过大则会产生大气泡扰乱气浮系统。空气注入量也需要根据原水浊度的提高适量增加。

（7）气流速率

气流速率是一项影响气浮效果的重要参数。在较低的气流速率下，分离效率随着气流速度增加而增加；但当气流速度过高时，气泡直径逐渐增大，单位体积的气液界面面积下降，且气泡停留时间也下降，分离效率反而有所降低。因此在保证气泡尺寸恒定时，提高气流速率有利于气浮分离效果。

（8）浮选剂

一般来说，采用气浮助剂、混凝剂和发泡剂可以大大提高气浮处理效率。疏水性物质较易被气泡黏附从而分离，而亲水性物质则不易采用气浮原理。此时在水中加入浮选剂可改变絮体颗粒的表面润湿性，增强其被气泡黏附的概率。浮选剂一般是极性或者非极性的表面活性剂，具有吸附、润湿的性质。

6.2.1.4 过滤工艺

过滤是利用过滤材料分离废水中杂质的一种技术。以砂滤技术为代表的传统过滤技术主要利用石英砂等粒状滤料层截留水中悬浮杂质。但由于受过滤介质和冲洗方式的限制，污水截留率有限、运行效率低、能耗大、更换周期短。表 6.4 总结了典型过滤技术的分离负荷。

混凝技术也能提升传统过滤技术的分离精度，动态砂过滤技术通过实现连续过滤而将分离负荷提升至传统砂滤技术的 2 倍，动态膜和滤布滤池技术对分离效率和分离精度的提升作用也十分明显。膜技术的分离精度最高，但是分离负荷及处理成本成了目前该技术广泛使用的限制因素。这也促使研究者们向过滤精度高、处理速度快的新型过滤技术展开诸多探索。

表 6.4　典型过滤技术分离负荷

过滤技术	分离负荷/[$m^3/(m^2 \cdot h)$]
传统砂滤技术	3～7
动态砂过滤	6～12
滤布滤池	5～15
动态膜	0.02～0.15
膜技术	0.01～0.06

传统的砂滤技术在应用过程中存在较多缺陷，动态砂过滤系统则在传统砂滤技术的基础上做了较大改进。该系统利用逆流原理，自底部的布水器开始进水，自下而上地流过动态砂滤床，清水自顶部溢流而出。反复过滤中造成的脏砂子在顶部洗砂器中实现反冲洗，洗净后通过重力回流至砂床。此外，荷兰 De Groote Lucht 污水厂采用动态砂过滤法进行脱氮处理，成功实现了厌氧反硝化过程，药剂费用约 0.68 欧元/kg，污泥处理费 0.32 欧元/kg。

6.2.1.5　调节工艺

从工业企业排出的废水，其水量和水质都是随时间而变化的，工业废水的变化幅度一般比城市废水大。为了保证后续处理构筑物或设备的正常运行，需对废水的水量和水质进行调节。调节水量和水质的构筑物称为调节池。

(1) 水量调节池

常见的水量调节池主要作用为均匀水量，称为水量均化池，简称均量池。进水为重力流，出水用泵抽吸，池中最高水位不高于进水管的设计水位，有效水深一般为 2～3m。最低水位为死水位，即位于泵吸水口以下。

(2) 水质调节池

水质调节池是为均匀水质以避免构筑物受过大的冲击负荷而设置的。水质调节池的容量通常按调节历时进行计算，调节时间越长，水质便越均匀。从生产上讲，往往是以一班即 8h 为一个生产周期，但水质调节池容量按 8h 计算，有时也较大。所以计算水质调节池时，其调节历时通常按 4～8h 考虑。

对于普通的水质调节池，可写出其基本物料平衡方程式：

$$C_1QT+C_0V=C_2QT+C_2V \tag{6.1}$$

式中　Q——取样间隔时间内的平均流量；

C_1——取样间隔时间内进入调节池污染物的浓度；

T——取样间隔时间；

C_0——取样间隔开始时调节池内污染物的浓度；

V——调节池容积；

C_2——取样间隔时间终了时调节池出水污染物的浓度。

水质调节池常设计成穿孔导流槽式出水，在平面构造上既可以是圆形，也可以是矩形。采用这种形式的水质调节池容积，理论上只需要调节历时总水量的一半即可，因为从水质均匀角度上讲，所谓调节历时就是指将该时段中的排水量充分混合，即：使起始时的排水与调节历时终了时的排水混合。

（3）分流贮水池

对于某些工业，如有偶然泄漏或周期性冲击负荷发生时，宜设分流贮水池。当废水浓度超过某一设定值时，可将废水放进分流贮水池。

（4）调节池常见形式与选取原则

调节池常见形式为土池、穿孔导流槽式水质调节池、环流式调节池、折流式调节池等。

土池结构最简单、造价最低。在使用浮动曝气机时要考虑最低操作水位，以保护曝气机，其深度一般为1.5～2m，如果池体用水泥或钢材制成并半埋于地下，对于地下水位较高的地区要防止设备的漂浮。

穿孔导流槽式水质调节池又名对角线出水调节池，池体为长方形，出水槽沿对角线方向设置。废水在左右两侧进入池内后，经过不同的时间流到出水槽，达到了自动调节均衡的目的。为防止废水在池内导致短路，可以在池内设置若干纵向隔板；在池底可设沉渣斗，通过排渣管定期排出池外；为控制水位，可采用堰顶溢流出水，或浮子定量设备。

选用调节池的原则：主要考虑水力混合作用，对于化学反应、沉降和冷却作用也不可忽略。首先为达到连续及完全混合的目的，一般选用连续完全混合反应器，也可采用活塞流反应器，同时在反应器内安装有混合装置（如水泵），强制循环搅拌、空气搅拌（还有预曝气作用）、机械搅拌，还有一种差时混合装置。由于沉淀的沉降作用，还要在调节池内考虑安装排泥装置。

6.2.1.6 离心分离

物体高速旋转时会产生离心力场，利用离心力分离废水中杂质的处理方法称为离心分离法。废水作高速旋转时，由于悬浮固体和水的质量不同，所受的离心力也不相同，质量大的悬浮固体被抛向外侧，质量小的水被推向内层，这样悬浮固体和水可从各自出口排除，从而使废水得到处理。

废水高速旋转时，悬浮固体颗粒同时受到两种径向力的作用，即离心力和水对颗粒的向心推力。粒径为 d 的颗粒的离心沉降速度 u_c 为：

$$u_c=\frac{\omega^2 r(\rho-\rho_0)d^2}{18\mu} \tag{6.2}$$

式中 ρ 和 ρ_0——颗粒和流体的密度，kg/m^3；

μ——流体动力黏度，Pa·s；

ω——角速度，rad/s；

r——颗粒到旋转轴的距离，m；

d——颗粒直径，m。

这说明，废水高速旋转时，密度大于水的悬浮颗粒，沉降在离心分离设备的最外侧，而密度小于水的悬浮颗粒（如乳化油）漂浮在离心设备最里面，所以离心分离设备能进行离心沉降和离心浮上两种操作。因此在悬浮物体密度差较大时，采用离心分离能得到较好的效果，也可通过调整离心的角速度来控制分离速率。

按产生离心力方式的不同，离心分离设备可分为离心机和水力旋流器两类。

（1）离心机

离心机是依靠一个可随传动轴旋转的转鼓，在外界传动设备的驱动下高速旋转，转鼓带动需进行分离的废水一起旋转，利用废水中不同密度的悬浮颗粒所受离心力的不同来进行分离的一种分离设备。离心机的种类和形式有多种。按分离因素大小可分为高速离心机（转速 $a>15000$r/min）、中速离心机（转速 a 在 5000～15000r/min）和低速离心机（转速 a 在 1000～5000r/min）。中、低速离心机通常称为常速离心机。按转鼓的几何形状不同，可分为转筒式、管式、盘式和板式离心机；按操作过程可分为间歇式和连续式离心机；按转鼓的安装角度可分为立式和卧式离心机。

（2）水力旋流器

水力旋流器有压力式和重力式两种。水力旋流器用钢板或其他耐磨材料制造，其上部是圆筒，下部是截头圆锥体。进水管以逐渐收缩的形式与圆筒以切向连接。废水通过加压后以切线方向进入旋流器内，在旋流器内沿器壁向下作螺旋运动的一次涡流，废水中粒径及密度较大的悬浮颗粒被抛向器壁，并在下旋水推动和重力作用下沿器壁下滑，在锥底形成浓缩液连续排出。锥底部水流在越来越窄的锥壁反向压力作用下改变方向，由锥底向上做螺旋运动，形成二次涡流，经溢流管进入溢流筒后，从出水管排出。在水力旋流中心，形成一束绕轴线分布的自下而上的空气涡流柱。

6.2.2　生化处理法

生化处理法是一种常用的污水处理方法，主要原理是：将废水与活性污泥中的微生物混合，利用微生物的生化作用氧化、分解或吸附废水中的有机污染物和无机污染物。生化处理法具有经济、高效、无害的优点，能够大幅降低含盐废水中的有机物和氮氧化物含量，降低后端膜处理和蒸发结晶处理设备的检修频率。值得注意的是，微生物需要在合适的 pH 值、温度、渗透压、溶解氧、营养元素中才可以不断保持活性与繁殖速度，实现污水的持续净化去污，因此在含盐废水零排放领域的应用需要较完善的设计。

在生化处理的过程中，会涉及多段的碳排放。如：在厌氧反应段，微生物会逐渐吸收有机物并产生甲烷；在硝化反应和反硝化反应段，硝化细菌在好氧环境中会将 NH_4^+ 氧化成 NO_3^-，反硝化细菌会在缺氧条件下将废水中的 NO_3^- 转化成 N_2，在二者反应过程中会释放出 N_2O 等污染物；在好氧反应段，好氧菌会将有机物高效转化成 CO_2 释放到大气中。由上可知，在生化反应的各个过程中均有温室气体的产生。虽然废水中生源性 COD 产生的二氧化碳（直接排放）不纳入废水处理碳排放清单，但其他环节所造成的碳排放仍不可忽视，而且在各类管道运输、曝气、脱水、污泥处置等工艺中均需大量能源动力消耗。如何实现工艺中各环节的节能、减碳、降耗以及高效反应，是未来走“双碳”发展道路需要考虑的重要问题。

6.2.2.1 盐度对生化系统的影响

低盐度条件的污泥系统能够较好地适应盐度的冲击，且盐分的存在对生物生长代谢有一定的积极作用；随着盐度的加大，部分非耐盐生物被淘汰，耐盐微生物逐渐成为优势菌群；当含盐量超过一定水平时，仅有少数的极端耐盐菌和嗜盐菌能够存活。盐度对生化系统的影响主要有以下几个方面：

（1）导致微生物脱水死亡

微生物内部是一个半封闭环境，通过细胞壁和细胞质膜与外界持续进行物质和能量的交换。废水中盐浓度的变化会极大地升高渗透压，从而影响微生物活性。当废水中的氯离子浓度在 2000mg/L 时，细胞壁可承受渗透压为 0.5～1.0atm，此环境下仍能保证微生物正常的物质交换。但当废水中的氯离子浓度超过 5000mg/L 时，微生物细胞内的水分会自发流出细胞外，此时细胞壁需要承受高达 10～30atm 的阻力，轻则会造成细胞质壁分离，严重时会直接导致微生物脱水死亡。

（2）使微生物物质吸收过程受干扰阻断死亡

微生物的细胞膜本身具有选择透过性，在正常状态下会吸收有益营养物质，过滤有害废物。而在盐浓度较高的环境中，微生物需要克服较大的渗透压以吸收营养物质，直接造成了对微生物吸收环境的干扰或者阻断，使得微生物进入休眠状态或死亡。由于不同微生物的细胞膜选择透过性不同，所需营养物质也有所不同，故微生物的种类、盐的种类以及浓度均对该现象有较大影响。

（3）使微生物中毒死亡

在高盐废水中可能会包含部分毒性盐或微生物不耐受的盐，这些盐会随着物质交换进入微生物体内。部分盐会与细胞膜反应，导致其选择透过性失效，丧失物质交换能力而死亡；部分盐会破坏细胞内部的生化反应进程，导致微生物中毒死亡。尤其以部分可溶性重金属盐的毒性最为剧烈。

此外，微生物在经过长期定向驯化后，也能够逐渐适应高盐分的生存环境，在高含盐废水中吸收分解有机物，实现不断繁殖。这类的耐盐微生物体内的含盐浓度也非常高，但如果废水中水质发生波动，含盐量降至较低的水平，废水中的水分就会大量渗入微生物体内，造成微生物细胞膨胀而死亡。

因此，高盐废水的生化处理既需要严格控制含盐量的波动，也需要选择较为合适的耐盐微生物，某些情况下需要进行针对性的驯化方可保证生化系统长期稳定运行。在处理效果方面，与选用的工艺、工况条件及含盐水水质特点有关。一般认为盐度在 2%～5%时，会对生物处理产生中等抑制作用，可以通过对生物系统的培养驯化，得到较好的处理效果。表 6.5 总结了关于污水生物处理耐盐范围及处理效果的报道。

表 6.5　盐度对污水生物处理的影响

处理工艺	盐的种类	含盐量/(g/L)	去除率/%	
			COD	氨氮
传统活性污泥法	NaCl	35	60	>50
两段接触氧化法	海水	2～6	81～96	43～89

续表

处理工艺	盐的种类	含盐量/(g/L)	去除率/%	
			COD	氨氮
SBR	海水	9.4(50%)	80	80
A/O	NaCl	28～47	96	87.5
完全混合活性污泥法	海水	4.5～7.8 (24%～40%)	75～85	92.6～96.7
循环流动法	海水	78	74.5	75.6
MBR	NaCl	1%～4%	73.7～85.2	79.5～90.6

注：含盐量中单位%表示海水所占比例，含盐质量分数 1%约为 3.5g/L；SBR 表示序批式活性污泥法；MBR 表示膜生物反应器。

6.2.2.2　厌氧生化处理技术

（1）定义与原理

厌氧生化处理技术是一种常用的水处理工艺，是在无氧条件下，利用厌氧微生物的生命活动，将各种有机物和无机物加以转化的过程。该技术在工业废水处理中应用极为广泛，一般作为初级处理或与好氧生化处理技术联合应用。芳香类有机污染物难以在好氧状态下分解，其在厌氧环境中的降解率明显要高于好氧环境。且厌氧微生物比好氧微生物拥有更强的耐盐性。厌氧环境中的耐盐菌落有：甲基球菌，可以在浓度为 5%的盐水中正常代谢；革兰氏阴性球菌，是产甲烷菌，在 10%的盐浓度下不能正常生长，不加盐不生长，盐浓度为 7%时生长良好；哈威折射杆菌，最适合盐浓度在 2.0%～3.0%，无盐不生长。由此可见，有较多的微生物可在高盐废水中成长繁殖，因此，厌氧生化处理技术在含盐废水处理领域能够得到较好的应用。

随着技术的不断发展，现在一般认为有机物的厌氧生化处理分为 4 个阶段：水解阶段；产酸发酵阶段；产氢产醋酸阶段；产甲烷阶段。如图 6.4 所示，各阶段的作用也已基本明确。

① 水解阶段。水解阶段是将以胶体或悬浮固体形态存在的非溶解性有机物在胞外水解酶的作用下分解成溶解性单体或二聚体的过程。经过该阶段后，废水中的有机化合物分子量降低，可以透过细胞膜被细菌直接利用。胞外水解酶是否与大分子有机物有效接触对水解速率有极大的影响，此外，温度、停留时间、有机物组分、有机物颗粒大小、pH 值、氨浓度等都对水解速率有较大影响。故水解过程的缓慢是整个厌氧生化处理过程周期较长的主要因素之一。该阶段约产生 5%的 H_2、CO_2，约 20%的醋酸。

② 产酸发酵阶段。产酸发酵阶段是产酸发酵细菌将可溶性的受体或二聚体有机物转化成以挥发性脂肪酸和醇为主的末端产物，同时产生新的细胞物质。经发酵后主要包括醋酸、丙酸、丁酸、戊酸、乙醇、二氧化碳、氢气等。本阶段的产酸发酵速率较快，其末端产物的组成主要取决于厌氧生态条件、底物种类以及参与的微生物种群。该阶段是醋酸的主要生成段，约产生 35%的醋酸和 10%的 H_2、CO_2。

③ 产氢产醋酸阶段。产氢产醋酸阶段主要将产酸发酵阶段中含 2 个碳以上的有机酸和醇类转化成醋酸、H_2 和 CO_2，该阶段也会产生新的细胞物质。本阶段中，氢分压的降低有利于反应向正向进行，几种有机酸的产氢产醋酸速率顺序为：乙醇＞乳酸＞丁酸＞丙酸，该

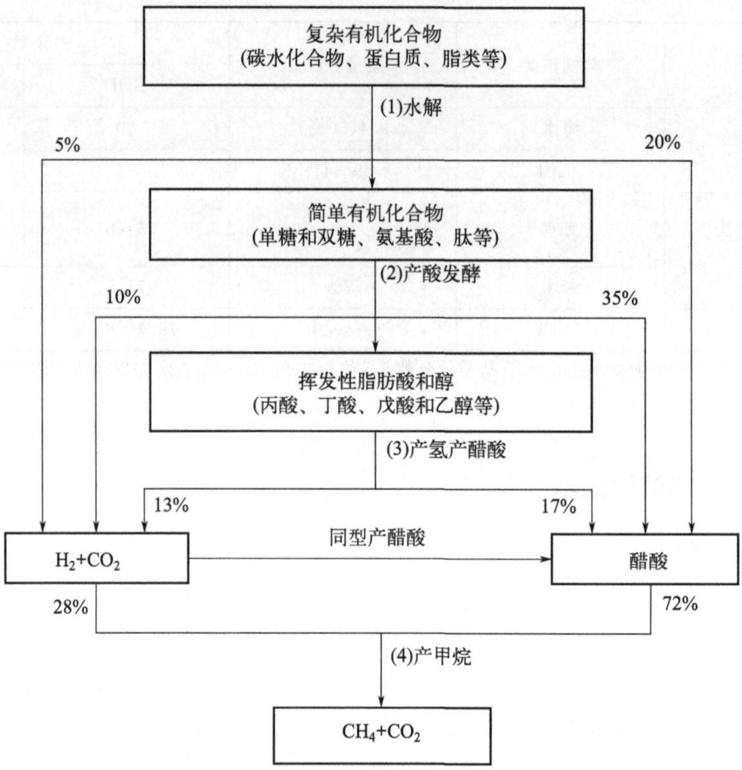

图 6.4 厌氧生化处理过程示意图

阶段约产生 13%的 H_2、CO_2，以及 17%的醋酸。

④ 产甲烷阶段。产甲烷阶段主要是由产甲烷细菌将上述阶段产生的各类酸和 CO_2、H_2 合成转化成 CH_4 和 CO_2 的过程，厌氧生化处理工艺一般在产甲烷阶段结束后完成。由于产甲烷细菌是严格专性厌氧菌，代谢速率较慢，因此这一阶段是整个厌氧生化处理工艺的限速阶段。在本阶段，大量的含碳化合物以 CH_4 和 CO_2 的形式释放，如不合理利用这部分资源，不但会造成资源的浪费，也会导致整体工艺碳排放量的升高，因此是节能降碳的主要控制阶段。

厌氧生化处理技术能够较为有效地去除含盐废水中的有机物，为后端的零排放工艺打好预处理基础。但由于厌氧环境中多发生还原反应，废水中的有机物在缺氧环境下大多以 CH_4 形式释放出来，据计算，每去除 1kg COD 即产生 340L（0.24kg）甲烷，折合约 6kg 的 CO_2 排放量。因此，在实现 COD 高效去除的同时，保持整体工艺的低碳化是未来技术发展的重点方向。

（2）低碳联系与实践

传统的厌氧生化工艺反应终点为产甲烷阶段，其最终产物是 CH_4 和 CO_2，不可避免地造成了碳排放的增加。且产甲烷菌种的代谢时间较长，需要较大的厌氧消化池与相应的设备，导致投资也有一定增加。其次反应过程中需要保证较高的温度（30℃以上），故产生了较高的能耗。综上，厌氧消化工艺在低碳减排方面不尽如人意，不但会直接排放 CH_4 和 CO_2，还需要消耗较多能源，故需要从减排和减耗上同时对工艺进行改良。

① 水解酸化工艺。从原理上讲，水解酸化工艺选择了厌氧生化工艺的前两个阶段，取

消了产氢产醋酸和产甲烷阶段，但由于主要目的不同，因此是两种不同的处理方法。水解酸化段的目的是将含盐废水中难生物降解的物质转变成易生物降解的物质，提高废水可生化性，使更多的有机物可在好氧生化处理阶段去除，达到更高的 COD 去除率。传统厌氧生化工艺前三阶段的目的则主要是为产甲烷阶段提供所需的基质与原料。从具体工艺实施来说，二者的比较如表 6.6 所示。

表 6.6　水解酸化与厌氧生化处理的比较

工艺项目	水解酸化段	厌氧生化段
氧化还原电位/mV	0	＜－300
pH 值	6.5～7.5	6.8～7.2
温度	不控制	控制
优势微生物	兼性菌	厌氧菌(甲烷菌)
产气中甲烷含量	极少	大量
最终产物	低浓度的有机酸	CH_4、CO_2

由表 6.6 可知，水解酸化工艺有以下优点：

a. 水解、产酸阶段的产物主要为小分子有机物，可生物降解性一般较好。故水解池可以改变原污水的可生化性，从而减少反应的时间和处理的能耗，为下阶段生化处理打好基础。

b. 对固体有机物的降解可减少污泥量，工艺仅产生很少的难厌氧降解的生物活性污泥，故可实现污水、污泥一次性处理，不需要使用需经常加热的中温消化池。

c. 不需要密闭的池，不需要搅拌器，不需要水、气、固三相分离器，降低了造价，便于维护。由于这些特点，可以设计出适应大、中、小型污水处理厂所需的构筑物。

d. 反应控制在厌氧阶段完成之前，出水无厌氧发酵的刺激性气味，可改善处理厂的环境。

e. 水解、产酸阶段反应迅速，故水解池体积小，与初次沉淀池相当，节省基建投资。

此外，水解酸化工艺目标产物为低浓度有机酸，显著减少了 CH_4 和 CO_2 的排放。且其 pH 值控制范围更宽松，无须控温，减少了能耗和药耗，有极为明显的节能减碳属性。

② 厌氧沼气综合利用技术。基于厌氧生化处理技术会产生大量沼气（CH_4），如果合理利用，不但能减少工程的碳排放，还能取得极大的能源收益。厌氧沼气综合利用技术即是利用厌氧生化处理产生的沼气资源来开展发电、供热、化学原料生产等各类综合服务，将所产生的沼气价值变现的技术。具体利用方式见表 6.7。

表 6.7　厌氧沼气综合利用方式

方式		适用性
沼气供热		产气量小于 100m^3/h 项目周边有用热需求 项目自身热需求较大
沼气发电	自用	电费昂贵、自身用电量大 作为其他方式不适用时的替代
	并网	装机功率大于 1MW 可通过审核获得并网证

续表

<table>
<tr><th colspan="2">方式</th><th>适用性</th></tr>
<tr><td rowspan="3">沼气供天然气</td><td>进天然气管网</td><td>产气量大
可就近并入天然气管网</td></tr>
<tr><td>制 CNG</td><td>产气量大
附近有 CNG 需求或可自建加气站</td></tr>
<tr><td>制 LNG</td><td>产气量大
LNG 市场需求大，价格高</td></tr>
<tr><td colspan="2">沼气重整制氢</td><td>产气量大
附近有氢能需求，价格高</td></tr>
</table>

泰兴经济开发区内某年产 $12000m^3/d$ 高浓度废水资源化工程沼气发电项目即对项目所产生沼气进行了发电和余热回用。该项目的厌氧工段日处理废水 $12000m^3$，产生可供给沼气发电机组作为燃料的高浓度沼气约 2553 万 m^3/a（标准状况），沼气中甲烷含量大于 60%。项目配套建设装机规模为 5600kW 的沼气发电机组，机组发电并网。沼气发电燃烧过程产生的约 350℃的高温废气通过余热回收装置降至 200℃以下排入空气，余热回收产生的饱和蒸汽输送至项目厌氧工段用于保温。该项目满负荷运行时年产电可达 48GW・h，以 1kW・h 电力折合 0.785kg CO_2 排放计算，可减少 3.8×10^4t CO_2 排放，是一种极其有前景的低碳技术。

6.2.2.3 好氧生化处理技术

（1）定义与原理

好氧生化处理技术是指在好氧微生物的参与下，将废水中的有机物质消化分解成二氧化碳和水，从而深度净化水质的技术。其主要原理是：好氧微生物在富氧条件下会产生一种酶，这种酶会将废水中的有机物分解成小分子无机物，如二氧化碳、水和无机盐等物质；而有机物分解过程中产生的能量则被微生物用来生存和繁殖。此外，好氧生化处理技术还能够同步去除废水中的氮、磷等污染元素，具有高效去污的特性。在实际工程中，为保证好氧微生物的活性和繁殖速率，需要对溶解氧含量、温度、pH 值等进行严格的控制。

（2）低碳联系与实践

由于好氧生化处理技术产生的 CO_2 属于生源性 COD 产生的 CO_2，以 IPCC 指南为标准，该部分的 CO_2 暂不纳入国家碳排放总量的核算范围。而且该技术所需药耗较少，药耗带来的间接碳排放也较低，故好氧生化处理技术的主要碳排放则来源于过程中的各类设备能耗。曝气供氧能耗约占好氧生化处理技术总电耗的 35%～55%，是该技术最主要的能耗。此外，为提高好氧生化处理技术在高盐环境下的处理效率，对高盐度好氧颗粒污泥的驯化培养也是提高好氧技术泛用性的重要环节。

① 曝气工艺单元优化。为了减少好氧过程的曝气能耗，国内学者已进行了部分研究。有研究者研究了交替曝气和持续曝气对污染物去除率和污泥特性的影响，发现交替曝气对 COD、氨氮、总磷等去除率影响不大，总氮去除率增加，且可节约 38.1%的曝气能耗需求；同时，曝气强度从 120L/h 降至 80L/h 时，总氮去除率由 82.3%升高到 86.99%。

在 2021 年，广东省某污水处理厂遇到了进水碳源不足的问题，BOD/TN 小于 3。为了减少碳源的消耗，提高除氮效率，自 2021 年 4 月开始，该污水处理厂采用“单沟交替曝气法”，即通过调整曝气管路电磁阀开度和鼓风机频率来实现间歇曝气自动控制调控。经调整后，碳源醋酸钠用量降低 50%以上，总氮、氨氮出水稳定达标。实现自动控制后，电耗由 0.0536kW·h/t 降至 0.0501kW·h/t，且智能间歇曝气对于水量较大的厂，有更好的节能潜力。

② 好氧颗粒污泥耐盐驯化。好氧颗粒污泥（AGS）是一种较特殊的生物膜结构，通过微生物的自凝聚逐渐颗粒化。它具有优良的沉降性能，微生物浓度高，对污染物去除能力强。由于好氧颗粒污泥不易发生膨胀、承受有机负荷高、抗冲击能力强，故在高有机、高含盐废水中有较好的应用。大量学者对好氧颗粒污泥的耐盐去污效果展开了研究：有研究者提出好氧颗粒污泥对 3%盐浓度废水的 COD 去除率达 91%，氨氮去除率达 72%；也有研究者将好氧颗粒污泥储存在 5%盐浓度废水中达 187 天，并将其成功活化，稳定运行。

在工程应用方面，目前好氧颗粒污泥工艺在全球已有约 70 多个工程应用案例，而在我国应用的却极少。本技术已在淅川县处理规模 1000m^3/d 的污水处理厂中得到应用，具体平面图如图 6.5 所示，该工程采用好氧颗粒污泥技术替代循环式活性污泥（CAST）技术，由于采用了全面智能自控管理，工作人员由原来的 5 人降至 1 人，只需原有 1/3 的占地即可达到同样去污效率。

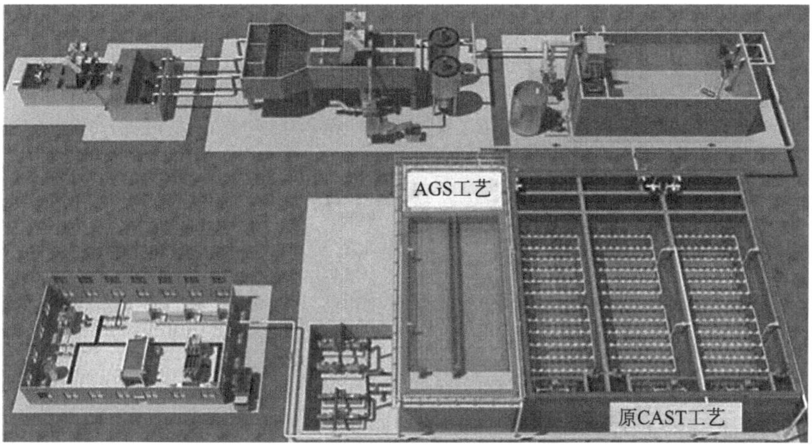

图 6.5　好氧颗粒污泥工艺示范

节能降耗、减碳减排是当今污水处理的主题。好氧颗粒污泥技术解决了传统反应器平面占地面积大、投资高、能耗高之缺陷，已被称为下一代污水处理技术。相较于传统活性污泥工艺，好氧颗粒污泥工艺因其密实的颗粒化形态，可聚集很高的污泥浓度，在相同处理规模和负荷条件下，至少可节约占地 50%，降低运行成本 35%，是一种优选的低碳污水处理工艺。

6.2.2.4　硝化/反硝化处理技术

（1）定义与原理

根据《污水综合排放标准》（GB 8978—1996）的要求，医药原料药、染料、石油化工工业等行业氨氮排放的一级标准为 15mg/L，二级排放标准为 50mg/L。以上行业废水中含盐量和含氮量均较高，故需要采用合适的工艺来去除含盐废水中的氨氮，保证出水稳定达标。

生物的硝化技术是指在好氧条件下，硝化菌将废水中的氨氮氧化为亚硝酸盐或硝酸盐。包括两个基本反应步骤：由亚硝酸菌参与的将氨氮转化为亚硝酸盐的反应；由硝酸菌参与的将亚硝酸盐转化为硝酸盐的反应。亚硝酸菌和硝酸菌都是自养菌，它们利用废水中的碳源，通过与 NH_3-N 的氧化还原反应获得能量。反应方程式如下：

$$2NH_4^+ + 3O_2 \longrightarrow 2NO_2^- + 2H_2O + 4H^+ \tag{6.3}$$

$$2NO_2^- + O_2 \longrightarrow 2NO_3^- \tag{6.4}$$

生物的反硝化技术是指微生物将硝化过程中产生的硝酸盐和亚硝酸盐通过一系列中间产物还原成氮气的生物化学过程，将产生这一作用的一类细菌统称为反硝化菌。在无氧条件下，反硝化菌吸收有机物作为碳源以及电子供体提供能量，以硝酸盐和亚硝酸盐中的 N 原子作为电子受体，O^{2-} 作为电子供体，完成废水中氮的脱除。反硝化反应过程以如下方程式表示。

总反应：

$$2NO_3^- + 12H^+ + 10e^- \longrightarrow N_2 + 6H_2O \tag{6.5}$$

分反应：

硝酸盐还原为亚硝酸盐：

$$2NO_3^- + 4H^+ + 4e^- \longrightarrow 2NO_2^- + 2H_2O \tag{6.6}$$

亚硝酸盐还原为一氧化氮：

$$2NO_2^- + 4H^+ + 2e^- \longrightarrow 2NO + 2H_2O \tag{6.7}$$

一氧化氮还原为一氧化二氮：

$$2NO + 2H^+ + 2e^- \longrightarrow N_2O + H_2O \tag{6.8}$$

一氧化二氮还原为氮气：

$$N_2O + 2H^+ + 2e^- \longrightarrow N_2 + H_2O \tag{6.9}$$

（2）低碳联系与实践

硝化处理技术和反硝化处理技术的联用能够针对性地去除含盐废水中的总氮，但在该工艺中，存在以下碳排放的过程：在反硝化脱氮阶段会产生副产物 N_2O，引起直接碳排放；硝化池和反硝化池中污泥回流以及好氧鼓风机曝气所产生的电耗及能耗等间接碳排放；在反硝化碳源不足时额外补充碳源所产生的药耗对应的间接碳排放。针对各个碳排放过程的工艺优化和调节，有如下方法：

① 减少 N_2O 产生与排放。污水处理生物脱氮过程中的 N_2O 是直接的碳排放源，其大气升温效应比 CO_2 高出 265 倍。N_2O 的产生源于硝化与反硝化过程，是一种中间产物，主要涉及亚硝化及其同步反硝化、常规异养反硝化、同步异养硝化-好氧反硝化和全程氨氧化等生物途径。而亚硝化及其同步反硝化两者的 N_2O 排放量占总氮负荷的 13.3%，已被确认为是污水处理生物脱氮过程中 N_2O 排放的首要原因。其主要是因为硝化过程溶解氧受限引起 NO_2^- 积累所诱发的反硝化过程，为防止 N_2O 的生成，应着力促进完全反硝化且避免亚硝化。

减少 N_2O 的排放主要从硝化和反硝化两个过程同时进行。硝化过程中，需保持溶解氧含量大于 2mg/L，保证硝化反应能够顺利进行到 NO_3^-，避免因氧含量不足而导致氧化过程不彻底的情况发生。反硝化过程中，需要外加足量的碳源供应反硝化过程能量，以将 NO_3^- 全部转化为 N_2。此外，在硝化池中的氧含量过高时会随污泥回流携带入反硝化池，造成反硝化菌活性受抑制，因此，含氧量与污泥回流比的控制也是减少 N_2O 排放的关键。

② 硫自养反硝化技术。传统的废水生化脱氮技术虽然技术成熟、脱氮效果好，但用于处理低碳氮比废水时，需要外加碳源作为电子供体，而过量添加的碳源也会增加后端污水处理设施的负担，碳源的添加也增加了额外的碳排放。因此，硫自养反硝化技术由于无须外加碳源、无过量电子供体风险、产泥量少等优势，成了一种新型脱氮技术。

硫自养反硝化技术的原理是：硫自养反硝化细菌在缺氧或厌氧条件下，利用无机碳（CO_3^{2-}、HCO_3^-）作为碳源，以低价硫为电子供体，硝酸根为电子受体，将硝酸根还原为 N_2 的过程。由于硫单质廉价高效，具有不溶于水、无生物毒性的优点，故成了目前最有希望替代外加碳源的物质。硫自养反硝化的反应机理为：

$$5S+6NO_3^- +2H_2O \longrightarrow 5SO_4^{2-} +3N_2+4H^+ \tag{6.10}$$

不同电子供体的生物质产量、除氮速率和除氮成本均有所差异，如表 6.8 所示。可知甲醇等外加碳源虽然有较高的除氮效率，但也具有成本高、污泥产量大等缺点，碳源的加入也增加了间接碳排放量。而电子供体采用硫及其化合物时，污泥产量普遍较低，成本也有所下降。从原料获取难易、工程应用等角度综合考虑，采用硫单质会有较好的环保低碳属性，也具有较强的应用前景。

表 6.8　不同电子供体的生物质产量、除氮速率和除氮成本对比

电子供体	生物质产量/(g MLVSS/g NO_3^-)	除氮速率/[g/(g MLVSS·d)]	电子供体价格/(元/kg)	氮转化量/(kg/kg)	电子供体成本/(元/kg)	优点	缺点
甲醇	0.56	1.36	2.75	2.47	6.79	效率高	属外加碳源
硫单质	0.29	0.16	1.16	2.39	2.77	原料易得，可作载体	易堵塞，有沟流现象
硫化物	0.34	0.37	0.83	1.43	1.19	可废物利用	效率偏低
硫代硫酸盐	0.22	1.53	1.61	2.86	4.60	效率高	成本高

注：MLVSS 表示混合液挥发性悬浮固体浓度。

③ 新型硝化/反硝化生物脱氮技术。在传统的硝化和反硝化技术中，由于两种技术氧需求和碳源需求不同，很难在同一反应器中进行，造成了占地面积大、能耗高、脱氮效率低等工程问题。最新发现了一部分新型的异氧硝化-好氧反硝化脱氮菌，可在好氧环境中直接实现两个步骤，完成废水中氮的脱除。由于此类的细菌一般都生长于淡水和低含盐环境中，在高含盐废水中的脱氮效率仍然较低，应用受限。胡杰等在含盐废水处理的活性污泥中分离出一种异氧硝化-好氧反硝化脱氮菌 Y5，在总氮浓度 400mg/L、盐浓度 15%以内的高盐高氨氮条件下，可使总氮去除率达到 90%以上，且对氨氮和硝酸盐氮的脱氮速率分别达到 6.77mg/(L·h) 和 5.56mg/(L·h)。证实了在高盐环境中，也可采用较为经济的新型硝化/反硝化技术高效去除废水中的总氮，为后续的废水零排放工序做铺垫。

6.2.3　高级氧化法

高级氧化法（advanced oxidation process，AOP）是一种深度氧化技术，其主要原理是通过各种方式产生具有强氧化能力的自由基，再通过自由基与污染物之间的加合、取代、电子转移等方式，使大分子难降解有机物氧化成低毒性或无毒性的小分子物质。根据产生自由基的方式与反应条件，一般高级氧化法有以下几种：光化学氧化、催化湿式氧化、超声化学氧化、臭氧氧化、电化学氧化、Fenton 氧化法等。

表 6.9 显示了各类强氧化剂的标准氧化电位，各类氧化剂的氧化电位越高，则代表其具有更强的氧化能力。虽然氟具有最高的氧化电位，但其对环境具有较大的污染，而仅次于氟的·OH 具有氧化电位高、氧化产物无污染的优点，成了最佳的高级氧化工艺。

表 6.9 各类强氧化剂的标准氧化电位

氧化剂	氧化产物	氧化电位/V	反应式
F_2	HF	3.06	$F_2+2H^++2e^-$ ══ $2HF$
·OH	H_2O	2.80	$\cdot OH+H^++e^-$ ══ H_2O
O_3	O_2	2.07	$O_3+2H^++2e^-$ ══ H_2O+O_2
H_2O_2	H_2O	1.77	$H_2O_2+2H^++2e^-$ ══ $2H_2O$
MnO_4^-	MnO_2	1.70	$MnO_4^-+8H^++5e^-$ ══ $4H_2O+Mn^{2+}$
HClO	Cl^-	1.49	$HClO+H^++2e^-$ ══ H_2O+Cl^-
Cl_2	Cl^-	1.36	Cl_2+2e^- ══ $2Cl^-$

高级氧化法的反应速度快，适用范围广，可诱发链式反应，使难以通过生物降解的有机物可生化性提高，操作简单，易于控制和管理。集优点于一身的高级氧化法，现已成为治理生物难降解有机有毒污染物的重要手段。由于各种高级氧化法对不同污染物的去除能力各不相同，故实际工程上多采用多种高级氧化法相互耦合的工艺以达到最佳的净化效果。

在采用高级氧化法处理含盐废水过程中，仍然存在较多的碳排放过程。一方面，高级氧化工艺在产生·OH 的过程中需要消耗较高的电能和大量的药剂，形成间接碳排放；另一方面，部分高级氧化工艺在处理过程中会额外产生部分废物（如 Fenton 氧化形成污泥），废物的无害化处理也是碳排放的一个重要来源。在工程项目中，需要在保证出水稳定达标的情况下，选择能耗较低、碳排放较少的工艺路线，方可实现经济效益与环境效益的最大化。

6.2.3.1 Fenton 氧化法

（1）定义与原理

Fenton 氧化法是废水处理领域中应用较广泛的高级氧化工艺。其原理是：在强酸性的条件下，H_2O_2 在催化剂 Fe^{2+} 的作用下快速发生链式反应，产生大量羟基自由基（·OH），从而降解废水中的有机物。Fenton 氧化技术在印染废水、含油废水、含酚废水、焦化废水、含硝基苯废水、含二苯胺废水等废水处理中有很广泛的应用。其主要原理是：在酸性条件下，H_2O_2 与 Fe^{2+} 反应后分解成 OH^- 和·OH，再形成链式反应产生更多其他的自由基，自由基破坏有机质分子使其矿化，转化成 CO_2、H_2O 等无机质。其主要反应式为：

$$Fe^{2+}+H_2O_2 = Fe^{3+}+HO\cdot+OH^- \tag{6.11}$$

$$Fe^{3+}+H_2O_2 = Fe^{2+}+HO_2\cdot+H^+ \tag{6.12}$$

$$HO_2\cdot+H_2O_2 = HO\cdot+O_2+H_2O \tag{6.13}$$

一般来说，Fenton 氧化法的进水应该符合以下条件：a. 废水在酸性条件下不产生有毒有害气体（硫离子、氰根离子）；b. 进水氯离子、磷酸根离子、碳酸氢根离子等影响 Fenton 氧化反应离子的浓度在一定范围内。Fenton 氧化法对废水中的有机污染物有很强的氧化能力，反应速度快，投资低，后续经中和沉淀后的出水可以达到预处理的目的。但 Fenton 反应一般在 pH 值为 2～4 的条件下进行，反应后一般需调 pH 值至弱碱性将 Fe^{3+} 离子以污泥形式析出，因此在一定程度上也影响了该方法的推广应用。

（2）低碳联系与实践

在 Fenton 氧化工艺中，主要有以下几个碳排放过程：a. 投加催化剂硫酸亚铁以及反应试剂双氧水造成的药剂消耗；b. 调节 pH 值所用酸碱消耗以及絮凝剂的药剂消耗；c. 反应产生的氧化污泥的处置所产生的排放。

① 合理控制药剂消耗。虽然 Fenton 氧化法投资成本只需生化系统的 1/4～1/3，但在运行过程中需要较大的药剂耗量，主要有：

a. 常规的 Fenton 氧化工艺需调节 pH 值至 2～4 方可发生反应，而后端沉淀 Fe^{3+} 和生化工艺均需调节 pH 值至 7～8，需要大量的酸碱试剂。

b. 废水中 COD 含量与双氧水用量需控制在 c（H_2O_2，mg/L）∶c（COD，mg/L）= 1∶1～2∶1，而催化剂 Fe^{2+} 用量与双氧水用量宜为 c（H_2O_2，mg/L）∶c（Fe^{2+}，mg/L）= 1∶1～10∶1。每处理 1kg COD，共需质量分数 27.5% 的双氧水 3.5L，$FeSO_4 \cdot 7H_2O$ 约 0.9kg。

综上，当含盐废水处理量较大时，pH 值调节的药耗较高；当含盐废水中 COD 浓度较高时，双氧水和硫酸亚铁的药耗较高。故废水水量较低、COD 较少时，Fenton 氧化法作为深度处理技术的成本较低。此外，经 Fenton 氧化处理后，废水中的大分子有机物多被分解成小分子有机物，废水可生化性大幅提高。因此以提高可生化性为前提，适当减少药剂使用，作为生化工艺的预处理手段，也是 Fenton 的一种常见运用思路。

② Fenton 污泥资源化利用。Fenton 反应产生的大量污泥中，含铁质量分数可达到 30%～60%，且还包括部分难降解有机物和其他重金属。此类污泥属于危险废物，处理污泥的费用占总运营成本的 35%～50%。其资源化途径有三种：

a. 直接回用到 Fenton 氧化反应中，污泥中的 Fe^{3+} 在酸性条件下溶出，重新参与到反应中。该方法虽然能利用到一部分的 Fe^{3+}，但 COD 去除率却有了较为明显的下降，且污泥中由于絮凝作用捕集的部分有机污染物和重金属又重新溶于废水中，反而加重污染，无法实现资源化和减碳。

b. 将污泥中的 Fe^{3+} 通过还原剂、电化学、焙烧、微生物等处理方式还原成 Fe^{2+}，但用这几种方式回收铁元素均会引入额外的能源和药剂的消耗，在经济性和减碳方面该方式并不利于工业化。

c. 将 Fenton 氧化污泥投加到厌氧消化池中，通过异氧还原菌将 Fe^{3+} 还原为 Fe^{2+}，氧化污泥中的剩余有机物作为电子供体也被微生物降解，且粒径较小的可溶性铁离子也有利于微生物的吸收利用。但污泥中的重金属过高时，会对微生物的反应有抑制作用。目前，这种工艺的研究相对较少，工艺参数仍需进一步优化。

在含盐废水的预处理工艺中，Fenton 氧化法处理效果不受盐分影响，较为稳定成熟，耐冲击负荷强；但也不可避免地引入了硫酸根和钠离子，在后续的零排放体系内需要增加分盐工艺。

现已有 Fenton 氧化法在高含盐废水中的应用案例。

① 宁夏回族自治区中卫市某工业园区积存高含盐工业废水，储量约 260 万 m^3，含盐量较高（TDS 浓度约 3×10^4 mg/L），且含有大量苯系物、杂环化合物等难降解有机物，进水 COD 约 150mg/L，SS≤30mg/L，色度≤70 倍，pH 值在 5～9。采用 Fenton 氧化处理系统，项目设计水质：COD≤50mg/L，SS≤10mg/L，色度≤30 倍，pH 值在 6～9。在反应过程中，投加 H_2O_2 浓度为 982mg/L，$FeSO_4\cdot7H_2O$ 浓度为 1379mg/L，反应时间 50min，出水可达一级 A 标准。该工程单位水量的总处理成本为 2.81 元/m^3，其中药剂成本为 2.36 元/m^3。

② 腾格里沙漠某工业园区化工厂内，进水 COD 约 1.21×10^4 mg/L，色度为 2560 倍，TDS 约 3.56×10^5 mg/L，pH 值为 7.8。在经过 Fenton 氧化法处理后，COD 降至 4000mg/L，色度低于 500 倍。其中 H_2O_2 投加量为 18000mg/L，处理药剂费用 231 元/t，总运行费用 273.36 元/t。可知药剂成本是 Fenton 氧化法的最主要成本，但在工程项目中，Fenton 氧化工艺的投资和运行的综合成本要比蒸发结晶填埋、焚烧以及直接焚烧等工艺路线的综合成本低。

6.2.3.2 臭氧氧化法

(1) 定义与原理

臭氧氧化法有直接反应和间接反应两种模式。在直接反应中，臭氧与有机物直接发生反应，通过臭氧的强氧化性来氧化不饱和脂肪烃和芳香烃等具有双键的有机物，具有一定的选择性；在间接反应中，臭氧在水中分解后会生成羟基自由基（·OH），将难以用臭氧单独氧化或臭氧氧化分解不彻底的有机物进行分解和矿化，间接反应的氧化过程无选择性，反应速率快。臭氧氧化的选择性（表 6.10）使得废水中的 COD 和 TOC 难以彻底去除，臭氧氧化有机物的反应顺序为：链烯烃＞胺＞酚＞多环芳香烃＞醇＞醛＞链烷烃。臭氧氧化一般可作为生化预处理技术或与其他技术联合使用以增强有机物去除效果。

表 6.10　不同物质与臭氧的反应速率常数

物质名称	$K/[L/(mol\cdot s)]$	物质名称	$K/[L/(mol\cdot s)]$
H_2S	3109	NH_3	5
Cl^-	$>10^4$	HOCN	$<10^{-2}$
苯酚	10^3	醋酸	$<3\times10^{-3}$
富马酸	10^5	硝基苯	0.09

与 Fenton 氧化法 pH 值在 2～4 的强酸性环境不同，臭氧氧化法的最佳 pH 值在 7～9，臭氧本身的氧化能力与 pH 值相关，且在水中的分解速度随 pH 值的提高而加快，pH 值提高一个单位，臭氧分解·OH 的速率就大约快三倍。因此，对于本身呈中性或碱性的废水，臭氧氧化法可节约较多的用酸成本，也可有较高的处理效率。需要注意的是，废水中的有机物与·OH 结合后生成小分子有机酸醛类物质，导致 pH 值随氧化过程的进行而逐渐下降，臭氧氧化在工程运行中需要不断调节 pH 值，保证氧化反应在弱碱性环境下进行。

优点：

a. 臭氧对臭味、色度、细菌、有机物和无机物都有显著的去除效果；

b. 废水经处理后，残留于废水中的臭氧容易自行分解，一般不产生二次污染，并且能增加水中的溶解氧；

c. 制备臭氧用的带电荷的空气不必储存和运输，操作管理也比较方便；

d. 处理含盐废水时，在增加废水可生化性过程中，不会增加废水的含盐量，有较好的应用前景。

缺点：

a. 臭氧发生器耗电量较大，运行成本较高；

b. 高浓度臭氧是有毒气体，对眼睛及呼吸器官都有强烈的刺激作用，因此在操作时应该注意个人防护，并加强通风；

c. 臭氧具有强腐蚀性，与之接触的容器、管路等均应采用耐腐蚀材料或做防腐处理；

d. 臭氧的利用率较低，造成投加量增加。

（2）低碳联系与实践

在臭氧氧化工艺中，主要有以下几个碳排放过程：a. 臭氧本身就是重要的温室气体之一，在臭氧以气体形式与有机物反应和自身分解的过程中，不可避免地会有部分臭氧泄漏到大气中，造成直接碳排放；b. 臭氧易于分解，无法保存，一般采用臭氧发生器现场制取直接使用，因消耗电能产生间接碳排放。因此在实际工程应用中，为减少臭氧氧化法的碳排放，一方面需要提高臭氧的利用率，减少臭氧的散逸；另一方面，可选取能耗较低、臭氧纯度较高的臭氧发生器。

① 提高臭氧利用率　臭氧氧化水中有机污染物主要是臭氧从气相传至液相，扩散后再与污染物进行反应，因此臭氧的两相传质效率直接影响了臭氧利用率和处理效果。

第一，减小臭氧气泡尺寸。在臭氧流量一定的情况下，气泡尺寸越小，其相界面积越大，过程总传质速率和臭氧利用率提高。

第二，降低废水中悬浮物含量。各类悬浮物中包括较多生物絮体，这些生物絮体会优先与臭氧发生反应，增加臭氧消耗和投加量，需要提前采用混凝预处理技术加以去除。

第三，研发优化新型臭氧催化剂，提高·OH 转化速率，并降低催化剂的絮体截留作用，保证臭氧氧化的高效节能。

② 降低臭氧发生器能耗　目前国内 50kg/h 以上的大型臭氧发生器生产技术已经非常先进，甚至可以生产 100kg/h 以上规模的臭氧发生器，在国内招标中已经逐渐取代了进口大型臭氧发生器。大型臭氧发生器的臭氧功耗可以低于 7kW·h/kg（以臭氧计，氧气源，25℃冷水条件下），臭氧浓度在 6%～14%间可调，功率因数不小于 0.95。臭氧发生器生产技术和性能已达到国际先进水平，使得臭氧技术应用于大规模工业废水处理工艺成为可能。

国内已有大量采用臭氧氧化技术处理高盐废水的应用案例，榆林某煤化工企业煤制油项目污水系统产生的反渗透浓水即采用了臭氧氧化工艺处理，如图 6.6 所示。其进水处理水量 $150m^3/h$，pH 值偏碱性，COD 约 112mg/L，电导率高达 19920μS/cm。经验证后发现，采用臭氧协同双氧水的处理方案效果要优于单独使用臭氧的处理方案，双氧水可在水中生成中间体和催化剂一起促进·OH 的生成。在臭氧投加量 270mg/L，双氧水投加量 40mg/L 时，出水 COD 可降至 50mg/L 以下。以产生 1kg 臭氧需 10kW·h 的电耗计算，该工程每处理 1t 水，臭氧发生器电耗约 2.7kW·h，约 2.16 元。

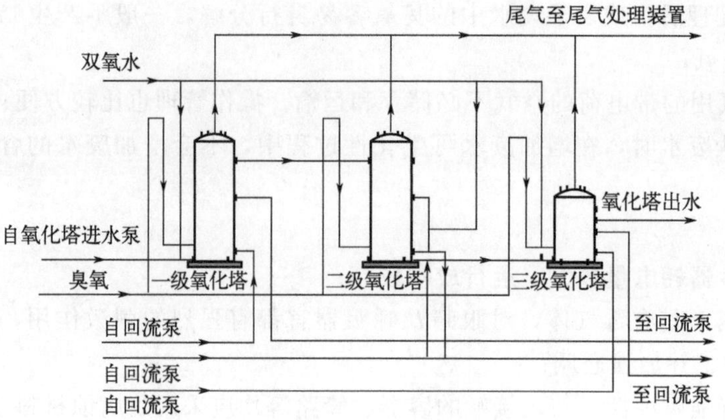

图 6.6　臭氧协同双氧水催化氧化装置

6.2.3.3　电化学氧化法

(1) 定义与原理

电化学氧化法是指在电解槽等外加电场的作用下，在具有电催化性能的阳极电极表面夺取电子直接氧化有机物，或者在电化学作用下产生具有氧化性的活性物质降解有机物。可根据两种反应的原理分为直接电化学氧化和间接电化学氧化，两种反应一般是同时发生的。

直接电化学氧化的反应位置一般在阳极附近，阳极与有机污染物直接形成电荷的转移，使有机污染物发生氧化。但发生氧化反应的位置限制在了阳极表面，因此污染物整体的降解速率较低。此外，由于电压超过 1.23V 就能够电解水，故电化学氧化的电位必须低于水电解的电位，因而氧化有机物的能力相对较弱。

间接电化学氧化是指在电极表面生成具有强氧化性的物质（·OH 和 HClO 等），这些物质再与有机污染物反应从而净化水体。其中，水在阳极表面会被氧化成吸附态的·OH，这些·OH 再把有机污染物氧化成水和二氧化碳；在水中含氯离子的情况下，也可生成氯气，氯气再水解成次氯酸和次氯酸根，加速有机污染物的降解反应，如式（6.14）～式（6.18）所示。

$$M+H_2 = M(\cdot OH)+H^+ +e^- \tag{6.14}$$

$$M(\cdot OH)+R = M+xCO_2+yH_2O+H^+ +e^- \tag{6.15}$$

$$2Cl^- = Cl_2+2e^- \tag{6.16}$$

$$Cl_2+H_2O = HClO+Cl^- +H^+ \tag{6.17}$$

$$HClO = H^+ +ClO^- \tag{6.18}$$

由原理可知，电化学氧化的处理效率主要取决于溶液中污染物与阳极表面或其附近区域的传质效率，而阳极材料的特性是影响传质的主要原因。电化学高级氧化体系的阳极材料一般需要具有导电性好、机械强度高、使用寿命长等特点，目前常见电极主要有 RuO_2、IrO_2、Pt、石墨、Ti_4O_7、PbO_2、SnO_2、BDD（掺硼金刚石）等，析氧电位如下表 6.11 所示。当析氧电位较大时，·OH 等活性自由基与电极的作用力较弱，从而更多地与污染物接触，净化效果越好。

表 6.11 各类阳极材料析氧电位对比

阳极材料	析氧电位/V
RuO_2	1.4～1.7
IrO_2	1.5～1.8
Pt	1.6～1.9
石墨	1.7
Ti_4O_7	1.7～1.8
PbO_2	1.8～2.0
SnO_2	1.9～2.2
BDD	2.2～2.6

电化学氧化法在处理含盐废水时，有以下几个特点：

① 工艺设备相对简单，操作方便，基本结构为电极、电源、反应器；

② 工艺参数控制自动化程度高，调节精准；

③ 对水质适应性强，对污染物的分解作用没有选择性；

④ 没有二次污染，不产生污泥，降解彻底；

⑤ 功能多样化，在去除有机物时，还有消毒、气浮、絮凝等功能；

⑥ 电流效率低，成本较高；

⑦ 含盐废水中含有大量 Na^+、Ca^{2+}、Cl^-、SO_4^{2-} 等无机离子，使废水具有较高的导电性，适配度极高。

（2）低碳联系与实践

电化学氧化法虽然有极高的 COD 去除效率以及各种无差别分解污染物的优点，但因为其能耗较高的属性，无法获得应用，高电耗的特点也使其无法在“低碳技术”领域立足。电化学氧化技术现有的工程应用较少，大多停留在小试和中试阶段。

马鹏飞研究了盐度对电化学氧化过程中高能耗问题的影响，经研究，在电解质较少时，可达 70%的 TOC 去除率，所对应运行成本为 302.4 元/m^3；但添加 0.05mmol/L Na_2SO_4 作为电解质后，槽电压显著降低，达到相同去除率所需运行成本降至 27 元/m^3，且在使用具有非常低极板间距离（50μm）的微流体反应器时，槽电压较低，质量传质效率较高，在不添加电解质条件下即可取得 80%的 TOC 去除率，所对应运行成本仅 15.7 元/m^3。

还有研究者通过电化学氧化法对垃圾渗滤液进行处理，当电流强度为 420A、水力停留时间为 3h，进水流量为 1m^3/L，循环流量为 15m^3/L 时，废水 COD 浓度从 3100mg/L 降至 1311mg/L，去除率达到 57.7%。

6.3 膜处理技术

在工业上，高含盐废水一般包括循环排污水、离子交换酸碱再生废水、中水回用反渗透浓水或者脱硫废水等，这类废水中含有大量杂盐以及难降解有机物。实现工业高盐废水的零排放需要一种系统化的解决方案：通过物理处理和各类化学高级氧化处理，废水中的各类悬浮物、胶体等被去除，对后端蒸发结晶工艺有影响的有机物也被分解；经预处理后的废水，在膜处理工艺段进行浓缩分离，膜分离淡水经简单处理后即可中水回用，而含盐量提高数倍后的膜浓水则进入蒸发结晶工艺实现废水的零排放处理。膜处理技术既作为重要的中水回用工艺又作为蒸发结晶“预处理”工艺段，在整个含盐废水零排放的工艺流程中都具有极为重要的意义。

膜处理技术是指利用膜对高盐废水中不同混合物组分的选择透过性来分离、提纯和浓缩废水的处理技术。膜处理所需动力各不相同，其中，由压力驱动的工艺主要包括微滤(MF)、超滤（UF)、纳滤（NF)、反渗透（RO）等，而反渗透又进一步分为低压反渗透、中压反渗透和高压反渗透；由电位差驱动的工艺主要为电渗析（ED)。如表 6.12 所示，各类膜处理技术的使用范围不同，均具有工艺简单、操作简便、节能高效的优点，其组合设计在零排放项目上已有广泛的应用，已成为支撑水资源、气体分离、能源再生等领域发展的战略性高新技术。

表 6.12　各类膜分离技术特性

膜处理技术	简图	推动力	分离机理	渗透物	截留物
MF	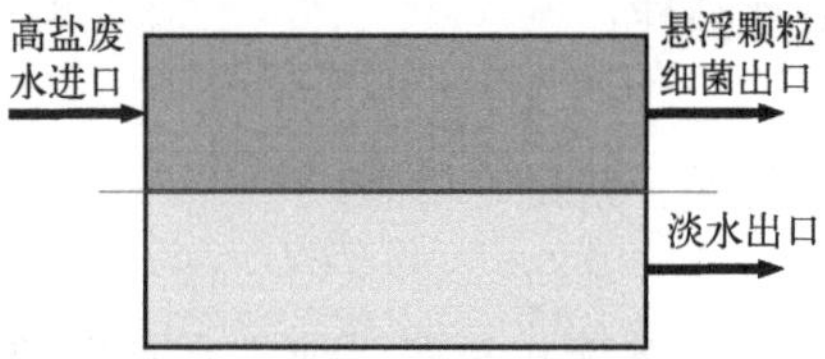	压力差(0.01～0.2MPa)	筛分	水、溶剂、溶解物	悬浮物、颗粒、纤维和细菌
UF	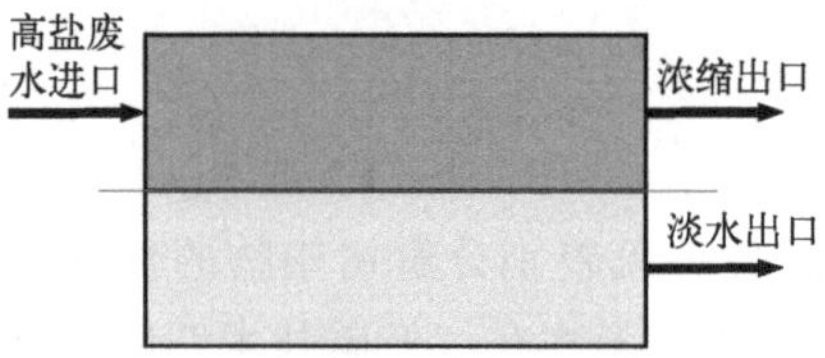	压力差(0.1～0.5MPa)	筛分	水、溶剂、离子和小分子物质(分子量小于1000)	胶体和大分子(分子量在1000～300000)
NF	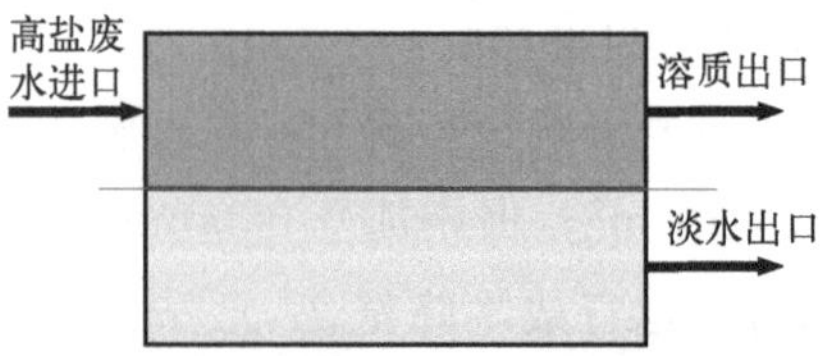	压力差(0.5～2.5MPa)	筛分及溶解扩散	水和溶剂	溶质、二价盐、糖(分子量在200～400)
RO	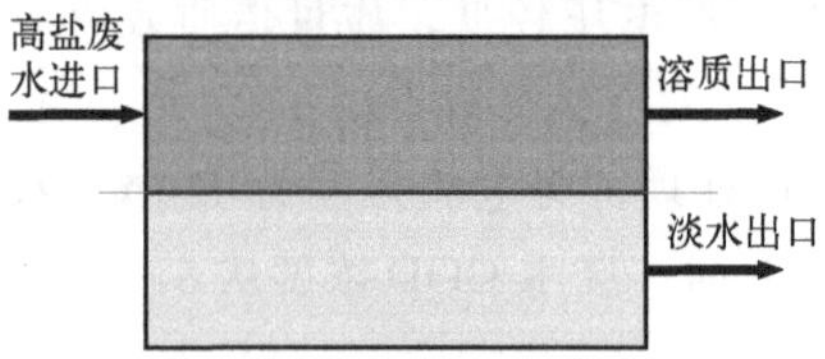	压力差(1.0～2.5MPa)	溶解扩散	水和溶剂	全部悬浮物、溶质和盐
ED	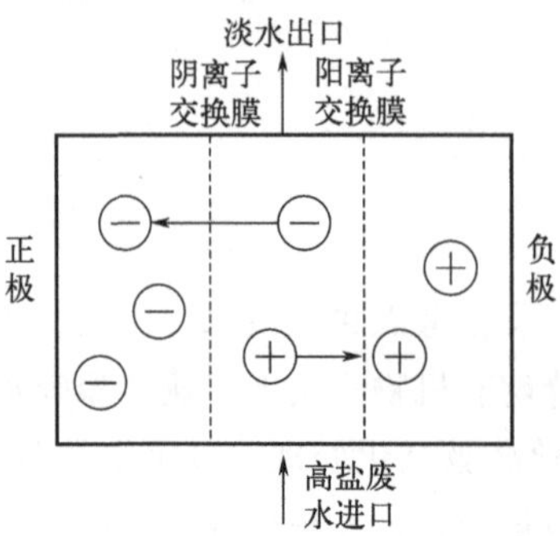	电位差	电离离子	电离离子	非解离和大分子物质

为实现含盐废水的零排放工艺，需要通过膜浓缩处理技术以及蒸发结晶技术等将水从含盐废水中提取出来并回用，剩下的盐再作分盐和资源化处理。以上各种技术在工程应用中，均具有投资成本高、运行电耗昂贵等弊端。但与蒸发结晶技术相比，膜处理技术具有相对投资少、占地面积小、建设周期短、操作简便、易于自控、能耗更低等特点，以海水淡化技术为例，蒸发结晶法处理吨水能耗高达 65kW·h，而膜处理法仅 7kW·h。因此，在进蒸发结晶工艺前先采用低能耗膜处理技术回收大部分水，即可大幅降低高能耗蒸发结晶工艺段的负荷，实现整体工艺的节能和减碳。为减少膜处理技术工段中的碳排放，需要不断优化膜结构与工艺，提高水盐资源回收利用率，延长膜的寿命，降低运行能耗，实现全生命周期的节能与减碳。

6.3.1　微滤和超滤

微滤又称为微孔过滤，它属于精密过滤，其基本原理是筛分过程，在静压差作用下滤除 0.1～10μm 的微粒。微滤膜允许大分子物质和溶解性无机盐等通过，但会截留住悬浮物、细菌及大分子量胶体等物质。

超滤能截留 0.002～0.1μm 之间的大分子物质和蛋白质。超滤膜允许小分子物质和溶解性无机盐等通过，同时截留下胶体、蛋白质、微生物和大分子有机物，是目前大多数项目的反渗透预处理工艺。

微滤和超滤的技术从原理上来说没有本质差异，均属于在压差推动力的作用下，含盐废水中的水和小分子盐从高压侧穿过膜到低压侧，而将大颗粒物质及悬浮物截留在膜高压侧。而微滤和超滤的不同点在于，超滤可截留分子量大于 1000 的各类分子，属于分子级的分离，一般应用于各类废水的浓缩分离和纯化；而微滤属于精密过滤，仅可分离粒径在 0.01～10μm 的微粒，一般应用于制药工业或集成电路工业的除菌过滤以及工业废水的预处理。

一般来说，各类膜处理工艺均可配合使用。反渗透膜、纳滤膜相对价格较高，且各类大分子有机污染物及微粒均对膜的寿命有很大影响，因此微滤和超滤技术一般多用于反渗透膜或其他膜处理技术的前处理，主要用于去除进水中的浊度和有机物等，减轻后端反渗透膜的处理负荷。

6.3.2　反渗透和纳滤

6.3.2.1　反渗透膜处理

反渗透是通过膜两侧渗透压的差异来实现溶剂和其中不同离子的分离。反渗透膜能够实现对溶液中不同种类离子和一些大分子量物质的截留，也可以用来实现一些大分子物质的浓缩提纯、海水淡化和废水处理等。发生反渗透需要两个必要条件：a. 可选择性透过溶剂的反渗透膜；b. 膜两边的静压差需要大于溶液渗透压。由于在实际工程应用中还需克服反渗透膜带来的阻力，因此实际工程应用中压力要大得多，且压力越大，浓缩倍数也越高。

反渗透膜的孔径只有超滤膜的 1/100，因此反渗透水处理设备能够有效去除水质当中的重金属、农药、三氯甲烷等化学污染物，也更多地被用来对煤化工领域中产生的高盐废水进行脱盐处理。目前，几乎所有的高盐废水核心回收技术都是基于反渗透的。

反渗透技术在应用过程中，受到多种工艺参数的影响，如温度、pH 值、悬浮固体和胶体、可溶性硅与碳酸钙、微生物及有机物浓度等。

(1) 温度

反渗透膜在0～40℃时具有最高的分离效率。一般来说，提高废水的温度可降低水的黏度，水温每增加1℃，水的透过速度可增加2%；但如果废水温度超过了膜的耐受温度，不但会造成膜结构的损伤，还会增加钙镁离子的析出，引发膜的结垢污堵。因此，需要将温度控制在合理范围内。

(2) pH值

一般的反渗透膜均对pH值有很严格的要求，如超出规定的pH值范围则会造成膜的永久性损伤。如醋酸纤维素膜使用的pH值在5～6，在碱性和酸性溶液中均会发生水解而破坏；聚酰胺膜使用的pH值在3～10。受pH值的影响，在进反渗透膜前需要对pH值进行调节。一般情况下选用价格低廉且不易透过SO_4^{2-}的硫酸，但在含Ba^{2+}、Ca^{2+}、Sr^{2+}等离子时需采用盐酸，避免发生沉淀缩短膜的寿命。

(3) 悬浮固体和胶体

含盐废水中可能会有悬浮固体和胶体，而大于5μm的胶体会磨损高压泵、划伤反渗透膜，因此需严格控制进水浊度（NTU)。卷式组件要求浊度小于1NTU，优选小于0.2NTU，中空纤维组件要求浊度小于0.3NTU。可使用多介质过滤器、细砂过滤器和精密过滤器等深度过滤装置，通过这三类过滤器的组合使用，可保证进水达到反渗透装置要求。

(4) 可溶性硅与碳酸钙

在大多的含盐废水中，多含有一部分可溶性硅和碳酸钙，如不经处理直接进入反渗透膜中浓缩，可溶性硅和碳酸钙在浓缩后浓度提高数倍，会达到过饱和状态而析出，沉积在反渗透膜表面，从而影响膜处理效率。可溶性硅的溶解度会随pH值和温度的变化而变化，为保证在所处条件下的反渗透处理中不析出硅和碳酸钙，需要提前进行软化预处理或调整pH值和水温，以避免沉淀。

(5) 微生物及有机物浓度

含盐废水中常含有机物和微生物，在经浓缩后附着在反渗透膜的表面。随着膜表面有机物浓度的增加，大量微生物在膜表面繁殖，造成膜的生物污染，且有机物的富集也会将有机膜材料溶解，造成膜处理性能逐渐下降。宏观的污染特征为：运行初期的反渗透装置第一段压差升高，第二段及后续段的压差慢慢升高，严重时导致膜元件变形发生机械损伤，且水通量下降。此外，对于醋酸纤维素膜，微生物的侵蚀会造成乙酰基破坏，膜的脱盐效率显著降低，故需要对原水进行杀菌处理和有机物的去除。常用的杀菌剂和氧化剂包括氯化物、双氧水、臭氧和高锰酸钾等。

6.3.2.2 纳滤膜处理

纳滤最早被称为疏松反渗透，操作压力介于反渗透和超滤之间，孔径在几纳米量级。纳滤膜表面含有聚电解质，因此具有极强的除盐性能，可以通过静电作用将废水中的二价及以上的离子捕获，而仅让部分一价离子穿过。对一价盐的去除率为20%～50%，对COD及二价盐的去除率高达90%以上，可用于去除绝大多数的Ca^{2+}、Mg^{2+}、SO_4^{2-}等易结垢离子。同时，纳滤膜特殊的膜表面电荷及孔径也使它比反渗透膜更耐COD的污堵，因此可用于反渗透的预处理，以降低结垢离子对 RO 膜的污染。目前，纳滤膜相比其他工艺，具有操作压力低、膜通量大、抗水质波动性好、分盐纯度高等优势，对二价离子具有高截留特性（对于硫酸根的截留率可达 98%及以上），在部分高盐废水零排放中用于分离硫酸钠和氯化钠，实现水中氯化钠的回收，是含盐废水零排放的主要处理技术之一。

纳滤技术在应用过程中，受到操作压力、pH 值等工艺参数的影响，原理如下：

纳滤膜对进水中的溶解性盐类虽然有一定的截留率，但仍不排除部分二价盐透过膜而导致分盐不彻底。当操作压力逐渐增加时，废水中水分子相对溶解性盐的通过速率显著增加，也就变相提高了分盐速率。但如果操作压力过高，也会导致部分盐随水分子透过膜，因此需要合理控制操作压力以保持分盐质量和分盐效率。

在当 pH 值达到膜和溶质的等电点时，膜的截留率会突然增大。离子的解离程度越高，其脱除率越高，故离子在高 pH 值条件下比在低 pH 值条件下更易被去除。但在高 pH 值条件下碳酸钙易附着在纳滤膜表面，导致碳酸钙污染。在工程中也可通过控制 pH 值来控制碳酸钙结垢速率，保护后端的反渗透设备。

6.3.2.3　反渗透与纳滤的区别

（1）过滤精度不同

纳滤膜过滤精度介于反渗透膜和超滤膜之间，可截留有机物的分子量在 200～400；而反渗透膜是最精密的膜法液体分离技术，可阻挡所有溶解性盐以及分子量大于 100 的有机物，甚至可以滤除水中的细菌和各类杂质。

（2）孔径不同

纳滤膜孔径在 1nm 以上，可截留大于 0.001μm 的物质；而反渗透膜孔径在 0.1～0.7nm，可截留大于 0.0001μm 的物质。

（3）材质不同

纳滤膜材料多采用醋酸纤维素、醋酸-三醋酸纤维素、磺化聚砜、磺化聚醚砜、芳香聚酰胺复合材料和无机材料等；反渗透膜主要使用醋酸纤维素、聚酰胺或者使用两种以上的材质制成。

（4）脱盐率不同

纳滤系统采用错流过滤的方式，脱盐率在 80%～90%之间，主要针对大分子物质的浓缩纯化；而反渗透技术脱盐率为 99.5%，可截留所有溶解盐。

（5）产生“废水”比例不同

虽然两种膜处理都是采用加压和加电的方式净化水，但由于膜的构成不同，纳滤膜的废水产生比约在 1∶1；而反渗透的废水产比在 1∶3～1∶2，比例相对较大。

（6）用途不同

纳滤膜一般用于水的软化除硬、脱盐分盐以及工业纯水的制造，要求过滤精度相对较低；而反渗透膜可用于家庭纯净水、工业超纯水以及医疗超纯水的制备。

6.3.3　离子交换和电渗析

6.3.3.1　离子交换膜

离子交换膜是电渗析的主要部件，有“电渗析心脏”的称谓，它是一种由高分子材料制成的具有离子交换基团的薄膜，该薄膜由活性功能基团、高分子骨架和基团上可移动的离子组成。其中，膜中可移动的活性功能离子可以与带有相同电荷的离子发生离子交换，从而使得离子交换膜对离子具有选择透过性能。

需要注意的是电渗析工艺中所用的离子交换膜，与离子交换树脂的原理有一定差异：离子交换树脂在水溶液中释放出阴、阳离子，再吸附原水中对应的阴、阳离子进行置换，树脂经酸碱溶液的脱附洗涤可重复利用；而离子交换膜则主要是起到离子选择透过和截留作用，即利用离子的选择透过性，不需要进行离子置换，也无须进行脱附。

离子交换膜的选择透过性可通过以下几个方面实现：

① 孔隙作用。只有当被选择的离子的水合半径小于孔隙半径时，该离子才能透过膜。

② 静电作用。根据同电性相斥、异电性相吸的经典作用规律，阳膜选择性吸附阳离子，阴膜选择性吸附阴离子。

③ 扩散作用。膜对溶解离子具有传递迁移能力，以吸附、解吸、迁移的方式将离子从膜的一端输送到另一端。

在含盐废水分盐领域，基于离子交换膜独特的选择分离性能，以离子交换膜为基础的膜技术在碳减排方面有着至关重要的作用。

6.3.3.2 电渗析

电渗析技术是一种利用离子交换膜进行除盐浓缩的分离技术，是在外加直流电场作用下，利用离子交换膜对溶液中离子的选择透过性，使溶液中阴、阳离子发生定向的离子迁移，达到溶液的除盐、浓缩与提纯的目的。电渗析的基本工作原理为：电渗析器中交替排列很多阴、阳离子交换膜，分隔成几个小水室，当原水进入小水室时，在直流电场的作用下离子做定向移动，阳膜只允许阳离子通过，阴膜只允许阴离子通过。因此带正电的钠离子向阴极迁移，带负电的氯离子向阳极迁移，各个小水室一部分变成含离子很少的淡水室，一部分变成浓水室，从而使离子得到分离和浓缩。

电渗析过程会涉及大量的物质交换过程，有以下几种传质类型：

① 对流传质。离子在隔室主体溶液和扩散边界层之间的传递。

② 扩散传质。离子在膜两侧的扩散边界层中的传递，这是控制电渗析传质速率的主要因素。

③ 电迁移传质。离子通过离子交换膜的传递。

电渗析技术最先在海水淡化领域得到广泛应用，后来在废水处理方面得到发展。根据工艺特点不同，电渗析在废水处理领域的操作类型不同：一种是由阳膜和阴膜交替排列而成的普通电渗析工艺，主要作用是分离污染物离子以及非电解质污染物；另一种是由复合膜和阳膜组合成的电渗析分离工艺，利用复合膜的极化反应和极室中的电极反应产生 H^+ 和 OH^-，从废水中制取酸和碱。

6.3.3.3 电渗析与离子交换的区别

电渗析和离子交换相比，有以下异同点：

① 分离离子的工作介质虽均为离子交换树脂，但电渗析是呈片状的薄膜，离子交换则为圆球形的颗粒。

② 从作用机理来说，离子交换属于离子转移置换，离子交换树脂在过程中发生离子交换反应；而电渗析属于离子截留置换，离子交换膜在过程中起离子选择透过和截阻作用。所以更精确地说，应该把离子交换膜称为离子选择性透过膜。

③ 电渗析的工作介质不需要再生，但消耗电能；而离子交换的工作介质必须再生，但不消耗电能。

6.3.4　工程应用

6.3.4.1　实际应用案例

（1）超滤

图 6.7 为某气化厂超滤进出水污染物指标图。在工程应用中，超滤对 COD 的去除效果有限，但可以将出水的浊度控制在较低的水平（2NTU）。废水中的 COD 有三种状态：悬浮态、胶体态和溶解态。超滤可以去除悬浮态和胶体态的 COD，但对溶解态的 COD 去除影响不大。经过初始处理后，废水中的 COD 主要处于溶解状态。因此，超滤对 COD 去除的影响有限。但是，由于浊度主要由悬浮物和胶体组成，而超滤可以定向去除悬浮物和胶体，因此超滤对浊度的去除效果良好。

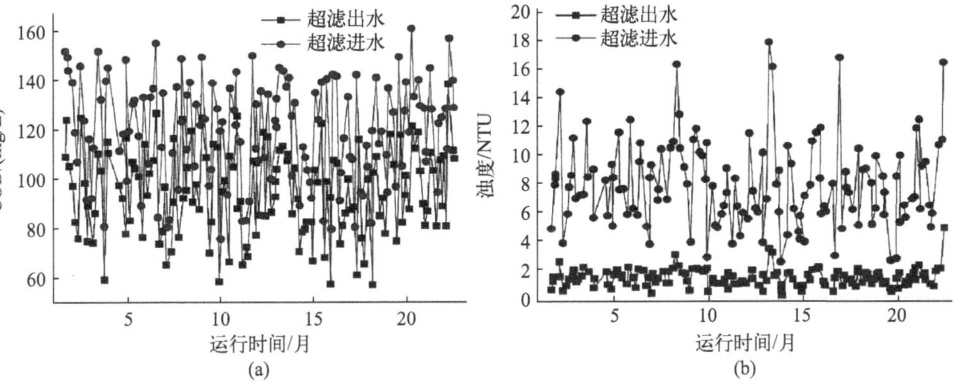

图 6.7　某气化厂超滤进出水污染物指标图

（2）反渗透和纳滤

内蒙古某煤气项目采用反渗透膜处理含盐废水，其反渗透进出水污染物指标见图 6.8。结果表明，经反渗透工艺处理后，出水含盐量均小于 45mg/L。

纳滤膜作为反渗透的预处理工艺，也应用于内蒙古煤制烯烃项目和鄂尔多斯煤制油项目。内蒙古煤制烯烃项目应用膜的进水和出水指标见图 6.9。可见经纳滤膜处理后，出水 COD 由 120mg/L 降至 60mg/L 以下，浊度由 2.5NTU 进一步降至 0.3NTU 以下，出水已满足相关排放标准。

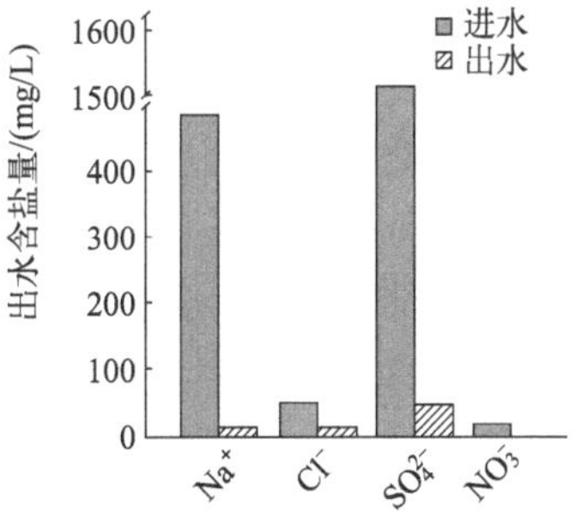

图 6.8　内蒙古某煤气项目反渗透进出水污染物指标图

陕西省某化工企业为实现含盐废水零排放，对原有的蒸发结晶工艺进行改造，在蒸发结晶器前端进行纳滤分盐处理。在加装纳滤装置后，可在纳滤工艺的产水侧获得高纯度氯化钠，浓水侧获得高纯度硫酸钠，两种盐纯度均在97.5%以上。工艺还将产生的氯化钠制备成次氯酸钠回用到循环水工艺，真正实现含盐废水的零排放与资源化回收利用，具有极强的减碳属性。

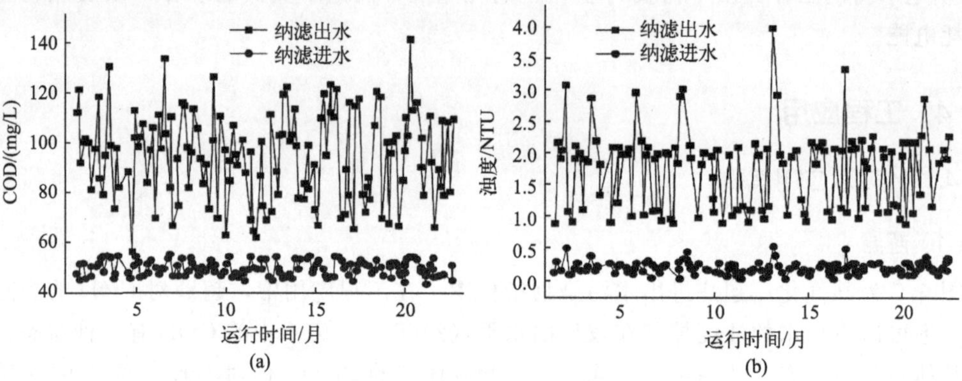

图6.9　内蒙古煤制烯烃项目纳滤进出水污染物指标图

已有电厂脱硫废水采用通过软化预处理（混凝＋微滤）＋膜浓缩处理（NF＋DTRO）＋蒸发结晶干燥技术，制成纯度为97.5%的袋装氯化钠，作为工业盐销售，实现了脱硫废水的资源化回收利用。通过纳滤的选择性过滤实现分盐的技术在高盐废水资源化的应用中将会越来越多。

（3）电渗析和离子交换

电渗析在盐浓缩过程中需保持一定的电位差，运行能耗较高，对电渗析工艺进行节能减耗改造是含盐废水零排放减碳工程的重要组成部分。已有专家提出浓缩电渗析概念，将电渗析和扩散渗析耦合用于分离高盐废水中的铵盐，可发现浓缩电渗析的电流效率比常规电渗析提高1.84倍，能耗降低了50.48%；此外，通过采用多级间歇电渗析的方式，经两级和三级浓缩后的废水，其含盐量从原水的3.5%提高到17.9%和20.6%，两级、三级电渗析能耗分别为0.31kW·h/kg和0.45kW·h/kg，水盐通量也随着级数增加而降低，故提高电渗析级数可以提高浓缩效率，同时降低能耗。

某生产氧化锆工厂采用电渗析技术来治理氯化铵废水，水量约1350t/d，原水含盐量2%，经两级电渗析处理后，电渗析淡水电导率降至4000μS/cm，进入纳滤反渗透系统后产出淡水回用，电渗析浓水中氯化铵含量高达15%，通过MVR蒸发系统产出氯化铵副产品。该工程每吨水的直流能耗约8kW·h，系统淡水得水率达90%以上。

（4）超滤+反渗透处理技术

浙江某印染厂采用了超滤＋反渗透联用工艺处理其印染废水，原水COD约250mg/L，电导率约1960μS/cm，浊度约57.3NTU。在经超滤膜处理后，浊度降至5.2NTU，去除率达91%，而其他指标下降较低；在经反渗透膜处理后，COD降至2.9mg/L，去除率达99%，电导率降至35μS/cm，去除率达98.2%，浊度完全去除，去除率达100%，可见反渗透具有比超滤更强的去污浓缩能力。在运行成本上，超滤电耗约为0.1元/m^3，膜耗约0.18元/m^3（膜寿命按2年计），超滤清洗药剂和人工费约0.35元/m^3；反渗透电耗为0.5元/m^3，膜耗约0.35元/m^3（膜寿命按3年计），反渗透所用药剂及人工费约0.4元/m^3。故超滤＋反渗透联用工艺总成本约 1.88 元/m^3，如加上前段生化处理费用，产水成本约 3.23 元/m^3，与当地 3.5 元/m^3 的自来水价格相比，仍具有较强的竞争优势，可知超滤＋反渗透具有较广阔的应用前景。

6.3.4.2　低碳实践

在含盐废水零排放处理的膜处理工艺段，根据进水含盐量的不同，合适的膜处理工艺以及压力参数是降低能耗、减少碳排放、提高经济性的关键。根据工作压力和原理的不同，膜处理工艺又分为苦咸水反渗透（BWRO）、海水淡化反渗透（SWRO）、高压反渗透（HPRO）、碟管式反渗透（DTRO）、纳滤（NF）、电渗析（ED）、正渗透、蒸发结晶等，各技术适配的进水含盐量如表 6.13 所示。

表 6.13　常用膜处理工艺对进水含盐量范围要求

TDS/(g/L)	<0.05	0.05～0.5	0.5～15	15～35	35～60	60～100	100～150	150～200	>200
EDI	√								
离子交换树脂		√							
BWRO			√						
SWRO				√					
HPRO					√				
DTRO				√	√	√	√		
NF			√	√	√				
ED			√	√	√	√	√	√	
正渗透				√	√	√	√	√	
蒸发结晶								√	√

注：EDI 表示连续电除盐技术。

6.4　蒸发结晶技术

含盐废水零排放工艺系统中设置蒸发结晶段的作用和目的是实现废水主体成分溶剂水和溶质盐的分离过程。其原理为溶剂水在吸收外部输入能量后，从液态变为气态，实现气液分离后，再通过冷凝放热过程得到液态纯净产品水。同时，剩余浓缩液从不饱和态逐渐变为饱和态或过饱和态，直到溶质盐以固相形式析出，实现固液分离后，得到副产盐。浓缩液盐分提升过程还可以利用温度对溶质盐溶解度的影响规律，通过降温等措施加速固相析出分离。实现这一物理过程，需要消耗各类能量，如：流体输送设备、液固分离设备等所需电耗；料液预热、蒸发所需热能，通常为蒸汽消耗；料液预冷、降温所需冷能，通常为制冷机组的电耗等。含盐废水零排放工艺系统中蒸发结晶段所需能耗占据主体位置，因此，可以采用各类新技术、新工艺、新设备或者在现有技术工艺和设备上的迭代优化来实现该过程的挖潜增效，努力达成含盐废水零排放处置全流程中减碳降耗的最终目标。

6.4.1　多级闪蒸

6.4.1.1　概述

多级闪蒸（mult-stage flash，MSF）是将几个闪蒸室（图 6.10）进行串联运行的蒸发操作。料液依次经过压力逐渐降低的闪蒸室，逐级蒸发，浓度逐级增加，温度逐级降低，直到温度接近或略高于初始进料温度。被事先加热至一定温度后的料液进入闪蒸室，由于闪蒸室内压力低于热料液的饱和蒸气压，热料液处在过热液体状态，随即发生急速闪蒸，部分汽化，自身温度降低，产生的二次蒸汽除去夹带液滴后经冷凝形成较为纯净的蒸馏液得以回收利用，浓缩液在达到预设浓缩倍数后排出系统。多级闪蒸广泛应用于海水淡化、热电厂电水联产、石化厂的锅炉供水，少量应用于工业废水、印染和造纸工业废碱液回收等领域。

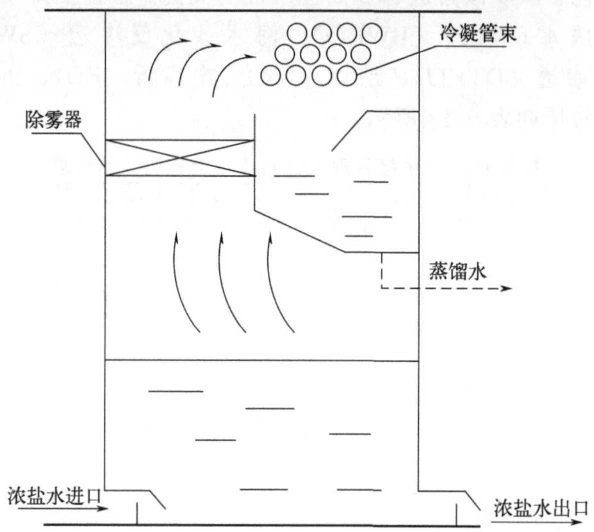

图 6.10　闪蒸室结构示意图

多级闪蒸海水淡化工艺流程如图 6.11 所示，该系统主要包含海水前处理、加热段、热回收段、排热段和真空系统。海水经过预处理后，作为冷却水进入排热段，大部分海水仅做冷却用，冷却后排入大海。小部分作为进料海水从排热段闪蒸室泵入热回收段闪蒸室上部，与各级闪蒸出的二次蒸汽进行热交换，升温预热，再进入加热段加热升温至最高温度（90～115℃）后，进入热回收段闪蒸室下部，依次流经各级闪蒸室，闪蒸出二次蒸汽，自身浓盐水逐级提浓，逐级降温，最终排回大海。闪蒸出的二次蒸汽通过除雾器去除夹带液滴后再经进料海水冷凝后形成淡化水，末级闪蒸室设置有真空泵，用于排出系统内不凝气并辅助建立形成各级闪蒸室的压力梯度。

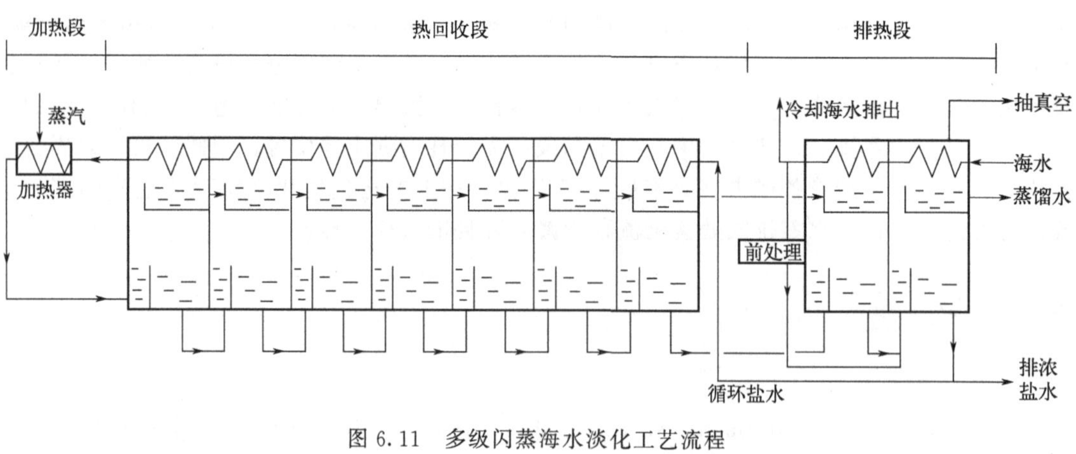

图 6.11　多级闪蒸海水淡化工艺流程

多级闪蒸技术应用于海水淡化是为克服常规蒸发技术易造成设备装置结垢和腐蚀问题而开发的，多级闪蒸工艺将海水的加热和蒸发过程分开，结垢较轻且容易去除。另外，该工艺技术成熟，装置简单可靠，耐海水浓度波动能力强，制得的淡水纯度高（TDS 在 3～5mg/L），易于大型化，超大型的 MSF 淡化厂可达 50 级。

6.4.1.2 减碳优势

多级闪蒸用于海水淡化以及相类似的含盐溶液蒸发浓缩场景，其在降低装置过程运行能耗和设备防结垢在线率方面具有一定优势。通过设计浓水循环系统，选取适宜比例，可以减少系统蒸汽和海水的消耗量，同时还可以减少过程阻垢剂和消泡剂的使用。多级闪蒸工艺可使装置系统造水比（获得淡水总产量与其所消耗的蒸汽量之比）达到 5～14，是级数的 1/4～1/2。相关研究数据显示，多级闪蒸海水淡化工程能够充分利用低品位余热能量，使得过程运行产水热能消耗为 7.5～12kW·h/m^3，电能消耗为 2.5～4kW·h/m^3，总能耗为 10～16kW·h/m^3。与单效蒸发装置（产水能耗按 830kW·h/m^3 计）相比，可节约 98%以上的能耗。尤其是在副产余热能且工艺需用高纯度淡水的工业应用场景，如热电结合海水淡化双目的造水项目，其节能降耗减碳效应更为显著。但相较于多效蒸发，多级闪蒸存在传热效率总体不高、动力消耗偏大的缺点。

影响多级闪蒸系统热力学效率的因素有很多，如级数选择、温度端差设计、浓水循环与否等。有文献报道指出，当料液最高加热温度为 90℃时，级数宜选择 25～35，当料液最高加热温度为 120℃时，级数宜选取 35～45，其中端差小者选大值。端差由 4℃降至 3℃，过程能耗可节省 20%，但过程能耗降低是以增加设备投资为前提的，故还需综合考虑经济最优点。随着针对性研究不断深入开展，多级闪蒸工艺降耗减碳的改进优化措施还有望进一步被开发应用。

6.4.1.3 工程应用案例

（1）案例一

国产首台处理量为 3000t/d 多级闪蒸海水淡化装置工艺流程如图 6.12 所示，海水由泵站送至热排放段闪蒸器的冷凝管，冷却闪蒸室闪发的二次蒸汽，同时海水自身被加热。大部分海水从热排放段出来后返回大海，另一部分再经预处理（加药、除碳、除氧）后进入热排放段闪蒸器末级闪蒸室内，与闪蒸室内循环盐水混合后，逐级经过热回收段闪蒸室冷凝管，沿着与闪蒸盐水相反的方向逐级被预热。从第一级冷凝管出来后再进入盐水加热器继续加热至预设温度，进入第一级闪蒸室下部，相对此时闪蒸室的压力属于过热状态，导致盐水闪发，产生二次蒸汽。二次蒸汽经丝网除雾器去除盐水液滴和泡沫后，经冷凝成液后落入淡水槽成为产品水。第一级剩余盐水进入第二级进行闪发过程，如此逐级循环往复。系统未凝蒸汽和不凝气由真空系统抽出。从第一级到最后一级闪蒸室内凝结温度越来越低，对应闪蒸器压力越来越低，形成的压力差用于提供各级间盐水和淡水的流动动力。

系统热回收段闪蒸器设 3 段，每段 9 级，共 27 级闪蒸室。热排放段只设 1 段闪蒸器，共 3 级闪蒸室。真空系统选用蒸汽喷射型，设 3 级抽气，每级 2 个喷射器互为备用，采用汽轮机中压抽汽。盐水加热器采用双回路列管式换热器，壳体为碳钢（Q235A），管板为钛复合板（TA1＋16MnR），换热管为无缝钛管。闪蒸器外壳采用不锈钢复合板（316L＋

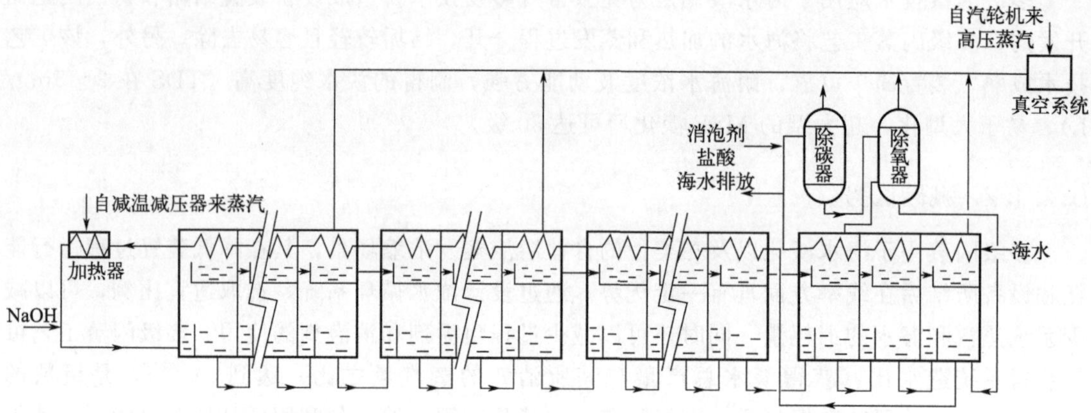

图 6.12　处理量为 3000t/d 多级闪蒸海水淡化装置工艺流程

Q235A)，冷凝管采用无缝钛管，级间隔板为不锈钢双面复合板（316L＋Q235A＋316L)，淡水槽、丝网除雾器采用 316L 不锈钢。

运行数据显示，采用热电联合产水，可充分利用电厂的低品位热能，降低产水成本（仅为单目的产水成本的 1/3）的同时也可以将电厂总体热效率从 40％提高到 90％。所制得的淡水纯度高（TDS<5mg/L)，无须过多复杂再处理工序，便可作为电厂锅炉补水。级间浓盐水自流动，对管壁起到一定冲刷防垢作用，减少了系统阻垢药剂添加及装置清洗费用。装置系统蒸汽耗量与产水量之比达到 1∶10。增设了浓盐水循环系统后，所需能耗低且使系统能源利用率进一步得到提升。

（2）案例二

某脱硫废水处理工程采用了板式多级闪蒸技术，具体处理工艺流程如图 6.13 所示，将预处理池中脱硫废水泵入板式冷凝器，冷凝第 4 级闪蒸罐产生的二次蒸汽。预热后的进料由升压泵送入第 4 级板式换热器，作为加热源的从第 3 级闪蒸罐产生的二次蒸汽经冷凝后进入第 4 级淡水罐。照此规律，进料依次经过第 4 级、第 3 级、第 2 级板式换热器预热，各级板

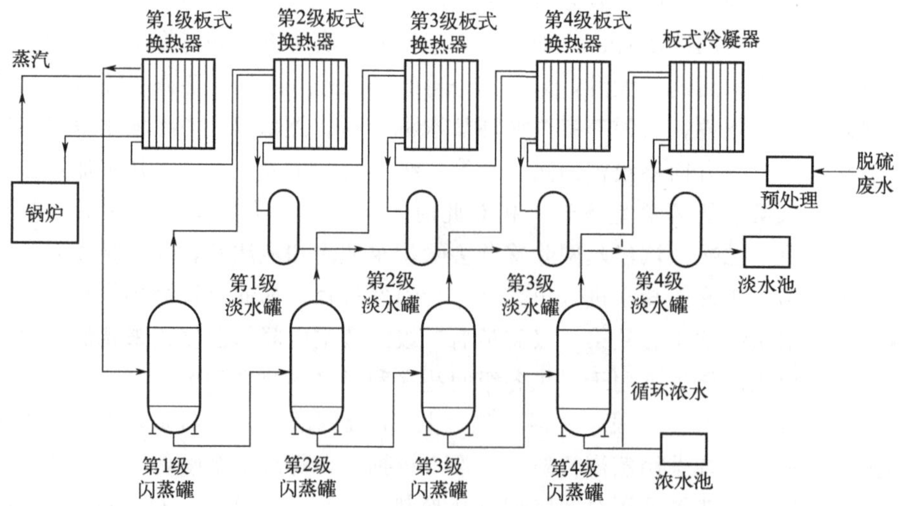

图 6.13　某脱硫废水板式多级闪蒸工艺流程

式换热器二次蒸汽冷凝后分别进入第 4 级、第 3 级、第 2 级淡水罐。第 2 级板式换热器出口料液泵入第 1 级板式换热器，加热源为来自锅炉的蒸汽，蒸汽冷凝后送回锅炉。第 1 级板式换热器出口料液依次流经第 1 级、第 2 级、第 3 级、第 4 级闪蒸罐进行闪蒸，经过调压阀控制第 1 级到第 4 级闪蒸罐内压力依次降低。各级淡水罐中的淡水汇集于淡水池中回收利用，最终浓缩后废水进入浓水池并继续下步工序处理。

该工程废水处理量为 100t/d，进料脱硫废水质量分数为 2.5%～4%，温度为 40℃，第 1 级闪蒸罐温度设计为 70℃，各级温差设计为 5℃，浓缩液质量分数达到 25%。最终可实现 86t/d 淡水回用，处理每吨废水蒸汽能耗为 0.29t。

6.4.2 多效蒸发

6.4.2.1 概述

多效蒸发（multiple effect distillation，MED）是将几个蒸发器串联运行的蒸发操作，使蒸汽热能在效间得到多次利用，提高系统热能的利用率。具体实现形式如图 6.14 所示，各效蒸发器设计操作压力依次降低形成梯度，对应各效溶液沸点和二次蒸汽温度依次降低。首效蒸发器加热蒸汽一般采用新鲜生蒸汽，蒸发产生的二次蒸汽作为下一效蒸发器的加热蒸汽，以此类推。末效蒸发器产生的二次蒸汽经末效冷凝器冷凝后形成高温蒸馏液，连同其余各效二次蒸汽放热冷凝后形成的高温蒸馏液，一起再同进料液进行热交换，实现料液的预热和蒸馏液产品水的冷却，过程能效进一步显著提升。理论上，虽然效数越多节能效果越好，但工程实际应用中还需综合考虑效数增加给系统带来的设备投资、工艺复杂度和操作运行难度的增加。目前，除热法海水淡化应用领域，多效蒸发工程应用案例普遍采用 3～5 效结构型式，综合经济性最优。

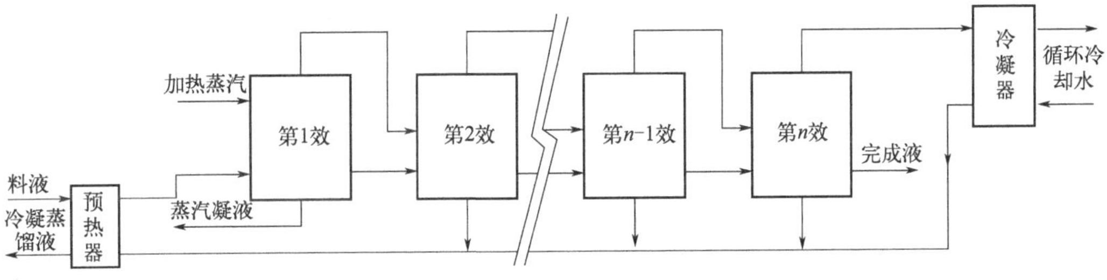

图 6.14　多效蒸发工艺流程

多效蒸发按蒸汽与物料的流向不同可分为顺流、逆流、平流和混流。

顺流即加热蒸汽与料液流动方向相同，首效蒸发器温度最高，料液浓度最低，效间压差可作为料液流动的动力，无须设置流体输送泵设备。若进料温度不高，需要设置预热器，当进料温度过低时，不适合此操作流程。

逆流即加热蒸汽与料液流动方向相反，首效蒸发器温度最高，料液浓度最高。进料无须预热，可节约蒸汽用量，但效间料液输送需要设置泵设备从而消耗电能。

平流即料液平行地流向各效，浓缩液自各效流出，虽然设计和实践操作方便，处理量大，但中高温物料热量未得到充分利用，工业中一般较少应用。

混流即根据实际情况所需，灵活采用不同的进料方式组合。当料液沸点温升较大时，适宜采用。

目前，多效蒸发技术已经广泛应用于医药、食品、化工、轻工业等行业过程工艺中需要进行蒸发浓缩的场景，也包括以上行业产生的含盐废水的零排放处理。一般而言，项目所在地具有大量副产低压蒸汽或者易获得蒸汽资源的，采用多效蒸发技术工艺较为合适。

6.4.2.2 减碳优势

多效蒸发相较于单效蒸发，节能优势显著，基于的原理是针对二次蒸汽中占比较大的潜热能的充分挖掘和利用。理论上，单效蒸发设备每蒸发1kg水需要消耗1kg生蒸汽，另外考虑系统热损失等因素，实际需要约1.1kg生蒸汽，蒸汽耗量大，能效低。采用多效蒸发技术工艺后，上一效的二次蒸汽可以作为下一效的加热蒸汽，其自身可放热冷凝成较为纯净的蒸馏液收集回用。向系统输入一份生蒸汽，可得到多份蒸馏液，从而减少单位产水所需能耗，降耗减碳效果良好。举例来说，考虑各类热损失，通常三效蒸发产水比约为2.5，四效蒸发产水比约为3.3，五效蒸发产水比约为3.7。用于海水淡化工程的低温多效蒸发装置30℃的温差可使造水比达到10左右。理论上，效数越多，系统运行生蒸汽消耗量越少，节能效果也越明显。但同多级闪蒸类似，随着效数增加到一定程度后，传热温差损失变大，节能的幅度减小，收益降低，但设备成本翻倍，总体经济效益欠佳。

有研究者将低温多效蒸发技术用于油田废水处理的研究，采用板式多相气浮＋核桃壳过滤＋砂滤＋低温多效蒸发工艺进行中试试验，其中低温多效蒸发处理量为2.5m^3/h，采用四效平流结构，工作温度为60～80℃，加热蒸汽温度80℃，淡化产水TDS为20mg/L，含油量为0.2mg/L，总硬度为0.1mg/L，完全满足锅炉注水标准。装置运行经济性分析：产水比为3.5，每吨淡水消耗热能燃料费为6.4元，电耗费为1.475元［按0.5元/(kW·h)计］，阻垢剂、消泡剂费用为0.11元，总计运行成本为8.0元/t。山东某集团处理质量分数为8%的硫酸钠废水（50t/h），采用三效蒸发工艺，产水比为2.4，循环水耗量为1822t/h，回收水COD为498mg/L，氨氮为80mg/L，再去生化深度处理后作为工艺水回用。贵州某企业处理浓度为42%的氯化钾铵高含盐废水（50t/h），采用三效强制循环顺流蒸发工艺，造水比为2.38，冷却水耗量为751t/h，回收水达到国家排放标准。

多效蒸发节能优化方面工作还需要继续做深做精，如对各效换热面积的经济性分配，管道流速和各效压力梯度选取，料液分配器设计，加热器高效防结垢防腐蚀措施，末效二次蒸汽利用等。

6.4.2.3 工程应用案例

（1）案例1

国内某特种化学品生产制造商，其生产废水含盐量高，TDS为5580～56800mg/L，采用三效顺流蒸发工艺对废水进行处理，工艺流程如图6.15所示。进料废水经乏汽预热器和冷凝水预热器加热升温后进入一效循环管线，循环料液与生蒸汽在一效加热室进行热交换，达到预设温度后，在一效分离室进行气液分离，气相二次蒸汽进入二效加热室作为热源，液相料液一部分在效内循环，一部分以排浓形式进入二效进行蒸发。二效循环料液与一效分离出的二次蒸汽在二效加热室进行热交换，达到预设温度后，在二效分离室进行气液分离，气相二次蒸汽进入三效加热室作为热源，液相料液一部分在效内循环，一部分以排浓形式进入三效进行蒸发。三效循环料液与二效分离出的二次蒸汽在三效加热室进行热交换，达到预设温度后，在三效分离室进行气液分离，气相二次蒸汽进入乏汽预热器加热进料废水，未冷凝部分进入间接冷凝器进行冷凝，冷凝液进入冷凝水罐。液相料液一部分在效内循环，一部分以排浓形式进入下一工序进行再处理，再处理产生的母液回到三效蒸发系统内继续蒸发。三效间的压力梯度通过设置真空泵系统获得，真空泵的使用同时也能将系统内的不凝气及时排出。为了提高系统热能利用率，设计二效加热室产生的二次蒸汽冷凝水进入三效加热室进行闪蒸，回收冷凝水中的部分热量。

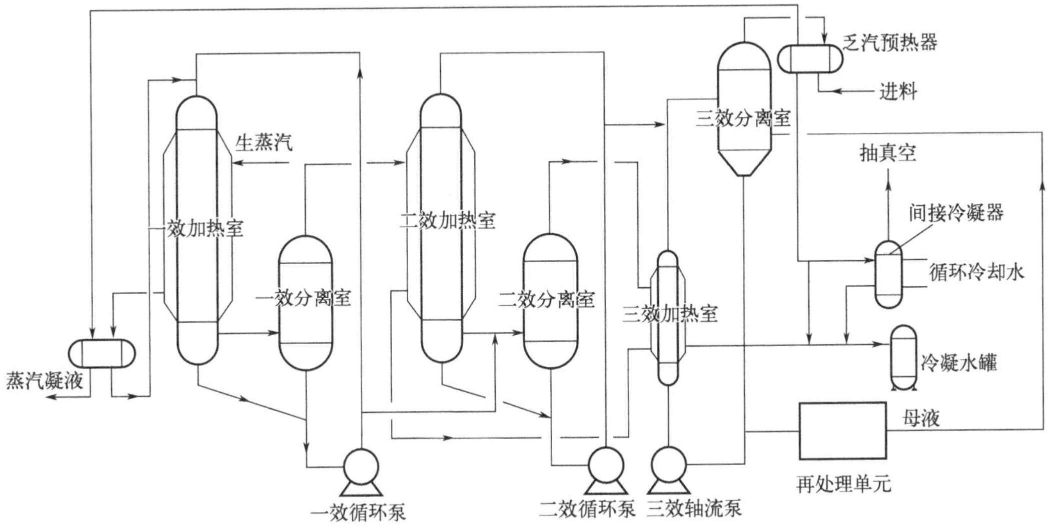

图 6.15　三效顺流蒸发工艺流程

该项目由于在高氯离子浓度条件下，为避免高温腐蚀，蒸发器设备主体材质选用 06Cr18Ni11Ti 钢材，循环泵材质选用 2205 双相不锈钢。各效间运行控制参数见表 6.14。蒸发器装置系统采用连续批量运行方式，每处理 1m^3 废水，蒸汽消耗量约为 0.43t。蒸发回收水经换热后进入后续 MBR 系统进行深度处理后，达到回用水标准。

表 6.14　三效蒸发系统各效间运行控制参数

项目	加热室壳程压力/MPa	加热室壳程温度/℃	加热室管程温度/℃	分离室气相压力/MPa	分离室液相温度/℃
一效	0.3	144	110	0.03	110±2
二效	0.03	109	101	−0.001	101±2
三效	−0.001	92	79	−0.057	79±2

（2）案例 2

国内某多晶硅生产制造企业，其全厂生产废水采用零排放处置方案。废水含盐量较高，TDS 为 45000～55000mg/L，盐分主要为氯化钠和氯化钙。采用三效逆流蒸发工艺对废水进行脱盐处理，工艺流程如图 6.16 所示。前端经预蒸发浓缩处理后的浓盐水（TDS 约 20 万～25 万 mg/L）泵入三效循环管线，三效循环料液与二效分离出的二次蒸汽在三效加热器中进行热交换，并在三效分离室中实现气液分离，产生的二次蒸汽经由末效冷凝器与循环冷却水进行热交换后形成蒸馏液，液相一部分在效内循环，一部分经二效进料泵泵入二效循环管线。二效循环料液与一效分离出的二次蒸汽在二效加热器中进行热交换，并在二效分离室中实现气液分离，产生的二次蒸汽作为三效加热器的热源，液相一部分在效内循环，一部分经一效进料泵泵入一效循环管线。一效循环料液与新鲜生蒸汽［1.0MPa(G)］在一效加热器中进行热交换，并在一效分离室中实现气液分离，产生的二次蒸汽作为二效加热器的热源，液相一部分在效内循环，一部分经浓浆泵泵至下一工序进行结晶盐的分离干燥与回收。各效产生的二次蒸汽放热冷凝后形成的高温蒸馏液（约100℃）汇集后，作为进料废水（约20℃）进行预热处理的加热热源，进一步提高热能利用效率。生蒸汽放热冷凝后形成的凝液重新回到锅炉用水循环系统。三效间的压力梯度通过设置水环真空泵系统获得，真空泵的运行同时也能将系统内不凝气及时排出，消除不凝气对于加热器传热性能的不利影响。

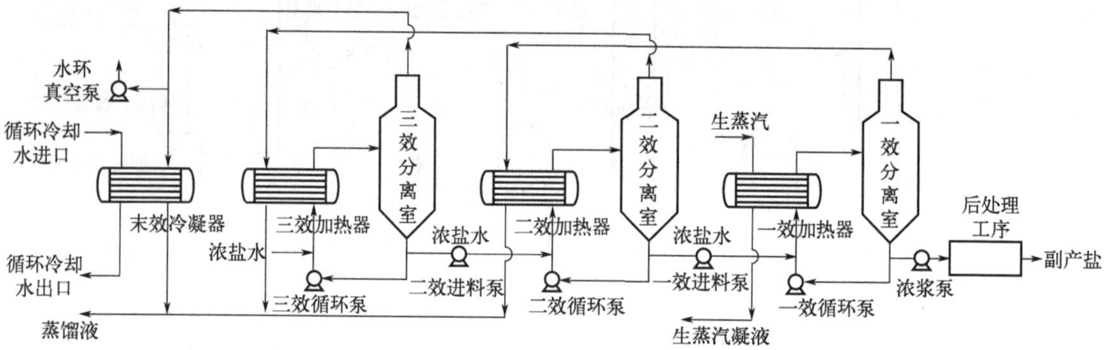

图6.16　三效逆流蒸发工艺流程

该项目三效蒸发结晶系统处理量为$14m^3/h$，采用1.0MPa（G）生蒸汽作为三效加热器热源，分离室设备主体材质选用2507双相不锈钢，加热器壳程采用Q345R，管程采用2507双相钢以及钛材。各效间运行控制参数见表6.15。对实际运行能耗进行核算，每处理$1m^3$废水，蒸汽消耗量约为0.41t。最终浓浆液经过离心脱水、干燥后得到副产氯化钠盐，其品质能够达到GB/T 5462—2015的精制工业盐中工业湿盐一级标准。

表6.15　三效蒸发结晶系统各效间运行控制参数

项目	加热室壳程压力/MPa	加热室管程温度/℃	分离室气相压力/MPa	分离室液相温度/℃
一效	0.53	152	0.094	150±1
二效	0.092	108	−0.015	106±1
三效	−0.017	82	−0.057	80±1

6.4.3 MVR蒸发

6.4.3.1 概述

机械蒸汽再压缩（mechanical vapor recompression，MVR）技术的原理是利用蒸汽压缩机做功，将蒸发过程产生的二次蒸汽进行再压缩，获得增温增压增焓后重新作为系统加热热源，充分利用二次蒸汽的潜热能，从而实现更高的热效率并大幅降低系统运行成本。系统仅需少量低压蒸汽用以蒸发器开车启动，正常运行基本无须外供新鲜蒸汽。该技术除了具有高能效比和显著节能优势外，还无须配套循环冷却水系统，节约了大量冷却水的使用。该技术工艺装置设备结构更加紧凑，占地面积小，自动化程度高，在含盐废水零排放治理应用中越来越多，越来越普遍。

MVR 蒸发工艺流程如图 6.17 所示。进料液与二次蒸汽冷凝蒸馏液在预热器中进行热交换，温度达到预设值后，进入料液循环管线，循环料液通过加热器升温达到沸点后在蒸发室中蒸发从而产生二次蒸汽，通过丝网除雾器截留夹带液滴后经由管路引入蒸汽压缩机，蒸汽压缩机消耗电能做功，输出压力、温度、焓值更高的蒸汽作为加热热源输入加热器的壳程端，加热管程端料液，自身放热冷凝成蒸馏液预热进料液。如此周而复始，循环料液不断蒸发浓缩，并同时产生蒸馏液产品水回用。当达到设计浓缩倍数后，浓盐液排出系统进入下一工段继续处理。

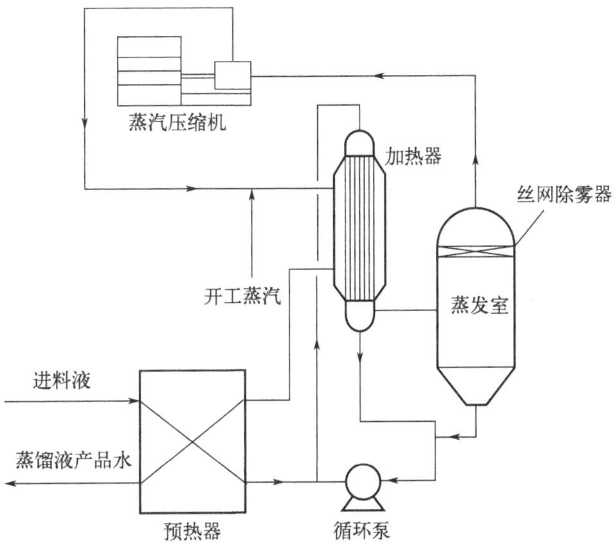

图 6.17　MVR 蒸发工艺流程示意图

用于含盐废水零排放处理工艺的 MVR 蒸发技术，会受限于含盐废水的沸点温升特性。一般而言，随着含盐废水盐分浓度升高，其沸点也逐渐升高。但针对不同盐分组成的废水，其沸点升高幅度有所差异。例如，常压下盐水浓度从 4%浓缩到 20%，纯氯化钠溶液沸点温度约从 100.7℃升高到 105℃，纯硫酸钠溶液沸点温度约从 100.3℃升高到 101.7℃。水盐体系沸点温度升高幅度比较大时，会影响到蒸汽压缩机的运行经济性。另外，蒸汽压缩机属于高压用电设备，日常维护要求和成本较高。通常项目所在地缺乏蒸汽资源和冷却水资源或占地面积严重受限时，使用 MVR 蒸发技术更加适宜。

6.4.3.2　减碳优势

从节能角度分析，MVR 蒸发技术是利用功转换装置将机械能转换为蒸汽的压力能和内能，从而提高蒸汽能量品质加以回用，充分高效循环使用蒸汽的潜热能。与多效蒸发技术相比，采用 MVR 蒸发技术运行能耗更低，与三效蒸发相比，节省能耗超过 70%。MVR 蒸发装置相较于多效蒸发装置系统复杂度降低，运行管理也更为便捷和智能。另外，MVR 蒸发技术无须消耗冷却水资源以及因设循环冷却水系统所增加的设备成本投入，避免了运行过程阻垢剂等药剂的消耗，减碳效果更上一个台阶。

该技术原理早在18世纪初就有人提出，但当时全社会节能意识普遍不强，没能得到关注和发展。直到20世纪出现能源危机后，该技术才能得以迅速发展。20世纪50年代，德国和法国就在各个行业开始了对MVR蒸发技术的推广和应用工作，当时推出商用MVR蒸发系统用于浓缩各类乳制品，能耗已降至比较低的水平，吨水蒸发能耗约为9.8kW·h。MVR蒸发系统用于油罐车清洗工业废水浓缩，吨水蒸发能耗约为16.4kW·h；用于小麦淀粉废水处理，吨水能耗约为13.5kW·h。1999年美国通用电气公司开发的用于重油开采废水回收利用处理的MVR蒸发系统，吨水蒸发能耗为15～16.3kW·h，比常规单效蒸汽驱动蒸发系统能耗低25到50倍，大幅度降低了系统运行能耗。另有研究显示，利用Aspen Plus软件建模分析，MVR蒸发系统热力性能和节能率相较于传统三效蒸发系统分别提高了75.9%和72%。有研究者以15t/h氨基酸的蒸发浓缩工程实例为研究对象，对采用MVR蒸发技术和传统多效蒸发技术进行能效对比分析，结果为采用MVR蒸发技术所耗电的等价热量为1.14kt/a标准煤，采用三效蒸发技术所耗蒸汽等价热量为7kt/a标准煤，即使用MVR蒸发技术可节省83.7%的标准煤。有国外研究者研究了用MVR蒸发技术处理冶金工业废水，得出其成本约是多效蒸发的一半。

对MVR蒸发系统自身进行更加深入的工艺和设备结构优化探究，可进一步提升系统热效率，实现更深层次的节能降耗。如分离室的气液分离过程，若采用性能不佳的气液分离器，会影响分离效果，带来二次蒸汽的雾沫夹带严重，尤其是夹带了含盐废水液滴，进入离心式蒸汽压缩机后，会大大降低蒸汽压缩效率，严重时还会引起压缩机的腐蚀和对叶轮的冲击损坏。同时还会降低回收产品水的品质，影响水资源的再利用过程。再如二次蒸汽通过压缩机的压缩，往往具有一定的过热度，过热的蒸汽不仅会降低传热效率，而且会对管道和设备造成极大损坏。因此需要设置将过热蒸汽转为饱和蒸汽的措施，提升系统加热器的传热效率。除此以外，选择适宜的蒸发压强、蒸汽的压缩比、料液温度，均会产生有利的节能效果。

6.4.3.3 工程应用案例

(1) 案例1

某光纤制品厂，工艺外排一股含有氯化钠、硫酸钠和硅酸钠的含盐废水，处理量为$72m^3/d$。其中TDS为66700mg/L，氯离子浓度为36900mg/L，硫酸根离子浓度为3780mg/L，钠离子浓度为25800mg/L，悬浮物浓度为141mg/L。采用含盐废水零排放处理工艺，实现水和盐分的回收利用，工艺流程如图6.18所示。含盐废水在原水箱储存，经预热器预热后，泵入循环管线再进入加热器，生蒸汽作为开车启动时的加热热源，循环料液加热至一定温度后在分离室中进行气液分离，二次蒸汽经过除雾器后进入压缩机，利用压缩机做功使二次蒸汽增压、增温、增焓，并作为正常运行时换热器的加热热源，自身变为冷凝液去冷凝水箱。废水在蒸发循环系统中不断浓缩，达到近饱和析盐浓度后，泵入稠厚器结晶，浓浆液经离心机分离后得到结晶盐，离心母液进入母液箱，由母液泵重新输送至分离室。该工艺闪蒸气液分离发生在分离室内部，结晶盐沉降在分离室内，无须单独设置蒸发罐和结晶罐。

废水循环泵采用强制循环离心泵，蒸汽压缩机采用罗茨式蒸汽压缩机，加热器采用板式换热器，气液分离采用折板除雾器。各类规格管道耐压等级为PN1.0，废水管采用2205/

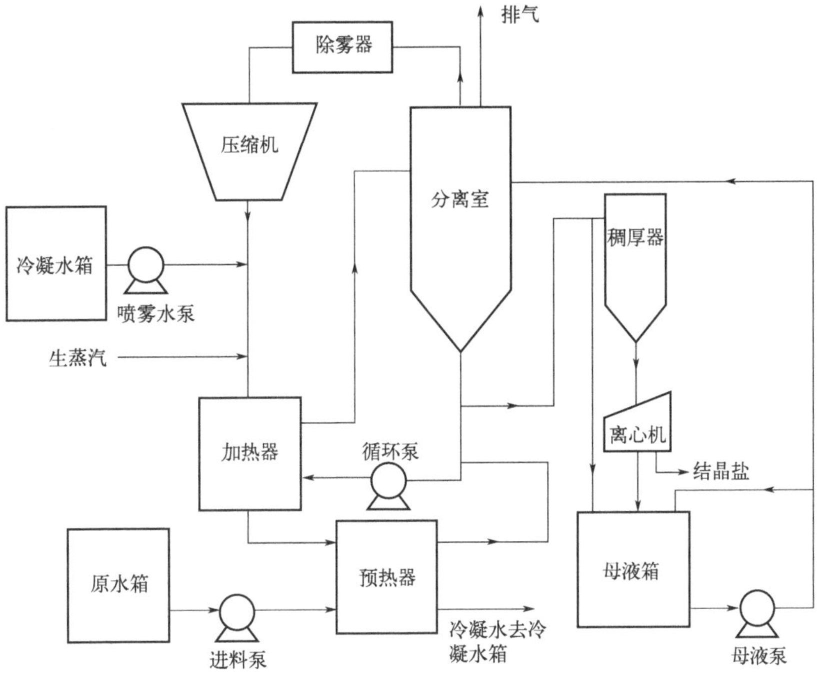

图 6.18　某废水零排放项目 MVR 蒸发工艺流程

316L 材质，蒸汽管采用 2205 材质。其中板式换热器传热系数高，可方便通过增加板片数来增加换热面积和处理量，且外置方式便于清洗和更换。

运行数据显示，蒸汽压缩机进出口温度分别为 105.5℃和 120℃，压缩机温升为 15℃。系统水回收率为 93.47%，系统脱盐率为 99.23%，冷凝水各项指标低于《城市污水再生利用　工业用水水质》（GB/T 19923—2024）中循环冷却水系统补充水指标，达到厂内循环水回用标准。回收副产盐满足《工业盐》（GB/T 5462—2015）中精制工业盐的工业湿盐一级标准，定期外送至附近用户。该项目总体电耗为 95kW·h/t 废水，蒸汽耗量为 0.08t/t 废水，电费按 0.5 元/(kW·h) 计，蒸汽按 180 元/t 计，每吨废水总体处理成本为 61.9 元。装置检修清洗周期为 45 天。

（2）案例二

某化工生产企业工艺排放一股高盐废水，盐分主要由硫酸盐和氯化物组成，还含有难降解有机物。废水产生量为 $6m^3/d$，其中 TDS 为 96500mg/L，氯离子浓度为 29300mg/L，硫酸根离子浓度为 47400mg/L，悬浮物浓度为 130mg/L，COD 含量为 2980mg/L。采用 MVR 技术处理工艺，实现出水指标达到北京市《水污染物综合排放标准》（DB 11/307—2013）排放限值要求，工艺流程如图 6.19 所示。废水储存于调节池内，再泵入 MVR 蒸发系统，先与二次蒸汽冷凝液在预热器中进行热交换，实现预热目的，再进入循环料液管线中，通过循环泵实现料液内循环，循环料液经加热器加热升温后，进入具有一定真空度的分离室，闪蒸沸腾产生二次蒸汽。经除雾器去除夹带液滴后的二次蒸汽通过蒸汽压缩机加压、升温后进入加热器作为加热热源，自身放热成冷凝水，进入冷凝水罐，并作为预热器的加热热源。分离室中的浓液达到设计浓缩倍率后按一定比例排出。如此循环往复，维持 MVR 蒸发系统内一定的料液温度和浓度，系统真空状态通过外部真空系统维持。开车运行时，加热器的加热源为生蒸汽，正常运行时无须生蒸汽消耗。

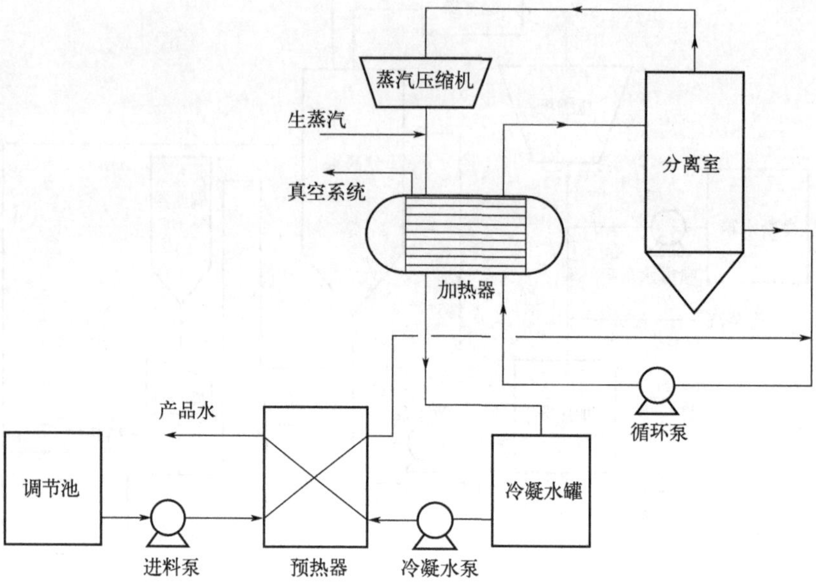

图 6.19　某废水零排放项目 MVR 蒸发工艺流程示意图

考虑系统高氯离子浓度环境，管线设备选用耐腐蚀材质，本项目分离室选用钛材，加热器管程为钛材，循环泵叶轮采用 2205 双相不锈钢材质。分离室溶液浓度控制在 48%，温度为 88℃，二次蒸汽温度控制在 80℃，沸点温升为 8℃。

运行数据显示，系统稳定可靠，出水水质良好，COD 含量为 25.7mg/L，TDS 为 260mg/L，硫酸盐含量为 2mg/L，氯化物含量为 57mg/L，满足直排要求。装置系统正常运行时无须生蒸汽消耗，只需要提供压缩机、泵等设备运转时的电力消耗，实际吨水电耗为 119kW·h，电费按 0.5 元/kW·h 计，吨水电耗成本为 59.5 元。

6.4.4　TVR 蒸发

6.4.4.1　概述

热力蒸汽再压缩（thermal vapor recompression，TVR）技术的原理是利用高品质驱动蒸汽实现对二次蒸汽潜热的部分利用，具有一定的节能效果。具体地，它是利用高温高压的驱动蒸汽在喷射器中达到超音速流动，从而将二次蒸汽吸入并完成对其的增温增压过程，使其重新作为加热热源使用，达到节能目的。蒸汽喷射器如图 6.20 所示，它是一种利用高压蒸汽卷吸低压蒸汽并完成对引射蒸汽增温增压的流体机械，主要由驱动喷嘴、吸入室、混合室和扩散室四个部分组成。由于结构简单，无可动部件，制造费用低，运行可靠，已经得到较为广泛的工业应用。

MED-TVR 蒸发系统工艺流程如图 6.21 所示，生蒸汽经过蒸汽喷射器，产生负压环境，抽吸其他效蒸发室产生的二次蒸汽，增温增压后作为某效加热器加热热源，提高热能利用率。虽然 MED-TVR 蒸发工艺节能降耗效果更为显著，但要特别注意系统的热平衡与蒸汽喷射器实际性能的匹配性，否则会得不偿失，节能变成增加能耗。当然，TVR 蒸发技术的利用，过程运行仍需要消耗一部分新鲜生蒸汽，但使用量已经大为减少。

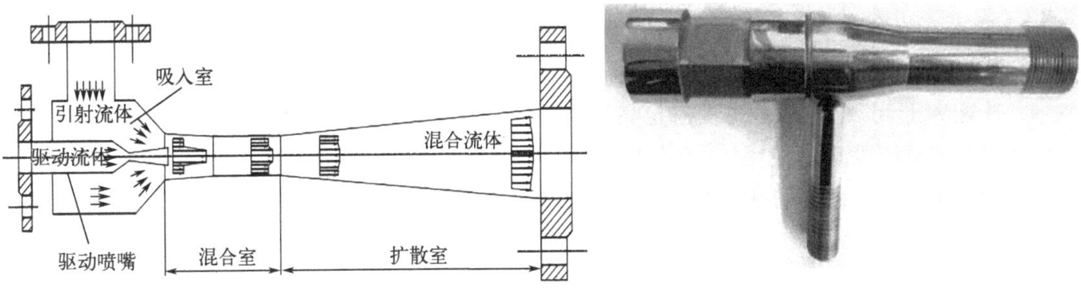

(a) (b)

图 6.20 蒸汽喷射器结构示意图与实物图

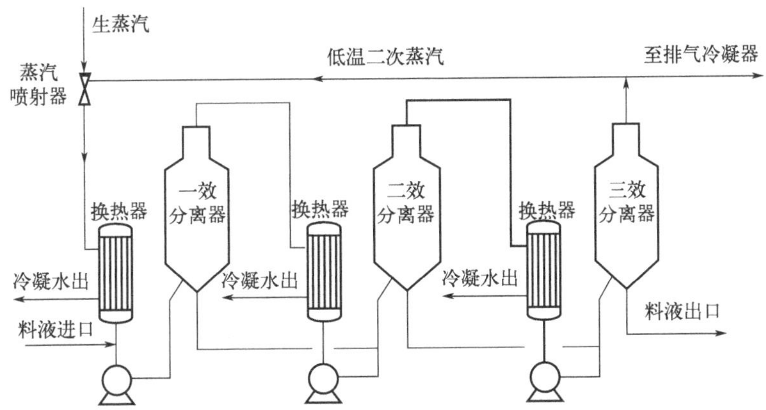

图 6.21 三效 MED-TVR 蒸发系统工艺流程

影响蒸汽喷射器性能的因素有很多，主要且关键的有工质参数，如驱动蒸汽、引射蒸汽、出口蒸汽的温度和压力，以及蒸汽喷射器的结构参数设计。喷射系数是描述蒸汽喷射器工作能力最重要的参数，它是引射蒸汽和驱动蒸汽的质量流量比，其值越大，表示蒸汽喷射器的引射性能越好。即低压蒸汽得到重复利用的热量越多，系统所需加热蒸汽量越少，能耗越少。但 TVR 蒸发技术普遍存在增压效率不高，调节能力受限，无法适应水质水量波动较大的应用场景等问题，制约了其在含盐废水处理中的应用。

6.4.4.2 减碳优势

该技术常见于和多效蒸发技术耦合使用，应用于热法海水淡化领域，可减少效数，增加系统造水比，降低过程能耗。一个 TVR 蒸发系统节约的能源与增加一效蒸发器所节约的能源相当。MED-TVR 蒸发系统比单纯多效蒸发更节能，同时还减少了末效冷凝器的负荷和凝结热损失。另外，应用 TVR 蒸发系统可以不用设置对生蒸汽的减温减压设备，通过蒸汽喷射器直接使用自锅炉来的高压蒸汽作为驱动蒸汽引射二次蒸汽，出口蒸汽直接可作为系统加热源使用，避免高温高压蒸汽直接减温减压使用造成的能量损失。

邓润亚建立了高浓缩倍率顺流进料的 MED-TVR 海水淡化系统数学模型，利用㶲分析方法得出，与单独运行的 MED 系统相比，TVR 技术的应用可使系统蒸汽消耗量明显减少，制水成本显著降低。若优化改进蒸汽喷射器的引射系数，可进一步提高能量利用率，降低系统能耗。江浩等通过数学模型计算，得出采用 TVR 引出蒸汽预热进料＋冷凝液闪蒸＋多效蒸发系统，可节省生蒸汽约 16.72％。周一卉等以 TVR 对 MED 工艺优化效果进行研究，得出 TVR 的引入能显著提高多效蒸发系统热效率，优化蒸汽喷射器位置，造水比可提高 12％，冷凝水量可减少 22.5％。杨元亮等在对高盐高硬稠油废水淡化工艺研究中，测算采用单效 TVR 系统处理，使用 1MPa、180℃的生蒸汽，废水蒸发温度 100℃，蒸汽喷射器出口温度为 120℃。吨水蒸汽消耗为 0.42t，近似于多效蒸发三效的热效率，且无须冷却水，可减少相应的泵功耗。若项目所在地有大量的高参数蒸汽，优先应该考虑选用 TVR 系统。王一鸣针对某厂氢氧化钠水溶液单效蒸发装置为降低能耗进行的技术改造研究中，得出 TVR 技术的应用使得二次蒸汽回用率达到 0.289，能耗为单效蒸发能耗的 78％。采用 TVR 技术，所需设备少，没有活动件，关键设备蒸汽喷射器工作可靠性高，维护工作量少。

6.4.4.3 工程应用案例

（1）案例 1

某滨海电厂万吨级低温多效蒸馏海水淡化工程项目，采用了四效 MED 耦合 TVR 设计，利用汽机 4 段的抽汽作为蒸汽喷射器的高品位驱动蒸汽，工艺流程如图 6.22 所示。预处理后的海水经凝汽器预热后，平行进入至蒸发器的各效内，通过效内喷嘴均匀喷淋在换热管上进行加热蒸发，产生的二次蒸汽作为下一效的加热热源。末效产生的二次蒸汽一部分通过进料海水进行换热冷却，另一部分作为引射蒸汽被 TVR 抽走，出口蒸汽进入第一效作为加热热源。蒸发器各效底部浓盐水和二次蒸汽放热后产生的蒸馏液采用逐效回流方式汇集到第四效，然后通过各自管道排出系统，如此循环往复，实现海水淡化目的。

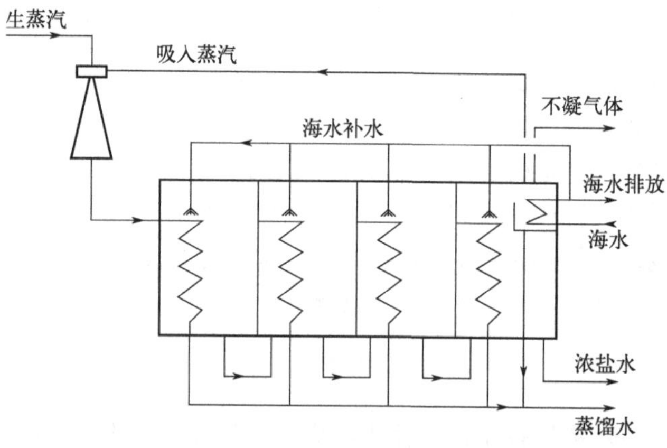

图 6.22 四效 MED-TVR 海水淡化装置工艺流程

该项目凝汽器采用表面式单壳程双流程结构，冷却管采用钛管。蒸汽喷射器采用 SS316L 材质。两年运行实践表明，该系统装置具有 50％～100％的操作弹性，产水含盐量小于 5mg/L，额定条件下造水比可达 8.33 以上。

（2）案例 2

某煤化工企业针对全厂含盐废水进行蒸发浓缩减量化处理后的排浓液采用高效预处理＋双效蒸发结晶＋TVR 技术工艺进行零排放处置，工艺流程如图 6.23 所示。蒸发器浓液经过双碱法除硬除碱除杂后，进入斜板沉降固液分离，下层悬浆液经板框压滤机处理后，滤饼外运处置，滤液回流至前端加药预处理段。上层清液经粗过滤器除机械杂物后，送往陶瓷膜精过滤系统。滤液作为蒸发结晶系统进料，经热力除氧后输送至硫酸钠结晶循环管线并与循环料液进行混合，循环料液在加热器中由减温减压后的饱和生蒸汽加热升温至接近沸点温度后进入硫酸钠结晶器，闪蒸出的二次蒸汽经除雾沫夹带后一部分作为二效 TVR 系统的被引射蒸汽，剩余去硫酸钠冷凝器冷凝后作为系统工艺回用水。硫酸钠结晶器中料液浓缩到过饱和析出晶体后，浓浆液排出，经硫酸钠离心脱水机分离出硫酸钠固体盐外售。离心母液输送至杂盐结晶循环管线，循环料液在加热器中由 TVR 系统产生的蒸汽进行加热升温，TVR 系统驱动蒸汽为厂区内送来 0.45MPa（G）的蒸汽。加热至接近沸点温度后进入杂盐结晶器，闪蒸出的二次蒸汽经除雾沫夹带后去杂盐冷凝器冷凝后作为系统工艺回用水。杂盐结晶器中料液浓缩至析出杂盐晶体后，排出浓浆液经由杂盐离心机分离得到固体杂盐，定期外运处置。

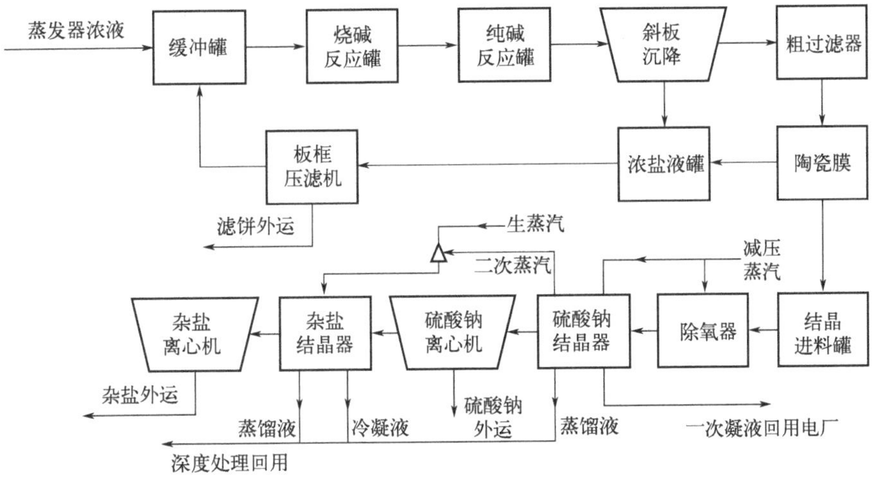

图 6.23　某煤化工项目含盐废水零排放处置工艺

该项目处理规模为 $15m^3/h$，进水 TDS 为 15 万 mg/L，总硬度（以 $CaCO_3$ 计）为 4500mg/L，硫酸根含量为 6.3 万 mg/L，装置实际运行回收的总产品水量约 $13.6m^3/h$，系统总的水回收率约为 91%。产出硫酸钠结晶盐 0.7～1.4t/h，达到 GB/T 6009—2014 中的Ⅲ类品标准，出售作为其他行业工业原料，真正做到变废为宝，资源化利用。两效蒸发结晶＋TVR 技术工艺整体运行情况良好，有效降低了过程蒸汽耗量，实现了环保治理的低能耗和减碳化。

6.4.5　晶种高效降膜蒸发

6.4.5.1　概述

晶种法是基于选择性结晶原理，用于有效抑制蒸发器换热管表面结垢的技术，这也是解决蒸发器高效应用于含盐废水零排放处理场景的关键，具体技术原理如图 6.24 所示。成分复杂的各行业含盐废水中含有大量如硬度离子、硫酸根、硅等易结垢成分，料液在蒸发器内不断高温浓缩，浓度不断升高，直至达到饱和析出点。事先向系统投加的晶种，因其自身与析出盐垢晶体的相似结构特性和具有的较大比表面积，可实现对其优先吸附，避免盐垢晶体在传热金属管表面直接形成盐垢，长久积累后恶化其换热性能，增加运行能耗和安全风险。该技术一般结合强制循环模式运行，晶种会随料液作高速内循环，悬浮的晶种颗粒对换热管内壁面具有高流速的清扫除垢作用。工程应用中，常投加硫酸钙作为晶种，通过配套设置晶种旋流分离循环系统，可实现仅在装置开车时投加，利用回收生成的新晶种维持系统所需晶种的平衡量，正常运行时无须再投加。晶种技术的合理有效应用，可以大大缓解蒸发加热器的结垢速度，延长蒸发系统稳定运行时长和清洗周期，降低设备装置运行能耗和检修清洗费用。

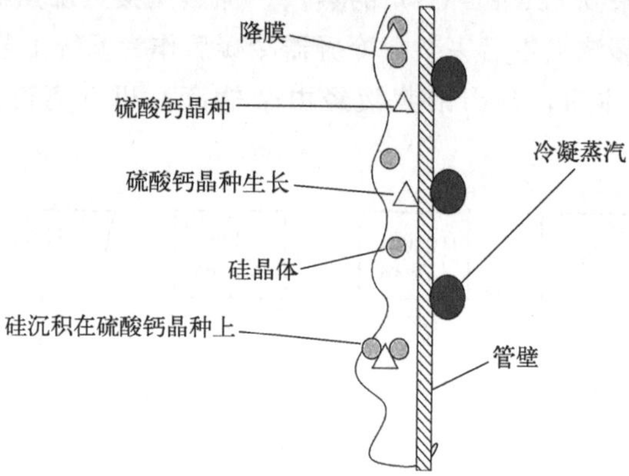

图 6.24　基于降膜的晶种防垢技术原理

高效降膜蒸发技术是在重力和真空诱导及气流作用下，料液经过分布器沿传热面呈均匀膜状自上而下流动并吸收外部热量进行蒸发，一般适用于黏度低于 700mPa·s 的物料蒸发浓缩过程。一般分为立式管内降膜蒸发和卧式管外降膜蒸发，前者多应用于化工、食品、制药等行业中热敏性物料和易起泡物料的蒸发浓缩，后者多应用于海水淡化行业中的海水蒸发浓缩。含盐废水零排放工艺中多采用立式管内降膜蒸发技术，它是指料液在换热管内向下流动的同时，与壳程加热热源进行热交换，升温至接近沸点后，在下方分离室中实现气液分离。核心蒸发器设备如图 6.25 所示，主要由顶部管箱、加热室、分离室三大部分组成。具体实施过程为：料液经循环泵输送至蒸发器顶部管箱，经由液体分布及成膜装置作用后，均匀分配到每根换热管内并以液体薄膜状态流下。流动过程中料液被蒸发器壳程加热介质加热，从而部分汽化，产生的二次蒸汽与液相共同进入蒸发器分离室，完成气液分离操作。立式管内降膜蒸发系统中，料液在蒸发器内停留时间短，能减少热敏性物料的降解和有结垢倾向的物料在换热管壁上的结垢。管内的料液流速较大，在重力作用下流动，静压差小，可实现低温差下的沸腾传热，传热系数高。降膜蒸发器被公认为是一种高效的蒸发设备，且工作寿命长，结构紧凑。

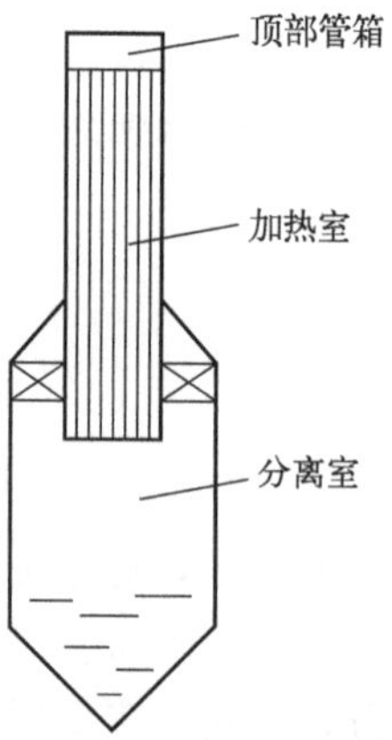

图 6.25　降膜（立式）蒸发器结构示意图

晶种降膜蒸发是将以上两种技术有机耦合而成的工艺，它具有抗结垢效果好，热效率高，适用于运行工况恶劣的含盐废水蒸发结晶零排放处置场景。一般而言，由于多效降膜蒸发系统晶种生长周期短，且晶种回收系统更为复杂，经济性略差，通常晶种法耦合 MVR 降膜蒸发系统使用更为普遍。

6.4.5.2　基于低温能源利用的高含盐废水零排放技术

基于低温能源利用的高含盐废水零排放技术（LTE-ZLD）包括低温能源回收、预处理、反渗透、热蒸发、结晶、回收利用等几个部分。其明显的技术优势是利用废热为热源，可以通过采用控制盐浓度、降膜循环蒸发等技术从高浓度含盐废水体系中分离出无机盐和高纯度的蒸馏水，适用于高含盐量废水的回收与利用，可以使工业废水的回收率从目前的 70%左右提高到 97%以上。

化工企业生产过程中，会产生大量各种形式的余热，特别是低温余热（LTE）。高效余热回收技术的核心是高效换热器。高效换热器就是采取有效的强化传热技术，实现小温差工作，回收低温余热来产生蒸汽，实现低能耗。LTE-ZLD 是中圣科技（江苏）集团股份有限公司结合自身在高效传热技术与高效节能装备的基础上，开发了小温差下产生蒸汽的高效换热器，用于回收工厂里的大量低温热源产生蒸汽，供高盐废水零排放（ZLD）系统回收高含盐废水，形成了基于低温能源利用的高含盐废水零排放工艺和成套装备。利用这套新技术可以实现低温能源的回收利用，利用其自主研发的高效换热装备与技术使高含盐废水零排放做到“零能耗”，即不需工厂外部提供能源，大大降低了废水回收的成本。因此，该技术将会为我国高含盐工业废水零排放提供新方法，使我国的工业废水回收利用提高到一个新的水平，同时提升国家节能环保的水平。

其工艺和技术所具有的创新性如下：

① 回收利用低温能源产生的蒸汽作为高含盐废水零排放的驱动蒸汽，使整个过程低能耗或近零能耗，大大降低废水回收成本；

② 对高浓度的含盐废水可以进行有效的回收利用，回收率可达 97%以上；

③ 采用高效节能余热回收装置实现对低温能源的有效利用；

④ 通过中试试验得到不同含盐废水的最佳处理工艺，获取工艺包，提供从设计到采购、施工的 EPC（设计-采购-施工总承包模式）工程。

总之，该技术处于国内领先水平，拥有自主知识产权，特有的核心工艺包（LTE-ZLD）填补了国内高含盐废水零排放技术的空白。

高含盐废水零排放的工艺流程见图 6.26。零排放在传统的反渗透等膜技术处理的基础上，再通过蒸发、结晶等过程，进一步对高浓度的废水进行浓缩，最大限度地回收水资源，减少排放量。

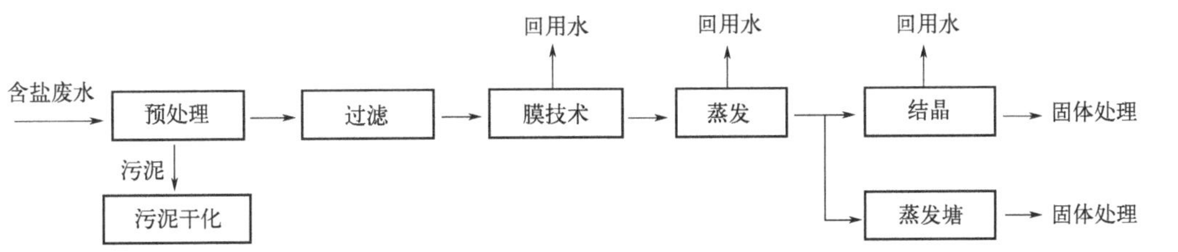

图 6.26　高含盐废水零排放工艺流程示意图

基于低温能源利用的高含盐废水零排放技术以降低高含盐废水零排放过程的运行能耗为目的，将低温能源利用技术与高含盐废水零排放技术相结合，低温差蒸汽发生装置利用低温能源生成低压蒸汽，低压蒸汽作为驱动高含盐废水零排放装置运行的热动力，蒸汽冷凝液又返回作为蒸汽发生装置的进水，实现整个过程的低能耗或近零能耗，从而达到节能减排。其工艺如图 6.27 所示。

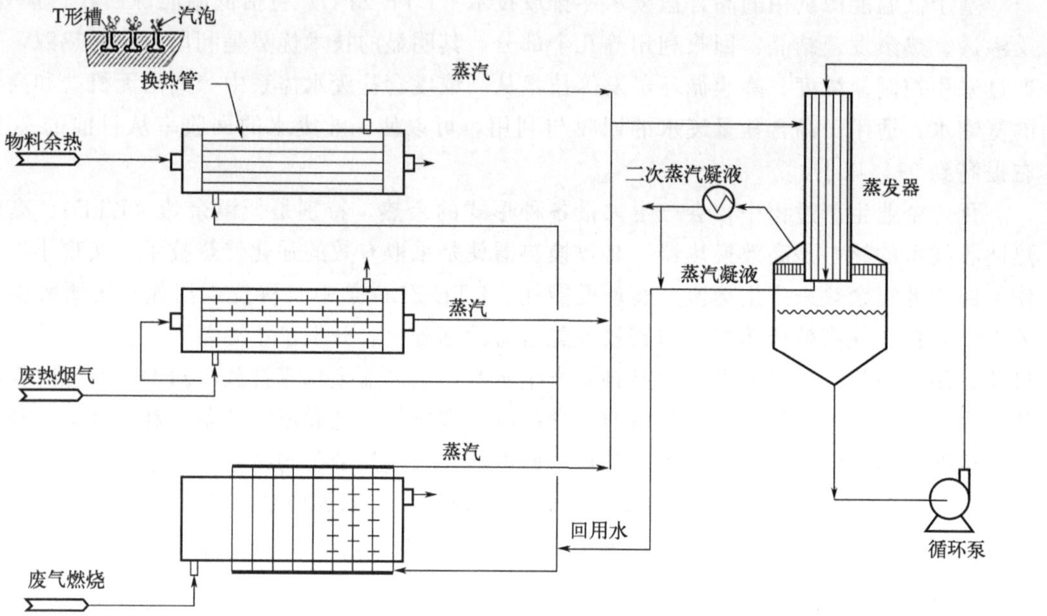

图 6.27　基于低温能源利用的高含盐废水零排放技术示意图

6.4.5.3　减碳优势

蒸发系统换热设备结垢是含盐废水蒸发浓缩过程面临的最为棘手和关键的问题，换热设备表面结垢会导致传热性能恶化，循环压力上升，影响设备运行效率和安全，增加过程能耗。有数据显示，换热设备每结垢 0.5mm，传热系数就会下降 30%，造成过程热量的巨大损失。因此，抑制或减缓蒸发结晶系统设备结垢现象是过程减碳重要着力点之一。采用晶种降膜技术工艺，能有效克服传统含盐废水蒸发过程浓缩倍数受限的问题，通过在系统内设置高效降膜蒸发以及维持循环系统合理晶种浓度等措施，最大程度地提高蒸发系统浓缩倍数。同时，能有效抑制蒸发换热器因成垢离子浓度富集导致的结垢问题，保持系统高效换热性能，节省加热热源损耗，以及因结垢严重导致的装置清洗所需的药耗和能耗。

美国和日本最早研究石膏晶种法防止加热管壁结垢，且成功应用于制盐工业中。数据显示，维持 20g/L 硫酸钙晶种量，管垢清洗周期可延长至一年，蒸发设备总传热系数仅降低 8%。我国早在 1960 年，自贡市轻工业设计研究院有限责任公司开展了关于“外加热式强制循环蒸发罐石膏晶种法防止加热管结硫酸钙垢的试验”，研究成果在多套硫酸钙型盐矿卤水制盐蒸发结晶装置上取得较好的应用效果。当然，不合理的石膏晶种浓度设计，会使料液处于浆态状，影响其传质和传热，同时会使料液出现大量泡沫，影响产品盐的质量。合理的初始投加晶种粒径分布和过程浓度控制是工艺设计的关键。进入 20 世纪 90 年代后，美国 GE 公司开发用于高盐废水零排放的晶种阻垢工艺，如应用于 SAGD（蒸汽辅助重力泄油技术）采油废水蒸发浓缩，大大延长了蒸发器的清洗周期，解决了蒸发器结垢严重的问题。

根据液膜蒸发理论，在不出现干点的情况下，让液膜尽可能铺展，液膜越薄，润湿面积越大，换热效果越好，但液膜过厚和过薄均会引起蒸发器传热性能的下降。这是降膜蒸发器保持较高换热性能的关键，很大程度上有赖于高效液体分布装置的设计和应用。有研究者研究了降膜式蒸发器的换热系数与换热管的浸润情况关系，得出当浸润程度低于 0.08kg/(m·s) 时，蒸发器整体换热系数将会降低 13%左右。一般通过增加换热管管径和长度来改善浸润程度，从而提高系统换热性能，达到节能降耗目标。

6.4.5.4　工程应用案例

（1）案例 1

某煤制烯烃含盐废水近零排放处置工程项目，采用强制循环立式管内降膜蒸发耦合晶种技术。采用的降膜蒸发器和插入式液体分布器如图 6.28 所示，工艺流程为料液经循环泵送至蒸发器顶部管箱，液体流经特殊结构液体分布器完成均匀分布，换热管内液体在重力作用下，沿管壁形成均匀的液膜自上而下流动，被蒸发器壳程蒸汽加热部分汽化，浓缩液下降至盐水槽中，再由循环泵送至顶部管箱，重复浓缩液蒸发浓缩过程，直到料液浓度达到设计值后排出蒸发系统进入下一工段处理。装置系统开车时，向蒸发器内加入质量分数为 3%～5%的硫酸钙晶种，正常运行时，无须补充添加晶种。

(a)　(b)

图 6.28　降膜蒸发器及液体分布器实物

该项目蒸发系统处理规模为 60m^3/h，水回收率大于 95%，出水达到优质再生水水质标准。运行结果显示，蒸发装置系统抗结垢耐腐蚀性能显著增强，装置清洗频率减少至一年 1～2 次，拆检时未见有较为严重的结垢现象。蒸发结晶近零排放单元吨产水运行成本约 28 元，总体能效水平提升了 20%以上。

（2）案例 2

某脱硫废水零排放工程项目，采用晶种法立式降膜蒸发技术，将进料废水 TDS 从 3%～8%浓缩到 15%～21%，工艺流程如图 6.29 所示。进料含盐废水经过预热器预热、脱气塔脱气后输送至降膜蒸发系统，系统开车时加入一定量的硫酸钙晶种，夹带硫酸钙晶种的料液经过循环水泵的作用实现内循环，料液被输送至降膜蒸发器顶部管箱，经由布水器作用将料液均匀分布于每根换热管内，在重力作用下料液沿圆周以薄膜态从上往下流动，吸收壳程蒸汽热量，升温至沸点，蒸发产生二次蒸汽经由除雾器作用后进入蒸汽压缩机，通过压缩机耗电做功，使得出口蒸汽的压力、温度、热焓升高，经出口管路进入蒸发器壳程作为循环加热源。壳程蒸汽加热管程料液，放热后冷凝成蒸馏液，与进料废水热交换后作为产品水回收。蒸发器料液排放管路设置有晶种回收循环系统，使得蒸发器内初始投加的旧晶种和产生的新晶种得以回收循环利用，实现运行过程中的晶种零加入、零消耗。

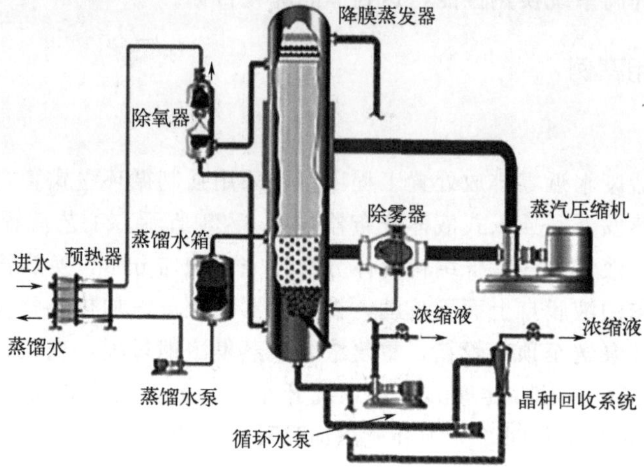

图 6.29　某脱硫废水零排放项目工艺流程示意图

该项目降膜蒸发系统处理能力为 $30m^3/h$，蒸发器排出系统浓缩液量为 $2\sim8m^3/h$。晶种法的应用使得料液在不断蒸发浓缩过程中，生成的硫酸钙和二氧化硅等盐垢可以在晶种上生长，避免在蒸发器换热管上结垢，降低了易结晶物质在换热管表面结垢的倾向，提高了装置在线率，延长了其清洗周期。实际运行结果表明，回收水浊度小于 1NTU，TDS 小于 100mg/L，满足设计要求。装置系统处理水量大，无污泥产生，占地面积小，使用寿命长，运行成本低，蒸发浓缩段吨水处理费用为 20 元，综合环保效益高。

6.4.6 烟道蒸发

6.4.6.1 概述

烟道蒸发是在烟道内对废水采用喷雾蒸发处理的一种技术，应用场景多为电厂脱硫废水零排放处置。其工作原理为脱硫废水经雾化后喷入烟道，利用高温烟气加热使其迅速蒸发汽化，剩下的悬浮物、可溶性盐分晶体等以固体颗粒形式随气流进入除尘设备中，同烟气中的飞灰一起被捕集去除。蒸发产生的水蒸气随烟气一同进入后端脱硫塔内，经冷凝后间接补充脱硫工艺用水，最终实现废水的零液外排。该技术可细分为主烟道蒸发和旁路烟道蒸发两大类。主烟道蒸发工艺流程如图 6.30 所示，以水泵和空压机为动力源，使废水经喷嘴形成微小液滴后进入除尘器前的烟道中，烟道内从上游而来的高温烟气与液滴直接接触传质传热，产生的水蒸气随烟气排出，析出的结晶盐和原有的固体杂质同飞灰在除尘器中被截留，并一同外运处置。由于可利用的排烟温度低，有效烟道长度短且狭窄，蒸发量受限且蒸发效果差，改造空间受限，该技术工艺在实际工程中较少应用。旁路烟道蒸发工艺流程如图 6.31 所示，它是引入 SCR（选择性催化还原）脱硝出口高温烟气作为加热热源，在新建旁路烟道或者喷雾干燥塔内实现含盐废水液滴的高效蒸发，再将烟气引回至除尘器设备前烟道管路。

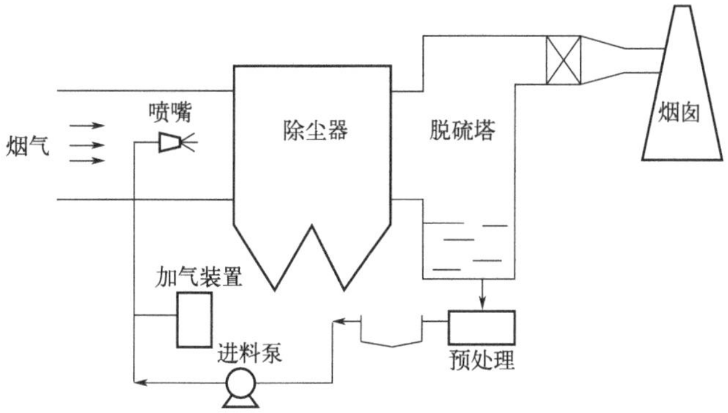

图 6.30　主烟道蒸发工艺流程示意图

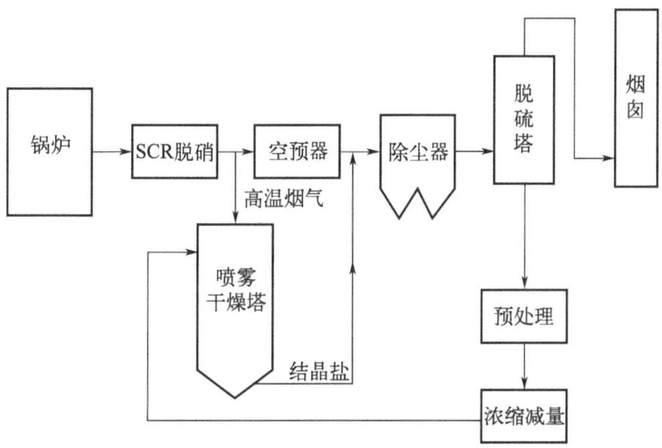

图 6.31　旁路烟道蒸发工艺流程示意图

液滴的高效蒸发取决于核心设备雾化器性能，要求雾化液滴粒径控制在 10～60μm，目前主要有旋转雾化和双流体雾化两种型式。前者采用雾化盘旋转产生的离心力，将废水甩出至边缘破裂成微小液滴，后者采用高速压缩空气与废水产生摩擦和剪切力形成微小液滴。配套使用的喷雾干燥塔，前者适宜采用直径较大的“矮胖型”，后者适宜采用直径不宜过大的“瘦高型”。实际工程应用选型时，后者多应用于经预处理和浓缩后废水的旁路烟道蒸发工艺。

6.4.6.2　减碳优势

烟道蒸发充分利用锅炉尾部烟气热焓，无须额外热源，运行能耗低。另外，可充分利用烟道间隙进行改造，占地面积小，投资省。其中旁路烟道蒸发工艺具有较强的负荷适应性和调节性，在工程应用中使用较为普遍。由于具有相对独立的烟道系统，可通过关闭出入口电动隔离挡板与主烟道进行切断，对主烟道系统和锅炉运行安全性影响较小，系统可靠性更强。若采用电除尘系统，由于进系统的烟气湿度增加，提高了电介质强度，降低了粉尘比电阻，有利于除尘效率的提升，达到协同促进对烟气和废水中污染物去除的目的。当然，由于从锅炉系统中引出一部分高温烟气，对原有锅炉系统热效率有一定影响。另外，不合理的设计会增加系统烟道和喷嘴的结垢、堵塞和腐蚀风险。

胡斌等通过试验研究脱硫废水烟道蒸发对原系统的影响，结果表明实施废水烟道蒸发技术工艺，除尘效率提高5%，$PM_{2.5}$颗粒脱除效率提高25%，同步节省烟气脱硫系统用水量。李亚娟等对某2×350MW燃煤电厂采用的旁路烟道蒸发技术处置脱硫废水进行性能试验探究，结果表明每蒸发1m^3废水需抽取高温（333～347℃）烟气约10275m^3/h（标准状况），锅炉热效率仅下降0.29%～0.33%，折合发电煤耗增加0.27～0.31g/(kW·h)，运行成本为67.56～71.36元/(m^3/h)。叶兴联等基于含盐液滴蒸发模型，研究了旁路烟道蒸发过程的导流措施、喷嘴布置方式、喷嘴层数、烟气温度和湿度、雾滴粒径等因素对蒸发特性和效率的影响，结果表明，采用适宜导流措施可改善流场并且防止雾滴碰壁现象，采用合理喷嘴布置可增大雾滴蒸发速率且降低雾滴碰壁概率，烟气温度升高以及雾滴粒径减小可增加雾滴蒸发速率，提高过程热效率。游联欢对某电厂660MW机组脱硫废水零排放工程作工艺优化与改进研究，结果表明，优化改进后的高温旁路烟道蒸发系统，在满负荷工况下，脱硫废水处理量为4.69m^3/h，锅炉效率下降0.24%，折合增加锅炉煤耗量0.703g/(kW·h)，最终核算运行成本约71.15元/t废水，是一种低耗高效的脱硫废水零排放技术。

6.4.6.3 工程应用案例

（1）案例1

某2×320MW燃煤机组火电厂脱硫废水，采用旁路烟道蒸发零排放处理技术，整体工艺流程如图6.32所示。共设计4台处理量为1m^3/h的旁路烟道蒸发器，采用双流体雾化形式，喷嘴材质为C276哈氏合金，雾化粒径D32≤35μm。高温（330～390℃）烟气从SCR出口烟道引出，与雾化的液滴在蒸发器内进行快速的传质传热，完成蒸发后的水蒸气及固体盐和杂质同烟气（≥160℃）进入空预器与低温省煤器间的烟道，固体盐和杂质被除尘器截留，水蒸气进入后端脱硫系统。

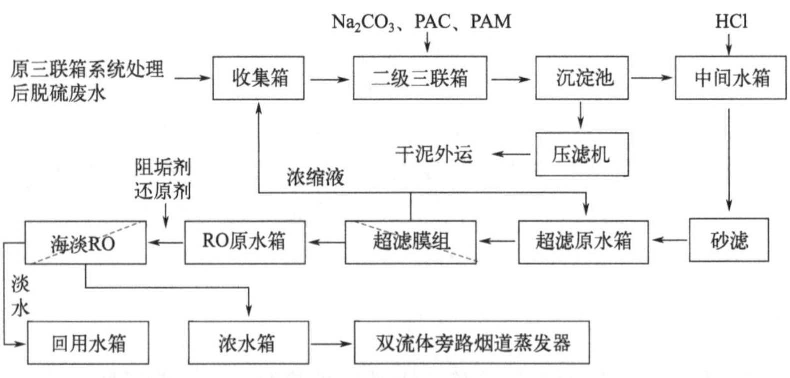

图6.32 某火电厂脱硫废水零排放处置工艺流程
（PAM表示聚丙烯酰胺）

运行结果表明，在机组负荷为310MW工况下，脱硫废水处理量为2t/h，锅炉效率从92.609%下降至92.581%，降低了0.028%。废水中盐分与飞灰在除尘器内被捕捉去除，不产生额外结晶盐。反渗透回收了60%淡水，剩余40%浓缩液经旁路烟道蒸发形成水蒸气随烟气排出，使脱硫塔入口烟气湿度增加，回用到脱硫岛内，实现全厂废水零排放和水资源全回收。系统运行加药费用为10.11元/m^3，电费为7.28元/m^3，不考虑对锅炉效率下降的影响费用，合计处理脱硫废水运行费用为 17.39 元/m^3。

（2）案例 2

某热电厂现有 4 台 350MW 供热机组，满负荷运行时产生脱硫废水量为 36～40m^3/h，采用旁路烟道蒸发技术实现废水零排放，工艺流程如图 6.33 所示。脱硫废水经前端软化浓缩后，泵送至蒸发塔内进行喷雾蒸发。蒸发塔设计两套，每套处理水量为 3m^3/h，分别采用旋转雾化和双流体雾化形式。从母烟道引入热烟气后在蒸发塔内与微小液滴进行传热传质蒸发，蒸发后烟气回流至低温省煤器前母烟道，烟气温度控制在 160～170℃。每套蒸发塔抽取烟气量约为系统烟气总量的 5%～6.5%，蒸发塔出入口烟气温度下降 3℃。

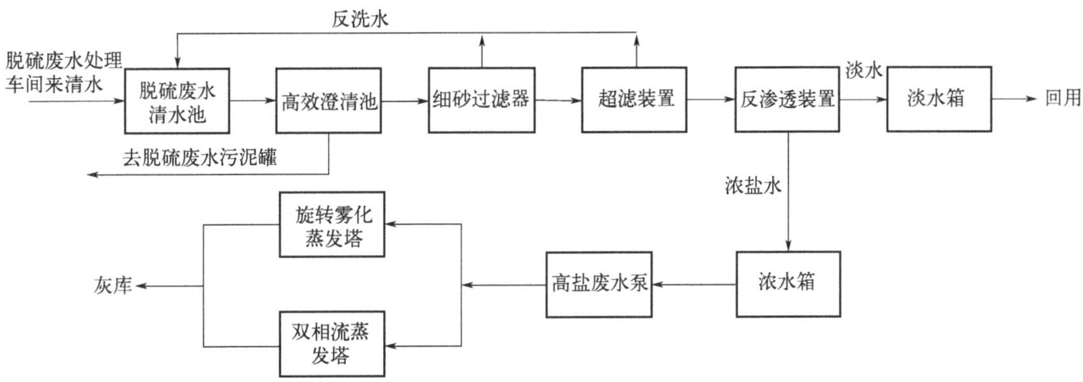

图 6.33　某热电厂脱硫废水旁路烟道蒸发工艺流程

运行结果显示，当蒸发塔出口温度控制在 165℃时，蒸发塔内无贴壁现象，灰斗内无飞灰板结现象，雾化盘喷嘴处有局部磨损现象。蒸发塔运行使锅炉效率下降 0.1%～0.14%，影响不大。项目软化浓缩系统工程投资为 963 万元，旁路烟气蒸发系统工程投资为 747 万元。总体核算运行成本为 33.7 元/m^3，其中旁路烟气蒸发系统直接运行成本为 10 元/m^3（不考虑锅炉效率下降的影响），相较于传统的蒸发结晶工艺，投资和运行成本均较低。

6.4.7　膜蒸馏

6.4.7.1　概述

膜蒸馏是将膜分离技术耦合入传统蒸发过程的新型热驱动膜分离技术。热侧蒸发产生的蒸汽分子可通过多孔疏水性膜材料，并在另外一端冷侧冷凝成液，而非挥发性的离子和分子无法通过，从而实现分离浓缩提纯。其传质动力为膜两侧蒸汽压差，驱动热侧易挥发组分渗透穿过膜孔进入低温侧。与传统蒸馏类似，也具有蒸发、传质传热、冷凝等过程，不同的是膜蒸馏的传质传热过程需要通过膜的作用来实现。如图 6.34 所示，原料液与膜都是直接接触的，根据透过侧蒸汽收集与冷凝方式的不同，可细分为直接接触膜蒸馏（DCMD）、气隙膜蒸馏（AGMD）、吹扫气膜蒸馏（SGMD）和真空膜蒸馏（VMD）等多种类型。气隙膜通量偏小，不利于产业化应用。吹扫气与真空膜蒸馏可以大大减少过程热损耗，增加膜透过量，但需要使用更大体积的冷凝器或真空泵，增加了额外的设备投资和操作费用。

用于膜蒸馏的膜材料通常选用疏水性微孔膜，同时还需综合考虑其化学性能、力学性能、热性能和润湿性能。这些性能的好坏直接会影响运行过程中膜通量、膜污染速率等关键

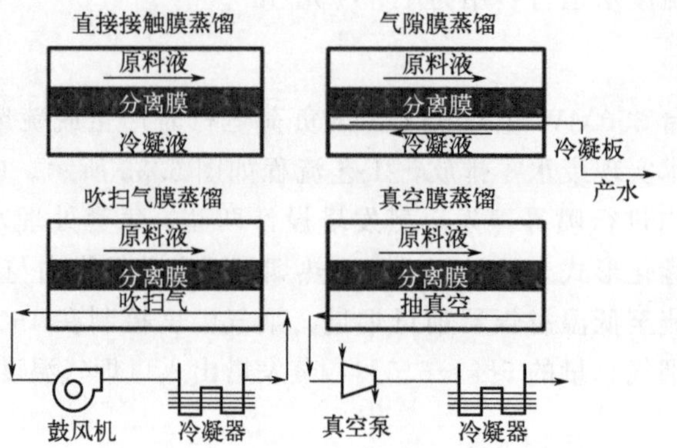

图 6.34　膜蒸馏的几种主要类型

参数，而这些均是装置系统稳定高效运行的重要保障。应用较多的疏水材料有聚四氟乙烯（PTFE）、聚偏二氟乙烯（PVDF）、聚丙烯（PP），以及各类在此基础上进行改性的材料，它们均具有良好的化学稳定性、热稳定性、力学性能和疏水性能。

该技术应用领域广泛，可用于苦咸水和海水脱盐，非挥发性溶质溶液浓缩（如果汁浓缩、中药成分提取），工业废水处理（如煤、石油和天然气的开采废水），重金属废水处理，印染废水处理等。目前膜蒸馏技术工程化应用的最大阻碍在于膜材料性能和热效率的提高和改善。高性能膜材料的开发，可有效解决膜组件传热性能差、膜污堵和膜润湿等问题。虽然膜蒸馏在常压低温条件下运行，但依旧属于相变分离，能耗相对较大，需要对蒸发潜热进行有效回收，如开发多效膜蒸馏技术，可提高整个操作过程的热效率，降低能耗。

6.4.7.2　减碳优势

膜蒸馏相较于传统蒸馏热效率更高，其操作压力和温度低，热侧料液无须加热至沸点，只要维持膜两侧适当的温差即可运行，可有效利用地热、太阳能等可再生能源或工业低温余热废热等低品位能源，降低过程能耗。相较于常规膜技术，可以常压下进行操作，处理更高浓度废水。另外，膜材料对不挥发性组分具有较高截留率，使得回收的蒸馏液品质更好。

Kurokawa 和 Sawa 等使用平板膜组件对 DCMD 进行试验探究，得到最佳热量回收工艺条件，蒸发潜热回收率可达 66%，最大造水比在 3 左右。Gore 等设计了一个用平板微孔疏水膜制作的螺旋式 AGMD 膜组件，膜两侧温差保持 4℃，通量达到 2.65L/(m^2 · h)，最高造水比可达到 11。Gilron 等研究错流式 DCMD，理论模拟其最高造水比小于 2.2，但将其进行逆流串联，造水比可达到 12。德国 Memsys 公司开发出多效平板膜减压蒸馏装置，造水比能够可达 2～4。北京中科瑞升资源环境技术有限公司开发出的 LEMON® 膜蒸馏装置采用了多效、热循环、模块化设计（图 6.35），系统由低温废热源驱动，吨水能耗低至 2～5kW · h/m^3。

另外，膜蒸馏装置核心部件由于操作温度低，可选用非金属材质，对高含盐水及高氯环境具有较好耐受性，可实现较好的防腐抗垢效果。同时，低温环境下可充分利用低品位废热，大幅降低运行能耗，吨水动力消耗可低至 2kW · h。若应用于火电厂高盐废水零排放场景中，可充分利用电厂大量废热源，实现整个零排放系统的低能耗运行，并得到大量高品质蒸馏水实现资源化回用。

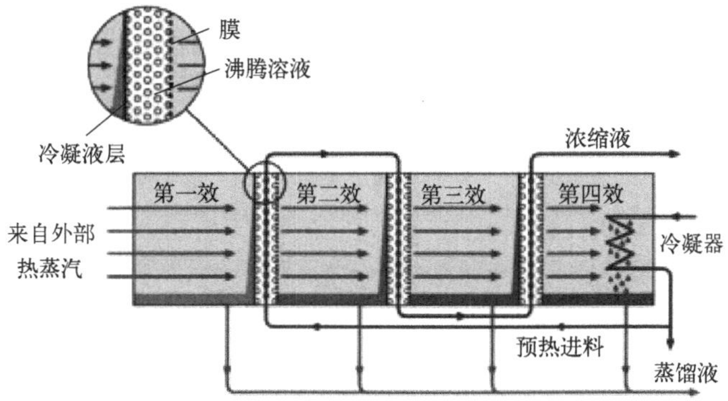

图 6.35　多效减压膜蒸馏装置工艺流程图

6.4.7.3　工程应用案例

（1）案例 1

某含盐含铬废水零排放工程采用板式真空膜蒸馏技术处置，工艺流程如图 6.36 所示。第一效浓盐水被外部加热源加热到 80℃左右，在内嵌 PTFE 微孔疏水膜表面蒸发，产生的蒸汽透过疏水膜进入产水通道，在 PP 冷凝片上被第一效来的浓盐水冷凝形成蒸馏水。吸收蒸汽潜热的浓盐水继续在第二效 PTFE 膜表面蒸发。以此类推，直到末效蒸发的蒸汽被外部冷却水冷凝，各效蒸馏水汇集后排出，浓缩后的料液在末效浓盐水通道排出，进入蒸发结晶工艺段。

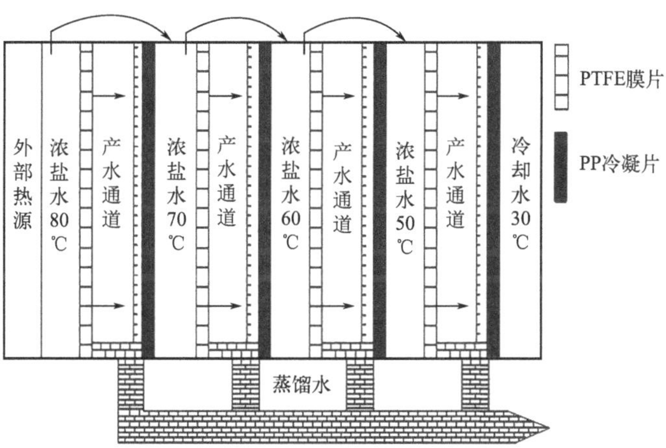

图 6.36　某含盐含铬废水零排放工程工艺流程图

该系统实现了模块化设计，结构紧凑，模块之间减少了连接管路，热利用率提高，造水比可达 6～8。过流部件采用非金属材质（PP、PTFE），耐酸、耐碱、耐腐蚀、耐氧化，并设置在线膜清洁功能。采用撬块化设计，占地面积小，节省土建费用。

运行结果显示，膜蒸馏系统处理量为 288t/d，进水一次过膜浓缩达到 50％的回收率，产水电导率为 100～150μS/cm，吨水处理所需外部热量消耗折合蒸汽用量为 0.2～0.23t（与常规五效蒸发设备相当），电耗仅为 4.8kW·h，比常规五效蒸发设备降低超过一半。

（2）案例 2

某金属加工企业酸洗废水处理项目采用膜蒸馏技术工艺处置（图 6.37），处理水量为 $50m^3/d$，氯化亚铁酸洗废水浓度为 18%～22%，经四效膜蒸馏系统处理后，浓度可浓缩至 38%～42%，再经过三氯化铁转化系统，最终得到的三氯化铁溶液可作为絮凝剂资源化再利用，每年为企业额外创收约 360 万元。

图 6.37　某酸洗废水膜蒸馏处理装置

运行结果显示，系统采用厂区镀锌车间的 90℃废水作为热源，运行消耗量约 $10.2m^3/h$。经测算，每立方米废水处理电耗约为 2.2kW・h，折合吨水运行成本仅 2 元。

6.4.8　冷冻结晶

6.4.8.1　概述

冷冻结晶是一种无汽化相变过程，基于盐溶液固液相平衡以及水分子结晶杂质排斥原理，从而获得纯水和纯盐的结晶技术。一般适用于溶解度随温度降低而减小明显的体系，以二元水盐体系为例，如图 6.38 所示，其中 D 点为冰、结晶盐和饱和溶液三相共存点，称为共晶点。当质量分数为 W_A 的盐溶液，从 T_A 降温至 T_B 时，冰开始析出，继续降温，盐溶液逐渐沿着 BC 线被浓缩到共晶点 D，此时冰和盐同时从液相结晶出来，利用结晶产物和溶液之间的密度差异，实现冰上浮获得纯水，盐下沉得到纯盐，盐溶液得到浓缩减量化。

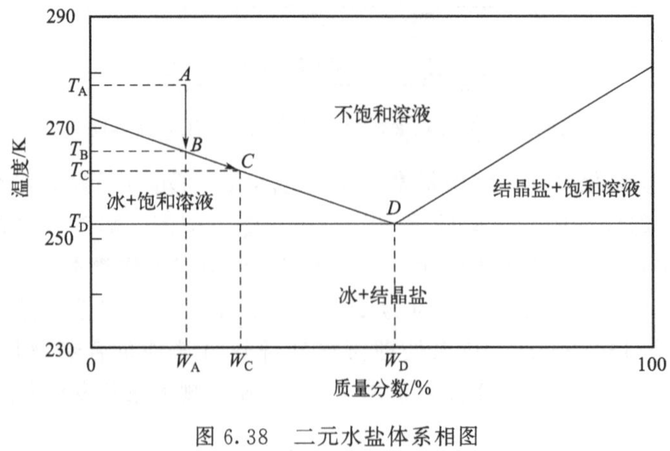

图 6.38　二元水盐体系相图

冷冻结晶相较于蒸发结晶，操作温度低，可减少对热敏性物质的破坏，避免有机物在高温下的聚合变质。同时，低温条件也可减缓设备腐蚀，改善析出结晶盐品质。该工艺投资、运行成本较低，安全性高，常应用于食品、制药、海水脱盐淡化行业，用于含盐废水治理领域的研究也日趋增多。

实际工业应用中，为取得高效的传质传热条件以及避免冰晶的杂质夹带，目前已开发的细分技术工艺有渐进冷冻结晶法、悬浮冷冻结晶法和共晶冷冻结晶法等。其中共晶冷冻结晶法（eutectic freeze crystallization，EFC）因其显著的高效节能属性，研究应用最为广泛，尤其是在含盐废水以及其他高难度废水治理方面。如图 6.39 所示，它是将含盐废水冷却到共晶点温度，冰和盐同时共存于结晶器中，冰悬浮于饱和溶液顶部，盐沉至结晶器底部，通过固液分离、洗涤等后续处理操作后，分别得到纯水和纯盐。

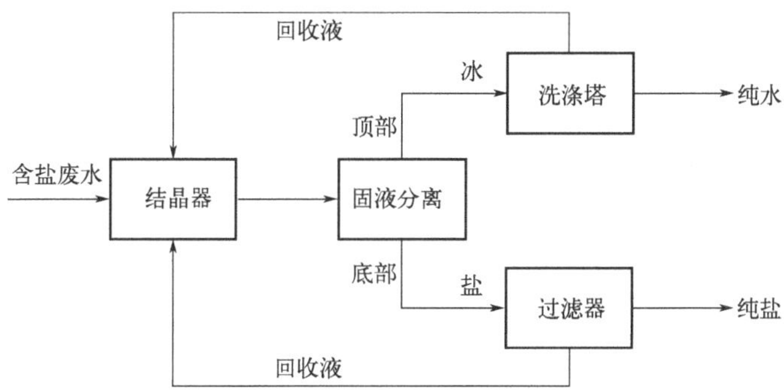

图 6.39　共晶冷冻结晶工艺流程图

6.4.8.2　减碳优势

共晶冷冻结晶技术的优势在于对各类废水适用范围广，操作简单，能源消耗少，基本无须外加化学物质，无外源污染，可同时达到水资源回收和结晶盐资源化再利用目的。低温操作工况，还可降低设备结垢和腐蚀风险，有利于维持装置系统运行中的高热效率和稳定性。相较于传统的蒸发结晶技术，其过程所需能量强度低，具有显著的节能和低碳效益。

有研究显示，水的熔化热在 0℃时为 6kJ/mol，蒸发热在 100℃时为 40.65kJ/mol。理论上，从水到冰晶的相变所需能量仅为水到蒸汽相变所需能量的 15%左右，冷冻结晶过程更节省能量。Fernandez-Torres 等研究处理质量分数为 4%的硫酸钠废水，分别采用冷冻结晶和蒸发结晶工艺的能耗进行对比，结果显示，处理等量废水时蒸发结晶能耗是冷冻结晶的 6～7 倍。Randall 等以采矿废水反渗透浓水为原水，进行多级串联冷冻浓缩和共晶冷冻结晶试验，实现 97%的废液回收率，并得到纯度为 98%的硫酸钙和纯度为 96.4%的硫酸钠晶体，基本达到废水零排放目标。Douglas 等对不同行业使用冷冻和蒸发浓缩工艺进行经济性评估，发现采用冷冻浓缩比蒸发浓缩的年成本低了 27.5%～40%。Vaessen 等利用 EFC 工艺进行五水硫酸铜和冰的结晶分离研究，并得到该工艺比传统三效蒸发结晶法节能 70%以上。Himawan 等利用 EFC 对硫酸镁溶液进行结晶分离，得出该工艺比蒸发结晶节能 60%以上。徐泓开展了冷冻浓缩共结晶纯化硫酸亚铁的中试试验，理论能耗测算为每吨废水耗电量为 26.88kW·h，相比于蒸发结晶电耗节约了 40.3%。

6.4.8.3 工程应用案例

（1）案例 1

某纺织印染企业生产废水采用包含冷冻结晶技术的零排放资源化回收处置工艺，进料废水为上游部分生化尾水，处理规模为250m^3/h，工艺流程如图 6.40 所示。主要包括预处理、膜浓缩和冷冻结晶三个部分。进料废水依次进入多介质过滤、超滤、树脂软化、反渗透（RO1）工段处理后，产水作为淡水回用，浓水进入纳滤系统进行分盐，纳滤后富含硫酸根离子的浓液进入冷冻结晶系统，经离心机固液分离回收芒硝，再作为助染剂重新回用于车间生产工艺中。富含氯离子的清液进入反渗透（RO2）进一步浓缩，浓液掺混回系统现有生化系统处理。

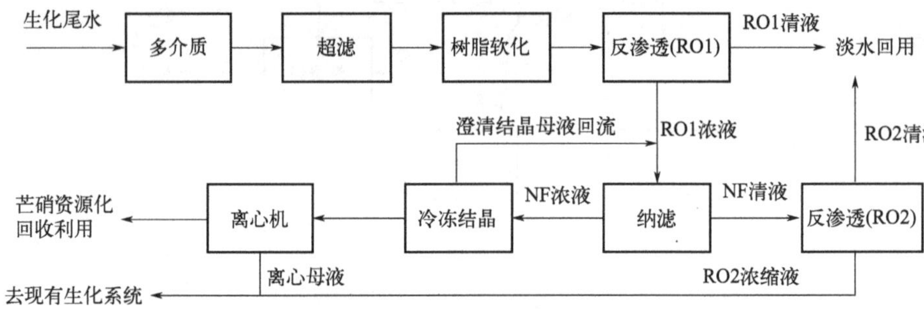

图 6.40 某纺织印染企业生产废水零排放资源化回收处置工艺流程

为节约投资和降低运行费用，选择冷冻结晶工艺从废水中析出并回收芒硝。冷冻结晶系统主要由冷冻机组、结晶器、离心机以及输送泵等组成。冷冻机组采用水冷螺杆低温乙二醇机组，制冷温度为−7～10℃，实际运行温度为−5℃。结晶器采用 316L 材质，离心机采用双推料型式。

运行结果显示，纳滤单元对硫酸根的截留率在 98.0%～99.6%，提高了进冷冻结晶系统的料液硫酸根浓度，离心分离脱出的芒硝纯度可达到 97.2%，吨水处理成本为 4.85 元。每年节约用水量大于 188 万吨，年回收芒硝大于 1.7 万吨，总计吨水收益 5.09 元，资源化收益良好，大大降低甚至覆盖了环保治理成本。

（2）案例 2

某钢厂生产排放的废酸液，采用浓缩冷冻结晶工艺进行处置，工艺流程如图 6.41 所示。酸洗废液经沉淀、过滤后，进入蒸发器中蒸发浓缩，产生的水蒸气经旋风分离器、分水器进入水力喷射装置冷凝后，随喷射水排入水封槽，作为回用水。浓缩液泵送至冷冻结晶器进行冷冻结晶，温度降至−5℃，七水硫酸亚铁以结晶形式析出，用离心机进行固液分离，再生酸返回酸洗使用，七水硫酸亚铁送至专用仓库待外销。

该项目废酸处理量为 3m^3/h，废酸浓度为 4%～7%，硫酸亚铁浓度<180g/L。采用石墨蒸发器，加热蒸汽压力不超过 0.1MPa，蒸发温度控制在 50～55℃，采用冷冻结晶温度为−7～−5℃，冷媒温度为−15℃。处理后再生酸浓度达到 8%～10%，硫酸铁浓度降至 80～100g/L。运行结果显示，处理每立方米废酸液蒸汽耗量为 0.5t，电耗为 37kW·h，冷却水消耗量为 0.5m^3，运行费用为 65.65 元/m^3 废酸液。处理每立方米废酸液回收再生酸

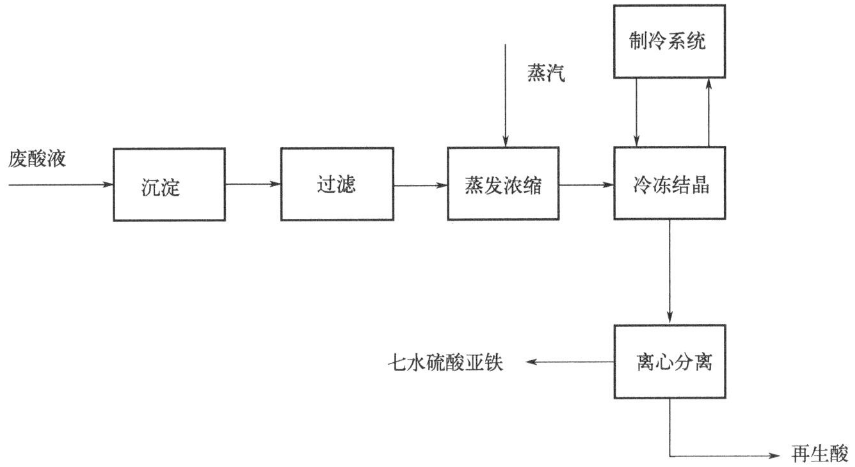

图 6.41　某钢厂废酸液浓缩冷冻结晶工艺流程

625kg，回收七水硫酸亚铁 90kg，回收获益为 84.7 元/m^3 废酸液。回收的产品收益能冲抵处理成本，实现减污降碳和经济效益的统一。

6.5　新技术发展

6.5.1　低温常压蒸发

6.5.1.1　概述

低温常压蒸发技术基于的工作原理是载体空气携湿能力随温度变化而变化，如图 6.42 所示，其传质动力来源于不同温度下的饱和蒸汽压差异。这类似于自然气象中的水蒸发及降雨循环过程，从底层原理看，也类似于增湿-去湿淡化技术。具体工艺流程如图 6.43 所示，含盐废水经过适宜预处理去除悬浮物后，由预热器加热至 40～80℃，经由喷淋系统在蒸发设备中从上往下均匀喷洒，冷空气由蒸发设备侧底部鼓入，与下行废水雾化液滴进行直接接触传热。废水以水蒸气形式由热空气带出，湿热空气在冷凝设备中降温释放出凝结水，再经过一系列后处理达到生活或工业再生回用水要求，湿冷空气由冷凝设备顶部排出。蒸发设备内的废水不断浓缩至工艺要求后排出系统，运行过程设置有浓液循环操作。该技术最早研究应用于小规模分散式海水淡化领域，近些年来，转入小规模高难度废水治理领域，如切削液、发酵废水、制药废水、垃圾渗滤液和焦化蒸氨废水等。当然对于处理规模较大的情况，也容易通过设备串联得以调节放大。

该技术工艺在较低操作温度条件下进行，可避免废水中低沸点物质在蒸发浓缩过程中逸出，从而影响二次蒸汽品质。同时，该系统可充分利用富余的低压蒸汽和高温热水等废热作为热源，能耗可进一步降低。系统无须配备真空设备以及维持系统高密封性要求，降低了制造和操作难度。但该技术工艺的实现对于所处自然环境条件依赖性较大，因为基于空气的携湿能力，若项目所在地空气湿度常年较高，则蒸发处理能力降低，吨水能耗增加。若项目所在地空气湿度随季节变化较大，如江浙地区梅雨季节湿度可高达 70%～80%，不利于系统稳定运行和设备后期维护。

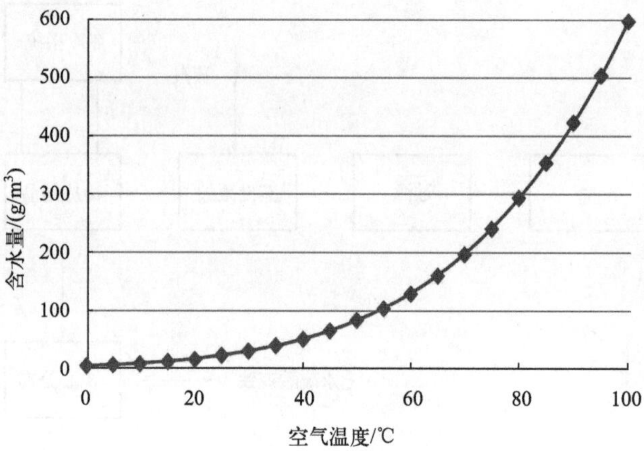

图 6.42 不同温度下饱和空气含水量
（饱和空气指含有最大限度水蒸气量的湿空气）

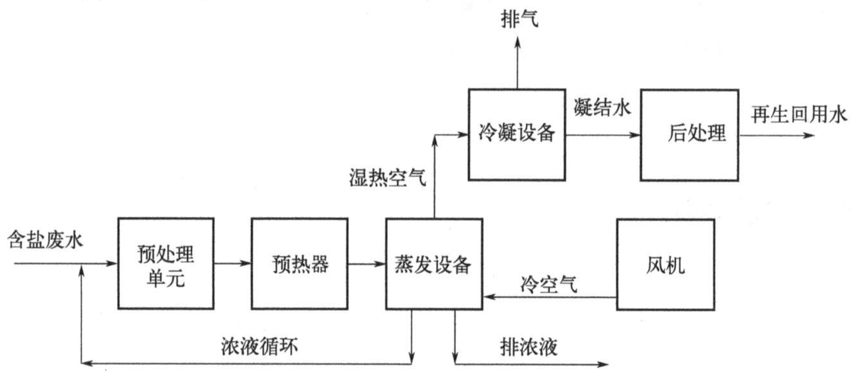

图 6.43 低温常压蒸发工艺流程示意图

6.5.1.2 减碳优势

该技术有别于传统意义上的沸点蒸发过程，只是一个由气液平衡规律决定的汽化过程，操作温度一般在 90℃以下，且总体汽化过程较为温和，可避免真空或负压下剧烈蒸发导致的严重气液夹带。其在使用低品位热能上，具有较明显的经济优势和减碳优势。低操作温度条件下可以使用性能适宜且廉价的高分子材料，有效解决蒸发结晶过程易造成的设备管路结垢、堵盐等问题。该技术属于气液直接接触传质传热过程，相较于间壁式传热过程，其传热面积更大，传热温差更小，传热效率更高。

Beckman 等利用该工艺分离 10％的乙醇-水混合物，结果表明蒸发过程相较于传统蒸馏塔节省能耗 77％。熊日华研究了基于增湿-去湿系统的露点蒸发淡化系统，得出在系统热量比较充分地回收后，造水比一般能达到 3～8 之间，且随增湿盐水进口温度升高而增加，随增湿盐水流量稍微增加而减小，随载气流量的变化较平缓，并在一定的外加蒸汽流量下出现最大值。邵婷等建立了一套气体再压缩式的增湿去湿高盐废水淡化装置，并利用 Aspen 软件进行模拟，研究得出，当控制增湿进口空气温度为 30℃，质量流量为 1900kg/h，进口水温度为 90℃，质量流量为 15t/h 时，系统效能比可达 16.3。

6.5.1.3　工程应用案例

某企业焦化蒸氨废水处理工程采用低温常压蒸发技术处置，系统处理规模为 $10m^3/h$，配置 1 台增湿塔（ϕ3.6m×20m），1 台减湿塔（ϕ3.6m×20m），2 台风机（单台规格 Q=$35000m^3/h$，P=2000Pa），4 台循环泵（单台规格 Q=$110m^3/h$，H=40m）。通过载体空气循环搬运湿气的作用，从而实现液体的蒸发与冷凝过程，系统工艺流程如图 6.44 所示。增湿塔底部鼓入的干空气由下往上和顶部喷淋预热后由上往下的废水直接接触换热，喷淋热水在下降过程中温度逐步降低，干冷空气在上升过程中温度逐步上升，携带湿度增加。增湿塔底部废水，一部分在浓缩达到指定浓度后外排，其余浓缩液在换热器 2 中进行换热升温，并汇入废水进水后，在换热器 1 中继续换热升温，达到喷淋所需温度后进行循环喷淋。增湿塔顶部出来的湿热空气，从减湿塔底部进入由下往上运动，与由上往下的喷淋冷水直接接触换热，湿热空气在上升过程中逐步减温减湿，冷凝成液，干冷空气由减湿塔顶进入增湿塔底部进行载气循环。喷淋冷水下降过程中温度逐渐升高，经过换热器 2 和换热器 3 进行换热降温，排出部分冷凝液后，其余作为冷源进行循环喷淋。

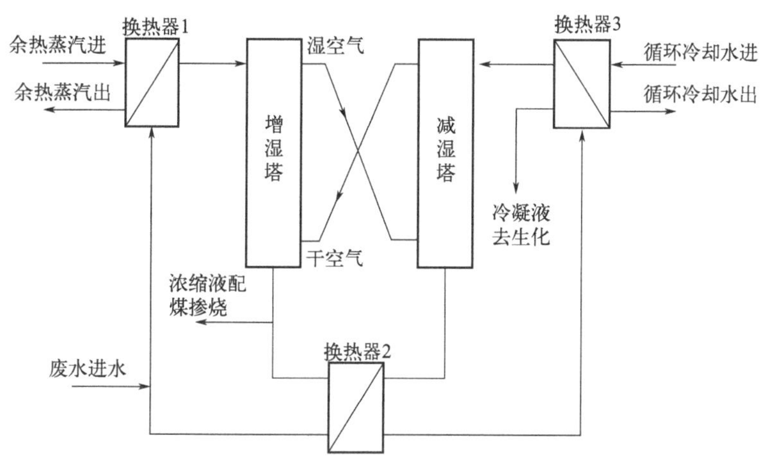

图 6.44　某项目蒸氨废水低温常压蒸发处理工艺流程

运行结果显示，蒸氨废水原水 COD 为 3483mg/L，氯离子浓度为 2628mg/L，氨氮浓度为 162mg/L，经低温蒸发处理后，冷凝液 COD 为 1815mg/L，氯离子浓度为 206mg/L，氨氮浓度为 131mg/L，去除率分别为 47.9%、92.2%和 19.1%。冷凝液中 COD 多为低沸点有机物，氯离子等无机盐通过雾沫夹带进入冷凝液中。过程蒸汽耗量为 $0.2189t/m^3$，电耗为 $11.2kW \cdot h/m^3$，循环水消耗为 $9.44t/m^3$，相较于传统三效蒸发工艺（蒸汽耗量为 $0.38t/m^3$，电耗为 $24.87kW \cdot h/m^3$，循环水消耗为 $17.1t/m^3$），节能降耗效果十分显著。

6.5.2　浸没燃烧蒸发

6.5.2.1　概述

浸没燃烧蒸发（submerged combustion evaporation，SCE）是一种利用新型燃烧技术实现液体蒸发的技术，它主要由燃烧器、蒸发器和排烟系统组成，如图 6.45 所示。燃气与空气以一定比例充分混合后，送入燃烧室进行完全燃烧，燃烧温度控制在 750～950℃，产生的高温烟气通过特殊的结构分散成超微气泡，与被蒸发溶液直接接触传质传热，溶剂吸热蒸发，溶质浓缩结晶，产生的蒸汽随烟气一起排出。

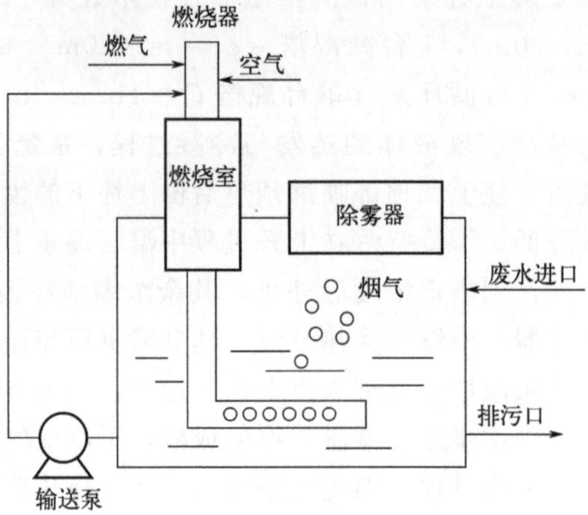

图 6.45 浸没燃烧蒸发原理图

该蒸发技术应用行业较为广泛，常用于易腐蚀、易结垢、黏度高、易结晶的复杂料液的浓缩。如冶金行业中酸碱洗液的加热和废酸回收，氯碱行业烧碱提浓，高难度废水处理（如石油裂解废水、油气采出水、渗滤液浓缩液等）等。但该技术存在进入燃烧室气体背压高、动力消耗大的问题。另外，还存在尾气热量难以回收利用、尾气中水分难以回收等缺点。因为烟气杂质成分或多或少带入，不适用于对处理后浓缩液品质要求较高的场合，另外，一般也不适用于易燃易爆料液的处理。

6.5.2.2 减碳优势

浸没燃烧蒸发技术属于气液无间壁式直接接触传质传热，反应速率快、热效率高，可减少燃料消耗。排烟温度控制只比液体温度高 1～2℃，降低烟气带出系统的热损失，可实现气液间最大程度热量交换。又因为没有固定传热界面，不易结垢，可长时间稳定运行。废水浓缩倍率可达 15 倍以上，可直接实现盐分结晶析出。常选用气体燃料，如天然气、煤气、沼气、氢气等，减少温室气体排放，使得蒸发浓缩过程更加清洁、低碳和环保。

该技术是一种高效换热技术，其燃烧效率可达 95%以上，而一般锅炉加热效率仅为 75%～85%。它无须加热金属表面，减少了换热器设备投资。燃烧尾气中水蒸气分压小于 0.1MPa，对应液相蒸发温度小于 100℃，可在常压下实现减压蒸发效果。过程清洁燃气的使用，可大大降低碳排放，在特殊应用场合，如渗滤液处置，可充分利用填埋气（LFG）作为燃料，实现“以废治废”。有研究者利用浸没式燃烧蒸发技术对某公司渗滤液进行技术改造，结果表明该技术处理 RO 浓水浓缩倍数达到 10 倍以上，蒸发冷凝水符合冷却塔回用水标准，不凝烟气达标排放。装置系统能够连续稳定运行 3 个月以上，过程平均填埋气耗量为 $92m^3/m^3$ 水，电耗为 $15.3kW \cdot h/m^3$ 水。若不计填埋气成本，其运行成本仅 10 元/m^3 水，考虑蒸发过程回收水节省的费用，蒸发操作绝对成本为 7.5 元/m^3 水。为了进一步提高节能效果，另有研究者积极开展了多级 SCE 蒸发工艺在垃圾渗滤液处理中的应用探究，结果表明应用两级 SCE 工艺，降低了过程 LFG 消耗量，节省了 1/2～2/3 的 LFG 用量。填埋场剩余 LFG 用于发电，可供 SCE 系统的料液输送泵和风机的电耗。

6.5.2.3　工程应用案例

（1）案例 1

某老龄化填埋场渗滤液全量化处理工艺中，针对反渗透浓缩液采用“两段式浸没燃烧蒸发”技术工艺进行处置。系统处理规模为 $250m^3/d$，设置有 6 台浸没燃烧器，工艺流程如图 6.46 所示。浸没燃烧蒸发器采用填埋场收集的甲烷含量为 50％的填埋气作为气源，对浓缩液进行蒸发浓缩，尾气中的二次蒸汽经冷凝系统作用后产生可以达标排放的冷凝水，尾气中的不凝气经处理后达标排放。浓缩后蒸残液经固液分离系统进行脱水操作至含水率为 60％，最终以残渣及盐泥的形式装袋分区填埋处理，上清滤液循环至浸没燃烧蒸发系统继续蒸发浓缩过程。

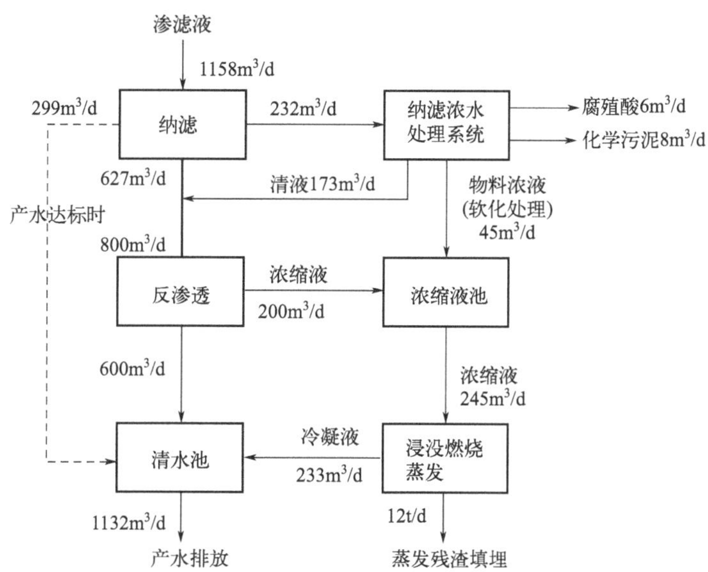

图 6.46　填埋场渗滤液全量化处理工艺流程图

该项目设计浓缩倍数≥10，需要填埋气 $1500m^3/h$，蒸汽冷凝液量 $213m^3/d$，不凝气水汽量为 $25m^3/d$。运行结果显示，出水水质 COD 为 33.5mg/L，氨氮为 1.6mg/L，总氮为 12.0mg/L，满足《生活垃圾填埋场污染控制标准》（GB 16889—2024）表 2 规定的排放限值，对 COD、氨氮和总氮的去除率均达到 99％以上，实现填埋场渗滤液全量化处理。

（2）案例 2

某渗滤液处理厂采用浸没燃烧蒸发技术处理 DTRO 膜浓缩液，处理规模为 $200m^3/d$，膜浓缩液中含有高浓度难去除的污染物和盐分，COD 为 5700mg/L，总溶解固体为 65000mg/L，工艺流程如图 6.47 所示。DTRO 膜浓缩液由提升泵泵入浸没燃烧蒸发系统，利用经净化处理后的填埋气作为气源，对废水进行蒸发浓缩处理。浓缩盐泥残渣进入脱水系统处理为干渣盐泥后集中收集处置。尾气进入蒸汽冷凝系统，即经分离塔除去雾沫夹带后的尾气中的二次蒸汽冷凝成液达标外排，剩余不凝气达标排放。另外，在冷凝水外排前设计有 RO 膜净化系统，确保进水水质恶化后，冷凝水经深度处理依旧可以实现达标外排。

该项目采用填埋气作为气源，以废治废，减少了过程燃气和电能消耗。运行结果显示，

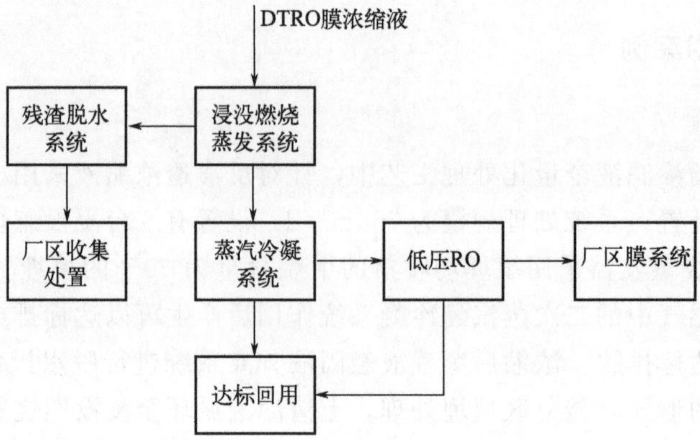

图 6.47　某渗滤液处理厂 DTRO 膜浓缩液处理工艺流程图

吨水填埋气消耗为 140～180m^3，电耗 32kW·h，系统产水 150t/d，可作为工艺生产用水。浓缩倍数达到 7 后，系统可直接结晶结渣，盐泥产生量为 18t/d，盐泥含水率为 8%～13%。冷凝液出水 COD 为 36mg/L，氨氮为 16.2mg/L，总氮为 28.3mg/L，满足 GB 16889—2024 出水水质要求。

6.5.3　双极膜电渗析

6.5.3.1　概述

双极膜电渗析（bipolar membrane electrodialysis，BMED）是一种将双极膜水解原理和传统电渗析技术相结合的新型膜分离技术，在不引入新组分条件下，可将盐溶液转变为相应的酸和碱溶液。它是由双极膜和单极膜按照一定组合方式形成的电渗析，水分子在双极膜上水解成氢离子和氢氧根离子，再通过阴阳离子交换膜的作用，与盐分离子结合生成相应酸碱溶液。如图 6.48 所示，双极膜是由阴离子交换层、阳离子交换层和中间过渡区复合而成的，其水解速度快，是一般水解速度的 5×10^7 倍，水解能耗低（79.9kJ/mol），远小于一般水解能耗（198.5kJ/mol）。另外，其水解过程没有气体和副产物产生。

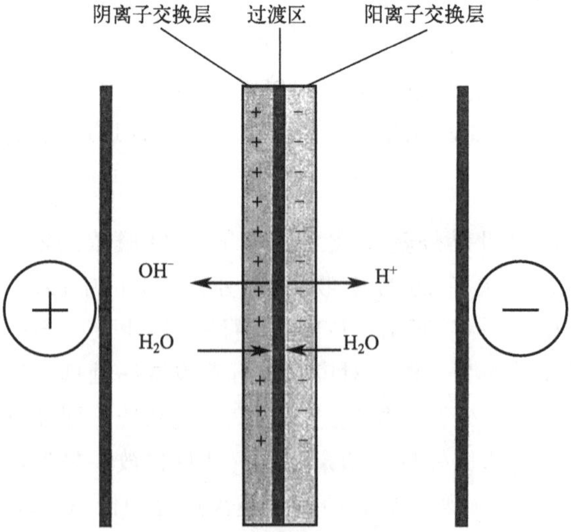

图 6.48　双极膜结构示意图

双极膜电渗析一般有三隔室膜堆和二隔室膜堆形式，前者可以同时产酸产碱，后者结构简单，只能获得单一酸或碱产品。图 6.49 所示为三隔室膜堆形式，双极膜（BPM）与阴阳离子交换膜交替排列，形成三个隔室。其中双极膜与阴离子交换膜（AEM）之间形成酸室，双极膜与阳离子交换膜（CEM）之间形成碱室，阳离子交换膜与阴离子交换膜之间形成盐室。在极板间电场力作用下，盐室的阴、阳离子分别选择性透过阴、阳离子交换膜，与双极膜水解形成的氢离子、氢氧根离子分别形成相对应的酸和碱。

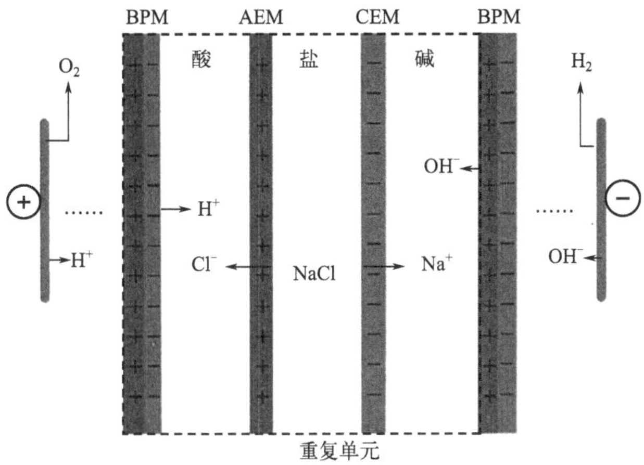

图 6.49　双极膜电渗析三隔室膜堆形式

双极膜电渗析应用广泛，具体有：化工领域，如琥珀酸、乳酸、甲酸、醋酸等有机酸的生产；食品领域，如大豆、牛乳酪的蛋白分离，苹果汁的生产；环保领域，如含盐废水处理及资源化回收。在含盐废水处理领域，目前在草甘膦母液、丁基橡胶废水和醋酸钠废渣的处理中已有应用研究。实际大规模工业化应用中仍存在一些问题，如投资成本较高，回收酸碱浓度与纯度暂无法达到外售工业品要求，仅能回用于系统内部使用。应用于含盐废水处理，由于存在有机物等各类杂质，会缩短膜寿命，降低膜性能，增加膜损耗，甚至会导致双极膜电渗析装置无法正常运行，同时也会降低再生酸碱的利用水平。

6.5.3.2　减碳优势

与蒸发结晶技术相比，双极膜电渗析技术在处理含盐废水的同时，能够实现产物分质资源化利用，是一种新形式的节能减碳环保治理手段。通过双极膜电渗析处理后，可以回收得到如氢氧化钠、氢氧化钾、盐酸、醋酸、硫酸等化工产品，并进行循环再利用，达到废弃物资源化处置目的，如用于含盐废水处理工艺中离子交换树脂再生、软化预处理、中和调节 pH 值等。

吴颖等在钠碱脱硫液处理研究中，采用双极膜电渗析处理，酸碱产物最终浓度达到 1mol/L，能耗为 1.09～1.15kW・h/kg，氢氧化钠可回用于脱硫塔，可较好地实现资源化回用目的。Lin 等采用“纳滤＋双极膜电渗析”工艺处理印染废水，双极膜电渗析处理纳滤清液，得到酸、碱浓度分别为 1.18mol/L 和 1.28mol/L，能耗为 2.86～4.06kW・h/kg，可回用于染料生产过程。LI 等对氯化铵废水进行双极膜电渗析间歇操作处理，初始氯化铵质量浓度为 110g/L，制得酸、碱质量浓度为 57.67g/L 和 45.85g/L，能耗为 2.5～3.0kW・h/kg。闻涛等对芯片缓冲氧化物蚀刻废液进行双极膜电渗析制备氟化氢研究，结果表明，质量分数为12.9%氟化铵溶液进行双极膜电渗析操作，产出质量浓度为60g/L的氢氟酸，电耗约为4300～4500kW·h/t，氟资源得到回收利用。Badruzzaman等研究了四种处理RO浓缩液的工艺，相较于传统热法零排放等工艺，双极膜电渗析工艺在投资和运行费用方面均具有一定优势。杨露在利用双极膜电渗析处理高盐废水研究中，以回收碱液浓度作为评价标准，测算得到生产1kg碱所需成本为32.4元。

6.5.3.3 工程应用案例

（1）案例1

某新能源行业，针对三元前驱体副产硫酸钠采用双极膜制酸碱工艺处置，处理规模为4t/d。项目占地7m×5m，采用撬装式设备，可连续或批次运行。采用8个膜堆，总膜组数为320组，有效膜面积为480m^2，操作压力为0.06～0.08MPa，实际运行数据得出，生产吨碱能耗为20kW·h。

（2）案例2

某造纸企业对制浆废水处理达标的尾水进行中水回用及资源化利用处置，工艺流程如图6.50所示，采用超滤+纳滤+反渗透+电渗析+双极膜电渗析工艺，实现氯化钠盐的资源化利用。项目进水为中水回用工程浓缩液，处理量为1800m^3/d，TDS≤4万mg/L，硫酸根浓度≤2万mg/L，氯离子浓度≤4500mg/L。先进入超滤系统，去除水中浊度，保证SDI（污泥密度指数）小于3，再进入纳滤分盐装置。纳滤产水进入反渗透、电渗析进一步浓缩后，进入双极膜电渗析装置，产出酸和碱溶液回用。反渗透产水可用于循环冷却水系统补水，电渗析淡水可用于景观用水。纳滤浓水去蒸发结晶段处理产出硫酸钠副产盐。

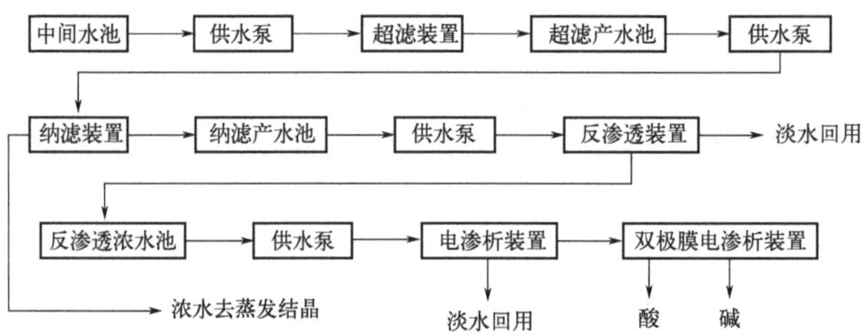

图6.50 某制浆废水的尾水资源化利用处置工艺流程

该项目设有4套双极膜电渗析装置，处理量为120m^3/d。运行结果表明，电渗析浓缩后TDS达到120g/L，双极膜电渗析单元产出酸浓度为7.3%，碱浓度为8%。总处理成本为23.33元/t废水，因产生的酸碱可供厂区作为药剂使用且反渗透产水可作为中水回用，总收益为24.5元/t废水。资源化收益完全可以抵消运行成本，具有良好的经济效益和环境效益。

（3）案例3

某钢铁企业在焦化废水零排放处置工艺中加入双极膜电渗析技术，具体应用工段如图6.51所示。焦化废水经过预处理后，进入反渗透系统，产生的淡水回用，浓水进入纳滤系统。纳滤产水进入电渗析浓缩系统后，再进入双极膜电渗析，分别得到盐酸和氢氧化钠。纳滤浓水进入蒸发系统，热蒸发结晶得到硫酸钠固体。实际运行结果表明，电渗析出水浓水

TDS≥150g/L，经双极膜电渗析处理后，得到盐酸溶液浓度≥73g/L，氢氧化钠溶液浓度≥80g/L，酸碱均得以资源化回用。

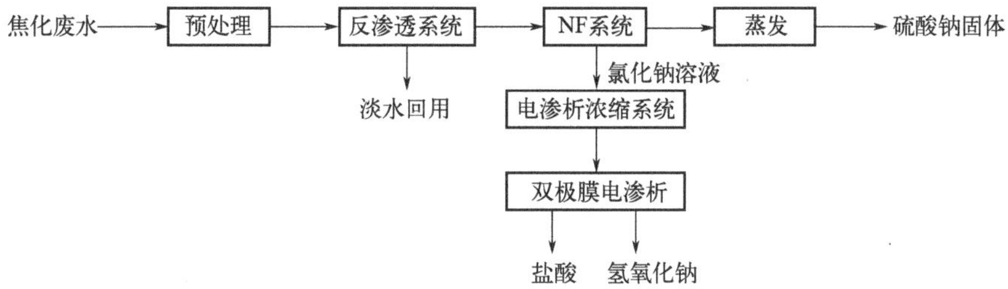

图 6.51　某焦化废水零排放处置工艺流程

参考文献

[1] 吴今明，阮辰旼．碳减排与水环境保护 [J]. 净水技术，2010，29 (1)：1-4.

[2] 郑攀峰，田伟，李秋歌，等．高含盐高硬度废水化学软化的预处理工程 [J]. 辽宁化工，2018，47 (5)：422-424，452.

[3] 韦晓竹，李博文，朱荣志，等．晶种加速沉淀软化去除反渗透浓水中硬度的研究 [J]. 广州化工，2022，50 (9)：125-127.

[4] 金正宇，郑明霞，宫徽，等．新型污水处理沉淀过滤技术研究进展 [J]. 环境工程，2014，32 (7)：10-15.

[5] 颜亨兵．气浮技术在含油污水处理中的研究进展 [J]. 中国石油石化，2017 (09)：43-44.

[6] 李俊，薛群祥，何长明，等．气浮技术用于含油污水处理的研究进展 [J]. 广东化工，2015，42 (7)：103-104，85.

[7] 郭宇杰，修光利，李国亭．工业废水处理工程 [M]. 上海：华东理工大学出版社，2016.

[8] 于鹏飞，耿佳鑫，高子平，等．高盐废水生化处理技术研究进展 [J]. 广州化工，2015，43 (7)：25-26，83.

[9] 周华，袁丁，袁维芳，等．用于污水处理的短程智能精确曝气控制方法、设备及系统：CN114132980B [P]. 2022-04-29.

[10] 胡杰．新型好氧反硝化菌的耐盐脱氮特性及机理研究 [D]. 武汉：武汉科技大学，2022.

[11] 陆衡，叶正芳，王鹏，等．Fenton 氧化污泥资源化利用技术的研究进展 [J]. 化工环保，2022，42 (06)：654-660.

[12] 王伟龙，张蒙纳，李骎，等．Fenton 高级氧化技术在高含盐工业废水处理中的工程化应用 [J]. 环保科技，2018，24 (6)：12-18，42.

[13] 甄胜利，李骎，马文臣，等．Fenton 氧化技术在高含盐量高 COD 废水处理中的应用研究 [J]. 环境卫生工程，2017，25 (2)：59-62.

[14] 赵康合．多相催化臭氧氧化降解煤化工含盐废水中有机污染物的研究 [D]. 银川：宁夏大学，2021.

[15] 李亚男，谭煜，吴昌永，等．臭氧催化氧化在石化废水深度处理应用中的若干问题 [J]. 环境工程技术学报，2019，9 (3)：275-281.

[16] 马鹏飞．低能耗电化学处理含盐有机废水的研究 [D]. 西安：陕西科技大学，2019.

[17] 赵文玉，林华，许立巍，等．工业水处理技术 [M]. 成都：电子科技大学出版社，2019.

[18] 梁秀荣．煤化工含盐废水处理技术 [J]. 盐科学与化工，2023，52 (1)：3-7.

[19] 刘晓晶，王建刚，李俊，等．高浓盐水零排放分盐技术的研究进展 [J]. 应用化工，2021，50 (12)：3468-3471.

[20] 刘平，郭旭涛，齐云龙，等．纳滤技术在煤化工高盐废水资源化中的工程应用研究 [J]. 山东化工，2022，51 (8)：146-148.

[21] D J 彼得森，D K 卡尼纳伽，马明，等．一种液体分布器及含有该分布器的垂直管降膜蒸发器：CN102657948B [P]. 2015-04-29.

[22] 郭宏新，刘丰，马明，等．余热利用高效含盐废水零排放回收处理方法：CN102329036B [P]. 2013-02-27.

[23] 郭宏新．高效换热器技术及工程应用 [M]. 北京：化学工业出版社，2023.

[24] 郭宏新，李东，刘丰，等．高含盐废水零排放结晶盐资源回收的方法及系统：CN105152443B [P]. 2017-12-22.

[25] 王帅，郭慧枝，袁江龙，等．煤化工高盐废水的纳滤膜分盐效果分析 [J]. 工业用水与废水，2019，50 (3)：35-40.

[26] 王魷莹，闫军营，蒋晨啸，等．面向“双碳”目标流程的离子膜电渗析：机遇与挑战［J］．过程工程学报，2023，23（03）：337-349.

[27] 王郁．电渗析—生化组合方法处理高盐废水［D］．天津：天津大学，2013.

[28] 曾杭成，张国亮，孟琴，等．超滤/反渗透双膜技术深度处理印染废水［J］．环境工程学报，2008（08）：1021-1025.

[29] 邓润亚．海水淡化系统能量综合利用与经济性研究［D］．北京：中国科学院研究生院（工程热物理研究所），2009.

[30] 江浩，阮奇，周江建．高效节能海水淡化热泵并流多效蒸发系统研究［J］．计算机与应用化学，2015，32（09）：1129-1134.

[31] 周一卉，姜凤银，毕明树，等．油田污水 MED-TVC 联合处理系统的 Aspen Plus 模拟与分析［J］．工业水处理，2015，35（02）：86-89.

[32] 杨元亮，王辉，张建，等．高盐高硬稠油污水淡化工艺方案优选［J］．工业水处理，2016，36（07）：90-93.

[33] 王一鸣．二次蒸汽再压缩蒸发过程分析及工程应用［J］．广州化工，2015，43（10）：148-150.

[34] 胡斌，王晓焙，白璐，等．脱硫废水蒸发增强电除尘脱除 $PM_{2.5}$ 和 SO_3 实验研究［J］．燃料化学学报，2017，45（07）：889-896.

[35] 李亚娟，刘勇，刘贵栋，等．某电厂脱硫废水零排放处理系统运行性能分析［J］．工业水处理，2022，42（01）：175-178，186.

[36] 叶兴联，苏寅彪，安希忠，等．350MW 机组脱硫废水旁路烟道蒸发改造数值模拟分析［J］．环境污染与防治，2021，43（11）：1388-1393.

[37] 游联欢．火电厂脱硫废水旁路烟道蒸发技术的研究与应用［C］//中国电力技术市场协会．2021 年电力行业技术监督优秀论文集．华能罗源发电有限责任公司，2021：730-737.

[38] Kurokawa H，Sawa T. Heat recovery characteristics of membrane distillation［J］. Heat Transfer-Japanese Research，1996，25（3）：135-150.

[39] Gore W L，Gore R W，Gore D W. Desalination device and process：NO19830000754［P］. 1983-09-06.

[40] Gilron J，Song L，Sirkar K K. Design for cascade of crossflow direct contact membrane distillation［J］. Industrial & Engineering Chemistry Research，2007，46（8）：2324-2334.

[41] Fernández-Torres M J，Randall D G，Melamu R，et al. A comparative life cycle assessment of eutectic freeze crystallisation and evaporative crystallisation for the treatment of saline wastewater［J］. Desalination，2012，306：17-23.

[42] Randall D G，Nathoo J，Lewis A E. A case study for treating a reverse osmosis brine using Eutectic Freeze Crystallization-Approaching a zero waste process［J］. Desalination，2010，266（1）：256-262.

[43] Douglas J，Amarnath A. Freeze concentration：An energy-efficient separation process［J］. EPRI Journal，1989，14（1）：16-21.

[44] Vaessen R J C，Seckler MM，Witkamp G J. Heat transfer in scraped eutectic crystallizers［J］. International Journal of Heat and Mass Transfer，2003，47（4）：717-728.

[45] Himawan C，Kramer H J M，Witkamp G J . Study on the recovery of purified $MgSO_4 \cdot 7H_2O$ crystals from industrial solution by eutectic freezing［J］. Separation and Purification Technology，2005，50（2）：240-248.

[46] 徐泓．冷冻浓缩共结晶法资源化利用废硫酸制备高纯硫酸亚铁［D］．上海：华东理工大学，2022.

[47] 吴颖，楼琼慧，郦和生，等．钠碱脱硫液再生工艺研究［J］．工业水处理，2018，38（03）：86-88，99.

[48] Lin J，Ye W，Huang J. Toward Resource Recovery from Textile Wastewater：Dye Extraction，Water and Base/Acid Regeneration Using a Hybrid NF-BMED Process［J］. ACS Sustainable Chemistry & Engineering，2015，3（9）：1993-2001.

[49] Li Y，Shi S，Cao H，et al. Bipolar membrane electrodialysis for generation of hydrochloric acid and ammonia from simulated ammonium chloride wastewater［J］. Water Research，2016，89：201-209.

[50] 闻涛，刘心语，周贞锋．芯片缓冲氧化物蚀刻废液制备氟化氢研究［J］．化工生产与技术，2022，28（04）：7-9，45，61.

[51] Mohammad B，Oppenheimer J，Adham S，et al. Innovative beneficial reuse of reverse osmosis concentrate using bipolar membrane electrodialysis and electrochlorination processes［J］. Journal of Membrane Science，2008，326（2）：392-399.

[52] 杨露．双极膜电渗析处理高盐废液的研究［D］．杭州：浙江工业大学，2019.